Leo Löwenthal
Schriften

Band 1

Herausgegeben von
Helmut Dubiel

Leo Löwenthal
Literatur und Massen-kultur

Suhrkamp

Erste Auflage 1980
© Suhrkamp Verlag Frankfurt am Main 1980
Alle Rechte vorbehalten
Satz und Druck: MZ-Verlagsdruckerei GmbH, Memmingen
Printed in Germany

CIP-Kurztitelaufnahme der Deutschen Bibliothek
Löwenthal, Leo: [Sammlung]
Schriften / Leo Löwenthal. Hrsg. von Helmut Dubiel. – Frankfurt am Main
Suhrkamp
Bd. 1. Literatur und Massenkultur. – 1. Aufl. – 1980.
ISBN 3-518-06505-6 kart.
ISBN 3-518-06500-9 Lw.

Inhalt

Teil 1
Analysen

Kapitel I
Standortbestimmung der Massenkultur[1]

Schon vor einem Jahrhundert beschrieb Tocqueville die amerikanische Vorliebe für das Sammeln von Tatsachen und wies damit auf einen blinden Fleck hin, der gegenwärtig noch die Analysen der Massenkultur beeinträchtigt. »Die Gewohnheit lenkt den Sinn der Amerikaner darauf, die Richtschnur ihres Handelns nur in sich selber zu finden. Da sie sehen, daß sie all die kleinen Schwierigkeiten des täglichen Lebens ohne Hilfe zu lösen vermögen, so folgern sie daraus gern, daß sich die ganze Welt erklären läßt und daß nichts darin die Grenzen des Verstandes überschreitet. Deshalb verneinen sie mit Vorliebe, was sie nicht begreifen können: daraus ihr geringer Glaube an das Außerordentliche und ihr fast unüberwindlicher Widerwille gegen das Übersinnliche. Da sie die Gewohnheit haben, nur das zu glauben, was sie selbst gesehen haben, so lieben sie es, den Gegenstand, mit dem sie sich befassen, sehr deutlich anzuschauen; sie entkleiden ihn so viel wie möglich seiner Hülle, entfernen alles, was sie von ihm trennt, und beseitigen jegliches, was ihn dem Blick verbirgt, um ihn aus größerer Nähe und im vollen Lichte zu sehen. Dieses geistige Verhalten bringt sie bald zu einer Geringschätzung der Formen, die ihnen als unnütze und unbequeme Schleier zwischen sich und der Wahrheit erscheinen.«[2]

Mein Eintreten für diese »Schleier« vollzieht sich so, daß ich fünf Gruppen von Beobachtungen unsystematisch zusammenstelle. 1. werde ich zeigen, daß die Diskussion über die Massenkultur eine jahrhundertealte Tradition in der neueren Geschichte hat; 2. soll der historische Ort der heutigen Massenkultur bestimmt werden; 3. werde ich versuchen, den prinzipiellen Ansatz, von dem aus die empirische Forschung die gesellschaftliche Funktion der heutigen Massenkultur untersucht, zu beurteilen; 4. werden die Ergebnisse der gängigen philosophischen, qualitativen, nicht-empirischen Analyse

1 Die erste Veröffentlichung dieses Kapitels erschien unter dem Titel »Historical Perspectives of Popular Culture« in: The American Journal of Sociology, Januar 1950. Copyright Universität Chicago 1950.

2 Alexis de Tocqueville, Über die Demokratie in Amerika, II. Teil, übertragen von Hans Zbinden, Stuttgart 1962, S. 16.

kurz zusammengefaßt werden; 5. werde ich einige programmatische Bemerkungen über die Beziehung zwischen Sozialkritik und empirischer Sozialforschung anbieten.

I Die Massenkultur – ein altes Dilemma

In einer Studie über die Gewohnheiten der Rundfunkhörer, die außerhalb Amerikas unternommen wurde, bemerkte eine der Befragten:

»Der Rundfunk ist der Freund der Einsamen. Nahezu ein halbes Jahrhundert lang hat er gewaltige Fortschritte gemacht. Vor allem Frauen und unter ihnen besonders die mit kleinen Renten und ohne andere Mittel, die völlig isoliert sind, stehen dank des Rundfunks heute mit der ganzen Welt in Verbindung. Sie haben eine echte Verwandlung erlebt; sie haben eine Art zweiter Jugend gefunden. Sie sind auf dem laufenden, und sie kennen die Stars der Schlagzeilen, des Theaters, des Kinos und des Sports. Ich habe gehört, wie Dorfbewohner, die über die Vorzüge Mozarts und Chopins diskutierten, sich auf das bezogen, was im Rundfunk gesagt worden war.«

Ganz im Gegensatz dazu bekannte eine andere Frau, daß sie kein Radio in ihrer Wohnung habe. Als sie nach einer Erklärung dafür gefragt wurde, antwortete sie:

»Wenn einmal ein Radio im Hause ist, kann man nicht widerstehen. Jedermann hört völlig stumpfsinnig zu, die Kinder, aber auch die anderen. Wenn wir meine Freundin G. besuchen, spielt mein Mann die ganze Zeit mit dem Radio.«

Ihre Ansicht wurde von einem männlichen Befragten unterstützt, der sich ebenfalls weigerte, den Rundfunk in seinem Hause zu dulden. Er glaubte, daß Studien, Unterhaltung und Arbeiten im Haushalt genügend Beschäftigung bieten, daß dagegen die unausgesetzte Berieselung mit Musik und Wortsendungen durch den Rundfunk das geistige Niveau des Menschen beeinträchtige.

Diese spontanen Bemerkungen unterstreichen zwei Themen, die sich wie ein roter Faden durch die Neuzeit hindurchziehen: eine positive Haltung gegenüber jeder Einrichtung, die den Menschen weiter vergesellschaftet auf der einen Seite, und auf der anderen die Sorge um die geistige und moralische Verfassung des Menschen, der unter dem nivellierenden Druck massiver, institutionalisierter Formen der Freizeitgestaltung steht.

Jenseits der Forderungen, die die Erhaltung unserer biologischen und materiellen Existenz unmittelbar stellt, lautet die lebenswichtige Frage heute: wie soll der Mensch den Teil seines Lebens gestalten, der weder vom Schlaf noch von der Arbeit ausgefüllt ist? Die Frage, die heute auf allen sozialen und kulturellen Ebenen unserer modernen Gesellschaft gestellt wird: was sollen wir jetzt mit uns anfangen, da wir genügend Zeit zur Verfügung haben? – diese Frage fand ihre vollkommenste geistige Formulierung in einem philosophischen Dialog, der niemals stattgefunden hat. Im 16. Jahrhundert unternahm Montaigne eine Bestandsaufnahme der Situation des Menschen nach dem Zusammenbruch der mittelalterlichen Kultur. Zumal die Einsamkeit erschütterte ihn, die den Menschen umgibt, der in einer glaubenslosen Welt leben muß, in einer Welt, in der unter den neuen Lebensbedingungen der nachfeudalen Gesellschaft jeder einzelne gewaltigen Spannungen ausgesetzt war. Um der Zerstörung durch diese Spannungen zu entgehen und davor bewahrt zu bleiben, in den Schrecken der Isolierung vernichtet zu werden, schlug Montaigne die Zerstreuung als einen Ausweg vor, »da Vielfalt immer tröstet, befreit und ablenkt«. Und einige Grundkategorien, die uns sehr modern vorkommen, tauchen schon im 16. Jahrhundert auf: Flucht vor der Wirklichkeit, Zerstreuung und »geborgte Gefühle«.

»Ist es recht, daß selbst die Künste sich unsere natürliche Unvernunft und Dummheit zu Diensten und zunutze machen? In diesem Possenspiel der Verteidigung, sagt die Redekunst, wird sich der Anwalt durch den Klang seiner Stimme und durch seine eingeübten Gebärden erschüttern und sich von der Leidenschaft, die er darstellt, selber fangen lassen. Er wird sich mittels der Gaukeleien, die er vorspielt, einen wahren und echten Schmerz in die Seele prägen, um ihn den Richtern mitzuteilen, die er noch weniger angeht: wie jene Klageweiber tun, die man bei Leichenbegängnissen dingt, um der Trauerfeierlichkeit nachzuhelfen, und die ihre Tränen und ihre Betrübnis nach Gewicht und Ellenmaß verkaufen; denn wenn sie sich auch mit angenommenen Gehaben gebärden, so lassen sie sich doch, indem sie sich dieses äußeren Benehmens befleißigen und bemühen, ohne Zweifel oft ganz und gar hinreißen und von einer wahren Traurigkeit befallen.«[3]

3 Montaigne, Essays, Auswahl und Übersetzung von Herbert Lüthy, Zürich 1953, S. 667-668.

Ein Jahrhundert später wurde eine Antwort auf unser Problem gegeben, die es wert ist, der Lösung Montaignes entgegengestellt zu werden. Mittlerweile hatte sich bereits eine bürgerliche Kultur entwickelt. Daß der Einfluß der Religion – gleich ob vor- oder nachreformatorisch – zurückging, hatte sich im Leben des Durchschnittsmenschen gleichfalls stärker bemerkbar gemacht. Rastlosigkeit und Streben nach Glück als dem Befreitsein von mancherlei Pflichten des Lebens war allenthalben zu einem sozialen Hauptproblem geworden. In diesem Augenblick nahm Pascal Stellung gegen die völlige Unterwerfung des Menschen unter diese selbstzerstörerische Rastlosigkeit: »Man belastet die Menschen schon von ihrer Kindheit an mit der Sorge um ihre Ehre, um ihren Besitz, ihre Freunde und weiter um den Besitz und die Ehre ihrer Freunde. Man überhäuft sie mit Beschäftigungen, mit dem Lernen von Sprachen und Wissenschaften, und man schärft ihnen ein, daß sie nicht glücklich sein könnten, wenn ihre Gesundheit, ihre Ehre, ihr Vermögen und die ihrer Freunde nicht in Ordnung seien, und daß ein einziges Versehen sie unglücklich mache. So schafft man ihnen Aufgaben und Geschäfte, die sie den geschlagenen Tag quälen. – Das, werden Sie meinen, sei eine befremdende Art, Menschen glücklich zu machen, und man könnte nichts Besseres erfinden, um sie unglücklich zu machen? – Wie man das tun könnte? Nichts wäre nötig, als ihnen all diese Sorgen abzunehmen, denn dann werden sie sich selbst sehen, sie werden darüber nachdenken, was sie sind, woher sie kommen, wohin sie gehen; und deshalb kann man sie nie zu viel beschäftigen und ablenken. Darum rät man den Menschen, nachdem man sie so auf Beschäftigung eingestellt, wenn sie Zeit zur Muße haben, sie zu benutzen, um sich zu zerstreuen, zu spielen und immer restlos beschäftigt zu sein. Wie hohl und voll von Tand ist doch das Herz des Menschen!«[4]

Immer wieder warnt er vor dem, was er Zerstreuung nannte, da sie nur zum ewigen Unheil führen könne: »Wenn ich mir mitunter vornahm, die vielfältigen Aufregungen der Menschen zu beobachten, die Gefahren und Mühsale, denen sie sich, sei es bei Hofe oder im Krieg, aussetzen, woraus so vielerlei Streit, Leidenschaften, kühne und oft böse Handlungen entspringen usw., so fand ich, daß alles

4 Blaise Pascal, Pensées, d. Brunschvieg Nr. 143: Über die Religion und einige andere Gegenstände, übertragen und herausgegeben von Ewald Wasmuth, 3. Auflage, Heidelberg 1946, S. 85.

Unglück der Menschen einem entstammt, nämlich, daß sie unfähig sind, in Ruhe in ihrem Zimmer zu bleiben.

... Sie haben einen geheimen Trieb, der sie treibt, außer Haus Zerstreuungen und Beschäftigungen zu suchen, was der Mahnung ihres währenden Elends entstammt.«[5]

Die gleiche Haltung gegenüber der Muße also, die bei Montaigne das Weiterleben garantiert, bedeutet für Pascal Selbstzerstörung. Die Auseinandersetzung ist auch heute noch nicht beendet. Jede Seite hat ihre Verfechter auf allen geistigen Ebenen unseres Alltagslebens, wie sich ebensogut an der Studie über das Radio wie an gelehrten Abhandlungen belegen ließe. Auf der einen Seite steht der wohlwollende Analytiker eines der Massenmedien, der der Meinung zu sein scheint, daß zwar noch nicht alles vollkommen ist, daß es aber mit jedem Tage besser wird.[6] Auf der anderen Seite finden wir den nonkonformistischen Gesellschaftskritiker, der die Einsamkeit des modernen Menschen mit seinem Interesse an den Massenmedien in Verbindung bringt, da diese nichts anderes als Ausgeburten einer äußersten Frustration seien.[7]

Die offensichtlichen Unterschiede in der sprachlichen Formulierung des Dilemmas ergeben sich aus der Tatsache, daß sich die Erörterung über drei Jahrhunderte erstreckt. Der Philosoph des 16. bzw. 17. Jahrhunderts verfällt der soziologischen Redeweise; der Radiohörer oder -verächter verfällt dem Hang zur psychologischen Selbstzergliederung, der heute das Alltagsleben durchzieht und jeden zu seinem eigenen Montaigne, wenn nicht sogar zu seinem eigenen Freud macht. Aber von diesen Unterschieden in der Terminologie abgesehen, ist es das gleiche Dilemma: man könnte es als den Konflikt zwischen der psychologischen und der moralischen Auseinandersetzung mit der Massenkultur bezeichnen.

II   Der historische Ort der Massenkultur

Der Gegenbegriff zur Massenkultur ist Kunst. Heutzutage werden künstlerische Schöpfungen, die das Gepräge der Spontaneität tragen,

5 Pascal, ed. Brunschvieg, Nr. 139; a. a. O. S. 77-80.
6 So z. B. bei Coulton Waugh, The Comics, New York 1947, S. 354.
7 Siehe James T. Farrell, The League of Frightened Philistines, New York o. J., S. 276/77.

immer mehr durch manipulierte Reproduktionen der bestehenden Wirklichkeit ersetzt. Auf diese Weise bestätigt und verherrlicht die Massenkultur alles, was sie der Wiedergabe für wert befindet. Schopenhauer bemerkte, Musik sei die Welt noch einmal. Dieser Aphorismus weist den unüberbrückbaren Unterschied zwischen Kunst und Massenkultur auf: es ist der Unterschied zwischen einer Vertiefung unserer Einsicht mit Hilfe eines Mediums, das seine eigenen Ausdrucksmittel besitzt, und einer bloßen Wiederholung gegebener Tatsachen, die noch dazu nur mit erborgten Darstellungsmitteln durchgeführt wird.

Eine oberflächliche Bestandsaufnahme der Inhalte und Motive, die in den Erzeugnissen der Vergnügungs- und Propagandaindustrie unserer westlichen Welt immer wieder auftauchen, schließt Themen ein wie Nation, Familie, Religion, freies Unternehmertum, persönliche Initiative; und in der östlichen Hemisphäre finden wir Themen wie höhere Produktionsleistungen, nationale Kulturen, westliche Dekadenz. Doch sind diese aktuellen Unterschiede nicht entscheidend und auf jeden Fall beträchtlich geringer als die politischen Unterschiede, die diese zwei Welten trennen. Der große vor-Marxsche französische Sozialphilosoph Saint-Simon, dessen Leben sich vom ancien régime durch die Zeit der Revolution und die napoleonische Ära bis in die Tage der reaktionären bourbonischen Restauration erstreckte, wies einmal darauf hin, daß er, während er die gegensätzlichsten politischen Systeme durchlebt habe, zugleich festgestellt habe, daß beständige, tiefwurzelnde gesellschaftliche Tendenzen, die von der politischen Veränderung völlig unberührt geblieben seien, in jenen Jahrzehnten spürbar wurden. Gerade auf dieser Einsicht beruht der Begriff der Gesellschaft selbst. So scharf und in sich konsequent die Unterschiede der heutigen politischen Systeme auch sind, so findet sich im Inhalt der Massenkultur eines gegebenen politischen Systems gleichfalls eine starke Widersprüchlichkeit – und die Massenkultur ist ein Element der Gesellschaft von höchster Bedeutung. Ihr einziger Maßstab liegt in ihrer Nützlichkeit, freilich nur im Hinblick auf die Gesamtsituation der Gesellschaft, zumal im Hinblick auf deren Machtverhältnisse.

Friedrich Nietzsche, ein unübertrefflicher Kritiker und Analytiker der modernen Massenkultur, wenn nicht überhaupt ihr Entdecker, erkannte ihren Relativismus im Hinblick auf die Gehalte. Er schrieb: »Die moderne Falschmünzerei in den Künsten: begriffen als notwendig, nämlich dem eigentlichsten Bedürfnis der modernen Seele gemäß.

... man haranguiert die dunklen Instinkte der Unbefriedigten, Ehrgeizigen, Sich-selbst-Verhüllten eines demokratischen Zeitalters: Wichtigkeit der Attitüde.

... man nimmt die Prozeduren der einen Kunst in die andere, vermischt die Absicht der Kunst mit der der Erkenntnis oder der Kirche oder des Rasseninteresses (Nationalismus) oder der Philosophie –, man schlägt an alle Glocken auf einmal und erregt den dunklen Verdacht, daß man ein Gott sei.

... man schmeichelt dem Weibe, den Leidenden, den Empörten, man bringt auch in der Kunst ›narcotica‹ und ›opiatica‹ zum Übergewicht. Man kitzelt die Gebildeten, die Leser von Dichtern und alten Geschichten.«[8]

Was Nietzsche so in den allgemeinen Begriffen eines Kulturphilosophen ausgedrückt hat, kommt auch heute noch zur Sprache. In einer Analyse des Trickfilms hat ein moderner Schriftsteller auf das Kriterium gesellschaftlicher Nützlichkeit bei der Auswahl der Stoffe hingewiesen: »Disney kennzeichnet sich charakteristischerweise dadurch, daß er dem, was er darstellt, ganz unkritisch gegenübersteht. Er ist völlig naiv. Wenn die Werte, an denen sich die Gesellschaft orientiert, noch unbestritten sind, wenn die vorherrschende Lebenseinstellung verhältnismäßig optimistisch und aggressiv ist, so improvisiert er von dieser Grundlage aus – und gibt uns Micky Maus. Leben wir in einer Zeit der Krise und werden die Werte nicht länger anerkannt, sondern sind umstritten und in Frage gestellt, kennzeichnet also tiefe Verwirrung den vorherrschenden Geisteszustand, dann setzt er diesen mit der gleichen Hemmungslosigkeit um. Sein besonderes Talent liegt darin, daß er sich nicht engagiert. Das macht seine Träume manchmal ungeheuerlich, gibt ihnen aber auch einen großen Beziehungsreichtum.«[9]

In der gegenwärtigen Nachkriegsepoche ist die Desillusionierung angesichts des Mangels an überzeugenden kulturellen und moralischen Lösungen weit verbreitet. Sie findet ihren Ausdruck in ganz bestimmten Anspielungen, die in die Erzeugnisse der Vergnügungs-

8 Friedrich Nietzsche, Der Wille zur Macht, Nr. 824. Nietzsches Werke, Zweite Abteilung, Bd. XVI, Leipzig 1911, S. 248-49.

9 Barbara Deming, The Artlessness of Walt Disney, zuerst veröffentlicht in: Partisan Review, Frühling 1945, S. 226.

industrie eingebaut werden. Es handelt sich dabei besonders um die Ausschlachtung von Requisiten und Klischees, die der Kirche entstammen. Im Durchschnittsfilm führt eine Liebesaffäre zum Erscheinen des Pfarrers. Schon Nietzsche hatte auf die künstlichen Wiederbelebungsversuche hingewiesen, die der Religion in einem Zeitalter der Dekadenz und des Nihilismus zuteil werden. Als er sagte: »Gott ist tot«, meinte er, daß die hektische Aktivität unseres modernen Lebens die Massenkultur hervorbringe, damit sie ein Vakuum fülle, das nicht gefüllt werden kann. Nietzsche verband die prekäre Lage der Religion mit dem Druck der Zivilisation: »Die Summe der Empfindungen, Kenntnisse und Erfahrungen, also die ganze Last der Kultur ist so groß geworden, daß eine Überreizung der Nerven- und Denkkräfte die allgemeine Gefahr ist, ja daß die kultivierten Klassen der europäischen Länder durchweg neurotisch sind und fast jede ihrer größeren Familien in einem Gliede dem Irrsinn nahegerückt ist. Nun kommt man zwar der Gesundheit jetzt auf alle Weise entgegen; aber in Hauptsache bleibt eine Verminderung jener Spannung des Gefühls, jener niederdrückenden Kultur-Last vonnöten, welche, wenn sie selbst mit schweren Einbußen erkauft werden sollte, uns doch zu der großen Hoffnung einer neuen Renaissance Spielraum gibt.«[10]

Mit diesem Zitat kehren wir zurück zu den Unterschieden zwischen Massenkultur und Kunst, zwischen der unechten Befriedigung und der echten Erfahrung, die einen Schritt auf dem Wege zu größerer persönlicher Erfüllung darstellt (das ist die Bedeutung der aristotelischen Katharsis). Die Kunst lebt auf der Schwelle zur Tat. Die Menschen befreien sich wahrhaft von der mythischen Beziehung zu den Dingen, indem sie sozusagen von dem, das sie einst verehrten, zurücktreten und es jetzt als das Schöne erfassen. Schönheit zu erfahren bedeutet, sich von der überwältigenden Herrschaft der Natur über den Menschen zu befreien. Auch in der Massenkultur befreien sich die Menschen von den mythischen Mächten, nur daß sie alles aus der Hand geben, sogar die Ehrfurcht vor dem Schönen. Sie leugnen alles, was die gegebene Wirklichkeit transzendiert.[11] Genau das meinte m. E. Tocqueville in dem Zitat, das wir zu Beginn dieses

10 Friedrich Nietzsche, Menschliches, Allzumenschliches, Werke in drei Bänden, herausgegeben von Karl Schlechta, Bd. I, München o. J., S. 597.
11 Eine umfassende Theorie über Mythos und Kunst geben Max Horkheimer und Theodor W. Adorno, Dialektik der Aufklärung, Amsterdam 1947, passim.

Kapitels brachten. Aus dem Reich der Schönheit geht der Mensch in den Bereich der Unterhaltung über, der seinerseits mit den Erfordernissen der Gesellschaft in Einklang gebracht ist und das Recht auf persönliche Erfüllung verwehrt.[12] Der Mensch gibt sich keinen Illusionen mehr hin.

III Sozialforschung und Massenkultur

Verfügt die moderne Soziologie überhaupt über die Mittel zur Behandlung der modernen Massenkultur und wenn ja, in welchem Umfang? Die Forschungsmethoden haben freilich einen hohen Grad der Verfeinerung erreicht. Aber ist das genug? Die empirische Sozialforschung ist zu einer Art praktischer Askese geworden. Sie distanziert sich von allen Berührungen mit anderen Disziplinen und wächst in einer Atmosphäre entschieden festgehaltener Neutralität auf. Sie weigert sich, in die Sinnsphäre einzudringen. Eine Untersuchung über das Fernsehen z. B. wird mit der größten Ausführlichkeit alle Fakten bezüglich des Einflusses des Fernsehens auf das Familienleben analysieren, aber sie wird die Frage nach dem wirklichen menschlichen Wert dieser Einrichtung den Dichtern und Träumern überlassen. Die empirische Sozialforschung nimmt am modernen Leben, einschließlich der Massenmedien, zuviel als gegeben hin. Sie weist die Aufgabe von sich, die Phänomene in einen historischen und moralischen Zusammenhang einzuordnen. Zu Beginn der Neuzeit diente die Theologie den Gesellschaftstheorien als Vorbild, aber heute haben die Naturwissenschaften die Theologie ersetzt. Ein solcher Wechsel der Modellvorstellungen hat weitreichende Konsequenzen. Das Ziel der Theologie ist die Erlösung, das der Naturwissenschaft die Manipulation; die eine führt zu Himmel und Hölle, die andere zu Technik und Industrie. Als wissenschaftliche Soziologie wird heute die Analyse von exakt umschriebenen, mehr oder minder künstlich isolierten Ausschnitten aus der Gesellschaft ausgegeben. Sie stellt sich vor, daß solche horizontale Ausschnitte ihr Forschungslaboratorium bilden, und sie scheint dabei zu vergessen, daß die einzigen wirklich zulässigen Forschungslaboratorien die historischen Situationen sind.

12 Siehe Tocqueville, a. a. O. Bd. I, S. 94-95.

Das ist nicht immer so gewesen. Die Massenkultur diente, besonders soweit sie in den Zeitungen sich darstellte, schon seit ungefähr 150 Jahren als ein Diskussionsthema. Vor der naturwissenschaftlichen Phase der Soziologie wurden die Phänomene der Massenkultur in einem gesellschaftlichen und historischen Gesamtzusammenhang behandelt. Das gleiche gilt für die religiöse, philosophische und politische Diskussion von der Zeit Napoleons bis hin zu Hitler. Unserer zeitgenössischen sozialwissenschaftlichen Literatur scheint jedoch jede Kenntnis oder wenigstens jegliche Anwendung und Beziehung auf die umfangreichen Schriften zu fehlen, die sowohl auf dem linken als auch auf dem rechten Flügel der politischen und kulturellen Fronten im 19. Jahrhundert hervorgebracht wurden. Sie scheint die katholische Sozialphilosophie ebensowenig zu kennen wie die sozialistischen Kampfschriften, Nietzsche so wenig wie den großen, aber fast vergessenen österreichischen Sozialkritiker Karl Kraus, der den Begriff einer Krise der modernen Kultur durch eine Kritik der Massenkultur zu erhärten versuchte. Allen seinen Essays ist die These gemeinsam, daß wir gerade in der Aushöhlung der Sprache die Auflösung, ja das Verschwinden der Vorstellung und der Existenz des autonomen Individuums, der Persönlichkeit im klassischen Sinn, beobachten können.

Es wäre sehr zu begrüßen, wenn Forscher, die die Rolle der zeitgenössischen Presse oder sogar so spezielle Probleme wie die Zahl der Leser untersuchen, die Analysen der Presse aus dem 19. und dem Beginn des 20. Jahrhunderts lesen würden. Sie fänden dort, und zwar in den verschiedenen politischen und philosophischen Lagern, Beispiele dafür, wie fruchtbar es ist, soziale Phänomene in ihrem Zusammenhang zu untersuchen, also – was die Presse betrifft – die moderne Zeitung in Verbindung mit der Geschichte der ökonomischen, gesellschaftlichen und politischen Emanzipation der bürgerlichen Klasse zu sehen. Eine Untersuchung der modernen Presse ist in wahrster Wortbedeutung sinnlos, wenn sie sich nicht des historischen Zusammenhangs bewußt ist, in dem sowohl die kritischen Untersuchungen stehen, wie sie von Karl Kraus am Ende der Epoche vorgetragen werden, als auch die optimistischen Äußerungen, für die das folgende Zitat ein Beispiel bietet, das aus dem Werk des deutschen Publizisten Joseph Görres vom Beginn des 19. Jahrhunderts stammt:

»Was alle wünschen und verlangen, soll in ihnen (sc. den Zeitungen) ausgesprochen werden; was alle drückt und plagt, darf nicht verhohlen bleiben; einer muß sein, der da die Wahrheit zu sprechen verbunden ist, unumwunden, ohne Vorbehalt und Hindernis. Denn nicht geduldet, nein, geboten muß die Freimütigkeit in guter Verfassung sein; der Redner soll als eine geheiligte Person dastehen, so lange bis er durch eigne Schuld und Lügen sein Recht eingebüßt. Die solcher Freiheit entgegenarbeiten, machen sich verdächtig, daß Bewußtsein eigener Schuld sie drückt: wer recht handelt, scheut nicht die offne Rede; sie kann am Ende nur dazu führen, daß Ehre wird, wem Ehre gebührt; die aber auf Unrat und Dunkel angewiesen sind, lieben freilich die Heimlichkeit.«[13]

Allerdings ist nicht die gesamte Soziologie einer asketischen Ausscheidung der historischen Substanz aus den zeitgenössischen Untersuchungen anheim gefallen. Eine ganze Reihe von führenden Gelehrten auf dem Gebiet der Sozialtheorie und der Sozialgeschichte halten das Bewußtsein für die Geschichtlichkeit unserer Kultur wach. Es lohnt sich, die folgenden Bemerkungen von Robert E. Park zu lesen: »Der Grund dafür, daß wir überhaupt Zeitungen im modernen Sinne des Wortes haben, besteht eigentlich darin, daß vor ungefähr hundert Jahren, genauer im Jahre 1835, einige Zeitungsverleger in New York und London entdeckten, daß 1. die meisten Menschen, wenn sie überhaupt lesen können, es viel leichter finden, Nachrichten zu lesen als Leitartikel, und daß 2. der Durchschnittsmensch lieber unterhalten als belehrt wird. Diese Erkenntnis hatte zu ihrer Zeit den Charakter und die Bedeutung einer wirklichen Entdeckung. Sie ist der späteren Entdeckung Hollywoods, daß Männer blonde Frauen bevorzugen, gleichzusetzen. Auf jeden Fall verdankt die moderne Zeitung der konsequenten Anwendung des in ihr beschlossenen Prinzips nicht nur ihren gegenwärtigen Charakter, sondern auch, daß sie als Gattung überlebt.«[14]

Parks Gesichtspunkt wird durch eine ausgezeichnete Untersuchung zur Geschichte der Massenkultur von Louis B. Wright bestätigt: »Wenn es wünschenswert ist, der Herkunft der Massenkultur des modernen Amerika nachzugehen, dann kann man die wesentlichen Züge ihrer Ideologie schon im Denken der bürgerlichen Klasse des

13 Joseph Görres, Rheinischer Merkur. Ausgewählt und eingeleitet von Arno Duch, München 1921, S. 210, 1. und 3. Juli 1814.
14 Einleitung zu »News and the Human Interest Story« von Helen MacGill Hughes, University of Chicago Press, S. XII-XIII.

elisabethanischen England auffinden. Der Historiker der amerikanischen Kultur muß bis in die Renaissance zurückgehen und die vergessene Literatur der Händler genau lesen.«[15]

Eine der Schwierigkeiten, die gelegentlich im geistigen Verkehr zwischen Amerikanern und Europäern auftauchen, läßt sich vielleicht auf den antihistorischen Komplex der einen und auf die historische Überempfindlichkeit der anderen zurückführen. Ich kann ein gutes Beispiel dafür anführen: Als ich die ersten zwei Bände des hervorragenden Werkes »The American Soldier« von Samuel A. Stouffer und seinen Mitarbeitern erhielt, galt meine Neugierde der Frage, wie die Autoren ihre Forschungsergebnisse in den Zusammenhang der sozialen Theorien über den Soldaten, die seit Platon entwickelt worden sind, einordnen würden. Aber ich fand keinerlei historischen Hinweis, mit der einzigen Ausnahme eines Zitats von Tolstoi, der an einer Stelle in »Krieg und Frieden« schreibt: »In der Kriegsführung ist die Schlagkraft der Armee das Produkt der Masse multipliziert mit etwas anderem, einer Unbekannten X.« Die Autoren fügten die folgende Bemerkung hinzu: »Vielleicht ist es zum ersten Male in der Kriegsgeschichte möglich, statistisches Material über den Faktor X beizubringen, der in dem Zitat aus Tolstois ›Krieg und Frieden‹ genannt wird.«[16] Sie scheinen vom mathematischen Symbolismus in Tolstois Satz fasziniert gewesen zu sein, aber mit Erfolg widerstanden sie der Versuchung, die gesellschaftliche Situation des Heeres zur Zeit Napoleons mit modernen Verhältnissen zu vergleichen. Angesichts solcher heroischen Zurückhaltung scheint es angemessen, die folgende frivole Bemerkung eines Soziologen anzuführen: »In dieser Hinsicht spreche ich von einem Versagen der modernen Psychologie. Ich bin fest davon überzeugt, daß man über die ordre du coeur mehr von La Rochefoucauld und Pascal erfahren kann als von dem modernsten Lehrbuch der Psychologie oder Ethik.«[17]

Es scheint mir, daß die selbstgefällige Isolierung des zeitgenössischen

15 Louis B. Wright, Middle Class Culture in Elizabethan England, Chapel Hill N. C., 1935, S. 659-669. Edwin Millers Werk: The Professional Writer in Elizabethan England, Cambridge Mass., 1959, bietet ein bedeutsames Beispiel dafür, wie erhellend bei der Untersuchung der Anfänge der Massenkultur die Berücksichtigung ihrer historischen Bedingungen sein kann.

16 Samuel A. Stouffer u.a., The American Soldier: Adjustment during Army Life, Bd. 1. Princeton 1949, S. 8.

17 J. P. Mayer, Sociology of Film, London 1945, S. 273.

Soziologen nur einen weitverbreiteten Verdacht bestärkt: daß empirische Sozialforschung nichts als Marktforschung sei, nichts als ein Instrument zweckdienlicher Manipulation, ein Werkzeug, mit dem man aus widerwilligen Kunden begeisterte Käufer machen könne. Vor kaum zwanzig Jahren war die Soziologie sich der Gefahren der Massenmedien sehr wohl bewußt und sah es keineswegs als unter ihrer Würde an, sich mit den positiven und negativen Möglichkeiten der Massenmedien zu befassen.[18]

Heute kann es ein Verleger wagen, ein wichtiges soziologisches Werk mit folgendem Waschzettel auf dem Schutzumschlag anzupreisen: »Zum ersten Male wurde in diesem Umfange der Versuch gemacht, menschliches Verhalten aufgrund von wissenschaftlichen Erkenntnissen zu lenken. Die Ergebnisse weisen auf den Beginn einer neuen Epoche der Sozialwissenschaften und der Menschenführung hin.

Der Verleger hofft, daß der Wert der Sozialwissenschaft auch auf anderen Gebieten ebenso groß wie für das Heerwesen sein wird, für das die Untersuchung ursprünglich unternommen wurde ...

Die Probleme waren Probleme der Wehrmacht und in den meisten Fällen durch den Krieg bedingt. Aber die Folgerungen sind von allgemeiner Gültigkeit.«[19]

Ein reines Zweckdenken und der völlige Mangel eines historischen oder philosophischen Bezugssystems gehen hier eine traurige Verbindung ein.

IV Die Sozialkritik an der heutigen Massenkultur

Die Sozialkritik an der heutigen Massenkultur ermangelt des theoretischen Systems. Die Situation wird recht gut von Frederick Laws charakterisiert:

»Es kann kaum geleugnet werden, daß die Lage der Kritik heute chaotisch ist, besonders wenn es sich um eine Kritik handelt, die an den Erzeugnissen jener riesigen Verteilungsmaschinerien, den neuen Massenmedien, geübt wird. Viele Besprechungen sind in ihrer Begei-

18 Siehe dazu den bahnbrechenden Artikel über »The Agencies of Communication« in: Recent Social Trends in the United States, Bd. 1, New York, 1933, S. 215.
19 Schutzumschlag von Band I und II des zitierten Werkes von Samuel A. Stouffer u. a.

sterung völlig wahllos und lassen sich nur mit Mühe von Werbetexten unterscheiden ... Es herrscht ein völliger Mangel an klar formulierten und allgemein anerkannten Wertmaßstäben. Wir glauben, diese Verwirrung ist teilweise darauf zurückzuführen, daß man die Tatsache entweder nicht begriffen oder nicht akzeptiert hat, daß der gesellschaftliche Rahmen, innerhalb dessen Kunstwerke produziert und bewertet werden, sich völlig gewandelt hat. Es ist natürlich unsinnig anzunehmen, daß die Art der Verteilungssysteme oder ihr Ausmaß und die soziale Herkunft des Publikums die Qualität der Kunst oder der Unterhaltung völlig determinieren, aber es wäre stupid zu behaupten, daß sie dadurch nicht beeinflußt würde.«[20]

Zwar gibt es heute eine Literatur über die Massenkultur, die durch und durch kritisch eingestellt ist. Diese Kritik richtet sich zum Teil gegen die Erzeugnisse, hauptsächlich aber gegen das System, von dem die Erzeugnisse abhängen. Ganz gleich, ob es sich um spezielle Analysen oder um rein philosophische oder soziologische Untersuchungen handelt, stimmen die meisten Autoren in der endgültigen Charakterisierung der Produkte der Massenkultur überein:

Der Niedergang des Individuums innerhalb der mechanisierten Arbeitsprozesse der modernen Zivilisation führe zur Entstehung der Massenkultur, die an die Stelle der Volkskunst oder der »hohen« Kunst getreten sei. Ein Produkt der Massenkultur zeige kein Merkmal echter Kunst, vielmehr zeige sich, daß die Massenkultur in allen ihren Medien ihre eigenen unverwechselbaren Charakterzüge besitzt: Standardisierung, Stereotypen, konservative Einstellung, Verlogenheit, manipulierte Verbrauchsgüter.

Es gibt eine Wechselbeziehung zwischen dem, was das Publikum wünscht, und dem, was die jeweiligen Machthaber dem Publikum aufzwingen, um sich an der Macht zu halten. Die meisten Forscher sind der Meinung, daß die Reklame eine der Hauptursachen für die Entstehung einer Aufnahmebereitschaft gegenüber der Massenkultur bildet und daß die Produkte selbst schließlich den Charakter der Reklame annehmen.

Es gibt keine Übereinstimmung über den Geschmack des Volkes. Während einige auf dessen Instinkt für das Gute vertrauen, scheint doch die Ansicht vorzuherrschen, daß das Schlechte und Vulgäre die einzigen Maßstäbe für sein ästhetisches Gefallen sind.

20 Frederick Laws, Made for Millions: A Critical Study of the New Media of Information and Entertainment, London 1947, S. 17.

Dagegen herrscht weitgehende Übereinstimmung darüber, daß alle Massenmedien die Beziehung zu den Werten verloren hätten und nichts als Unterhaltung und Zerstreuung anböten, daß sie also im Grunde genommen der Flucht vor einer unerträglichen Realität dienten. Wo immer sich revolutionäre Strömungen auch nur zaghaft ankündigen, werden sie besänftigt oder unterdrückt, indem die scheinbare Erfüllung von Wunschträumen nach Reichtum, Abenteuer, leidenschaftlicher Liebe, Macht und Sensationslust vorgegaukelt wird.

Verbesserungsvorschläge reichen von naiven Vorschlägen, ästhetisch wertvollere Ware anzubieten, um in den Massen einen Geschmack für das Werthaltige im Leben zu wecken, bis zu der Theorie, daß es bei der augenblicklichen gesellschaftlichen Machtverteilung keine Hoffnung auf Besserung gibt und daß daher eine bessere Gesellschaft die Vorbedingung für eine bessere Massenkultur ist.

Schließlich gibt es umfangreiche Überlegungen über die Beziehungen zwischen den Erzeugnissen der Massenkultur und dem wirklichen Leben. Denn das Radio, das Kino, die Zeitungen und die Bestseller sind zugleich Vorbilder für den Lebensstil der Massen und Ausdruck ihres tatsächlichen Lebens.

V Einige Thesen zum Verhältnis von kritischer Gesellschaftstheorie und empirischer Forschung

Es folgen einige Gedanken über die Richtung, die m. E. die empirische Untersuchung der Massenkultur einschlagen sollte.

1. Der theoretische Ausgangspunkt für die Erforschung der Massenmedien sollte nicht der Absatzmarkt sein. Die empirische Forschung arbeitet weithin unter der falschen Voraussetzung, daß die Wahl der Konsumenten das entscheidende soziale Phänomen ist, von dem die weitere Analyse ausgehen müsse. Die erste Frage lautet vielmehr: worin besteht die Funktion der kulturellen Medien innerhalb des Gesamtprozesses einer Gesellschaft? Hierauf müssen ganz spezielle Fragen folgen, etwa: Was passiert die Zensur der gesellschaftlich mächtigen Institutionen? Wie werden die Werke unter dem Diktat einer formellen und informellen Zensur hergestellt?

2. Diese Untersuchungen würden nicht im engeren Sinn des Wortes psychologisch sein. Sie sollten vielmehr herauszufinden suchen, wie

die objektiven Elemente eines gesellschaftlichen Ganzen in den Massenmedien produziert und reproduziert werden. Das schließt ein, daß auf den »Geschmack der Massen« als grundlegende Kategorie verzichtet wird. Statt dessen müßte aller Nachdruck darauf liegen, herauszubekommen, wie den Verbrauchern ein bestimmter Geschmack beigebracht wird, der selbst nur das Ergebnis der technischen, politischen und wirtschaftlichen Bedingungen und Interessen ist, die von den Beherrschern der Produktionsmittel vertreten werden. Was bedeuten Vorlieben oder Abneigungen gesellschaftlich wirklich? Während es z.B. richtig ist, daß die Menschen sich heute verhalten, als ob es einen weiten, freien Bezirk der Wahl nach ihrem eigenen Geschmack gäbe, und sie dazu neigen, fanatisch für oder gegen eine bestimmte Gestalt der Massenkultur Partei zu ergreifen, bleibt doch die Frage, wie ein solches Verhalten mit der tatsächlichen Ausschaltung der freien Wahl und der institutionalisierten Wiederholung, die für alle Massenmedien charakteristisch ist, in Übereinstimmung gebracht werden kann. Das ist m.E. das theoretische Feld, innerhalb dessen man untersuchen müßte, wie der Geschmack – ein Begriff des Liberalismus – durch das Haschen nach Neuigkeiten, nach »Information«, ersetzt wird.

3. Auch andere stillschweigende Voraussetzungen der empirischen Forschung – wie z.B. die Einteilung in ernste und »nicht-ernste« Produkte der Literatur, des Films oder der Musik – bedürften der Überprüfung. Das Problem, ob wir uns ernster oder nicht-ernster Literatur gegenübersehen, zeigt zwei Seiten. Zunächst wäre eine ästhetische Qualitätsanalyse vorzunehmen und danach zu untersuchen, ob die ästhetischen Qualitäten unter den Bedingungen der Massenreproduktion einer Veränderung unterliegen. Ich möchte die Behauptung bestreiten, daß die bloße Steigerung der sogenannten ernsten Programme oder Produkte automatisch bereits einen »Fortschritt« in der pädagogischen und gesellschaftlichen Verantwortung, im Kunstverständnis usw. bedeute. Ferner ist die Annahme unberechtigt, daß sich in ästhetischen Fragen nicht entscheiden lasse, was richtig und was falsch sei. Ein gutes Beispiel für die Begründung ästhetischer Kriterien ist in den Werken von Benedetto Croce zu finden, der konkret zu zeigen versucht, daß Kunstwerke immanente Gesetze haben, die uns Urteile über ihre Gültigkeit erlauben. Es ist weder notwendig noch angemessen, eine Untersuchung der Reaktion von Befragten durch eine Untersuchung der Intentionen der Kunst-

produzenten zu ergänzen (oder umgekehrt), um die Art und die Qualität der künstlerischen Erzeugnisse zu bestimmen.

4. Die unreflektierte Annahme von Begriffen wie etwa der »Standardisierung« fördert die Einsicht in die Massenkultur in keiner Weise, da Standardisierung in verschiedenen Zusammenhängen Verschiedenes bedeutet. Wenn wir wissen möchten, was Standardisierung in der Industrie bedeutet, dann ist wahrscheinlich der besondere psychologische und anthropologische Charakter der Massenkultur ein Schlüssel, um die Funktion der Standardisierung für den modernen Menschen zu interpretieren – aber auch das ist nur eine Annahme. Zwar bin ich sehr daran interessiert, welchen Weg die psychologische Regression einschlägt. Aber ich wünschte, ich wüßte, ob der Konsum der Massenkultur wirklich einen Menschen mit infantilen Zügen voraussetzt oder ob der moderne Mensch eine gespaltene Persönlichkeit ist: halb verstümmeltes Kind und halb genormter Erwachsener. Es gibt genügend Hinweise für die Mechanismen gegenseitiger Abhängigkeit, des Zwanges, den der Beruf ausübt einerseits, und der Freiheit von geistiger und ästhetischer Spannung anderseits, die die Massenkultur ermöglicht.

5. Im Problem des Antriebs, des Reizes und seiner Natur wird die Verbindung mit der philosophischen Tradition Europas besonders sichtbar. Mein eigenes Denken hat seine Wurzeln in dem Begriff des Verstehens, wie er philosophisch und historisch von Dilthey und soziologisch von Simmel eingeführt wurde. Die empirische Forschung stellt sich den Antrieb oft als ebenso inhaltsleer vor, wie es ein Farbreiz in einem psychologischen Laboratorium ist. Aber der Reiz, der in der Massenkultur auftritt, unterliegt selbst einem historischen Prozeß, und die Beziehung zwischen Reiz und Antwort ist durch das geschichtliche und gesellschaftliche Schicksal des Reizes und des Antwortenden schon vorgeformt und vorstrukturiert.

Kapitel II
Die Diskussion über Kunst und Massenkultur: kurze Übersicht[1]

Dieses Kapitel wird einige wesentliche Züge aus den historischen Diskussionen über das Problem von Kunst und Unterhaltung herausheben, um so zunächst einmal eine breitere Grundlage für die Untersuchung zeitgenössischer Massenmedien, insbesondere des Fernsehens, zu schaffen. Eine systematische Bestandsaufnahme allen Materials, das aus mehreren Jahrhunderten zusammengetragen werden müßte, würde langwierige gemeinsame Anstrengungen von Historikern, Philologen und Soziologen erfordern.[1a] Aber da nicht beabsichtigt ist, die Geschichte des großen Kulturwandels nachzuzeichnen, der die gegenwärtige Epoche einleitet, werden wir an einem Punkt einsetzen, an dem das strittige Problem in Begriffen formuliert wurde, die uns noch heute geläufig sind. (Dabei erinnern wir den Leser daran, daß wir in diesem Kapitel mehr an der Diskussion über das Problem der Kunst im Gegensatz zu den Massenmedien interessiert sind und weniger an einem historischen Überblick und einer Analyse der Produkte selbst.)

Unter den vielen Persönlichkeiten, die beachtenswerte Beiträge zur Diskussion der Massenkultur geliefert haben, haben wir vor allem diejenigen gewählt, deren geistige Tätigkeit sich nicht auf einen engen Bereich beschränkte. In der ersten Epoche waren, worauf bereits in der Einleitung hingewiesen wurde, Montaigne und Pascal die überragenden Persönlichkeiten: Philosoph und Essayist, Rechtsanwalt, Politiker und Staatsbeamter der eine, Mathematiker, Theologe und geistiger Führer einer religiösen Bewegung der andere. Für die Wende des 18. zum 19. Jahrhundert schienen mir deutsche Autoren die repräsentativsten und beredtesten zu sein: Goethe – Dichter,

1 Teile dieses Kapitels erschienen im International Social Science Journal, Bd. XII, Nr. 4, 1960, S. 532-542.
1a Der Umfang müßte in Wirklichkeit äußerst weit sein und nicht nur die Beziehungen zwischen Kunst und Unterhaltung umfassen, sondern auch alle anderen Elemente der Massenkultur wie Gewohnheiten, Sitten, Moden, Spiele, Schwänke und Sportarten; hierüber existiert noch breiteres Material.

Staatsmann, Theaterleiter und Naturwissenschaftler; Schiller – Philosoph, Ästhetiker, Geschichtsprofessor und ein großer schöpferischer Schriftsteller; Lessing – Dramatiker, Historiker, Theologe und Theaterkritiker. Für die zweite Hälfte des 19. Jahrhunderts konzentrierten wir uns vor allem auf den Dichter, Kritiker und Schulinspektor Matthew Arnold und auf Walter Bagehot, der eine hervorragende Persönlichkeit des öffentlichen und politischen Lebens war; außerdem haben wir etwas Material aus englischen Vierteljahresschriften herangezogen. Die Spannweite von Tocquevilles Interessen ist heute ebenfalls gut bekannt – Diplomat, politischer Schriftsteller und Essayist; der andere Franzose unserer Auswahl ist Hippolyte Taine – Historiker, Soziologe und Literaturkritiker. Taines deutscher Zeitgenosse Gervinus, der ebenfalls in die Diskussion einbezogen werden könnte, war ein aktiver liberaler Politiker und ein bekannter Historiker und Literaturkritiker.

I Zerstreuung und Erlösung im 16. und 17. Jahrhundert

Das Bedürfnis nach Zerstreuung

Unser Überblick beginnt mit zwei literarischen Persönlichkeiten, die zwar nur durch eine Zeitspanne von sechzig Jahren voneinander getrennt sind, die aber nach ihrem Standpunkt in mancher Hinsicht völlig verschiedenen Welten angehören: Montaigne, der Begründer des modernen Skeptizismus, und Pascal, der Vorläufer des modernen philosophischen Existentialismus. Gemeinsam war jedoch beiden Philosophen die Suche nach Gewißheit in einer Welt, die nicht mehr durch eine Kirche, ein Reich (das römisch-deutsche) und die fast statische Wirtschaft der feudalen Gesellschaft umhegt und beherrscht war. Wie andere Intellektuelle ihrer Zeit suchten sie nach einer Philosophie, die das geistige und emotionale Leben des Menschen in dieser Periode schmerzhafter Veränderungen leiten sollte. Montaignes Frage war, wie der Mensch sich dem wachsenden gesellschaftlichen Druck *anpassen* könne; Pascals Frage lautete, wie der Mensch angesichts der Versuchungen, denen er in Epochen tiefgreifender Veränderungen ausgesetzt ist, *seine Seele retten* könne. Beide Philosophen waren an der Bildung und der Sicherheit des einzelnen interessiert, aber die Verschiedenheit ihrer Ausgangspunkte zeigt sich deutlich an ihren Analysen vieler Lebensprobleme, zu denen, wie wir sehen werden, auch die Probleme von Kunst und Unterhaltung gehören. Die beiden grundlegenden Themen: Anpassung und Erlösung ziehen sich bis zum gegenwärtigen Tag durch die meisten Diskussionen der Massenkultur hindurch.

Die traumatische Natur der Erkenntnis, daß die Maßstäbe des Mittelalters zerbrochen waren, zeigt sich an dem Ausmaß, in dem sich Montaigne und seine Zeitgenossen dazu gedrängt fühlten, dem Menschen eine universale und eingeborene Unglückseligkeit zuzuschreiben. Montaigne glaubte, daß sich aus der geistigen, gesellschaftlichen und wirtschaftlichen Unsicherheit ein qualvoller innerer Zustand für den Menschen ergäbe, der ihn dazu zwänge, vor sich selbst davonzulaufen. Er gebraucht sogar das Wort, das heute so oft angewendet wird, wenn es darum geht, die durch den Konsum der modernen Massenmedien vermittelten Befriedigungserlebnisse zu interpretieren – Flucht: »Eine qualvolle Vorstellung hat von mir Besitz ergriffen; ich finde es leichter, sie zu ändern als zu unterdrücken; wenn ich sie nicht durch eine entgegengesetzte Vorstellung verdrängen kann, ersetze ich sie wenigstens durch eine andersartige ... Wenn ich sie nicht niederkämpfen kann, renne ich vor ihr fort ... Indem ich den Ort, die Tätigkeit und die Freunde wechsele, entrinne ich ... Sie verliert meine Spur, und ich bin in Sicherheit.«[2] Die Befreiung von der inneren Qual gelingt jedoch nur dann, wenn die Flucht in abwechslungsreiche Stoffe und Tätigkeiten hineinführt. Montaigne glaubte, daß die Natur den Menschen mit dem Talent zur Vielseitigkeit ausgestattet hat und daß dieses Talent ihm die Mittel an die Hand gibt, seine Seele zwar nicht zu retten, doch zu beruhigen: »Die Natur wirkt auf diese Weise ... denn die Zeit, die sie uns als den besten Arzt für unsere Leidenschaften geschenkt hat ..., erreicht ihre Ergebnisse hauptsächlich dadurch, daß sie unsere Phantasie mit immer neuen Stoffen anfüllt ...«

Das innere Leid, das mit der tiefen moralischen und geistigen Unsicherheit der Übergangzeit vom Feudalismus zur modernen Gesellschaft verbunden war, führte also zum Bedürfnis, in eine Mannigfaltigkeit von Zerstreuungen zu flüchten. Montaigne fragt sich deshalb, ob die Künste, insbesondere die Literatur, als Mittel zu dieser Flucht dienen können, und seine Antwort fällt bejahend aus.

2 Montaigne, Essays, passim.

Montaigne findet, daß seine Landsleute, selbst wenn sie nicht an die erdichteten Erzählungen glauben, sich doch in »die Klagen der Dichtung, in die Tränen von Ariadne und Dido ...« hineinflüchten und von ihnen entrücken lassen können. Anders als seine Nachfolger in späteren Jahrhunderten glaubt er, daß diese literarischen Gefühlsausbrüche den Schriftsteller, den Schauspieler (und den Regisseur) genauso bewegen wie das Publikum, da die Schriftsteller und Schauspieler das Bedürfnis des Publikums nach einer Flucht vor ihren Nöten teilen.

Tastend und erkundend wendet sich Montaigne auch dem Problem der verschiedenen Stufen der Kunst zu, und wie viele Sozialphilosophen nach ihm (die zeitgenössischen eingeschlossen) findet er viele Gemeinsamkeiten zwischen Volkskunst und reiner Kunst, wenn nicht im Gehalt, so doch in der Form. Er scheint andeuten zu wollen, daß Redlichkeit und Spontaneität ihre eigene Schönheit besitzen und daß diese Schönheit beinahe ebenso hoch eingeschätzt werden muß wie die höchsten Formen der Kunst. Beide sind wahr und deswegen Ausdruck des Schönen. Im weiteren schilt er die Zwitter, die die Volkskunst verachten, aber großer Kunst nicht fähig sind – gefährliche, törichte und lästige Menschen, deren Produkte die Welt in Unordnung bringen. Sie sind die Produzenten der Mittelmäßigkeit, die »Mischlinge, die die erste Stufe (Volkskunst) verachten ... und nicht fähig sind, sich den anderen (den großen Künstlern) zuzugesellen. Sie sitzen zwischen beiden Stühlen«. Montaigne stellte also in tastender Weise Maßstäbe für primitive und reine Kunst auf; und die Kunstformen, die man als die Vorläufer der Massenmedien bezeichnen könnte, wurden in eine Art Vorhölle zwischen beiden verwiesen. Das von ihm verwendete Urteilskriterium kann am besten als ein moralisches bezeichnet werden. Es entstand aus dem Renaissanceideal der Verbindung des Wahren mit dem Schönen.

Die Gefahren der Zerstreuung

Einer der größten Bewunderer und zugleich tiefdringendsten Kritiker Montaignes ist Blaise Pascal, der große französische Philosoph aus dem 17. Jahrhundert, der in seinem berühmtesten Werk, den »Pensées«, sich oft mit seinem Vorgänger aus dem 16. Jahrhundert auseinandersetzt. Pascal bestreitet keinesfalls Montaignes Überzeugung, daß der Mensch Zerstreuung braucht, und er erkennt ebenfalls, daß dieses Bedürfnis dem Mangel an einer religiösen Überzeugung und anderen Ungewißheiten des nachfeudalen Zeitalters entspringt, »der natürlichen Armut unserer schwachen und sterblichen Natur«[3]. Wie schon erwähnt, unterschätzt Pascal die Gewalt dieses Triebes so wenig wie Montaigne: die Menschen »haben einen verborgenen Trieb, der sie zwingt, Unterhaltung und Beschäftigung außer sich zu suchen; er entspringt dem Gefühl ihrer dauernden Unglückseligkeit«.

Aber während Montaigne Unterhaltung und Kunst (die hohe wie die niedere, wenn auch nicht die mittlere) rechtfertigte oder wenigstens als die unausweichliche Antwort auf ein tiefverwurzeltes menschliches Bedürfnis akzeptierte, sah Pascal in diesem Versuch der Flucht etwas, wogegen man ankämpfen müsse. Der Mensch sieht sich zu dauernder Geschäftigkeit, zu »Unruhe und Betriebsamkeit« getrieben. Aber er sollte dagegen ankämpfen, denn er wird dadurch getrieben, vor der inneren Betrachtung davonzulaufen, die zu seiner Erlösung führen kann. Wir erfuhren schon von seiner »Entdeckung«, daß »alles Unglück der Menschen von der einen Tatsache herrührt, daß sie nicht ruhig in ihrem eigenen Zimmer bleiben können«. Wenn sie zu Hause blieben, »würden sie darüber nachdenken, was sie sind, woher sie kamen und wohin sie gehen werden«; aber er meint, daß die Menschen so leichtfertig sind, daß »trotz tausend Anlässen zur Niedergeschlagenheit eine läppische Sache wie etwa ein Billardspiel« genügt, um sie wieder aufzuheitern.

Nach Pascals Auffassung ist das Theater die gefährlichste aller Zerstreuungen. Es nimmt alle unsere Sinne gefangen und kann deswegen den Menschen sehr leicht zu dem Glauben verführen, daß er all die edlen Eigenschaften hat, die er auf der Bühne dargestellt sieht: »Alle starken Zerstreuungen sind eine Gefahr für ein christliches Leben, aber unter allen, die die Welt erfunden hat, muß keine mehr gefürchtet werden als das Theater«. In gewisser Weise nimmt Pascals Kritik der Unterhaltung (und soweit wir wissen, ordnete er sogar die große Kunst darunter ein) eines der wichtigsten Themen der modernen Diskussionen über die Massenkultur vorweg: die Auffassung, daß durch sie die Moral, die Selbstbesinnung und die einheitliche Persönlichkeit bedroht werde und daß sie zu einer Preisgabe an

3 Pascal, Pensées, passim.

bloße Vorläufigkeiten führe, für die das Streben nach höheren Zielen geopfert wird.

Der Unterschied zwischen Montaigne und Pascal kann, soweit ihre Ideen für die moderne Diskussion von Bedeutung sind, dahin zusammengefaßt werden, daß Montaigne eine pessimistische Vorstellung vom Menschen vertritt – die Forderungen der menschlichen Natur können nicht geändert werden, und wir müssen das Beste aus ihnen machen; es hat gar keinen Zweck, ihnen die Befriedigung, sei sie nun eingebildet oder wirklich, zu versagen. Wir können nur versuchen, ein wenig die Qualität der Kulturprodukte, die wir dem Menschen anbieten, zu verbessern. Pascal, dessen Inspiration und Antrieb tief religiös war, glaubt an einen Fortschritt des Geistes: Das Bedürfnis nach Zerstreuung und Flucht ist nicht unausrottbar, die edleren Kräfte des Menschen müssen dagegen aufgerufen werden, und ein vertieftes Bewußtsein unseres inneren Selbst, das wir nur in der Einsamkeit, fern von den Zerstreuungen und Vergnügungen erlangen können, öffnet uns den Weg zur Erlösung. So leicht sich Pascals Sprache in die Sprache moderner Sozial- und Kulturreformer übersetzen läßt, so sehr ähnelt Montaignes Sprache dagegen, wenn man sie oberflächlich betrachtet, der eines modernen Managers der Vergnügungsindustrie: »Das Publikum will und braucht es«; freilich ist Montaignes Anschauung tiefer. Er hat ein waches Bewußtsein für die Mitwirkung des Publikums, und seine Vorstellung von der Aufgabe der Unterhaltung läßt die Möglichkeit der Manipulation oder der Passivität nicht zu, die später zu ernsten Problemen werden sollten.

II Der Künstler und sein Publikum

Die lebhaften Diskussionen, die im intellektuellen Leben Frankreichs zwischen 1650 und 1750 eine so große Rolle spielten, konzentrierten sich immer wieder auf die Frage, ob das Theater z.B. eines Corneille, Racine oder Molière eine leichtfertige Beschäftigung sei, die sich nicht mit den Forderungen von Moral und Religion vertrage. Gegen 1800 war das Problem veraltet. In ganz Europa und besonders in Deutschland war das Theater zu einer gesellschaftlich gebilligten Institution geworden. Aber aus dieser festen gesellschaftlichen Verankerung des

Theaters entwickelte sich ein neues Dilemma: Wie sollte die Beziehung zwischen Schauspieldichter und Publikum beschaffen sein?

Goethe

Wie ernst dieses Problem genommen wurde, beweist die Tatsache, daß Goethe sich veranlaßt fand, seiner großen metaphysischen Tragödie *Faust* ein »Vorspiel auf dem Theater« vorauszuschicken, das sich mit eben dieser Frage beschäftigt, ob und wieweit ein Künstler dem Geschmack des Publikums und seiner Neigung zu bloßer Unterhaltung und Entspannung Konzessionen machen darf. Das »Vorspiel auf dem Theater« enthält einen Dialog zwischen zwei Personen, dem Theaterdirektor und dem Dichter. Das strittige Thema betrifft die Art der Werke, die dem Publikum darzubieten sind, und der Direktor, dessen Interesse nur den Kasseneinnahmen gilt, hat recht bestimmte Vorstellungen von »Kunst«. Seiner Auffassung nach ist das Geheimnis des Erfolgs ganz einfach: »Solch ein Ragout, es muß euch glücken, leicht ist es vorgelegt, so leicht als ausgedacht« – und schon sind alle Probleme gelöst. Der Direktor stellt zynisch fest, daß das Publikum dumm ist und seine Gunst schon durch »bloße Breite« zu gewinnen ist:

> Die Masse könnt ihr nur durch Masse zwingen,
> ein jeder sucht sich endlich selbst was aus.

Als der Dichter darauf hinweist, »wie schlecht ein solches Handwerk sei«, und daß des Künstlers Stolz und Wahrheitsliebe eine solche Pfuscherei nicht zulasse, beruft sich der Direktor auf das uralte Prinzip, daß der Zweck die Mittel heilige, und verlangt, daß Form und Inhalt dem Publikum angepaßt werden müssen:

> Ein Mann, der recht zu wirken denkt,
> muß auf das beste Werkzeug halten.

Nach des Direktors Auffassung ist das Publikum der Stoff, an dem der Dichter arbeitet, und das Publikum ist passiv: »Bedenkt, Ihr habt weiches Holz zu spalten.« Die Menschen kommen in das Theater gelangweilt, erschöpft oder, noch schlimmer, direkt »vom Lesen der Journale«. Sie kommen »wie zu den Maskenfesten«, ihr einziges Motiv ist die Neugier oder – bei den Damen – die Schaustellung ihres Putzes. Er fordert den Dichter auf, einen Blick auf die Gesichter seiner Zuschauer zu werfen: »Halb sind sie kalt, halb sind sie roh ...

Was plagt ihr armen Toren viel
zu solchem Zweck die holden Musen?
Ich sag Euch, gebt nur mehr und immer, immer
mehr...«[4]

Dieser Dialog zeigt, wie sich die Grundzüge der Diskussion über das
Problem der Unterhaltung von der Zeit Montaignes und Pascals bis
zu der Goethes verändert haben. Die beiden französischen Autoren
sahen die Unterhaltung als ein Mittel an, um das Bedürfnis nach
Flucht vor den inneren Schwierigkeiten zu befriedigen, ein Bedürfnis, dem nach der Auffassung des einen (auf einer hohen künstlerischen Stufe) entsprochen werden und das nach der Auffassung des
anderen zu Gunsten einer geistigen Tätigkeit unterdrückt werden
sollte. Hier im *Faust* sehen wir, daß die Diskussion von ihrem
religiösen und moralischen Hintergrund abgelöst ist und dafür drei
neue Elemente eingeführt sind: ein Bewußtsein von der Möglichkeit
zur Manipulation, die sich in der Unterhaltung bietet; die Rolle des
Geschäftsmannes, dessen Kriterium der Erfolg und dessen Ziel ein
ökonomisches ist, als Vermittler zwischen Künstler und Publikum;
und ein Gefühl für den Konflikt zwischen den Bedürfnissen des
wahren Künstlers und den Wünschen eines Massenpublikums. Der
Theaterdirektor setzt voraus, daß das Publikum alles schluckt,
solange genügend Stoff und genügend Abwechslung geboten wird,
und er versucht, den Künstler davon zu überzeugen, daß das
Publikum Ton in seiner Hand ist. Aber anders als bei Montaigne rät
der Direktor dem Dichter nicht deswegen, dem Publikum Abwechslung zu bieten, weil es psychologisch heilsam sei, sondern weil der
Erfolg gesichert ist, wenn man jedem etwas bietet (glaubte er, daß
durch Moralpredigten mehr Geld zu verdienen sei, würde der
Direktor ohne Zögern den Dichter auffordern, derlei zu schreiben).
Während Montaigne noch nicht zwischen den psychologischen
Motiven des Künstlers und des Publikums unterscheidet, scheint
Goethe in dem Künstler den Verfechter der erhabenen Maßstäbe
seiner Kunst zu sehen und das Publikum in der Rolle passiver
Konsumenten. Dementsprechend widersetzt sich der Dichter den
Forderungen des Direktors nicht im Namen von religiösen oder
geistigen Werten, sondern unter Berufung auf seine künstlerische
Sendung.

4 Goethes Poetische Werke. Vollst. Ausgabe. J. G. Cotta Nachf., Stuttgart 1960,
Bd. V, S. 160-161.

Dieser Gegensatz zwischen den Interessen von Künstler und Publikum sollte später zu einer völligen Spaltung zwischen beiden führen. Aber mit Goethe stehen wir erst am Beginn der Epoche, die sowohl die Ausbreitung von Massenzeitungen und Zeitschriften als auch eine vorher nie dagewesene Blüte großer Literatur sah. Auf dieser Stufe standen der Künstler und sein Publikum noch im Gespräch miteinander. Es überrascht deshalb nicht, daß sich Goethe zwar nicht systematisch und ständig, aber doch an zahlreichen über sein ganzes Werk verstreuten Stellen und während seines ganzen langen Lebens mit den Problemen beschäftigt, die das Wesen des Publikums, die Natur der Massenmedien, die Frage der künstlerischen Maßstäbe und der Verantwortlichkeit des Künstlers ihm aufgaben.

Das Wesen des modernen Publikums

Goethe schließt sich Pascal an und nimmt zugleich ein grundlegendes Thema der modernen Kritik an der Vergnügungsindustrie vorweg, wenn er über die Ruhelosigkeit und die beständige Sucht nach Abwechslung, Neuheit und Sensationen klagt, die das moderne Publikum charakterisieren. »Das Theater«, sagt er, »wird so wie die übrige Welt durch herrschende Moden geplagt«, und der Mode (wir könnten es auch eine Laune nennen) folgen heißt, etwas »lebhaft nachhängen«, um es »alsdann auf ewig zu verbannen«[5].

Aber nicht nur das Theater, sondern auch die Zeitungen spiegeln diese Ruhelosigkeit wider: »Haben wir doch schon Blätter für sämtliche Tageszeiten! Ein guter Kopf könnte wohl noch eins und das andere interkalieren. Dadurch wird alles, was ein jeder tut, treibt, dichtet, ja, was er vorhat, ins Öffentliche geschleppt. Niemand darf sich freuen oder leiden, als zum Zeitvertreib der übrigen, und so springt's von Haus zu Haus, von Stadt zu Stadt, von Reich zu Reich und zuletzt von Weltteil zu Weltteil.« Dieser ruhelose Drang nach Neuem beunruhigt Goethe freilich nicht für sich betrachtet, sondern weil er den Reifungsvorgang behindert, der für jeden schöpferischen Prozeß wesentlich ist –, wenn man zum Beispiel beständig in den Zeitungen von den gestrigen Ereignissen liest, so vertut man »den Tag

---

5 Goethe, Weimarisches Hoftheater, in: Sämtliche Werke, Jubiläumsausgabe Bd. XXXVI, Stuttgart, Berlin, S. 193.

im Tag« und lebt »immer aus der Hand in den Mund ..., ohne irgend etwas vor sich zu bringen«[6].

Als zweites Wesensmerkmal des modernen Publikums stellt Goethe dessen Passivität fest. Darauf bezieht sich die oben angegebene Stelle aus dem *Faust*, wenn er den Theaterdirektor im Hinblick auf das Publikum zum Dichter sagen läßt: »Bedenkt, Ihr habet weiches Holz zu spalten.« Das Publikum verlangt Unterhaltung für sein Geld und hat kein echtes Interesse an der Botschaft des dargebotenen Stückes. »Der Pöbel drängt sich unvorbereitet zum Schauspielhause, er verlangt, was ihm unmittelbar genießbar ist, er will schauen, staunen, lachen, weinen ...«[7]

Als einen anderen Wesenszug moderner Massenkultur hebt Goethe den Konformismus hervor. Er verweist auf ihn in seinen ironischen Bemerkungen über die modisch gekleideten Theaterbesucher, und seine Erkenntnis der Bedeutung der Zeitungen für die Verbreitung des Konformismus nimmt Tocqueville und andere Sozialkritiker wie Tönnies in Deutschland, Ward und Cooley in Amerika und Karl Kraus in Österreich vorweg. Die sogenannte freie Presse, sagt er, verachtet in Wirklichkeit das Publikum; alles ist annehmbar außer einer abweichenden Meinung:

> »Kommt, laßt uns alles drucken
> und walten für und für;
> nur sollte keiner mucken,
> der nicht so denkt wie wir.«[8]

Über die Natur der Massenmedien

Nach Goethes Auffassung ist die Kunst, die sich an die niederen Instinkte des Publikums wendet, nicht nur gattungsmäßig von der esoterischen Kunst verschieden, sondern sie ist bloße »Pfuscherei«. Seine Charakterisierung solcher künstlerisch tiefstehenden Produkte nimmt viele Züge vorweg, mit denen der moderne Sozialkritiker die für die Massenmedien produzierte Kunst charakterisiert. Er stellt fest, daß niedere Kunst nur auf Unterhaltung aus ist. In einem Brief

6 Goethe, Maximen und Reflexionen, Schriften der Goethe Gesellschaft, Bd. 21, Weimar 1907, S. 102.
7 Goethe, Weimarisches Hoftheater, a.a.O., S. 192.
8 Goethe, Zahme Xenien, in: Sämtliche Werke, Bd. IV, S. 47.

an Schiller vom 9. August 1797 schreibt Goethe: »Alle Vergnügungen, selbst das Theater, sollen nur zerstreuen, und die große Neigung des lesenden Publikums zu Journalen und Romanen entsteht eben daher, weil jene immer und diese meist Zerstreuung in die Zerstreuung bringen.« Er erkennt durchaus die Forderungen des Publikums, aber er kann denen nicht verzeihen, die sich zu bereichern suchen, indem sie minderwertige Produkte anbieten; »jeder, der das Publikum zum besten haben mag, indem er mit dem Strome schwimmt«, kann »auf Glück rechnen«. (Brief an Schiller vom 3. Januar 1798). Die Werke dieser Nutznießer des Publikumsgeschmackes sind von belanglosem Inhalt; sie reproduzieren die Welt mechanisch in all ihren Einzelheiten und appellieren an die niederen Instinkte des Publikums.[9] Der Mangel jeder schöpferischen Fähigkeit in den Durchschnittsmenschen ist zum Teil ihre Schuld.[10]

Eine Zeitlang plante Goethe zusammen mit Schiller eine Arbeit, zu der auch eine Liste der charakteristischen Züge dieser niederen Kunst, die sie als Dilettantismus bezeichneten, gehören sollte. In einem anderen Brief an Schiller vom 22. Juni 1799 weist Goethe auf

9 Schiller führte dieses Thema weiter aus, wobei er besonders betonte, wie viele Möglichkeiten im Publikum noch unerschlossen sind: »Es ist nicht wahr, was man gewöhnlich behaupten hört, daß das Publikum die Kunst herabzieht; der Künstler zieht das Publikum herab, und zu allen Zeiten, wo die Kunst verfiel, ist sie durch den Künstler gefallen. Das Publikum braucht nichts als Empfänglichkeit, und diese besitzt es. Es tritt vor den Vorhang mit einem unbestimmten Verlangen, mit einem vielseitigen Vermögen. Zu dem Höchsten bringt es eine Fähigkeit mit; es erfreut sich an dem Verständigen und Rechten, und wenn es damit angefangen hat, sich mit dem Schlechten zu begnügen, so wird es zuverlässig damit aufhören, das Vortreffliche zu fordern, wenn man es ihm erst gegeben hat.« Siehe »Über den Gebrauch des Chors in der Tragödie«, Vorrede zu »Die Braut von Messina«, Reclam 1962, S. 3-4.

10 Man vergleiche diese Vorstellung zum Beispiel mit der Kritik, die der amerikanische Soziologe E. A. Ross um die Jahrhundertwende in seinem Werk »Social Control« formulierte: »... die großen Institutionen des Rechts, der öffentlichen Meinung, der Erziehung, der Religion und der Literatur strengen sich aufs äußerste an, um die kleinen und armseligen Naturen dazu fähig zu machen, den moralischen Anforderungen unserer Kultur standzuhalten, und gerade durch den Erfolg ihrer Bemühungen, beseitigen sie die natürliche Überlegenheit des großen Menschen über den niederen und verzögern dadurch die Entwicklung der edelsten Eigenschaften der menschlichen Natur« (Edward Allsworth Ross, Social Control: A Survey of the Foundations of Order, New York, 1939, S. 437).

diese Untersuchung des Dilettantismus als eine »Aufgabe *von größter* Wichtigkeit« hin. »Denn wie Künstler, Unternehmer, Verkäufer und Käufer und Liebhaber jeder Kunst im Dilettantismus ersoffen sind, das sehe ich jetzt mit Schrecken, da wir die Sache so sehr durchgedacht und dem Kinde einen Namen gegeben haben. Wir wollen mit der größten Sorgfalt unsere Schemata nochmals durcharbeiten, damit wir uns des ganzen Gehaltes versichern, und dann abwarten, ob uns das gute Glück eine Form zuweist, in der wir ihn aufstellen. Wenn wir dereinst unsere Schleusen ziehen, so wird es die grimmigsten Händel setzen, denn wir überschwemmen geradezu das ganze liebe Tal, worin sich die Pfuscherei so glücklich angesiedelt hat. Da nun der Hauptcharakter des Pfuschers die Inkorrigibilität ist, und besonders die von unserer Zeit mit einem ganz bestialischen Dünkel behaftet sind, so werden sie schreien, daß man ihnen ihre Anlagen verdirbt, und, wenn das Wasser vorüber ist, wie Ameisen nach dem Platzregen alles wieder in alten Stand setzen. Doch das kann nichts helfen, das Gericht muß über sie ergehen.«

Das Ergebnis dieses Unternehmens ist ein »Schema des Dilettantismus«, das von Schiller ausgearbeitet wurde. Es besteht aus einer Liste aller Künste von der Poesie bis zum Tanz; die Nützlichkeit und die Schädlichkeit jeder Kunst werden in getrennten Spalten festgehalten. Ein Blick auf diese Liste zeigt sofort, daß der Verfasser große Mühe hatte, die Spalte »Nützlichkeit« auszufüllen. So werden zum Beispiel als wohltätige Wirkungen der Musik »Zeitvertreib«, »Geselligkeit« und »Galanterie« angegeben, während die zugehörige Spalte »Schädlichkeit« mit Begriffen wie »Gedankenleerheit«, »Mangel an freundschaftlicher Gesinnung« und »Geklimper« angefüllt ist. In der Rubrik Poesie finden wir in der Spalte »Schädlichkeit« Begriffe wie »Plattheiten«, »Pedantismus« und »Mittelmäßigkeit«. Das Schema kam nie über das Stadium des Entwurfs hinaus, aber aus dem Zusammenhang wird klar, daß es einen Versuch darstellt, das, was wir heute als Massenkultur bezeichnen würden, vom Standpunkt der klassisch-humanistischen Ästhetik aus zu beurteilen.

Über künstlerische Maßstäbe

Im 18. Jahrhundert schuf der Künstler für ein relativ kleines, gebildetes Publikum, dessen Bedürfnisse und dessen Geschmack ziemlich einheitlich waren; am Anfang des 19. Jahrhunderts verlangt ein neues, weit größeres Publikum Beachtung, das schon das moderne Publikum der Massenmedien ahnen läßt, und diese Tatsache konfrontiert den Künstler mit neuen Problemen, deren wichtigstes das der »echten« Maßstäbe ist. So bemerkt Goethe in den Xenien:

> »Eh'mals hatte man einen Geschmack.
> Nun gibt es Geschmäcke;
> Aber sagt mir, wo sitzt dieser Geschmäcke
> Geschmack?«

Das Problem der Maßstäbe nimmt in den modernen Diskussionen über die Massenkultur eine zentrale Stellung ein. Es tritt immer mit dem Problem verbunden auf, welchen Einfluß der Geschmack des Publikums auf den Charakter der Massenprodukte habe. Wir begegnen in diesen Diskussionen verschiedenen Argumenten, die schon Goethes Theaterdirektor vorbrachte. Manche sind der Meinung, daß die herrschenden Maßstäbe den Neigungen und Bedürfnissen des Publikums entstammen, und sie versuchen nun, einige konstante Grundzüge im Publikumsgeschmack zu bestimmen, Grundzüge, die elementare und unveränderliche Eigenschaften der menschlichen Natur widerspiegeln sollen. Andere behaupten, daß der Geschmack des Publikums keine spontane Eigenschaft, sondern ein künstliches Produkt sei, das von politischen oder ökonomischen Interessengruppen bestimmt werde, die mittels der Massenmedien die Träume und Frustrationen der Konsumenten zu bestimmten eigennützigen Zwecken manipulieren. Daneben gibt es die Verfechter einer mittleren Position: Nach ihrer Ansicht sind die Maßstäbe des Geschmacks das Ergebnis eines Zusammenwirkens dieser beiden Faktoren.

Goethe spricht für den Künstler – und seine eigene Stellung hinsichtlich der Maßstäbe ist ganz eindeutig: er repräsentiert die humanistische Tradition, die die Verantwortung für das moralische Schicksal der ganzen Kultur und des einzelnen in die Hand einer Geisteselite legt. Diese Elite verrät ihre Aufgabe, wenn sie den gewöhnlichen Instinkten des Publikums entgegenkommt und seichte Bücher und vulgäre Schauspiele produziert. Mit anderen Worten, Goethe fragt nicht, wie der Schriftsteller die Aufmerksamkeit eines großen Publikums gewinnen kann, sondern gerade umgekehrt: wie kann das Publikum dahin geführt werden, die von wahrer Kunst geforderte geistige Anstrengung auf sich zu nehmen, und was kann der Künstler selbst tun, um diesen Prozeß zu erleichtern? Gleich vielen anderen

Künstlern und Theoretikern seit der Renaissance war auch Goethe davon überzeugt, daß die spezifische Aufgabe der Kunst im Gegensatz zu Religion, Philosophie und Wissenschaft darin bestehe, die schöpferische Einbildungskraft anzuregen. Wenn er den Kitsch kritisierte, weil er zu pedantisch sei und zu sehr ganz bestimmten Gefühlsbedürfnissen entgegenkomme, so steckt, wie wir gesehen haben, in dieser Kritik auch der Gedanke, daß auf diese Weise auch die schöpferische Kraft des Menschen gelähmt wird. In seinem Aufsatz über das Weimarische Hoftheater legt er Wert darauf, daß das Publikum »nicht wie Pöbel« behandelt werde und daß bei der Auswahl von Stücken für die Aufführung nicht das Bedürfnis des Publikums der Leitgedanke sein solle, sondern die Anregung von Geist und Phantasie.[11] Goethe meint, der Theaterbesucher solle »... sich vielmehr öfters wie einen Reisenden betrachten, der in fremden Orten und Gegenden, die er zu seiner Belehrung und Ergötzung besucht, nicht alle Bequemlichkeit findet, die er zu Hause seiner Individualität anzupassen Gelegenheit hatte«[12].

Indem Goethe diese Aufgabe der Kunst hervorhebt, befindet er sich in völliger Übereinstimmung mit seinem Landsmann Lessing, dem Dichter, Dramatiker und Kritiker, der an der Entwicklung des deutschen Theaters ebenfalls leidenschaftlich Anteil nahm. In seinem *Laokoon* und in der *Hamburgischen Dramaturgie* widmete Lessing der Erörterung des Unterschiedes zwischen echter Kunst und bloßer Nachahmung mehrere Seiten. Er verwirft ausdrücklich künstlerische Werke, die der Phantasie des Publikums keinen Raum lassen. Er kritisiert die Auffassung (die einem antiken Schriftsteller zugeschrieben wird), daß die Malerei stumme Poesie und die Poesie beredte Malerei sei. Er bemerkt, daß ein solcher Gedanke die Vorstellung zeitlicher Beziehungen im Falle der Poesie wie die räumlicher Beziehungen im Falle der Malerei behindern würde. Aus der Einsicht, daß es für einen Maler oder Bildhauer sehr viel schwieriger ist als für den Dichter oder Dramatiker, die Einbildungskraft anzusprechen, emp-

---

11 Vergleiche hiermit Schillers Bemerkung über das Theaterpublikum: »Das Vergnügen sucht er (der Theaterbesucher) und ist unzufrieden, wenn man ihm da eine Anstrengung zumutet, wo er ein Spiel und eine Erholung erwartet. Aber indem man das Theater ernsthafter behandelt, will man das Vergnügen des Zuschauers nicht aufheben sondern veredeln. Es soll ein Spiel sein, aber ein poetisches.« Über den Gebrauch des Chores in der Tragödie, a. a. O., S. 4.

12 Goethe, Weimarisches Hoftheater, a. a. O., S. 439.

fiehlt ihnen Lessing, den »fruchtbaren Augenblick« darzustellen. Dieser »einzige Augenblick« läßt dem Betrachter ein Höchstmaß an Freiheit, sich vorzustellen, was der Handlung vorausgeht oder folgt, die in dem Bilde oder der Skulptur festgehalten ist. »Je mehr wir sehen, desto mehr müssen wir hinzudenken können. Je mehr wir dazudenken, desto mehr müssen wir zu sehen glauben.«[13] Deshalb sind auch nach Lessings Auffassung[14] Dramatiker wie Racine und Voltaire, die feste Typen auf die Bühne bringen, den Alten und Shakespeare unterlegen, die die Entwicklung von Charakteren verfolgen und es dem Zuschauer möglich machen, sich mit ihnen zu identifizieren.

Der Hinweis erübrigt sich, daß die von Goethe und Lessing erkannte Gefahr mit der Entwicklung der moderneren Massenmedien noch bedrohlicher geworden ist.[15] Ein kleines Epigramm Goethes könnte beinahe wörtlich auf das Fernsehen angewendet werden:

»Dummes Zeug kann man viel reden,
kann es auch schreiben,
wird weder Leib noch Seele töten,
es wird alles beim Alten bleiben.
Dummes aber vors Aug gestellt,
hat ein magisches Recht;
weil es die Sinne gefesselt hält,
wird der Geist ein Knecht.«[16]

Goethe glaubt also, daß je mehr ein Kunstwerk die Sinne der

13 G. E. Lessing, Laokoon oder über die Grenzen der Malerei und Poesie, Ges. Werke, Bd. 5, Berlin 1955, S. 28.
14 Hamburgische Dramaturgie, Ges. Werke, Bd. 6, Berlin 1954.
15 Für moderne Kritiker ist die lähmende Wirkung des Kitsches auf die Phantasie keine bloße Hypothese mehr. Randall Jarrell weist darauf hin, daß »der durchschnittliche Zeitschriftenartikel jedem beliebigen Thema denselben Anstrich eines leichten, automatischen, ›menschlichen Interesses‹ gibt.« Er kontrastiert die Haltung Goethes, der gesagt hat, »ein Schriftsteller, für den ein Lexikon ausreicht, ist nichts wert«, mit der Somerset Maughams, der sagt: »Das schönste Kompliment, das ich jemals empfing, war ein Brief, in dem einer meiner Leser schrieb: ich habe Ihren Roman gelesen, ohne daß ich ein einziges Wort im Wörterbuch nachschlagen mußte.« Und Jarrell schließt mit der Bemerkung, daß »der Kitsch der Phantasie seit langem nichts mehr zu tun überlassen hat, daß jetzt die Phantasie selbst zu verkümmern beginnt«. Randall Jarrell, Poetry and the Age, New York 1953, S. 18-19.
16 Goethe, Zahme Xenien, a. a. O., S. 47.

Zuschauer fesselt, desto weniger Spielraum für die Phantasie bleibt. In dieser Hinsicht ist die Wirkung eines schlechten Buches unendlich geringer als die eines schlechten Schauspieles, das sich zugleich an Auge und Ohr wendet und den Zuschauer zu fast völliger Passivität verurteilt.[17] Im ganzen ist Goethe hinsichtlich der Maßstäbe für Kunst und Künstler zu keinen Konzessionen bereit: Seine Vorschläge beschränken sich auf Bemühungen, das Repertoire des Theaters zu verbessern und das geistige Niveau des Publikums zu heben. Anders als spätere Schriftsteller wie der Franzose Gustave Flaubert, der verzweifelt den steigenden Einfluß der Masse sah und das Ende der Kultur erwartete, verurteilt Goethe stillschweigend den Künstler, der sich in seinen Elfenbeinturm zurückzieht. In einem Gespräch äußerte er einmal, daß nur in Zeiten des Niedergangs Künstler und Dichter selbstgenügsam werden, während in aufsteigenden Epochen der schöpferische Geist sich immer mit der ihn umgebenden Welt auseinandersetzt (Gespräche mit Eckermann, 29. Januar 1826). Doch darf der Künstler in keinem Augenblick vor dem Publikum katzbuckeln; er dient ihm am besten, wenn er seine volle Freiheit behält und nur seiner eigenen inneren Stimme folgt. In seinem Aufsatz »Der Versuch als Vermittler von Objekt und Subjekt« vergleicht Goethe den Künstler mit dem Naturwissenschaftler, der seine Erkenntnisse ständig öffentlich mitteilen muß, während der Künstler wohltut, »sein Kunstwerk nicht öffentlich sehen zu lassen, bis es vollendet ist, weil ihm nicht leicht jemand raten noch Beistand leisten kann«.

17 In seinem außerordentlich anregenden Buch »Modern Public Opinion«, New York 1956, S. 424-426, erörtert der amerikanische Soziologe William Albig dieses Problem, indem er die möglichen Wirkungen des Lesens denen des Betrachtens von Filmen gegenüberstellt. Er analysiert das Bedürfnis des modernen Menschen nach »immer mehr Stereotypen« und nimmt an, daß die im Kino dargebotenen Stereotypen »die Meinungen über wirkliche Menschen« in sehr hohem Grade beeinflussen, während »gedruckte Beschreibungen selten so eindrucksvoll sind.« Er glaubt, daß »Oberflächlichkeit von entwaffnender Überzeugungskraft sein kann, wenn sie in Form von Bildern geboten wird. Selbst wenn man Bücher von sehr niedrigem Niveau liest, kann man einhalten, um nachzudenken, oder doch an irgendeinem Punkte verweilen. Im Film unterliegt die Geschwindigkeit der Darbietung einer mechanischen Kontrolle außerhalb des einzelnen. Er wird dadurch entmutigt und sogar oft frustriert. Der Mensch ist in höherem Maße als bei anderen Massenmedien bloß passiver Empfänger.«

Schiller und die gesellschaftliche Rolle der ästhetischen Erfahrung

Während all seiner Erörterungen der Probleme des Künstlers und seiner Beziehungen zur Gesellschaft bewahrte Goethe, wie wir gesehen haben, eine olympische Distanz gegenüber aktuellen gesellschaftlichen und politischen Fragen. Friedrich Schiller dagegen war ein echter Sohn der Französischen Revolution, und sowohl in seinen künstlerischen als auch in seinen theoretischen Werken zollte er begeistert ihren politischen Errungenschaften Tribut. Sein Hauptinteresse galt der Entwicklung einer »moralischen« Gesellschaft, und seine ästhetischen Untersuchungen und Analysen der Funktion von Kunst und Massenkultur beschäftigen sich immer wieder mit den Aufgaben, die bei der Errichtung einer solchen Gesellschaft bewältigt werden müssen. Obwohl eine genaue, systematische Analyse von Schillers Schriften für unsere Zwecke sehr aufschlußreich sein würde, müssen wir uns hier darauf beschränken, seine Vorstellung von der zentralen Rolle der künstlerischen Erfahrung bei der Einrichtung eines idealen Staates zu skizzieren.[18]

Die Erfahrung des Schönen als Mittel zum »guten« Leben

Schiller glaubte nicht, daß in dem Menschen notwendig gute und böse Kräfte miteinander im Kampf lägen, sondern er nahm an, daß der Mensch in jedem Fall »das Gute vorzieht, weil es gut ist« – vorausgesetzt, daß es keine Schwierigkeiten mit sich bringt oder das Angenehme ausschließt. Der Mensch trägt in sich das Wissen davon, was moralisch gut ist, und nicht angeborene schlechte Anlagen, sondern unsere sinnliche Begierde nach Bequemlichkeit und Vergnügen hindert uns, es zu verwirklichen. »Alle Unmoralität in der Wirklichkeit scheint also aus der Kollision des Guten mit dem Angenehmen oder, was auf eins hinausläuft, der Begierde mit der Vernunft zu entsprin-

---

18 Damit dieser stark vereinfachte Überblick nicht ungewollt die Weite von Schillers Gesichtskreis verzerrt wiedergibt, erinnern wir den Leser an dieser Stelle daran, daß er ein hervorragender Kant-Schüler und Vertreter der deutschen idealistischen Philosophie war, ferner ein ausgezeichneter Historiker, ein berühmter Dramatiker und Dichter und ein enger Freund Goethes. Er hat ausführlich über die Probleme geschrieben, die uns hier beschäftigen.

gen und einerseits die Stärke der sinnlichen Antriebe, andererseits die Schwäche der moralischen Willenskraft zur Quelle zu haben.«[19]
Schiller glaubte nicht, daß dieser Konflikt durch den Sieg einer dieser Kräfte über die andere gelöst werden solle. Wenn zum Beispiel das menschliche Leben nur zur Befriedigung der Triebe organisiert wäre, würden wir den von Hobbes beschriebenen Zustand erreichen, der (nach Schillers Auffassung) »die Gesellschaft nur möglich macht, indem die Natur durch die Natur unterdrückt wird«. Auf der anderen Seite glaubte er nicht, daß ein moralischer Staat, wie er Rousseau vorschwebte, erreicht werden könnte, da hier vom Individuum verlangt werde, sich dem allgemeinen Willen unterzuordnen, denn ein solcher Staat regiere, wenn auch auf einer höheren Ebene, die individuelle Freiheit. Die einzig annehmbare Ordnung ist für Schiller eine solche, in der die Freiheit jedes einzelnen gesichert ist, ohne die Freiheit anderer aufzuheben. Schiller glaubte, daß diese Ordnung durch eine ästhetische Erfahrung geschaffen werden kann, die jene beiden Kräfte im Menschen nutzt und versöhnt – es ist das Erlebnis des Schönen. »Die wahre Kunst aber hat es nicht bloß auf ein vorübergehendes Spiel abgesehen; es ist ihr ernst damit, den Menschen nicht bloß in einen augenblicklichen Traum von Freiheit zu versetzen, sondern ihn wirklich und in der Tat frei zu machen, und dieses dadurch, daß sie eine Kraft in ihm erweckt, übt und ausbildet, die sinnliche Welt, die sonst nur als ein roher Stoff auf uns lastet, als eine blinde Macht auf uns drückt, in eine objektive Ferne zu rücken, in ein freies Werk unseres Geistes zu verwandeln und das Materielle durch Ideen zu beherrschen.«[20]
Dieses Erlebnis der Schönheit kann durch große Kunstwerke vermittelt werden. Es bringt nach Schillers Auffassung sowohl dem einzelnen als auch der Gesellschaft Gewinn. Er besteht für das Individuum darin, daß die Anschauung des Schönen das sinnliche und geistige Wesen des Menschen umfaßt und verbindet, zwei Seiten seines Wesens also, die sonst häufig in unversöhnlichem Konflikt miteinander liegen. »Alle Kunst ist der Freude gewidmet, und es gibt keine höhere und keine ernsthaftere Aufgabe, als die Menschen zu beglükken. Die rechte Kunst ist nur diese, welche den höchsten Genuß verschafft. Der höchste Genuß aber ist die Freiheit des Gemüts in

19 Schiller, Über den moralischen Nutzen ästhetischer Sitten, Ausgewählte Werke, Bd. 5, Darmstadt 1954, S. 481.
20 Schiller: Über den Gebrauch des Chors in der Tragödie, a.a.O., S. 5.

dem lebendigen Spiel aller seiner Kräfte.«[21] Für die Gesellschaft aber ist das echte ästhetische Erlebnis die einzige Art der Beziehung, die eine verbindende und nicht eine trennende Wirkung hat (alle anderen Arten von Beziehungen entspringen nur der Selbstsucht und appellieren an die Selbstsucht): »Der Geschmack allein bringt Harmonie in die Gesellschaft, weil er Harmonie in dem Individuum stiftet ... Alle anderen Formen der Mitteilung trennen die Gesellschaft, weil sie sich ausschließlich entweder auf die Privatempfänglichkeit oder auf die Privatfertigkeit der einzelnen Glieder ... beziehen; nur die schöne Mitteilung vereinigt die Gesellschaft, weil sie sich auf das Gemeinsame aller bezieht.«[22]

In unserer Zeit, da künstlerisch minderwertige Werke die Kommunikationsmedien beherrschen, scheint diese Ansicht ein fast utopischer Gedanke zu sein. Schiller selbst sah die Gefahren, die die reine Kunst (die er für die einzige Quelle wahrer Schönheit hielt) angesichts der wachsenden Anforderungen einer industrialisierten Gesellschaft bedrohen, und sie waren für ihn eine ständige Quelle großer Besorgnis.

Das Problem der mittelmäßigen Kunst

Schiller erkannte, daß je mehr sich die Gesellschaft mechanisiert, sie um so härtere Forderungen an das Leben des Individuums stellt. Ihre Anforderungen erschöpfen Geist und Körper, und deshalb braucht der Mensch in seiner freien Zeit Ruhe und Entspannung: »Jene aber (die Arbeit) macht das sinnliche Bedürfnis nach Geistesruhe ... ungleich dringender als das moralische Bedürfnis nach Harmonie ... weil vor allen Dingen erst die Natur befriedigt sein muß, ehe der Geist eine Forderung machen kann.«[23] Zwar spricht die Schönheit »zu allen Vermögen des Menschen zugleich und kann daher nur unter der Voraussetzung eines vollständigen und freien Gebrauchs aller seiner Kräfte empfunden und gewürdigt werden. Einen offenen Sinn, ein erweitertes Herz, einen frischen und ungeschwächten Geist muß man dazu mitbringen ...«[24] Doch minderwertige Kunst stellt keine

21 Ebenda, S. 4.
22 Schiller, Über die ästhetische Erziehung des Menschen, Ausgew. Werke Bd. 5, S. 372.
23 Schiller, Über naive und sentimentalische Dichtung, a.a.O., S. 460.
24 Ebenda, S. 460.

derartigen Anforderungen. Sie schärft den Geist nicht, sondern lullt ihn ein: »Darf man sich also noch über das Glück der Mittelmäßigkeit und Leerheit in ästhetischen Dingen und über die Rache der schwachen Geister an dem wahren und energischen Schönen verwundern? Auf Erholung rechneten sie bei diesem, aber auf eine Erholung nach ihrem Bedürfnis und nach ihrem armen Begriff, und mit Verdruß entdecken sie, daß ihnen jetzt erst eine Kraftäußerung zugemutet wird, zu der ihnen ... das Vermögen fehlen möchte.«[25] Schiller beschreibt hier die Kunstauffassung etwa des müden Geschäftsmannes und nimmt jene neueren Kritiker vorweg, die darüber besorgt sind, in welchem Ausmaß minderwertige künstlerische Produkte den Leser, Zuhörer oder Zuschauer in Passivität versetzen. Diese Passivität führt wiederum dazu, daß mehr die Form als der Gehalt erfahren und gewürdigt wird.

Die Überentwicklung des Geschmacks (bei Schiller steht dieses Wort synonym für Formsinn) kann entweder von einem ästhetischen Sensualismus herrühren, oder sie entstammt einem sehr verfeinerten, an den formalistischen Kunsttheorien geschulten Urteilsvermögen. In diesen Theorien besteht Schönheit nur in der richtigen Proportion oder in der Zweckmäßigkeit der von dem Künstler gebrauchten Mittel für das Ziel, das er verfolgt. Es ergibt sich dann die Gefahr, daß der Geschmack zum einzigen Richter wird, die Menschen nur noch amüsante Spielereien treiben und dahin gelangen, »alle Realität überhaupt zu vernachlässigen und einer reizenden Einkleidung Wahrheit und Sittlichkeit aufzuopfern.« Der Mensch verwirklicht seine hohen Anlagen nur dann, wenn er allen seinen Kräften freies Spiel läßt. Er darf sich nicht zu dem Gedanken verleiten lassen, daß er schon frei ist, wenn der Geschmack (oder der Formsinn) seine Triebe erfolgreich ersetzt oder unterdrückt hat. »Der Geschmack darf nie vergessen, daß er eine Ordnung verwirklicht, die woanders herstammt.«

Bei der Erörterung der immer neuen Formen, die sich in einer fortschreitenden Kultur entwickeln, nimmt Schiller in gewisser Weise schon die modernen Massenmedien vorweg. Er sieht die Gefahr, daß durch immer neue formale Anforderungen das schöpferische und moralische Denken überwuchert werden könnte: »Die Kultur, weit entfernt uns in Freiheit zu setzen, entwickelt mit jeder

25 Ebenda, S. 461.

Kraft, die sie in uns ausbildet, nur ein neues Bedürfnis; die Bande des Physischen schnüren sich immer beängstigender zu, so daß die Furcht zu verlieren selbst den feurigen Trieb nach Verbesserung erstickt.«[26] Obwohl er also die Gefahr erkennt, bleibt Schiller doch weit optimistischer, als wir es heute sind. Während wir zu der Annahme neigen, daß das Erlebnis echter Kunst und Schönheit nun mehr kleinen exklusiven Gruppen vorbehalten ist, kann er sich noch einen »ästhetischen« Staat, d.h. einen von der Idee des Schönen regierten Staat vorstellen, in dem alle Menschen frei werden: »Mitten in dem furchtbaren Reich der Kräfte und mitten in dem heiligen Reich der Gesetze baut der ästhetische Bildungstrieb ... an einem fröhlichen Reiche ... Freiheit zu geben durch Freiheit ist das Grundgesetz dieses Reiches.«[27] Das ist in ihren wesentlichen Zügen die idealistisch-liberale Theorie von den menschlichen Vermögen, wie sie sich im 18. und 19. Jahrhundert herausbildete. In ihr laufen alle politischen, philosophischen und ästhetischen Theorien in dem einen Gedanken zusammen, daß jeder Mensch in sich das Vermögen zu einem spontanen, produktiven und schöpferischen Leben trägt. Schiller kannte also durchaus die skeptischen Einwände gegen die Möglichkeit einer individuellen Entwicklung in einer modernen Massengesellschaft. Während aber dieser Skeptizismus im 19. Jahrhundert bald die Oberhand gewinnen sollte, unterlag ihm Schiller nicht.

III   »Die Kultur geht andere Wege«

In Deutschland beschränkte sich die Reaktion auf die Flut der Massenliteratur hauptsächlich auf akademische Klagen und ein Gefühl der Hilflosigkeit. Aber in anderen Ländern setzte sich eine andere Haltung durch, die von einer umfassenderen gesellschaftlichen Einstellung und von größerer politischer Freiheit zeugte. Besonders in England lehnten die Kritiker die Massenkunst zwar aus ästhetischen Überlegungen ab, neigten aber zugleich dazu, in ihr nur eine von vielen Äußerungen tieferer gesellschaftlicher Kräfte zu sehen.
Da die Flut der Massenliteratur in England schon mehrere Jahrzehnte früher als in Deutschland auftrat, wurde diese Einstellung schon um

26 Schiller, Über die ästhetische Erziehung des Menschen, a.a.O., S. 272.
27 Ebenda, S. 372.

1800 formuliert. Es geschah zuerst in William Wordsworths berühmtem Vorwort zur zweiten Ausgabe seiner »Lyrical Ballads«. Der große englische Dichter äußerte seine Besorgnis darüber, wie sehr »die Schönheit und Würde« echter Kunst bedroht werde »durch verrückte Romane, schwächliche und stumpfsinnige deutsche Trauerspiele und die Sintflut müßiger und überspannter Verserzählungen«. Wordsworth analysiert die Ausbreitung dieser Massenliteratur und stößt dabei auf einen psychologischen Zusammenhang, der uns heute sehr bekannt ist: Das Bedürfnis des modernen Menschen nach »groben und starken Reizmitteln« führe leicht dazu, »die Urteilskraft abzustumpfen«, während die Aufgabe wahrer Kunst darin bestehe, sie anzuregen. Die Kitschliteratur versetzt also die Menschen in einen Zustand der Passivität oder, in Wordsworths eigenen Worten, »in einen Zustand einer beinahe barbarischen Gefühlslosigkeit.« Er findet, daß diese Tendenzen aktiviert werden durch die gesellschaftlichen Umwälzungen, durch »die großen nationalen Ereignisse, die täglich stattfinden und die stündlich durch das ständig steigende Anwachsen der Intelligenz allen mitgeteilt werden«[28]. In demselben Zusammenhang sagt Wordsworth, daß sein eigenes Werk sich bescheiden bemühe, »diesen neuen verderblichen Tendenzen entgegenzuwirken«.

Die wenigen hier zitierten Sätze enthalten im Kern fast alle Themen, die die englische Kritik der Massenkultur im 19. Jahrhundert von der deutschen unterscheiden: das Interesse an der Kunst ist dem Interesse an dem Ganzen der Kultur untergeordnet; die Aufmerksamkeit konzentriert sich auf den institutionalisierten gesellschaftlichen Druck; die Drohung des Konformismus wird besonders betont; es wird versucht, die Haltung des Publikums nicht aus einer angeborenen Neigung zur Passivität und Trägheit oder aus verdorbenen Instinkten zu erklären, sondern als das natürliche Ergebnis gesellschaftlicher Einflüsse. Diese Kritiker glauben überdies, daß große Kunst den verderblichen Einflüssen der sich ausbreitenden Industrialisierung entgegenwirken könne.

Matthew Arnold ist der beredteste Vertreter dieser englischen Kritik. Anders als bei Wordsworth und ähnlich wie bei Pascal gilt sein Interesse mehr den spirituellen als den ästhetischen Werten: Was »Schönheit und Würde« für Wordsworth bedeuten, sind für ihn »die

28 Zitiert nach »An Oxford Anthology of English Prose«, Oxford University Press 1944, S. 393 ff.

geistige Natur und Demut und Erleuchtung«[29]. Wo Wordsworth Shakespeare und Milton beschwört, weist Arnold auf Lessing und Herder als auf Schriftsteller hin, die die Grundlage unseres Lebens erweitern, indem sie »Demut und Erleuchtung« schenken »und die Vernunft und den Willen Gottes herrschen lassen«. Er ist tief beunruhigt darüber, daß die Ausbreitung der Industrialisierung die »Kultur« auslöschen könnte, die für ihn in »der Idee der Vollkommenheit als eines inneren Zustandes unseres Geistes und Gemüts« besteht. Er glaubt, daß diese Rolle der echten Kultur für die Menschheit wesentlicher ist als je zuvor. »Von besonderer Bedeutung ist diese Aufgabe in unserer modernen Welt, deren ganze Kultur in viel höherem Grade als die Kultur Griechenlands oder Roms mechanisch und äußerlich ist und sich ständig mehr in dieser Richtung entwickelt ... der Glaube an die Maschinen ist unsere größte Gefahr.«

Nachdem er auf diese Weise industriellen Fortschritt und kulturelle Ziele einander gegenübergestellt hat, wendet sich Arnold spezifischen Phänomenen der Massenkultur zu. Kaum anders als Pascal oder die Sozialkritiker in modernen »Kulturzeitschriften« behandelt er Spiele, Sportveranstaltungen und Massenmedien als verschiedene Äußerungen derselben Tendenz, nämlich vor dem wahren Leben auszuweichen. »... das Ergebnis all der Spiele und Sportarten, die die jetzt lebende Generation der Knaben und jungen Männer beschäftigen, kann vielleicht einen besseren physischen Typus für die Arbeit der Zukunft zustande bringen ... die Knaben und jungen Männer unserer Generation werden aber dabei geopfert.« Im selben Zusammenhang greift er die Hersteller derjenigen Literatur an, die für den Massenverbrauch bestimmt ist: »Zahllose Leute versuchen, den Massen, wie sie sagen, geistige Nahrung zu geben. Sie präparieren und bearbeiten sie so lange, bis sie ihnen für die tatsächliche Lage der Massen geeignet erscheint. Die gewöhnliche Massenliteratur bietet ein gutes Beispiel für diese Art, die Massen zu bearbeiten.« Arnold hält solche Manipulationen für unvereinbar mit wahrer Kultur, die »andere Wege geht«. Er nimmt auch die Zeitung (zumal die amerikanische) aufs Korn und sieht in ihrem Pragmatismus den genauen Gegensatz zu wahrer Kultur. »Denn damit, daß man die Leute fähig

29 Dieses Zitat sowie alle folgenden stammen aus Matthew Arnold, Culture and Anarchy (zuerst veröffentlicht 1869) New York, 1950. Siehe besonders S. 22-23, S. 60-61, S. 69-71.

48

macht und sie dazu anhält, ihre Bibel und die Zeitungen zu lesen und sich ein praktisches Wissen für ihren Beruf zu erwerben, dient man dem höheren geistigen Leben einer Nation keinesfalls in demselben Maße, wie wahre Kultur ihm dient; und eine echte Vorstellung von Kultur ist just das ..., was Amerika fehlt.«

In seiner 1867 geschriebenen Abhandlung über »The English Constitution« legt Walter Bagehot dar, daß die Neigung der Engländer zu »dem äußeren Schein des Lebens«, ihre Entfernung von »wahrer Philosophie« die ganze Nation immer mehr zu einem oberflächlichen Lebensstil und zur Bewunderung des Erfolgs verleite. Er fürchtet, daß unter dem Druck der traurigen Allianz zwischen Berufspolitikern und professionellen Geldraffern die Werte der britischen Aristokratie völlig verlorengehen, und er klagt darüber, wie sehr sich dieser moderne Götzendienst auch in den Schriften der Nation widerspiegelt. »Es ist nicht wahr, daß die Achtung vor dem Rang – wenigstens soweit es sich um ererbten Rang handelt – ebenso schimpflich ist wie die Verehrung des Geldes. Gute Manieren sind nun einmal in bestimmten Schichten zum Teil erblich, und gute Manieren sind eine der schönen Künste. Sie sind ein Stil des gesellschaftlichen Lebens; sie bedeuten für den täglichen Umgang der Menschen im Gespräch dasselbe, was die Kunst des literarischen Ausdrucks für ihren gelegentlichen schriftlichen Verkehr bedeutet.«[30]

Bagehot hebt das Zeitungslesen hervor, da es die einzige geistige Tätigkeit sei, die noch ein breites Publikum findet. Gleich den klassischen europäischen und amerikanischen Soziologen (Tönnies, Max Weber, Ward und Ross) weist er darauf hin, daß die Zeitungen die öffentliche Meinung lenken, wobei sie bewußt bestimmten politischen und Geschäftsinteressen dienen: »Gerade jetzt wird in dem, was man vornehm das öffentliche Leben nennt, eine gefährliche Einteilung vorgenommen. Die Zeitungen beschreiben täglich und unaufhörlich einen bestimmten augenfälligen Daseinsbereich; sie erläutern seine Charakterzüge, zählen Einzelheiten auf, untersuchen seine Motive und ergründen seine Ursachen.« Im Hinblick auf die Welt der Politik klagt er, daß die Zeitungen »jener Welt einen Vorrang und eine Würde einräumen, die sie keiner anderen zuerkennen«. Demgegenüber »sind die literarische Welt, die wissenschaftliche Welt und die philosophische Welt an Rang nicht nur nicht vergleich-

30 Walter Bagehot, The English Constitution, The World's Classics, New York, 1944, S. 80-81.

bar mit der politischen Welt, sondern haben fast überhaupt keinen Wert. Die Zeitung erwähnt sie nicht und könnte sie auch gar nicht erwähnen.« In völliger Übereinstimmung mit dem Denken des deutschen Idealismus, wie es sich bei Schiller ausprägt, glaubt auch Bagehot, daß der Grund für diese Haltung bei den Produzenten zu suchen ist und nicht bei den Konsumenten. Freilich erliegen diese am Ende der Verführung. »Wie die Zeitungen, so die Leser; durch unwiderstehliche Folgerungen und Assoziationen glauben sie, daß die Leute, die beständig in den Zeitungen genannt werden, klüger, fähiger oder wenigstens etwas vornehmer als andere Leute sind... Die englischen Politiker sind Schauspieler auf einer Bühne, und die bewundernden Zuschauer können kaum dem Glauben widerstehen, daß der bewunderte Schauspieler größer sei als sie.«[31]

Bagehot steht durchaus in der traditionellen Diskussion über den unversöhnlichen Gegensatz zwischen echter Kultur und Kunst auf der einen Seite und den für die Massen bestimmten Produktionen auf der anderen, die das geistige und moralische Niveau des Volkes herabdrücken. In seinen »Literary Studies«, die zum größten Teil in den fünfziger Jahren geschrieben wurden, findet sich ein Aufsatz über die Waverley-Romane (übrigens hatten schon deutsche Kritiker bemerkt, daß die Romane Scotts zur Unterhaltungsliteratur zählten), in denen Bagehot nach einem halben Lob für den erfolgreichen Verfertiger dieser Romane folgende Bemerkungen macht: »Im ganzen gesehen und grob gesprochen finden wir vor allem zwei Fehler in der Schilderung, die Scott uns von einem Menschenleben gibt. Er unterläßt es, uns eine Schilderung der Seele zu geben... Wir vermissen die heiligende Kraft ... Vielleicht gibt es die Liebe zwischen unsterblichen Wesen, aber niemand könnte darüber etwas von Scott erfahren. Seine Helden und Heldinnen sind sehr gut für diese Welt zurechtgemacht, aber sie taugen nicht für die jenseitige; selbst in ihrer Liebe ist nichts, was ihnen Unsterblichkeit verleihen könnte. Wie schon bemerkt, verzichtet Scott auch auf jede Schilderung des reinen, von der Materie gelösten Geistes. Wenn man die undramatische, dem Leben entrückte Natur dieses Geistes in Erwägung zieht, brauchte das kein so schwerer Vorwurf zu sein, wenn er allein stände; aber in Verbindung mit der Unterlassung, auf die wir soeben hingewiesen haben, ist er höchst bedeutend. Wie die Verbin-

31 Ebenda, S. 42.

dung von Gefühl und Romantik die Welt Scotts so eigentümlich
ansprechend macht – ein faszinierendes Bild unserer Welt in dem
Licht, in dem wir das Leben in ihr am meisten lieben – so gibt das
Fehlen des gespannten, strebenden Geistes und der übernatürlichen
Seele der Welt Scotts die Schwerfälligkeit und Irdischkeit, in einem
Wort gesagt, den Materialismus, der für diese Welt charakteristisch
ist.«[32]

Schiller sagte, daß eine Literatur, die nur des Lesers Bedürfnis nach
Entspannung zu befriedigen sucht, nicht als Kunst bezeichnet werden könne. Bagehot drückt denselben Gedanken mit anderen Begriffen aus. Die Massenliteratur ist für ihn eine Literatur ohne moralische
und geistige Werte. Er kritisiert Scotts Romane, weil sie nicht die
Spannung zwischen der menschlichen Seele und der wirklichen Welt
zeigen, weil sie auf dem Niveau des Sinnlichen und Angenehmen
bleiben, anstatt die Unsterblichkeit zu betonen. Bagehot nähert sich
also sehr stark der Anschauung Pascals: Eine Kunst, die das religiöse
und geistige Ringen ausschließt, ist keine Kunst.[33]

Arnold, Bagehot und die anderen Zeitkritiker stellten nicht die
Alternative auf zwischen esoterischen, künstlerischen Schöpfungen
einerseits und markt- und absatzorientierten Produkten andererseits.
Sie entwickelten vielmehr eine Vorstellung von der Kunst, nach der
sie weder exklusiv ist, noch sich an das Publikum anzupassen strebt;
in ihrer Vorstellung blieb kein Raum für die Produkte der Massenkultur. Denn diese Denker glaubten, daß die Hauptfunktion der Kunst
und insbesondere der Literatur darin bestehe, die universale Befreiung der Menschheit herbeizuführen.[34]

32 Walter Bagehot, Literary Studies, Einleitung von George Sampson, Every-
man's Library, Bd. II, New York, 1932, S. 160-61.

33 Es ist interessant zu sehen, daß John Stuart Mill, dessen soziale und politische
Auffassungen denen Bagehots völlig zuwiderliefen, ebenfalls eine von utilitaristischen Werten beherrschte Kunst verurteilte. In seinen literarischen Aufsätzen lobt
er Coleridge dafür, daß er »ontologisch, konservativ, religiös, konkret, historisch
und poetisch« sei, und greift Bentham an, weil er »experimentiert und neuerungs-
süchtig, ungläubig, abstrakt, nüchtern und wesenhaft prosaisch« sei. Vgl. Mill on
Bentham and Coleridge, mit einer Einleitung von F. R. Leavis, London 1950.

34 Lionel Trilling hat einmal auf folgende Tatsache hingewiesen: »In Amerika und
in Europa gründete sich im 19. Jahrhundert jede geistige Tätigkeit auf literarischer
Bildung. Man verlangte von dem Naturwissenschaftler, dem Philosophen, dem
Historiker, dem Theologen, dem Nationalökonomen, dem Sozialwissenschaftler

Diese Vorstellung von der Kunst und insbesondere der Literatur als einer befreienden Kraft geht weit über die Ideen der klassischen Humanisten im späten 18. und frühen 19. Jahrhundert hinaus, deren Hauptinteresse dem Individuum galt, da die organisierte Gesellschaft nur als eine Anhäufung autonomer moralischer Subjekte angesehen wurde. Diese neue Vorstellung setzte sich durch, als der grenzenlose Optimismus hinsichtlich der Vermögen des Individuums zu schwinden begann, und sie war verwurzelt in der Idee einer allen auferlegten gesellschaftlichen Veränderung, die freilich ihrerseits zuletzt dem Individuum dienen würde. Diese neue Vorstellung wurde seltsamerweise von Schriftstellern, die nach ihrer nationalen Herkunft und in ihrem literarischen Stil so verschieden waren wie Matthew Arnold und Leo Tolstoi, fast in gleicher Weise ausgedrückt. Beide legten dar, daß Kunst und Literatur die Grundlagen für die Emanzipation des Menschen von jeder Art gesellschaftlicher Bevormundung abgeben könnten, indem sie ihnen die Idee der Wahrheit und der Freiheit vermittelten. Ihre Schriften sind reich und einander überdies zugleich erstaunlich ähnlich an immer neuen Formulierungen dieser Vorstellung.[35]

Die entscheidende Frage nach der Rolle des »Publikumsgeschmacks«, d. h. nach dem Einfluß des Marktes auf die öffentliche Meinung in einer liberalen oder sogar demokratischen Gesellschaft wurde in den Diskussionen der prä-viktorianischen und viktorianischen Zeit zu einem immer wiederkehrenden Thema. Man könnte beinahe alle Schriftsteller dieser Zeit in einer Reihe anordnen, die von völliger Billigung bis zu entschiedener Mißbilligung der folgenden

und sogar von dem Politiker literarische Fähigkeiten und hielt sie keinesfalls für belanglos für ihre verschiedenen Berufe.« The Liberal Imagination: Essays on Literature and Society, Anchor Book, New York 1953, S. 99.

35 Vergleiche Matthew Arnold, Culture and Anarchy, New York, 1950, S. 69-71, und Leo Tolstoi, What is Art?, London o. J., S. 192-93, eine Übersetzung des russischen Originalmanuskripts mit einer Einleitung von Aylmer Maude. Es ist die radikale Alles-oder-nichts-Theorie der Kunst; sie impliziert, daß alles, was von den Menschen als schön empfunden wird, deswegen schon keine Kunst mehr sei. In der zeitgenössischen Diskussion der Massenmedien kann man genau den entgegengesetzten Standpunkt finden. Hier wird zuweilen die Kunst, von der Tolstoi und Arnold sprachen, mit der Begründung beiseite geschoben, daß sie nicht für das Volk gewesen sei. Dieser Standpunkt wird z. B. ganz eindeutig in Coulton Waughs Buch über die »Comics« vertreten. Vergleiche Kapitel I, Fußnote 5.

Behauptungen William Hazlitts (1778-1830) führt: »Die höchste Anstrengung des Genies, in welchem Bereich der Kunst immer, kann niemals von dem Durchschnitt der Menschen verstanden werden«[36] und »der Geschmack des Publikums liegt wie ein Mühlstein um den Hals jedes ursprünglichen Genies, das sich nicht den bestehenden und allein gültigen Modellen anpaßt«[37]. Diese Annahmen liegen Hazlitts Besorgnis über den Niedergang der Kultur zugrunde. Seiner Ansicht nach ist Massenkultur gleichbedeutend mit dem Verfall der echten Kultur, die dem Diktat unterworfen wird, das der Geschmack der kaufkräftigen Konsumenten ausübt. »Deshalb ist der allgemeine Geschmack in dem Maße, in dem er allgemein ist, notwendig verfälscht; mit jeder neuen Beimischung an allgemeinen Ansichten sinkt sein Niveau. Je größer die Zahl der Richter ist, um so weniger urteilsfähig müssen sie sein, denn der Zustrom von guten wird immer gering sein, während die Masse der schlechten grenzenlos ist. Deshalb kann man sagen, daß der Niedergang der Kunst die notwendige Folge ihres Fortschritts ist.«[38]

Bei der Beschreibung der Massenkultur und der Art, wie die Massen die Freizeit verwenden, arbeitet er mit Kategorien, die unseren heutigen schon recht ähnlich sind. Er weist auf die soziale Stellung der offiziellen Kunstpäpste hin, auf die Rolle des Geldes und auf die eifrige Bemühung des durchschnittlichen Publikums, den Schein zu wahren, wenn man nach gesellschaftlichem Erfolg strebt. Wir zitieren aus einem Artikel im »Examiner« (1816), in dem er das Auswahlverfahren des Britischen Museums untersucht: »... die Royal Academy ist eine Gesellschaft von Kunsthökern, die mehr an ihren Profit als Hausierer und Händler denken als an die Ehre der Kunst ... Ein Modekünstler und ein Modefriseur haben in Theorie und Praxis dieselben allgemeinen Prinzipien; der eine staffiert seine Kunden dafür aus, daß sie mit éclat in einem Ballsaal erscheinen können, der andere für die große Halle der Royal Academy.«[39]

Dabei ist zu beachten, daß das Statusproblem des Künstlers, das wenigstens in England im 18. Jahrhundert anscheinend gelöst worden war, nunmehr erneut aufgeworfen wird, als die Künstler und ihre

36 Hazlitt, The Round Table (1817), in: The Complete Works, Bd. 4, London 1930, S. 164.
37 Hazlitt, Lectures on the English Poets (1818), a. a. O., Bd. 5, S. 96.
38 Ebenda, S. 45-46.
39 Hazlitt, a. a. O., Bd. 18, S. 105-108.

Sprecher sich ihren neuen »Mäzen«, den Markt, genauer betrachten. Hazlitt nimmt eine extrem negative Stellung ein, denn er kommt zu dem Ergebnis, daß ein Schriftsteller überhaupt keinen gesellschaftlichen Rang besitzt. »Damit man überhaupt als Schriftsteller beachtet wird, muß man mehr oder aber weniger als ein Schriftsteller sein – ein reicher Kaufmann, ein Bankier, ein Adliger oder ein Bauer. Er wird für etwas bewundert, das ihm selbst fremd ist... Damit man gut von ihm spricht, muß er sich irgendeiner Fahne verpflichten; er muß zu irgendeinem Klüngel gehören.«[40] Hazlitts Verachtung des Publikums gipfelt in der Feststellung: »Es liest, es bewundert, es preist, nur weil es gerade Mode ist, nicht weil es das Thema oder den Menschen liebt.«[41]

Das letzte Zitat erinnert an Goethe. Zuweilen scheinen sie einander zu zitieren. Hazlitt schreibt über den Besuch der Oper oder des Theaters: »So luxuriös die Logen sind und so glänzend die Erscheinung derer ist, die in ihnen sitzen, so atmen sie doch nicht den Geist der Freude. Sie wirken eher wie die Krankenzimmer des Luxus und des Müßiggangs, wo Angehörige einer bestimmten Klasse die Quarantäne der Mode für den Abend absitzen müssen. Die übrigen Zuschauer sind verdrießlich und eingebildet...«[42] Goethes Theaterdirektor erklärt dem Dichter:

> »Wenn diesen Langeweile treibt,
> Kommt jener satt vom übertischten Mahle,
> Und, was das allerschlimmste bleibt,
> Gar mancher kommt vom Lesen der Journale.
> Man eilt zerstreut zu uns, wie zu den Maskenfesten,
> Und Neugier nur beflügelt jeden Schritt;
> Die Damen geben sich und ihren Putz zum Besten
> Und spielen ohne Gage mit.
> Was träumet Ihr auf Eurer Dichterhöhe?
> Was macht ein volles Haus Euch froh?
> Beseht die Gönner in der Nähe!
> Halb sind sie kalt, halb sind sie roh.«[43]

Das folgende Zitat, in dem die Vereinigten Staaten als das krasseste Beispiel für die Abwertung des Geschmacks in einer demokratischen

40 Hazlitt, Table Talk (1821-1822), a.a.O., Bd. 8, S. 210-211.
41 Ebenda, S. 99.
42 Ebenda.
43 Goethe, Faust, Vorspiel.

Gesellschaft angeführt werden, erinnert an Stendhal und Tocqueville: »Macbeth wird hier nur wegen der Musik geduldet; und in den Vereinigten Staaten, wo die philosophischen Regierungsprinzipien in Theorie und Praxis noch weiter getrieben werden, wird die *Beggar's Opera* auf der Bühne ausgepfiffen. Allmählich wird die Gesellschaft zu einer Maschine umkonstruiert, die uns sicher und langweilig von einem Ende zum anderen trägt – alles in einem sehr bequemen Prosastil.«[44]

In einem anderen Artikel im »Examiner« (1816) klagt er »die Launenhaftigkeit der öffentlichen Meinung« an, die mit »allgemeiner Unwissenheit« gepaart ist und die den schlechten Geschmack eher noch schlechter machen denn »reformieren« werde. Wir fassen zusammen: »Die Verbreitung des Geschmacks ist nicht gleichbedeutend mit der Verbesserung des Geschmacks.«[45]

Leigh Hunt (1784-1859) war wahrscheinlich der erste berufsmäßige Theaterkritiker und ganz bestimmt einer der ersten, der maßgebliche und einflußreiche Zeitungskritiken von Theateraufführungen schrieb. Sein Grundinteresse scheint mit dem Hazlitts identisch zu sein.[46] Auch er befaßte sich mit dem Tiefstand des Theaters. Im Jahre 1807 schrieb er in den »News« eine Artikelserie über die Lage der Komödie in England (sie liest sich zuweilen wie eine Paraphrase von Oliver Goldsmiths Satire der englischen Bühne in »The Citizen of the World«, 1762). In ihr verurteilte er die neuen Extravaganzen der Verfasser von Komödien, die mit Kniffen und Tricks Wirkungen zu erzielen versuchten. Der moderne Verfasser von Komödien sei an schnellem Erfolg interessiert und wolle auf dem leichtesten Wege

---

44 Hazlitt, Lectures on the English Poets (1818), a. a. O., Bd. 5, S. 10.

45 Hazlitt, a. a. O., Bd. 18, S. 102-103.

46 Es zeigt sich jedoch, daß Hunt den Typ des Schriftstellers repräsentiert, der im Laufe seiner literarischen Karriere sich mit den konformistischen Maßstäben arrangiert. Vierzig Jahre später veröffentlichte Hunt seine »Autobiography« (London, 1850), in der er zu seinen Theaterkritiken als junger Mann Stellung nahm. Seine Anschauungen sind nun erheblich milder; seine frühere Meinung hat sich jetzt fast vollständig geändert: »Ich will nicht sagen, daß ihre Komödien hervorragend waren oder daß meine Behauptungen über das größere Verdienst Congreves oder Sheridans nicht gut begründet gewesen wären; aber es war doch mehr Talent in ihren fünfaktigen Possen, als ich annahm; und ich sah irrtümlicherweise den Fehler der Zeit – ihren Mangel an dramatischen Persönlichkeiten – hauptsächlich als einen Fehler der Schriftsteller an, die sich damit plagen mußten.«

Beifall gewinnen. Die Ereignisse und Charaktere wären entweder »völlig abgedroschen« oder es würden »die unnatürlichsten Verkleidungen gebraucht, um den Schein der Neuheit vorzutäuschen; sie erinnern uns an die Tricks ... die auf manchen unserer Jahrmärkte praktiziert werden ...«[47], kurz gesagt, die Kunst des modernen Komödienschriftstellers besteht in einer Reihe von Täuschungen, die die Zuschauer in Erstaunen versetzen sollen. Und welches Publikum ist dafür verantwortlich, daß diese vulgären Darbietungen gefördert werden? »Der moderne Schriftsteller schreibt für die Galerien, mit anderen Worten: für den Teil des Publikums, der am wenigsten urteilsfähig, aber am lautesten bei der Abgabe seines Urteils ist.«[48]

Bei Sir Walter Scott (1771-1832) treffen wir auf eine völlig andere Haltung zu der Beziehung zwischen Künstler und Publikum. Vor allem betrachtet er die Schriftstellerei als ein rechtmäßiges Geschäft, das klingenden Lohn abwirft: »Mir ist gleich, wer es liest – ich schreibe zur allgemeinen Unterhaltung.«[49]

In einer vertraulichen Tagebucheintragung bekennt er ganz offen: »Die Gunst des Publikums ist meine einzige Lotterie«, und er fügt stolz hinzu: »Ich erfreue mich schon lange der größten Anerkennung.«[50] Man könnte vielleicht sagen, daß er das Credo der mittleren Talente formuliert, wenn er eine Art prästabilierte Harmonie zwischen Büchern, die sich gut verkaufen, und dem gesunden Geschmack des Publikums annimmt. »...Es ist oft geschehen, daß die, die in ihrer Zeit am besten aufgenommen wurden, auch für die Nachwelt bedeutsam geblieben sind. Ich denke nicht so gering von unserer Generation, daß ich glaubte, die heutige Anerkennung müsse notwendig eine zukünftige Verurteilung nach sich ziehen.«[51] In scharfem Gegensatz zu der esoterischen Kunstauffassung Hazlitts oder des frühen Hunt – gar nicht zu reden von Coleridge, Wordsworth oder Shelley – rät Scott zu einer »Pflege« der Kunst, die

---

47 Leigh Hunt, An Essay of the Appearance, Causes and Consequences of the Decline of British Comedy, in: Critical Essays, London 1807, S. 132.
48 Ebenda, S. 131.
49 Scott, Introductory Epistle in Fortunes of Nigel (1822), Bd. I, London 1892, S. XXXVIII.
50 Journal of Sir Walter Scott, (1826), herausgeg. von J. G. Tait, Edinburgh, 1950, S. 73.
51 Letters of Sir Walter Scott, Bd. II, herausgeg. von H. J. Grierson, London 1932, S. 278.

zugleich »nützlich« für das Geschäftsleben der Gesellschaft ist. »Wenn man seinem Geschmack an der Dichtung zu sehr nachgibt, kann sehr leicht in uns eine hochmütige Verachtung für die gewöhnlichen Geschäfte der Welt entstehen, die uns nach und nach zur Ausübung nützlicher und häuslicher Tugenden untauglich macht. Denn diese hängen sehr davon ab, daß wir unsere Gefühle nicht über die Stimmungslage einer wohlgeordneten und wohlerzogenen Gesellschaft hinaus steigern ... Pflegen Sie also Ihren Geschmack für die Poesie und die schöne Literatur als einer eleganten und sehr interessanten Unterhaltung, aber verbinden Sie sie mit einer ernsthafteren und solideren Beschäftigung.«[52]

Scott macht also aus der Kunst eine Beschäftigung, in der sich ein überschüssiger Tätigkeitsdrang auswirken kann. Damit wird sie ihrer ästhetischen Prinzipien beraubt. Für Scott gibt es keine Regeln, nach denen man die Angemessenheit oder Schönheit von Kunstwerken beurteilen kann. Verschiedene Klassen finden Gefallen an verschiedenen Arten von Kunstwerken, und Scott akzeptiert diese Unterscheidung. Er ist zwar beunruhigt, daß die Maßstäbe seiner Klasse herabgedrückt werden könnten, wenn bestimmte Kunstgattungen populär werden – aber hier tritt nur ein konventioneller moralischer Maßstab an die Stelle eines ästhetischen. Im Grunde schiebt Scott das Problem, wie sich künstlerische Maßstäbe aufrechterhalten oder neu begründen lassen, mit der Überlegung beiseite: Wenn die Kunst nur ein Randbereich ist und die Maßstäbe der Gesellschaft den Ausschlag geben, dann ist das Publikum, an das sie sich wendet, der legitime Kritiker.

»The Edinburgh Review«

Wenn man sich durch die Bände von Zeitschriften wie »The Edinburgh Review«, »The Quarterly Review«, »Blackwood's«, usw. hindurcharbeitet, erkennt man immer deutlicher die dominierende, wenn auch verdeckte, gesellschaftliche Orientierung vieler ihrer Mitarbeiter, der berühmten und der weniger bekannten. In der Fülle von Aufsätzen findet man beinahe jede Kategorie schon verwendet, die für die begriffliche Erfassung der Gebiete der Kultur und der Massenmedien bedeutsam geworden ist. Sie enthalten z. B. verschie-

52 Ebenda, S. 278.

dene Theorien über die soziale Funktion der hohen und der niederen Literatur, über die Veränderung des Geschmacks, über die Rolle, die verschiedene Medien für die Stärkung der öffentlichen Meinung spielen, über die Wechselbeziehungen zwischen gesellschaftlichen Cliquen und literarischen Moden, über die Verflechtung von Politik, Geschäft und Förderung der Kunst. Hier kann nur ein erster Eindruck von dem Reichtum dieses Materials gegeben werden.

Die im Jahre 1802 gegründete »Edinburgh Review« bietet wohl die reichste Quelle zur Erschließung der Hauptthemen in der Diskussion über hohe und niedere Kultur und ihre Beziehung zum Ganzen der Gesellschaft während des Jahrhunderts. Obgleich die Rezensionen, die den Inhalt dieser Zeitschrift beinahe ausschließlich bilden, nicht signiert sind, weiß man, daß praktisch alle bedeutenderen Köpfe des englischen literarischen Lebens irgendwann zu den regelmäßigen Mitarbeitern zählten. Die vorherrschende Einstellung, die sich über die Jahre hin herauskristallisiert, ist die einer freundlichen Kompromißbereitschaft. Man versucht, die Forderung nach Qualität und die Bedürfnisse und berechtigten Ansprüche der breiten Leserschaft miteinander in Einklang zu bringen. Es folgen einige Beispiele für die Themen, die erörtert, und die Positionen, die dabei eingenommen wurden.

Im Band 65 (1837) finden wir die Rezension eines historischen Werkes, die den Untertitel »Zeitungsliteratur« trägt. Der Artikel preist »das universale Reich, dem sich die moderne Zivilisation zu nähern scheint.« Es wird zwar zugegeben, daß »das Bild Englands sehr viel weniger poetisch ist« als das vom Genius des Altertums geschaffene, aber trotzdem kann »unser eigenes Zeitalter und unser Land« darauf stolz sein, daß eine »so große Anzahl an den Vorteilen, die ein gesichertes Leben bieten, teilhat.« »Die billige und rasche Reise mit Eisenbahn oder Dampfschiff, die warme, mit Glasfenstern versehene Wohnung, das saubere Hemd und die sauberen Strümpfe, die von fern herbeigeschafften Genüsse des Teetisches und der Pfeife, ein kleiner Vorrat von wohl ausgewähltem Wissen, und vor allem die Zeitung.«[53] Das ist das entscheidende Wort. Der

53 Edinburgh Review, Bd. 65, 1837 (Nr. CXXXII), S. 197. (Alle Beiträge in der Edinburgh Review sind anonym. Wo es irgend möglich ist, wird der Mitarbeiter angegeben. Der Verfasser des oben zitierten Artikels ist William Empson. Für die Ermittlung der Verfasser bin ich Ina Lawson vom Englischen Department der University of California, Berkeley, verpflichtet. Zur Zeit wird unter der Leitung

Verfasser fährt fort, die Zeitungen seien »ein wesentliches Element und ein Symbol für den besonderen Geist und die Tendenz, die unsere Kultur charakterisieren. Es gibt keinen Ort, zu dem sie nicht vordringen, keinen Zweck, dem sie nicht dienen können, und keine Personenbeschreibung, die ihnen nicht freisteht.«[54] Der Verfasser schreckt nicht davor zurück, eine Art soziologischer Ästhetik zu entwerfen, indem er der heutigen Zeitung die Funktion des Epos in der Vergangenheit zuschreibt. »Soweit unsere gegenwärtige Kultur von ihnen abhängt, mag ihr unmittelbarer Einfluß zugunsten des Erhabenen und Vortrefflichen geringer sein als der der epischen Dichtungen in ihrem Höhenflug; aber es wird sich wahrscheinlich herausstellen, daß sie in ihrer bescheideneren Art (und wir sagen das unbeschadet unserer Ehrfurcht vor den Dichtern) ebenso gute Bürgen der Freiheit sind.«[55]

Dem entscheidenden Dilemma zwischen der von den Zeitungen abhängigen öffentlichen Meinung einerseits und dem Bedürfnis andererseits der Schriftsteller, die Zeitungsleser zu befriedigen, wird ausgewichen. Im gleichen Atemzug wird in dem Artikel behauptet, daß »den Journalisten der Tageszeitungen ... gegenüber das Publikum gar keine andere Wahl hat, als sich zu unterwerfen«, und »der Schriftsteller sich in einer sehr ungünstigen Situation gegenüber der Wahrheit befindet.«[56]

Der Grundton des Artikels ist jedoch optimistisch, etwa in der Behauptung, daß »in jeder Epoche der einzige angemessene Maßstab (für die Beurteilung des moralischen und geistigen Niveaus einer Gesellschaft) im Stil ihrer für die breite Masse bestimmten Schriften und ihrer Privathäuser zu finden« sei.[57] Das heißt: »Unter der

von Walter E. Houghton ein Projekt am Wellesley College durchgeführt. Es trägt den Namen »The Wellesley Index to Victorian Periodicals« und soll unter anderem auch die Namen der Autoren erschließen.)

54 Ebenda.

55 Ebenda, S. 148.

56 Ebenda, S. 201.

57 Siehe auch Band 61, 1835 (Nr, CXXIII), S. 184: »Bücher, so billig sie auch und so volkstümlich sie geschrieben sein mögen, werden im allgemeinen nicht von den Ungebildeten gelesen. Ein Buch zu kaufen oder zu leihen und mit seiner Lektüre zu beginnen, zeigt, daß bereits eine gewisse Stufe der Bildung erreicht ist. Aber alle pflegen die Zeitung zu lesen. Und sogar Bauern, Knechte und Mägde und Landarbeiter schauen in das Blättchen, ja brüten über ihm, das die Ereignisse des

Voraussetzung, daß die Presse frei ist und ihre Erzeugnisse billig sind, sind Zeitungen zu jeder Zeit wohl die besten Gradmesser für die tatsächliche moralische und geistige Situation des größten Teils der Bevölkerung.«[58]

Wir weisen im Vorübergehen darauf hin, daß dieser Artikel an zwei wichtige Anliegen John Ruskins rührt, für den die Architektur das Hauptkriterium für die Beurteilung des kulturellen Niveaus einer Gesellschaft war; aber seine starre antiliberale Einstellung erlaubte ihm nicht, die für die breite Masse des Publikums produzierten Kulturgüter freundlich und gerecht zu beurteilen. In völligem Gegensatz zu diesem Artikel postuliert er, daß die Kunst selbst das einzige Kriterium für das moralische und intellektuelle Niveau einer Epoche sei.

Ein anderer Artikel, der ungefähr zehn Jahre später erschien, zeigt, wie lebhaft diese Diskussion war. Er spricht von den »schädlichen Wirkungen«, die durch die »Abhängigkeit von Wochen- oder Monatsschriften« entstehen. »Für alle, die die Tagesschriftstellerei zu ihrem Beruf gemacht haben, sind die dauernd wiederkehrenden Aufforderungen der Wochen- oder Monatsschriften höchst nachteilig, da sie die klare Überlegung des eigenen Standpunktes und die sorgfältige Erforschung und Auswahl des Materials behindern.«[59]

Der Artikel enthält beißende Bemerkungen über die Notwendigkeit, dauernd Neues zu bieten, »das künstlich zu Schaum aufgeblasen wird«; dadurch werde das Publikum gehindert, »die Ausgewogenheit und Harmonie des Stils, die Großzügigkeit und Ebenmäßigkeit der Komposition« schätzen zu lernen, »die die charakteristischen Züge jener Werke bilden, die wir als die Klassiker unserer Sprache ansehen«.[60] Wieder steht Amerika im Hintergrund als das aufschlußreichste Beispiel für den Niedergang der Kultur. So führt ein Autor aus: »Wir hoffen, daß sich Dickens über das Ausmaß, in dem die Presse in den Vereinigten Staaten die öffentliche Meinung prägt und beein-

benachbarten Marktfleckens berichtet. Hier zeigt sich also ein Weg, auf dem die Freunde menschlicher Bildung, die verständigen Förderer der allgemeinen Erziehung, neben politischen Nachrichten und den Tagesereignissen auch die besten Kenntnisse verbreiten können. So können sie leicht auch die niedersten Klassen auf die Wege eines allgemeinen Wissens locken.«

58 Ebenda, Bd. 65, S. 203.
59 Ebenda, Bd. 83, 1846 (Nr. CLXVIII), S. 383.
60 Ebenda.

flußt, täuscht. Wenn seine Beschreibung von ihr zutreffend ist, dann können wir eigentlich nur annehmen, daß die Stärke des Giftes schon als Gegengift wirken müßte. Kann denn irgendein gebildeter Mensch in Amerika diese Blätter mit Achtung lesen?«[61]

Die Seiten dieser Zeitschrift sind voll von Argumenten für und wider bestimmte charakteristische Bestandteile der Zeitungen und Zeitschriften (»Feuilleton«, Fortsetzungsromane und Romanauszüge). Ein Problem von entscheidender Bedeutung bildet jedoch die soziale Rolle der Zeitung in der literarischen Welt. Fünf Jahre später greift ein interessanter Artikel nicht nur die These wieder auf, daß die Zeitung der geeignetste Gradmesser für die Höhe der Kultur sei, sondern behauptet auch, daß die Zeitung das Buch verdrängen wird. »Es ist eine bekannte Tatsache, die jeder größere Buchhändler mit einem Seufzer bekräftigen wird, daß es sinnlos ist, Bücher zu veröffentlichen, wenn bedeutsame politische Ereignisse geschehen oder wenn große Veränderungen zur Debatte stehen.«[62]

Ein Artikel aus dem Jahre 1843 erörtert die Lage des Theaters. Ähnlich wie in den Kritiken der deutschen klassischen Dichter (insbesondere Schillers) wird die Vorliebe des breiten Publikums für wertlose Melodramen und Komödien der Tatsache zugeschrieben, daß das künstlerische Empfindungsvermögen durch die Anforderungen der modernen Zivilisation beeinflußt und geschwächt werde. »Die augenblickliche übersteigerte Vorliebe für verschwenderische Dekorationen auf der Bühne und für allzu reiche Illustrationen der Bücher scheint nichts anderes zu sein als eine Nachgiebigkeit gegenüber der prosaischen Tendenz der Schwachköpfe, die aus Unfähigkeit, selbst bildhafte Vorstellungen zu produzieren, eine reiche Szenerie verlangen, die ihrer trägen Unfähigkeit schmeichelt.«[63] Die Frage der schädlichen Wirkung der modernen Zivilisation auf die schöpferische Phantasie wird in einem anderen Artikel über Poesie wieder aufgegriffen. »Die Hilfen und Geräte, die sich in der Umwelt des Menschen immer mehr vervielfältigen, schwächen ihn. Der Schutz der Gesetze macht es nicht länger notwendig, daß jeder Mensch seiner eigenen Verteidigung fähig ist; die Arbeitsteilung hat die Notwendigkeit zu geistiger Selbständigkeit ebenso wie die zu

61 Ebenda, Bd. 76, 1843 (Nr. CLIV, Artikel VIII), S. 520. Verfasser: James Spaulding.
62 Ebenda, Bd. 88, 1848 (Nr. CLXXVIII, Art. II), S. 342, Verf. A. Hayward.
63 Ebenda, Bd. 78, 1843 (Nr. CLXVIII, Art. V) S. 384-385.

einer breiten und dennoch sorgfältigen Entwicklung aller Fähigkeiten beseitigt, die zustande kam, als die Arbeit eines Menschen noch die gegensätzlichsten Fähigkeiten in Anspruch nahm. In gleicher Weise schläfert die industrielle Tätigkeit die Leidenschaften ein, während der Wohlstand, der ihre gerechte Belohnung ist, sie nur zu oft in Selbstsucht verkehrt.«[64]

Nebenbei bemerkt nimmt dieser Artikel moderne Kategorien der Sozialkritik, wie sie von Riesman und anderen benutzt werden, vorweg – Kategorien, die darauf hinweisen, daß die Werte des Individuums neutralisiert werden müssen, wenn es ein integriertes Mitglied einer sozialen Gruppe bleiben soll. »Es ergibt sich eine gewisse soziale Uniformität, die wie der Luftwiderstand oder die Reibung eine hemmende Wirkung ausübt. Ganz unmerklich werden die Neigungen, Eigenheiten und spontanen Gefühle der Menschen zerstört, und zwar dadurch, daß sie zu verheimlichen zu einer gewohnten Notwendigkeit wird und daß ihnen weder Nahrung noch Spielraum gestattet ist. Auf diese Weise werden die Menschen sozusagen in eine neue Form gegossen. Darüber hinaus sind die zahlreichen geistigen und moralischen Einflüsse, die in einer Epoche verbreiteter Kenntnisse wie der unsrigen zusammen bestehen und gemeinsam zum Aufbau unserer geistigen Persönlichkeit beitragen, oft ihrem Ursprung und ihrer Tendenz nach so völlig gegensätzlich, daß sich ihre Wirkungen gegenseitig neutralisieren. Der Mensch findet sich dann zwar vollgestopft mit Gedanken und Worten, aber oft ohne Ziel und Zweck.«[65] Der Artikel schließt mit der Feststellung, daß die Kunst nur noch »einen schwachen Halt an der Wahrheit und der Wirklichkeit« habe. Denn wir leben in einer Epoche der »Unterwürfigkeit gegenüber der Meinung der anderen – jener unverantwortlichen Kraft, die kleine Dinge groß macht und große unserem Blick entzieht. Aber ohne Einfachheit kann das Ideale nicht bestehen.«[66]

1858 erschien die Rezension einer wichtigen französischen Veröffentlichung über die Massenliteratur. Der Titel des Buches ist »Histoire des livres populaires, ou de la littérature du colportage, depuis le 15me siècle«, der Verfasser Charles Nisard, Secrétaire-adjoint de la Commission de l'examen des livres du colportage, das Erscheinungsjahr

---

64 Ebenda, Bd. 89, 1849 (Nr. CLXXX, Art. III), S. 360, Verfasser Aubrey de Vere.

65 Ebenda.

66 Ebenda.

1854. Der Rezensent widmet diesem Buch volle fünfzehn Seiten, weil »es unmöglich ist, die große Bedeutung nicht zu sehen, die es für die gleiche wichtige Gattung von Publikationen in England besitzt«. Es werden eine Reihe von Beispielen für diese »Art von Publikationen« in England angeführt. Ich kenne keine Formulierung aus dem 19. Jahrhundert, die das Problem der Massenkultur, soweit es sich dabei um Produkte für den Massenkonsum handelt, gleich klar ausdrückt. Der Verfasser spricht über die zeitgenössischen »Hausierer« in Literatur und bemerkt dazu: »Das ist eines der großen sozialen Probleme unserer Zeit, das kaum geringeres Interesse verdient als das der Grundschulbildung selbst. Denn hier geht es um den Erfolg jener Selbstbildung, die sogar noch unmittelbarer die praktische Durchformung des Charakters beeinflußt und die bereits zu Beginn über die moralischen Prinzipien entscheidet, welche im Guten oder Bösen, bewußt oder unbewußt, die Handlungen des Menschen während seines ganzen Lebens leiten werden.«[67]

Da »The Edinburgh Review« eine Zeitschrift mit einem bestimmten gesellschaftlichen Ziel war, erlaubte sie ihren Mitarbeitern immer wieder, auf das beklagenswert niedrige Niveau der für den Massenkonsum bestimmten Unterhaltungen zurückzukommen. Verschiedene Maßnahmen zur Abhilfe werden zu verschiedenen Zeiten und von verschiedenen Mitarbeitern vorgeschlagen, wie z. B. eine umfassendere und kostenlose Erziehung, gesetzliche Maßnahmen gegen den Kitsch, eine Klassifizierung der Theater und schließlich eine bewußte Anstrengung von seiten der Intellektuellen, die Maßstäbe des Durchschnittspublikums so weit anzuheben, daß es seine Stimme für Werke von »gutem Geschmack« abgebe.[68]

Während des 19. Jahrhunderts wurde den Schriftstellern, die die neuen Entwicklungen mit Besorgnis betrachteten, selten widersprochen. Obgleich das Publikum fortfuhr, die Bestseller zu kaufen, beherrschten anscheinend die Verfechter der hohen Kultur die theoretische Diskussion. Trotzdem machte sich eine begrenzte Opposition gegen diese Reinheitsapostel geltend, und es gab auch einige Schriftsteller, die den Fehdehandschuh aufnahmen und eine Kunst für und aus dem Volk verteidigten. Diese Haltung zeigt sich sehr deutlich in der »Edinburgh Review« des Jahres 1896. Der Verfasser stellt die

67 Ebenda. Bd. 107, 1858 (Nr. CCXVII, Art. VIII), S. 246.
68 Ebenda. Bd. 65, 1837 (Nr. CXXXII), S. 204.

Frage: Ist es wahr, daß eine gesteigerte moralische und materielle Wohlfahrt der Massen »nur erreicht werden kann, wenn man es für den Gebildeten schwerer macht, der Zeit seinen Stempel aufzudrükken?« Stimmt es, daß »die Hebung des Niveaus der Massen unausweichlich dazu führt, daß der Genius auf ein niederes Niveau herabgedrückt wird«[69]? Wenn es stimmt, »dann muß allerdings das Interesse der vielen gegenüber den Forderungen der wenigen die Oberhand behalten ...«[70] Aber es stimmt nicht: »... der materielle Wohlstand ist von moralischem Fortschritt begleitet; das Leben unseres Volkes ist im ganzen gesünder als vor fünfzig Jahren ... ihre Wohnungen sind heller, ihre Arbeitsbedingungen leichter und ihre Möglichkeiten zu sinnvoller Erholung größer ... Es gibt keinen Beweis dafür, daß durch die Hebung des Niveaus der Massen der Genius auf ein niedrigeres herabgedrückt worden ist. Wir haben im Gegenteil dargelegt, daß das Genie sich zwar neuen Zielen oder neuen Untersuchungen zuwendet, daß es aber keinen Beweis für den Verfall unserer geistigen Entwicklung gibt. Eine Zeit, die mehr als alle Jahrhunderte vorher für die Beherrschung und Erklärung der Natur getan hat, kann billigerweise nicht einer Minderwertigkeit ihres Geistes geziehen werden.«[71]

In diesem optimistischen Ton faßt »The Edinburgh Review« die Errungenschaften des Jahrhunderts zusammen. Mit neuer Kraft wird der wachsende Triumph von Wissenschaft und Technik weitergetragen. Hier finden wir Arnolds Philister, die die Massenkultur und den großartigen Fortschritt des viktorianischen Zeitalters miteinander identifizieren. Dieser Artikel ist ein Höhepunkt in der Geschichte der »Review«. Bis ungefähr 1860 zeigte die Zeitung ein enormes Interesse für literarische Fragen des Geschmacks und Stils, und sie enthielt zahlreiche programmatische Äußerungen zu kulturellen und besonders zu ästhetischen Problemen, die zu manchen Auseinandersetzungen führten. Später werden die Beiträge weniger lebensvoll, der Stil wird platt und das Niveau der Diskussion vage und zuweilen trivial. Es liegt nahe, die Hypothese aufzustellen, daß die geistige Geschichte der Zeitschrift den Niedergang in der Bewertung der Kunst spiegelt. Sie steht nicht länger im Mittelpunkt des Geisteslebens und der

69 Ebenda., Bd. 183, 1896 (Nr. CCCLXXV), S. 20.
70 Ebenda.
71 Ebenda.

staatlichen Erziehungspolitik wie während ihrer Blüte zur Zeit der romantischen Schulen der europäischen Literatur.

IV Der soziologische Gesichtspunkt

Trotz aller Unterschiede im einzelnen haben die akademischen und literarischen Reaktionen auf das Aufkommen der Massenkultur einen bedeutsamen Zug gemein: beide sind ihrem Wesen nach moralisierend, d. h. beide greifen auf Pascals religiöse Verurteilung der Unterhaltung zurück. Die neueren Verurteilungen unterscheiden sich freilich von Pascal, indem sie die Kunst an die Stelle der Religion setzen, aber die Kunst wird hier als eine Art Gottesdienst an der Wahrheit und Schönheit aufgefaßt und als im wesentlichen geistiger und moralischer Natur angesehen. Während man in der für die Massen bestimmten Kunst nur das Streben nach Entspannung oder den Versuch einer Flucht vor der Wirklichkeit sieht, gilt die hohe Kunst als eine berechtigte und geistig fruchtbare Tätigkeit, die die Seele adelt und in ein ideales Reich erhebt. Man gibt zwar verschiedene Gründe dafür an, daß sich die Menschen mit solchen minderwertigen, ungeistigen Tätigkeiten abgeben; auch wird das Wesen der wahren Kunst, die sich von jenen Tätigkeiten abhebt, unterschiedlich bestimmt; auf jeden Fall aber fällen die Vertreter des akademischen und des kulturellen Standpunktes bewußt oder unbewußt ein moralisches Urteil, das stets auf eine Verwerfung der für die Massen bestimmten Kunst hinausläuft.

Es ist vielleicht kein Zufall, daß eine dritte mögliche Haltung gegenüber diesem neuen Phänomen zuerst in dem Lande Pascals und Montaignes formuliert und praktiziert wurde. Diese neue Haltung, die wir als die soziologische bezeichnen wollen, bedeutet in gewisser Weise eine Rückkehr zu Montaigne und zu seiner Methode, ohne moralisches Urteil leidenschaftslos alle menschlichen Erscheinungen zu untersuchen. Die französische intellektuelle Tradition, jede neue Idee bis zu ihren äußersten Konsequenzen zu durchdenken und sie so scharf wie nur möglich zu formulieren, ist nicht allein dafür verantwortlich zu machen, daß das Phänomen der Massenkultur in Frankreich früher als in jedem anderen Lande mit leidenschaftsloser Objektivität untersucht wurde. Man muß auch die historische Tatsache berücksichtigen, daß in Frankreich die politischen und sozialen

Kämpfe des 19. Jahrhunderts mit größter Intensität ausgefochten wurden und ideologische Bewegungen hier ihre schärfste Ausprägung fanden. Die zahlreichen Umwälzungen, die Frankreich nach der Französischen Revolution von der napoleonischen Diktatur bis zu dem kommunistischen Experiment der Pariser Kommune im Jahre 1871 erlebte, begünstigten die Entwicklung jener ironischen Distanziertheit gegenüber sozialen Phänomenen, die die Vorbedingung wissenschaftlicher Forschung ist.

Alexis de Tocqueville, der zu den Vorläufern moderner Sozialwissenschaft zählt, analysierte bereits 1835 das Phänomen der Massenkultur und ihre Beziehungen zur Literatur als Kunst in solch distanzierter wissenschaftlicher Geisteshaltung. Er fragt nicht, ob die Massenkunst gut oder schlecht ist, er stellt einfach fest, daß die sogenannten höheren Kunstformen in den modernen kapitalistischen Demokratien keinen günstigen Boden finden, weil die Menschen, die entweder »eine politische Laufbahn« einschlagen oder »einen Beruf ergreifen«, weder Zeit noch Sinn dafür haben, sich intensiv »geistigen Genüssen hinzugeben«. Diese Genüsse sind nur eine »flüchtige und notwendige Entspannung inmitten der ernsten Arbeiten des Lebens«. Die Menschen in der amerikanischen Demokratie z. B. »können sich niemals eine genügend vertiefte Kenntnis der Dichtkunst aneignen, um deren Feinheiten zu spüren«. Die Mitglieder einer Industriegesellschaft sind »an ein praktisches, umkämpftes, eintöniges Dasein gewöhnt«. Wie viele Soziologen aus der Epoche, bevor die empirische Forschung einsetzte, schließt er weiter, daß die innere Einstellung, die der Kampf um den Lebensunterhalt den Menschen abverlangt, ihrerseits wieder das Bedürfnis nach Spannung während der Freizeit hervorruft, um dadurch die Eintönigkeit der Arbeit auszugleichen. Der moderne Mensch bedarf deswegen seiner Meinung nach »heftiger und schneller Erregungen, plötzlicher Erhellungen, glänzender Wahrheiten oder Irrtümer, die sie augenblicklich aus sich herausreißen und sie unvermittelt, wie mit Gewalt, mitten in den Gegenstand hineinführen«. Nachdem Tocqueville auf diese Weise die psychologischen Bedürfnisse in der Grundstruktur der ökonomischen Situation verankert hat, beschreibt er (ohne freilich irgendwelche konkreten Beispiele zu geben) die Literatur des demokratischen Zeitalters unter dem Gesichtspunkt der Befriedigung sozialer Bedürfnisse. Er glaubt, daß keine echte Kunst, keine Achtung vor der Form möglich ist, sondern daß »der Stil häufig verzerrt, fehlerhaft, überladen und kraftlos und fast immer verwegen und ungestüm ist. Die Verfasser denken mehr an die Raschheit der Ausführung als an die Vollkommenheit im einzelnen. Man trifft mehr kleine Schriften als große Bücher, mehr Geistvolles als Gelehrtes, mehr Erfindung als Tiefe; im Gedanklichen waltet eine grobe und fast rohe Wucht und in seinen Erzeugnissen oft eine sehr große Mannigfaltigkeit und eigentümliche Fruchtbarkeit. Man trachtet mehr, Erstaunen als Gefallen zu erregen, und man sucht eher die Leidenschaft mitzureißen als den Geschmack zu bezaubern.«[72]

Seine Schlußfolgerung ist pessimistisch. Er glaubt, daß in modernen Gesellschaften nur die Massenmedien erfolgreich sein werden und daß sie nur Produkte der Massenkultur sein können, ohne jede Beziehung zu gültigen intellektuellen, künstlerischen oder moralischen Kriterien. Der Schriftsteller wird daher zum integrierten Glied einer Industriegesellschaft und ist, in seiner Weise, der gleiche Produzent von Waren wie es jeder andere Geschäftsmann ist. »In den demokratischen Literaturen wimmelt es von Schriftstellern, die in der Literatur nur ein Gewerbe sehen, und auf wenige große Schriftsteller, die man sieht, kommen Tausende von Ideenverkäufern.«[73]

Ungefähr zwei Jahrzehnte später arbeitete Tocquevilles Landsmann Hippolyte Taine diese Gedanken weiter aus. Die fünf Bände seiner »Geschichte der Englischen Literatur«, in denen sich immer wieder Bemerkungen über die Beziehung zwischen dem Schriftsteller und seinem Publikum finden, könnten heute als ein soziologischer Klassiker gelesen werden. Für Taine ist der Unterschied zwischen reiner Kunst und einer für die Massen bestimmten Literatur nicht ebenso bedeutend wie für seine in- und ausländischen Zeitgenossen. Er tadelt die englische Literaturkritik, weil sie »stets moralisch, niemals psychologisch ist, und sich bemüht, den Grad menschlicher Ehrbarkeit genau abzumessen, die den Mechanismus unserer Gefühle und Fähigkeiten nicht kennt.«[74] Seine Art der Beschäftigung mit der Literatur ist beinahe »angewandte Wissenschaft«. Man vergleiche z.B. seine Analyse von Dickens, die drei Kapitel umfaßt: das erste analysiert das Leben und den Charakter des Autors, das dritte die Charaktere seiner Romane, während das dazwischenliegende Kapitel

72 Alexis de Tocqueville, Über die Demokratie in Amerika, Bd. II, Stuttgart 1962, S. 72.

73 Ebenda, S. 74.

74 H. Taine, Geschichte der englischen Literatur, Bd. 3; Leipzig 1880, S. 308.

eine Phänomenologie von Dickens Publikum enthält. Ein paar Zeilen aus dem Kapitel über »Das Publikum« mögen zeigen, wie er die Empfänglichkeit des Publikums für die Massenliteratur beschreibt: »Man pflanze dieses Talent in englischen Boden; die literarische Ansicht des Landes wird sein Wachstum bestimmen und seine Früchte erklären. Denn diese öffentliche Ansicht ist seine Privatansicht; es duldet dieselbe nicht wie einen äußeren Zwang, es fühlt sie in sich wie eine innerliche Überzeugung, sie hemmt es nicht, sie entwickelt es und wiederholt ihm nur ganz laut, was es sich ganz leise sagt. Folgendes sind die Ratschläge dieses öffentlichen Geschmackes, die um so wirksamer sind, als sie mit seiner natürlichen Neigung harmonierten und es in seiner eigenen Richtung antrieben: ›Seid moralisch. Alle euere Romane müssen von jungen Mädchen gelesen werden können. Wir sind praktische Geister, und wir wollen nicht, daß die Literatur das praktische Leben verderbe. Wir glauben an ein Familienleben, und wir wollen nicht, daß die Literatur die Leidenschaften schildere, die das Familienleben angreifen. Wir sind Protestanten, und wir haben etwas von der Strenge unserer Väter gegen die Freude und die Leidenschaften bewahrt. Unter diesen ist die Liebe die schlimmste. Hütet euch, in diesem Punkte der berühmtesten Schriftstellerin unseres Nachbarlandes zu gleichen. Die Liebe ist der Heros aller Romane von George Sand. Verheiratet oder nicht verheiratet, darauf kommt wenig an; sie findet sie schön, heilig, erhaben in sich selbst, und sie sagt es. Glaubt das nicht, und wenn ihr es glaubt, so sagt es ja nicht. Das gibt ein schlechtes Beispiel.‹«[75]

Mit Taine haben wir bereits die Schwelle zur Gegenwart erreicht. Um die Wende des Jahrhunderts finden wir die Diskussion über Kunst und Massenkultur vornehmlich auf zwei Schulen konzentriert, nämlich auf die Nietzsches und auf die von Karl Marx. Wir können hier die Vorstellungen dieser beiden Schulen nicht eingehend darlegen. Was beide gemeinsam haben, ist eine negative Haltung gegenüber der gegenwärtigen politischen und kulturellen Ordnung. In gewisser Weise (wenigstens innerhalb unseres Bezugssystems) sind Nietzsche und seine Schüler radikaler als die Marxisten, weil sie glauben, daß alles geistige Leben (unter Einschluß der großen Werke der Vergangenheit) durch den pragmatischen Utilitarismus der modernen Zivilisation befleckt ist. Im Namen eines höheren geistigen Lebens verwer-

75 H. Taine, a.a.O., S. 228 f.

fen Nietzsche und seine Schüler, unter ihnen vor allem der österreichische Schriftsteller Karl Kraus, praktisch alle literarischen Werke der Gegenwart, weil sie meinen, daß ihr Stil und ihre Sprache nichts als Geschäftsgeist, Unmoral und Unwahrhaftigkeit offenbaren. Marx dagegen, der nur gelegentlich einmal auf die Literatur zu sprechen kommt, war noch tief in der humanistischen Tradition verwurzelt und unterschied zwischen echten Künstlern wie Shakespeare, Goethe und Balzac, die der Wahrheit dienen, und dem, was er als Lakaienliteratur im Dienste der Interessen der herrschenden Klassen zu bezeichnen pflegte.

V Auf dem Weg zu einer Klärung der Auseinandersetzung

Wenn wir den historischen Hintergrund der Auseinandersetzungen über die Massenkultur überblicken, stellen wir fest, daß die ganze Erörterung im wesentlichen durch die von Pascal ausgesprochene Verurteilung aller Unterhaltung beherrscht wurde. Da die meisten Autoren, die wir bisher in unsere Untersuchung einbezogen haben, Massenliteratur und Unterhaltung konsequent miteinander gleichsetzten, ist ihre Einstellung zur Massenkultur im großen und ganzen negativ. Selbst die Vertreter des von uns als soziologisch bezeichneten Gesichtspunkts sind weit davon entfernt, die Massenkultur zu verteidigen, die im besten Falle als ein notwendiges Übel angesehen wird. Wie ist aber nun die andere Seite in der Auseinandersetzung vertreten?
Aufgrund der intellektuellen Tradition der meisten Kritiker können wir zwar nicht erwarten, unter ihnen Verfechter der »niederen« Kunst als solcher zu entdecken. Eine theoretische Verteidigung der Massenkunst scheint nur in der Weise möglich zu sein, daß die Grundannahmen der Verteidiger »echter« Kunst widerlegt oder in Frage gestellt werden. Man könnte z. B. die herrschenden Auffassungen über die Aufgabe der echten Kunst in Frage stellen; man könnte die von Montaigne und Pascal herrührende stillschweigende Voraussetzung in Zweifel ziehen, daß die für die Massen bestimmten Erzeugnisse nur dazu dienen, niedere Bedürfnisse zu befriedigen; da schließlich die Verurteilung der Massenerzeugnisse immer mit einer Verurteilung der Massenmedien als solcher einherging, könnte man die Frage stellen, ob die Massenmedien unwiderruflich dazu ver-

dammt sind, der Verbreitung minderwertiger Erzeugnisse zu dienen.

Ist eine dieser drei Verteidigungsstellungen jemals eingenommen worden? Beim Versuch, diese Frage zu beantworten, spüren wir den Mangel an historischen Untersuchungen besonders stark. Es gibt keine umfassende Abhandlung über dieses Thema, aber auch die wenigen Analysen, die es hierüber gibt, sind im allgemeinen ungenügend, unsystematisch und oberflächlich. Es gilt für diesen Abschnitt also in noch stärkerem Maße als für die früheren Kapitel, daß wir nur einen ersten Hinweis auf Einsichten und Formulierungen geben können, die im Lichte ernsthafter historischer Untersuchungen entwickelt werden könnten.

Wenn der Gedanke Pascals in seiner ursprünglichen Form übernommen worden wäre, hätte man nicht nur die Massenkunst, sondern alle Kunst als bloße Zerstreuung, die den Weg des Menschen zum persönlichen Heil versperrt, verwerfen müssen. Viele Kritiker der Massenkunst nehmen jedoch an, daß die echte Kunst einen ganz anderen Sinn besitzt, als der bloßen Unterhaltung oder eskapistischen Wünschen zu dienen, und daß sie auf einer höheren Ebene steht. Es gibt jedoch Sozialphilosophen (ebenso wie Verteidiger der Massenkunst), die diese Annahme in Frage gestellt haben. Sie fragen: wenn die echte Kunst keine Unterhaltung ist, was ist sie denn dann? Worin besteht ihr Gehalt, ihre Aufgabe, ihr Wert? In diesen Fragen ist eine allgemeine Übereinstimmung niemals erreicht worden, obwohl zahlreiche Theorien über die Kunst entwickelt worden sind.

Besonders in Frankreich, wo als Reaktion auf die Ausbreitung der Massenkunst die extremsten Theorien über die Kunst als l'art pour l'art aufgestellt wurden, griff man während des ganzen 19. Jahrhunderts die esoterische Kunst heftig an, und viele französische Kritiker betrachteten Bewegungen wie den Naturalismus als eine heilsame Rückkehr zu einer volkstümlicheren Kunst. Im Jahre 1901 schrieb der französische Sozialphilosoph George Sorel, dessen *Réflexions sur la violence* das politische Denken des 20. Jahrhunderts nachhaltig beeinflußten, ein Buch unter dem Titel *La Valeur sociale de l'art*, in dem er darlegt, daß es schwierig sein dürfte, große Kunst mit dem Hinweis auf ihre erzieherische Aufgabe zu verteidigen. »Es würde unmöglich sein, auch nur zwei Menschen zu finden, die hinsichtlich des erzieherischen Wertes berühmter Werke unserer Zeitgenossen übereinstimmten. Dasselbe gilt von den Werken der Vergangenheit. So stellt F. Brunetière[76] sogar die Frage, ob nicht *Bajazet* und *Rodogund*[77] Vorgänge enthalten, die »besser in Skandal- und Verbrecherchroniken paßten«.[78] In dem gleichen Buch setzt er sich mit einem anderen französischen Kritiker, Guyot, auseinander, der behauptet hatte, daß »echte künstlerische Schönheit durch sich selbst versittlichend wirkt und wahre Menschenfreundlichkeit zum Ausdruck bringt«. Sorel fragt ironisch: »Müssen wir also annehmen, daß es echte und falsche Schönheit gibt?«[79]

Ob solche Argumente gegen die echte Kunst standhalten oder nicht, ist in unserem Zusammenhang nicht von Bedeutung. Sie waren ohne Zweifel oft auf oberflächliche Überlegungen gegründet, die die Äußerungen der Verteidiger der Kunst allzu wörtlich nahmen. Aber es ist wichtig, daß Schriftsteller wie Flaubert, die allgemein als Verteidiger der esoterischen Kunst angesehen werden und die die volkstümliche Unterhaltung entschieden ablehnten, Ansichten über die Kunst vertraten, die in keiner Weise mit denen der akademischen Kritiker übereinstimmten. In seinem privaten Briefwechsel, in dem er seine Meinung rückhaltlos ausspricht, klagte Flaubert oft über den Abgrund, der zwischen dem Künstler und seinem Publikum liege. Er betrachtete die moderne Kunst, seine eigene nicht ausgenommen, gerade aus dem Grunde als der griechischen Kunst unterlegen, weil sie diese Spannung widerspiegelt, und er hoffte glühend, daß sich die Lage eines Tages ändern werde. »Die Zeit der Schönheit ist vorüber. Vielleicht kehrt die Menschheit einmal zu ihr zurück, aber im Augenblick hat sie keine Verwendung für sie... Es übersteigt das menschliche Vorstellungsvermögen, vorauszusehen, in welchem blendenden geistigen Licht die Werke der Zukunft erstehen werden. Vorläufig sind wir in einem düsteren Korridor und tasten im Dunkeln umher. Wir sind ohne einen Ansatzpunkt... Uns allen, Literaten und Schreiberlingen, die wir sind, fehlt die sichere Grundlage. Welchen Sinn hat das alles? Ist unser Geschwätz die Antwort auf irgendein Bedürfnis? Kein Band existiert zwischen der Menge und uns. Schlimm für die Menge, besonders schlimm für uns... Aber ohne Rücksicht auf die materiellen Dinge und auf die Menschheit, die

76 Ein berühmter französischer Literaturhistoriker und -kritiker.

77 Klassische Tragödien von Corneille.

78 G. Sorel, La Valeur sociale de l'art, zitiert von Henri Poulaille in: Nouvel Age Littéraire, Paris 1930, S. 13.

79 Ebenda, S. 14.

uns ihre Anerkennung verweigert, müssen wir unserer Berufung leben, in unseren Elfenbeinturm steigen und dort zusammen mit unseren Träumen leben...« (aus einem Brief an Louise Colet, 24. April 1852).[80] Solche Gedanken waren dem klassischen Zeitalter fremd. Goethe und Schiller z.B. glaubten keinesfalls, daß echte Kunst und die Aufgabe der Unterhaltung miteinander nicht zu vereinbaren seien. So sah z.B. Schiller in seinen Briefen »Über die ästhetische Erziehung des Menschen«, auf die wir in einem früheren Abschnitt dieses Kapitels hingewiesen haben, in der Kunst der Zukunft die Manifestation dessen, was er den »Spieltrieb« nannte, und bezeichnete die Spontaneität als eines ihrer charakteristischen Merkmale.

Die französischen Kritiker der naturalistischen Schule und einiger ihrer Ableger wie z.B. der sogenannten volkstümlichen Bewegung, deren ausgesprochenes Ziel eine neue Literatur war, in der die moderne Massenkultur ihren angemessenen Ausdruck finden könnte, richteten gegen die esoterische Kunst dieselben Argumente, die deren Vertreter zur Verurteilung der Massenkunst benutzten, nämlich daß ihre Hauptaufgabe darin bestünde, der Unterhaltung und der Flucht vor der Wirklichkeit zu dienen. Kunst um der Kunst willen, esoterische Kunst, kurz gesagt: eine den Massen unverständliche Kunst war in den Augen jener naturalistischen Kritiker ein bloßer Luxus, ein Mittel zur Flucht vor der Wirklichkeit. Henri Poulaille, ein Romanschriftsteller, der diese Bewegung in den späten zwanziger und frühen dreißiger Jahren anführte, schrieb über jene Kunst, sie sei das »Privateigentum einer Art von Mandarinenkaste, die es eifersüchtig verteidigt, um ihre Privilegien zu schützen«. Er trat für eine Kunst vom Volk, für das Volk und durch das Volk ein, eine Kunst, die die Wahrheit sagen werde und die sich nach seiner Auffassung auf eine große Tradition berufen könne, zu der Namen wie Balzac, Hugo und Zola gehörten. Er verurteilte den Kitsch als ein Mittel zur Flucht vor der Wirklichkeit für die ärmeren Schichten und war voller Optimismus hinsichtlich der Aussichten für eine neue realistische Kunst sowie der Möglichkeiten der neuen Massenmedien, von denen er glaubte, daß sie schließlich die Literatur als Mittel zur Flucht vor der Wirklichkeit ablösen würden. »Eine ganz gewöhnliche Schallplatte versetzt uns nach Hawaii, nach China oder Mexiko. In einem Augen-

---

80 Gustave Flaubert, Correspondance, deuxième série, Paris 1926, S. 395-396.

blick können wir die Fidschi-Inseln, Indien oder Siam auf der Leinwand erblicken. Der ganze Reichtum der Welt ist unseren Augen oder Ohren zu Gebot, wann immer wir ihn zu sehen oder zu hören wünschen...

Unsere Literatur ist eine Sache der Vergangenheit. Sie befriedigt nicht länger das Bedürfnis nach Flucht vor der Wirklichkeit, das den Menschen in jedem Augenblick beherrscht. Auf jeden Fall kann sie es nicht so gut befriedigen, wie die modernen mechanischen Erfindungen...«[81]

Was die Verdienste der Massenkunst angeht, sehen wir uns einem Wirrwarr von Meinungen und Argumenten gegenüber, die bisher niemals systematisch gesichtet worden sind. Louis B. Wright, ein bedeutender Forscher, der das elisabethanische Zeitalter in England eingehend studierte, hat nachdrücklich die Notwendigkeit von historischen Untersuchungen der Massenkunst betont. Anders als Gervinus, der die Massenkunst nicht in seine Literaturgeschichte aufnahm, hält Wright sie für ein wichtiges und fruchtbares Forschungsobjekt und kritisiert die bisherigen Arbeiten über das elisabethanische England, weil »in all der Fülle von Büchern ein Thema bisher völlig vernachlässigt worden ist, nämlich die wichtige Frage nach der Lektüre und den Gedanken, den geistigen Gewohnheiten und dem kulturellen Geschmack des Durchschnittsbürgers«[82]. Nach Wrights Auffassung, und das ist ein weiteres bedeutsames Argument für die Massenkunst, hat dieser Kunstzweig keineswegs nur die Aufgabe der Unterhaltung. »Der bürgerliche Leser ließ sich zwar gern unterhalten, aber wichtiger als der Wunsch nach Unterhaltung war das Verlangen nach Informationen jeder Art.«

Andere Autoren haben auf die in der Massenkunst vorhandenen Entwicklungsmöglichkeiten hingewiesen und haben sogar einige ihrer Erzeugnisse der hohen Kunst als gleichwertig zur Seite gestellt. Im Jahre 1924 machte Gilbert Seldes mit großem Scharfsinn den energischen Versuch, den Massenkünsten wie z. B. den Comics, dem Kino und dem Varieté den Zutritt zum Parnaß der angesehenen traditionellen Kunst zu öffnen. In bezug auf die Comics schreibt er z. B.: »Nur ein oder zwei Menschen in Amerika entwickeln Ironie

81 Henri Poulaille, a. a. O., S. 433.
82 Dieses und die folgenden Zitate stammen aus Louis B. Wright, Middle Class Culture in Elizabethan England, Chapel Hill, N. C. 1935; siehe besonders S. VII; 83; 659; 660.

und Phantasie im Bereich der traditionellen Kunst und produzieren auf diese Weise Kitsch für die höheren Schichten; Herriman dagegen, der ohne die geringste Anmaßung eine verachtete Gattung pflegt, schafft tagtäglich etwas wirklich Schönes. Es ist das Ergebnis einer naiven Sensibilität, die in vielem der des Zöllners Rousseau ähnelt; es ist aber keinesfalls geistlos, denn es ist ein wohldurchdachtes, sorgfältig gebautes kleines Werk. Obwohl es einer der zweitrangigen Kunstgattungen angehört, ist es selbst erstklassig – und eine Quelle des Entzückens!«[83]

Dieser Hochschätzung für »Krazy Kat« schloß sich auch Robert Warshow an. In einem Aufsatz über »Krazy Kat« im »Partisan Review« vom November-Dezember 1946 stellt er fest, daß zwar die meisten Erzeugnisse der Massenkunst bloße »Lumpenkultur« sind, daß aber »Krazy Kat ein echtes und bedeutendes Kunstwerk ist, das den Vergleich mit jedem anderen aushält«. Es ist interessant, daß in beiden Fällen keine ernste Analyse der weiteren sozialen und moralischen Zusammenhänge versucht wird, auf die wir bei den früheren Erörterungen dieser Probleme gestoßen sind.

Schon 1930, also volle fünfzehn Jahre, bevor das Zeitalter des Fernsehens begann, bemerkte der populistische Schriftsteller Henri Poulaille folgendes: »Der Film ist dabei, das alte Vorurteil der schriftlich fixierten Kunst, auf das alle Literaturen gegründet sind, zu zerstören... Dank dem Film stellt der Leser seinen Kontakt mit der objektiven Realität wieder her, und wir werden schon bald die Wirkungen des Fernsehens beobachten können, das die vom Film begonnene Erziehung der Sinne weiter fortsetzen wird.«[84]

In jüngster Zeit hat ein anderer Franzose namens René Sudre dasselbe Problem in einer provozierenden Untersuchung über die Möglichkeiten des Radios angepackt. Seine Studie verdient eine etwas ausführlichere Erörterung, da sie sich mit einer ganzen Anzahl wichtiger Probleme beschäftigt. Sie trägt den Titel »Die achte Kunst« und wurde im Jahre 1945 veröffentlicht, als das Fernsehen noch in seinen Kinderschuhen stak. Das Hauptziel seines Buches besteht in dem Nachweis, daß das Radio die Möglichkeiten eines neuen *künstlerischen* Mediums besitzt und daß es neue künstlerische Werte schaffen kann. Zu Anfang seiner Untersuchung stellt Sudre das Radio als eine

83 Gilbert Seldes, The Seven Lively Arts, Harper and Brothers. New York, S. 231.
84 Poulaille, a. a. O., S. 437.

Herausforderung an die traditionelle Philosophie und Psychologie dar. »Das Radio stürzt die Philosophen in Verwirrung. Wie ist es möglich, daß ich für den Sprecher am Mikrophon nicht anwesend bin, während er für mich anwesend ist? Spaltet also die Gegenwart selbst sich auf? Das ist ein sehr ernstes psychologisches Problem, wie es Pierre Janet in seiner Analyse der Schwierigkeiten des inneren Denkens aufgeworfen hat.«[85] Danach bricht Sudre in eine Ode an das Radio aus. »Beatus solus! Glücklich ist der Einsame. Er zieht sich zurück, um über sein Heil nachzudenken, aber er ist zugleich weniger von der Welt abgeschnitten als der Mensch Pascals. Dein Verehrer (gem. ist das Radio, Anm. des Übers.) läßt die ganze Welt in seine Kammer, wann immer es ihm beliebt. Ohne ihn von der Welt abzuschließen, begünstigst Du jene kontemplative Haltung, die für eine ständig wachsende Zahl gebildeter Menschen als letzte Zuflucht vor der modernen Ruhelosigkeit dient. Wenn er eine Familie hat, isolierst Du sie in kluger Vorsicht, indem Du sie zu Hause hältst. Man versammelt sich um Euch, ihr schützenden Röhren.«

Dieser Abschnitt ist ohne Zweifel höchst bedeutsam. Ohne sich der Problematik seiner Feststellungen bewußt zu sein, skizziert dieser französische Autor in rudimentärer Form den begrifflichen Rahmen für eine Reihe von dringend benötigten Untersuchungen, die erforschen müßten, wie weit die von Radio und Fernsehen im Haus gebotenen Unterhaltungsmöglichkeiten vergesellschaftend oder individualisierend, integrierend oder isolierend wirken und wie weit sie zur Bewahrung oder zur Untergrabung der Familie beitragen. Es kommt hinzu, daß Sudre (wohl ohne sich dessen bewußt zu sein) im Zusammenhang mit der modernen Unterhaltungsindustrie die Besorgnisse der Philosophen des 16. und 17. Jahrhunderts über die heilsame oder schädliche Wirkung der Unterhaltung wieder aufgreift. Soweit ich sehe, liegt hier das einzige Beispiel aus der Gegenwart vor, daß ein Autor wieder an die Sorgen Pascals über die mögliche Entartung des Individuums unter dem Einfluß der nachmittelalterlichen Freizeitbetätigung anknüpft.

Der besondere Wert, den Sudres Aufsatz in unserem Zusammenhang besitzt, wird allerdings erst deutlich, wenn man seine offensichtliche Uneinheitlichkeit und Willkürlichkeit untersucht. Nachdem er das

85 Dieses und die folgenden Zitate stammen aus René Sudre, Le Huitième Art: mission de la radio, Paris 1945. Siehe S. 8, 11, 56, 85, 196–197.

Radio auf zweihundert von zweihundertundzwei Seiten mit philosophischen, phänomenologischen, psychologischen, technischen und
ethischen Begriffen verteidigt hat, vollzieht er auf den letzten zwei
Seiten eine völlige Kehrtwendung und greift die Radioprogramme in
ihrer Gesamtheit mit äußerster Schärfe an. »Es gibt zwar frivole und
schädliche Bücher, aber es gibt auch heroische und erhabene Bücher,
und das dient als Kompensation. Was aber das Radio anbetrifft, kann
man kaum irgendein Gleichgewicht feststellen. Die Aufführung der
Neunten Symphonie oder die Darbietung eines wertvollen literarischen Werkes kann uns nicht für die bestürzende Stumpfheit, die
chronische Richtungslosigkeit vieler Radioprogramme entschädi-
gen.« Darauf schlägt er ein Mittel zur Abhilfe vor, das halb der
Tradition der französischen Aufklärer und halb der konservativer
amerikanischer Sozialreformer angehört. »Wir wünschen uns für das
Radio einen dauernden Kommentator, der uns jeden Tag etwas zum
Nachdenken geben würde. Das Aktuelle bietet der Erziehung einen
unerschöpflichen Stoff, wenn man es von einem moralischen
Gesichtspunkt aus betrachtet. Was wir brauchen, ist kein skeptischer
oder pessimistischer Philosoph, sondern ein Mensch von viel gutem
Willen, der lächelt und doch männlich ist, der alles versteht, aber der
uns nicht der Verzweiflung überläßt.«
Vom Fernsehen war zur Zeit, als das Buch geschrieben wurde, noch
verhältnismäßig wenig bekannt. Dennoch gibt der behende Verfasser
in recht naiver und parteiischer Weise einige rasche Urteile über die
Zukunft des Fernsehens ab, ohne doch sicher zu sein, ob es überhaupt
eine Zukunft haben werde. Was er sagt, hebt im Prinzip alles wieder
auf, was er zuvor zur Begründung der Notwendigkeit eines modernen technischen Mediums der Massenkultur behauptete. Während
das Radio für die Einbildungskraft nicht schädlich zu sein scheint, ist
es das Fernsehen in hohem Maße. »Wird das Fernsehen uns die
photographische Schönheit bestimmter filmischer Werke geben? Wir
müssen uns daran erinnern, daß echte Kunst auf das Prinzip von der
Ökonomie der Mittel gegründet ist; nämlich anzudeuten und nicht zu
zeigen, nicht alles zu sagen, sondern vieles der Einbildungskraft zu
überlassen«.
Es besteht durchaus die Möglichkeit, wesentliche Argumente über
die Massenkultur zu finden, die zu schlüssigen Ergebnissen führen
können. Aber im großen und ganzen ist die bisherige Erörterung
unwirklich gewesen in dem Sinne, daß die Argumente für und wider

aneinander vorbeizielen und daß die in der Diskussion gebrauchten Begriffe vage bleiben, weil die historische Perspektive gewöhnlich fehlt. Man kann das gut an Sudres letzterwähntem Argument zeigen, mit dem er seine pessimistische Auffassung hinsichtlich des Fernsehens rechtfertigen will; anscheinend geht es auf Lessings und Goethes Theorie der schöpferischen Einbildungskraft zurück. Sudre erkennt dabei jedoch nicht, daß der Begriff der Einbildungskraft selbst relativ ist und durch den historischen Zusammenhang bestimmt wird. Andernfalls könnte er, wenn er konsequent wäre, ebensogut den Gebrauch der Farbe in der Malerei kritisieren und die Rückkehr zu den Höhlenzeichnungen fordern. Mit anderen Worten, das in Frage stehende Prinzip der künstlerischen Ökonomie kann nur verteidigt werden in der relativen Bedeutung, daß echte Kunst die größtmögliche Wirkung mit den kleinstmöglichen Mitteln erreicht, nicht aber in der absoluten Bedeutung, daß echte Kunst durch Spärlichkeit der Mittel definiert sei. Ähnliche Unklarheiten können überall aufgewiesen werden. Wie wir bereits angedeutet haben, ist sogar der Begriff Massenliteratur oder Massenkunst in ganz verschiedener Bedeutung ohne Rücksicht auf historische Determinanten gebraucht worden. Und es ist notwendig, darauf hinzuweisen, daß die gegenwärtige Diskussion über die Massenkultur und die Möglichkeiten der Massenmedien sich weiterhin im Kreise drehen wird, bis eine neue und systematische Anstrengung unternommen wird, das Gebiet von Unklarheiten zu befreien und eine wirkliche Diskussion möglich zu machen.

Exkurs
Predigt und Theater

Die nachfolgenden Bemerkungen sind nicht mehr als eine Glosse zu meinem Interesse an der Geschichte der sozialen Kontrolle der Kunst und des Kunstbetriebes in der westlichen Zivilisation. Seit einiger Zeit interessieren mich die ideologischen Ursprünge solch formeller und informeller Zensur in bezug auf das Theater. Es gibt kein anderes künstlerisches Genre, das so stark und ununterbrochen Zielscheibe sozialer Kritik gewesen ist, auch wenn die Macht und der Einfluß der kritischen Instanzen sich entscheidend geändert haben. Bis heute ist das Theater Gegenstand moralischer und sozialer Kritik von seiten der Geistlichkeit und ihrer Nacheiferer.

Es ist klar, daß wir es über die Jahrhunderte mit verschiedenen soziologischen Wurzeln dieser Auseinandersetzung zu tun haben, obwohl die Prediger ihre Position durch die ständige Berufung auf christliche Grundsätze zu legitimieren suchten. Für die Kirchenväter konkurrierte das Theater mit der Heilsverkündung und für die puritanischen Eiferer mit der in einer sich entfaltenden Industrie- und Handelsgesellschaft unerläßlichen Verinnerlichung der Arbeitsdisziplin. Ich will nur kurz auf die eingehend untersuchten und belegten Attacken auf das Theater während der Restauration verweisen und dann einige Beispiele für die untergründige Pamphletflut nennen, die seit Mitte des 18. Jahrhunderts besonders über England und Amerika niederging. Einige Autoren dieser Pamphlete sind schwer identifizierbar, aber es handelt sich offensichtlich um Pfarrer und fanatische Anhänger protestantischer Sekten.

In seinem Buch *Comedy and Conscience after the Restauration* untersucht Joseph Krutch den Wandel vom Restaurationsdrama zur sentimentalen Komödie des 18. Jahrhunderts. Obwohl der Hauptakzent seiner Studie auf der Entwicklung eines neuen Genres liegt, berichtet er auch über den soziologischen Hintergrund der Theaterdebatte und weist darauf hin, daß »das tiefverankerte Mißtrauen gegenüber dem Theater, das zu verschiedenen Zeiten mehr oder weniger leidenschaftlich Ausdruck fand, als solches fortdauert. Es ist tiefer verankert als der christliche Glaube selbst und gründet auf der viel älteren, antiken Doktrin der Askese. Die Pamphletisten des

17. Jahrhunderts weisen gern darauf hin, daß nicht nur die frühen Kirchenväter gegen das Theater gewettert haben, sondern daß auch die Heiden ihm gegenüber ihre Zweifel hatten. Gewiß, Aristoteles schrieb eine Abhandlung über das Drama, aber Plato verbannte die Schauspieler aus der Republik...«

Um sich die Kontinuität der ideologischen Positionen der christlichen Ära vom Byzanz des 4. Jahrhunderts bis zum Boston des 20. Jahrhunderts vor Augen zu führen und eine Kostprobe des kirchenväterlichen Stils zu bekommen, sollte der moderne Soziologe z.B. einen Blick in das Traktat von St. John Chrysostomus werfen, in dem er über die römischen Spiele eifert: »Wann werdet ihr wieder nüchtern sein, ich beschwöre euch, jetzt, da der Teufel euch den starken Wein der Hurenwirtschaft gemischt mit vielen Bechern Unkeuschheit eingießt?... Gegenwärtig sind alle Dinge von oberst zu unterst gekehrt. Woher, sagt mir, kommt diese Verschwörung gegen den Bund der Ehe? Ist es nicht von diesem Theater? Von wo graben sie sich bis in die Ehegemächer durch? Etwa nicht von dieser Bühne? Kommt es nicht daher, daß die Frauen ihren Männern gegenüber verächtlich werden? Und daß so viele mehr den Ehebruch begehen? So daß alle Dinge untergraben werden von dem, der ins Theater geht. Er ist es, der eine böse Tyrannei heranbringt...« Und ähnlich jenen, die heutzutage gegen die ›topless‹-Tänzer in den berühmt-berüchtigten Nachtklubs von San Franzisko zu Felde ziehen, fährt er fort: »Was dann? Ich beschwöre euch, werden wir schließlich alle Gesetze über Bord werfen? Nein, aber wir werfen die Gesetzlosigkeit über Bord, wenn wir diesen Spektakeln ein Ende bereiten. Denn sie verursachen die Verheerung, den Aufruhr und Tumult in unseren Städten. Es sind die Tänzer und Bauchredner, die lauten Anpreiser, Gaukler und Schausteller, die die Bevölkerung aufreizen und in Unruhe versetzen. Denn eine Jugend, die sich dem Müßiggang überläßt und inmitten solchen Übels großgezogen wird, wird zur wilden Bestie ... Kommt das Elend nicht daher, daß Männer gezwungen werden, in maßloser Weise für diesen Teufelschor zu bezahlen? Und woher kommt denn die Lüsternheit mitsamt ihren bösen Folgen? Ihr geht und schaut und untergrabt unser Leben damit, daß ihr andere zu diesen Dingen auch noch verführt, während ich es zu retten versuche, indem ich diese Übel entlarve.«

Um auf Krutchs Analyse der Bühnenkontroverse in England zurückzukommen: Er unterscheidet deutlich zwei Argumentationsfäden –

zunächst das *asketische* Argument, das sein mächtigstes Bollwerk im christlichen Glauben findet. Die stoische Verachtung aller Freuden wurde zur asketischen Doktrin bei den Christen, die nicht so sehr an esoterische Gefühle appellierten wie die Stoiker. Himmlische Belohnung wurde dem zuteil, der allen Vergnügen entsagte. Dieses Gebot der Askese richtete sich grundsätzlich nicht nur gegen obszöne und profane Theaterstücke, sondern gegen jede Art von Theater und Kunst. Wie Krutch es beschreibt: »Je mehr man sich vom Leben zurückziehen kann, desto sicherer ist man. Der weise Mann lebt deshalb abgesondert, und nur ein Wahnwitziger wird ... die Zahl der Versuchungen noch zu erhöhen versuchen, indem er seiner Phantasie gestattet, sein Interesse am Weltlichen zu erweitern.«

Das zweite Argument ist der *moralische* Einwand, der stets im Hintergrund lauert und oft in unsicherem Bund ist mit dem Asketischen. Krutch sieht »die Bewegung zur Reform des Anstößigen behindert durch das rein asketische Element und die fragwürdige Verbindung zwischen denen, die die Bühne reformieren wollen, mit jenen, die sie gänzlich zu zerstören trachten.« Wenn auch die Theaterdebatte während der Restauration bereits an Schärfe verloren hatte (was zumindest teilweise seinen Grund im politischen Versagen des Puritanismus hatte), so gab es doch eine Reihe durchaus beachtlicher kritischer Vorgänger zu Jeremy Collier, so daß seine *Short View of Immortality and Profaneness of the English State* (1698) kein unerwartetes Ereignis war.

Der Boden war in der Tat für Collier gut vorbereitet. Krutch sieht in ihm die Fortsetzung der asketischen Tradition, die sich nicht die Verbesserung der Bühne, sondern ihre Vernichtung zum Ziel gemacht hatte. Die Autoritäten, auf die sich Collier beruft, sind Aristoteles, Cicero, Livius, Tacitus, Valerius Maximus und nicht zuletzt die Spartanische Gesetzgebung, die jede Form des Theaters verbannte. Lactantius, Augustinus, Ambrosius und die frühen Kirchenväter »werden nach Zitaten durchstöbert, trivial oder bedeutend, die gegen Theater und Vorführung aller Art ins Feld geführt werden können. Zahllose Autoritäten werden angeführt in dem Bemühen, die gesamte Institution mit Hilfe der traditionellen Opposition zu verdammen.« Trotz seiner Borniertheit erreichte Collier eine beachtliche Prominenz, da er zu einem für seine Zwecke günstigen Augenblick in der Geschichte des englischen Theaters erschien: dem Höhepunkt der Auseinandersetzung zwischen der dekadenten Freizeit-Kultur des Landadels und dem neuem Lebensstil einer zunehmend wohlhabenderen Klasse von Fabrikanten und Händlern.

Colliers Buch gewann derartige Bedeutung, daß Schriften über das Theater danach »fast zu einem anerkannten literarischen Genre wurden, das von weitschweifigen und unlesbaren Traktaten bis hin zu bescheidenen Pamphleten reichte ...« Die meisten dieser Publikationen blieben anonym, und die Namen, die wir kennen, sind weniger eindrucksvoll als der von Collier.

Das 17. Jahrhundert und die ersten 25 Jahre des 18. waren in England ein fruchtbarer Boden für die Theaterkontroverse. In den zahllosen Veröffentlichungen zum Thema wurde jede Klasse angesprochen und das Interesse an der Kontroverse weit verbreitet. Nach Krutch war das Publikum mit drei »klassischen« Fragen vertraut: Ist das Theater eine legitime Einrichtung? Hat es die Aufgabe, moralisch zu erziehen? Und schließlich – kann die Komödie am besten erziehen, indem sie poetische Gerechtigkeit walten läßt? Collier wurde wohlwollend aufgenommen von einem Publikum, das dem Reformgedanken bereits aufgeschlossen war und für das die Restaurationskomödie nicht länger zeitgenössische Ideale repräsentierte. Es gab zwei deutlich unterschiedene Oppositionsrichtungen: die eine vertrat die etablierte Position von Kirche und Gesellschaft, die andere die Außenseiterposition der nonkonformistischen religiösen Gruppen. Seit Mitte des 18. Jahrhunderts gibt es in den angelsächsischen Ländern eine Welle von Pamphleten, die die Vergnügungs- und Zerstreuungsaspekte des bürgerlichen Freizeitstils denunzieren. Charakteristisch für diese Schriften ist ihr dogmatischer Charakter, die Berufung auf buchstäblich interpretierte Bibelstellen, die als Beweismaterial und Rechtfertigung dienen, und eine traditionsgebundene deklamatorische, beschwörende Prosa. Als kleine Kostprobe dieses Stils sei der Essay eines anonymen Verfassers genannt: *The Stage, the High Road to Hell: being an Essay on the Pernicious Nature of Theatrical Entertainments* (1767). Obwohl es sich technisch nicht um eine Predigt handelt, ist der Stil dennoch eifernd und beschwörend. Die Schriften der Kirchenväter waren für die weltlichen wie religiösen Gegner des Theaters inhaltliches und stilistisches Hauptvorbild. Für über tausend Jahre hatten diese frühchristlichen Schriften zwar viel Beachtung, aber kaum einen kritischen Kommentator gefunden. Das Wort Gottes, das sie verwalteten, war ja zeitlos und weder weltlichen

Wechseln und Strömungen noch kritischen Erweiterungen unterworfen.

Unser Verfasser beginnt damit, daß er alle Künste als Beweise für die Degeneration des Menschengeschlechts anführt und daraus pauschal den Schluß zieht, daß Theaterkunst »Höhe und Gipfel aller Korruption genannt werden muß, da die Bühne ... den gefallenen Menschen zu sich lockt und der Sünde nur noch mehr ausliefert, indem sie die verschiedenen Mißbräuche und Schändlichkeiten, zu denen ihre verderbte Natur ihn ohnehin verleitet, vor ihm zur Schau stellt ...« Die Idee des Theaters als moralische Anstalt, derzufolge das Publikum das dargestellte Laster verurteilt, wird zurückgewiesen: es dient in Wirklichkeit der Erziehung zum Laster! »Es steht außer Diskussion, daß das Theater durch dramatische Schriftsteller pervertiert worden ist, die ihr Möglichstes getan haben, um die Verführung zum Laster zu fördern, indem sie es in ein günstiges Licht rückten.« Nicht nur werde die Sünde auf der Bühne in all ihren Variationen vorgeführt, sagt er, sie würde auch noch als begehrenswert dargestellt.

Nach diesem allgemeinen Angriff werden die an der Theaterproduktion Mitwirkenden und Beteiligten attackiert. Nach Ansicht des Verfassers stehen die Ausschweifungen der Bühnenschriftsteller denen von Schauspielern kaum nach; beide sind nichts Geringeres als »Teufel in Menschengestalt«. Sie sind »Verführer«, »eine schlimmere Gefahr für die Gesellschaft als Mörder«; vielleicht ist dies eine Anspielung an die biblische Ermahnung, den Verlust des leiblichen Lebens weniger zu fürchten als den Verlust des Seelenheils. Kein Wunder, so geht das Argument weiter, daß die Schauspieler Lügner sind, da sie sich eines erheuchelten Charakters bedienen. Was die englische Tragödie betrifft, so sieht er darin zahllose Beispiele himmelschreiender Unmoral, die nur »kalkuliert sind, um jede Art von sittlichem Prinzip im Bewußtsein junger, unerfahrener Menschen auszulöschen, die Fundamente der Moral zu erschüttern und durch einen äußerst gefährlichen Skeptizismus zu ersetzen«. Sogar Shakespeares Hamlet konzentriere sich auf das Thema der Rache, »entgegen allen religiösen Geboten, die ausdrücklich die Sühne eines Verbrechens durch das Verüben eines anderen verbieten«. Auch die Verfasser von Komödien werden verurteilt. In Dryden sieht er »ein Monstrum der Unsauberkeiten«, in Vanbrugh »einen Mann von provozierender Ungläubigkeit«; beide verspotten die Geistlichkeit und ihre guten Werke. Ehebruch und die Leiden des gehörnten Ehemanns seien die ständigen Themen der Komödie und würden gar noch in ein beschönigendes Licht gerückt.

Die Schimpfkanonade gipfelt schließlich in der Beschreibung des französischen Theaters. Dieses sei der Inbegriff der Unmoral, denn in Frankreich werde sogar Homosexualität in zügellosester Weise auf der Bühne dargestellt. Molière, sagt unser Verfasser, sei ein Homosexueller. Französische Tänzer und italienische Sänger seien diesem unaussprechlichen Laster besonders häufig verfallen. Die Franzosen zeigten sehr deutlich, daß das Theater der Korruption und dem Verderb Vorschub leiste, bei seinen Mitwirkenden sowie beim Publikum. Und es werde auch als eine solche Brutstätte gebrandmarkt: In Paris werden Schauspieler in Misthaufen beerdigt, ohne vorher der Sakramente teilhaftig geworden zu sein, es sei denn, sie haben der Bühne abgeschworen. Unser Eiferer scheut auch vor Verleumdung und übler Nachrede nicht zurück, wenn er uns mitteilt, daß der Schauspieler Wilkes eine Mrs. Rigers, die Tochter eines Geistlichen, sexuell mißbraucht habe. Zum Schluß schlägt er als einzig mögliche Abhilfe vor: Verbot und Schließung aller Theater für immer durch Parlamentsbeschluß!

Viele Themen der Kirchenväter sind hier wiederzuerkennen. Darstellung des Lasters im Drama verleite und verführe Publikum, Darsteller und Mitwirkende dazu, es auch in der Realität auszuüben; Bühnenschriftsteller und Schauspieler vereinten sich zu einem teuflischen Angriff auf private und gesellschaftliche Moral. Ton und Stil halten sich an die kirchenväterliche Tradition – selbstgerechter Zorn und moralische Entrüstung – und die des puritanischen Pamphletstils des 17. Jahrhunderts. Die Sprache ist pompös und aggressiv, durchdrungen vom Bewußtsein unerschütterlicher Tugend. Die Aufzählung sexueller Details ist jedoch eine Abweichung vom traditionellen Material und scheint darauf berechnet, durch Denunziation und öffentliches Mit-dem-Finger-Zeigen den Leser zu schockieren und somit seine letzten Zweifel zu beseitigen. Der »homosexuelle Bühnenschriftsteller« hat offenbar bereits eine beachtliche Popularität gewonnen; unser Autor scheint hier nichts Neues zu präsentieren, sondern auf eine bestehende Tradition zurückzugreifen. In einer Widmung zu seiner Schrift gibt er zu, daß das Thema »des Theaters als einer moralischen Abfallgrube« wohl unpopulär sei. Möglicherweise also bedient er sich des sexuellen Klatsches nur aus Effekthascherei und um seine Angriffe wirkungsvoller zu machen – alles im Dienst der guten Sache.

Ein anderes dieser Pamphlete aus dem 18. Jahrhundert, *The Absolute Unlawfulness of the State* von William Law (1726) gibt eine subtilere Darstellung und ist nicht ganz so grob in seiner Machart, auch wenn es im allgemeinen in ähnlich ermahnendem Stil gehalten ist wie *The High Road To Hell*. Law vermeidet Sensationelles und läßt sich in seiner Argumentation von der biblischen Anweisung leiten, daß »kein verderbtes Wort dem Mund entfahren dürfe und daß nur erlaubt sei zu sagen, was dem Guten und der Erbauung diene«. Für ihn ist das Theater eine Stätte der Kommunikation. Da eine ›verderbte Kommunikation‹ dem einzelnen verboten sei (und, wie der Verfasser zu erklären bedacht ist, den Heiligen Geist beleidige), um wieviel verruchter müsse es sein, einen Ort aufzusuchen, der im Grunde nur diesem Zweck diene? Ich halte die Verwendung des Wortes »Kommunikation« für bedeutsam, da das Theater schließlich der Hauptkonkurrent ist für die Kirche als Kommunikationszentrum. Und unser Schreiber erläutert weiter, daß korrupte Kommunikation die Bühne und ihr Publikum gleichermaßen umschließe. Als augenfällige Beispiele führt er an: »derbe Späße«, »Zotenreißerei, Lästerungen, Schimpfen, jede Unlauterkeit der Rede«, und fügt hinzu, daß »üble und unlautere Kommunikationen« sich auch hinter »feiner Sprache« auf der Bühne verbergen können. So wird das gesprochene Wort schlechthin zum Träger des Betrugs, und der gottgegebene Akt der Kommunikation wird noch weiter geschändet.

Der erste hier untersuchte Artikel machte ebenso wie der zweite den angeblichen Götzendienst des Theaterbesuchers zum Gegenstand der Diskussion, indem er Theaterstücke historisch dem Heidentum zuordnet. Der zweite Verfasser ist freilich subtiler; Götzendienst ist schlimm genug, schreibt er, aber »ein Götzenbildnis steht nicht so sehr im Gegensatz zu Gott wie Theaterstücke im Gegensatz zur Weisheit... der Heiligen Schrift«. Es ist ein weitaus größeres Vergehen, in einem Theater zu sitzen, als vor dem stummen Goldenen Kalb zu knien. Sprache ist mächtiger als Bilder.

In *The High Road To Hell* heißt es: »Ich bin mir wohl im klaren, daß das, was ich dem Publikum zu sagen habe, keine freundliche Aufnahme finden wird, da es seine gegenwärtigen Neigungen angreift und seine beliebtesten Vergnügungen verurteilt. Mein Gewissen zwingt mich jedoch zur Stellungnahme und zu dem Versuch, mit meinem wenn auch schwachen, so doch wohlgemeinten Widerstand den reißenden Strom der Verderbtheit einzudämmen.« So hätte es auch Law formulieren können.

Hundert Jahre später beginnt die traditionelle Rhetorik, die bereits im 18. Jahrhundert überholt war, sich entscheidend zu verändern. 1823 erscheint David M'Nicolls *A Rational Enquiry concerning the Operation of the State on the Morals of Society* und gibt darin den Argumenten gegen das Theater eine neue Richtung: »Wer gegen das Theater opponiert, läuft Gefahr, seine Anschauungen zu dogmatisieren, so als ob seine eigene bloße Meinung zum öffentlichen Gesetz erhoben werden könne; und er ist wohlberaten, nicht eine unlogischdiktatorische Haltung einzunehmen, die einem Akt offener Unbarmherzigkeit gleichkäme, womit er trotz bester Absichten nur der Sache schadet, die er zu unterstützen wünscht.« Indem er somit seine Vorläufer kritisiert, macht er sich selbst zum »modernen« Kritiker, der sich von der religiösen Oppositionsrhetorik losgesagt hat. Der Hinweis, »... nicht eine unlogisch-diktatorische Haltung einzunehmen« entlarvt den alten Stil als eine bewußt stilisierte »Pose«. Grobe sowie pompöse Deklarationen schaden nur der Sache; moralische Entrüstung und selbstgerechter Zorn können leicht als »Unbarmherzigkeit« interpretiert werden. Statt der unversöhnlichen Ausbrüche der Kirchenväter empfiehlt M'Nicoll einen Stil der Zurückhaltung und gemilderten Attacke. Er pflegt bereits einen für das 19. Jahrhundert charakteristischen Stil schriftstellerischer Höflichkeit, der die gegnerischen Argumente wesentlich ernster zu nehmen bereit scheint, als das früher der Fall war. Psychologische Gesichtspunkte werden nun eingeführt, und die Argumentation folgt im ganzen einer mehr zivilisierten und verweltlichten Etikette. Er verweist darauf, daß das schlichte Vergnügen der Bühne nicht an sich abzuwerten sei und Vernunft uns lehre, daß Unmoral Teil des Stückes selbst sein müsse, um überhaupt den Anschein der Wahrscheinlichkeit zu erzeugen. Um die Sache in Grenzen zu halten, bedürfe es freilich der Selbstzensur: »Haben solche Künste keine Grenzen?« fragt er. Gewagte Formulierungen, gesprochen und geschrieben, richteten sich an den Verstand; aber die Sprache des »öffentlichen Schauspielers« wende sich an die irrationalen Leidenschaften – eine gewaltige Kraft, die das geschriebene Wort nicht auszuüben vermag. »Die Geschichte ist voll von Beispielen moralischen Übels; aber das läßt sich nicht vergleichen mit dramatischen Darstellungen dieser Art auf der Bühne.« Das Pamphlet enthält bereits ein wesentlich differenzierteres und klareres Verständnis dessen, was das Theater zu einem wirkungsvollen Instrument der Kommunikation macht. Der Einfluß des Schauspielers erkläre sich aus der immer größer werdenden Zuschauermenge, der emotionalen Wirkungskraft des gesprochenen Wortes und dem Prestige und der Autorität, die die Institution der Bühne der öffentlichen Rede verleihen.

M'Nicoll macht einen grundsätzlichen Versuch der Publikumsanalyse. Er teilt nicht länger die Ansicht, daß das Theater eine primär unmoralische Anstalt sei, die Unschuldige verführe und verderbe. Seine Ausgangsposition ist vielmehr: »Es ist unbestreitbar, daß sich die Gesellschaft in einem Zustand der Korruption befindet.« Theater ist Anreiz für die Leidenschaften und wird damit zum auslösenden Moment einer wahren Lawine allgemeiner Verderbtheit. Um die Wirkung dieses Unterhaltungs- und Vergnügungsbetriebs auf das breite Publikum zu erklären, bietet er folgende These an: »Die Bühne muß sich nach dem Geschmack der Leute richten. Diese Konformität wird nicht geleugnet, sondern zwanglos anerkannt und oft als Freibrief für den Dichter und die Schauspieler benutzt.« Während M'Nicoll einerseits seinen Essay in einer für das 19. Jahrhundert charakteristischen verwissenschaftlichten Argumentation aufbaut, enthält seine Schrift andererseits einen kleinen Katalog der ebenfalls für dieses Jahrhundert typischen Maximen konservativen Geschmacks. Die religiöse Grundlage ist fast gänzlich beseitigt. »Vernunft« ist an ihre Stelle getreten. M'Nicoll erkennt, daß »die Popularität des Dramas in scheußlichster Weise von zahllosen Schriftstellern ausgenützt und mißbraucht wird, die darüber hinaus weder Talent noch Weisheit genug haben, um ein anständiges Charakterbild für die Bühne zu konzipieren.« Und hier nimmt die Argumentation eine interessante Wendung: sie wechselt vom Moralistischen zum Utilitaristischen. Das Theater sei nicht »nützlich« als ein Entlastungsventil für den Menschen der Aufklärung und Wissenschaft. Im Gegenteil, es ziehe nur jene pseudo-kreativen Elemente der modernen Gesellschaft an, die Sensationslust und Zerstreuungssucht des modernen Publikums ausnützen wollen.

Von einer Theaterreform verspricht sich M'Nicoll so gut wie nichts. Gesetzt, man versuche die Bühne zu reformieren, gleichzeitig aber auch ihre Popularität zu erhalten, so ließe man sich auf ein Unternehmen ein, daß beim gegenwärtigen korrumpierten Zustand der Gesell-

schaft zum Scheitern verurteilt sei. Auf keinen Fall würde dabei etwas
herauskommen, was mit dem bestehenden Theater noch etwas zu tun
hätte.

Man fragt sich, wo sind die Kirchenväter geblieben? Zum Schluß
seines Essays wendet sich M'Nicoll ihnen etwas ausführlicher zu.
Wie sehr sie in diesem Zusammenhang an Gewicht verloren haben,
wird deutlich, wenn M'Nicoll langatmig zu gewissen Kontroversen
Stellung nimmt, die um die kirchenväterlichen Schriften entstanden
sind. Hat die Opposition recht mit ihrer Behauptung, daß die
Kirchenväter eigentlich nur die Pantomime meinten, wenn sie das
Theater verdammten? Und ist es wahr, daß St. Chrysostomus mit
dem Aristophanes unter seinem Kissen geschlafen hat? Und wenn es
wahr ist, wird damit die Rechtmäßigkeit seines Widerstands gegen
öffentliche Schaustellungen in Frage gestellt? Hier wird deutlich, daß
M'Nicoll sich mit den Kirchenvätern sozusagen anhand von wissens-
soziologischen Argumenten auseinandersetzt, wobei das Verhältnis
von Meinungen und Verhaltensweisen im Mittelpunkt steht. Er
formuliert zugleich gewisse Einsichten in die Beschaffenheit von
Massenkultur, die zur weiteren Verurteilung des Theaters herangezogen werden, und sein sehr allgemein gehaltener Kommentar über
Theatergebräuche und -sitten stempelt dieselben als moralisch verdorben ab.

Gewiß fand die Bühne auch ihre Verteidiger. M'Nicolls Zeitgenosse
Mansel veröffentlichte 1814 seine *Free Thoughts upon Methodists,
Actors and the Influence of the Stage*. Wie sein Gegner, der Verfasser
der *High Road To Hell*, ist Mansel voller Feuer und Energie, nimmt
kein Blatt vor den Mund, doch aus dem altväterlichen Zorn wird nun
Sarkasmus und Ironie. Er beginnt damit, die Geschichte der Opposition unter die Lupe zu nehmen: »Die Kirchenväter haben in unmiß-
verständlicher und freimütiger Weise ihrer leidenschaftlichen, radikalen Ablehnung der Bühne Ausdruck gegeben. Die überwiegen-
de Mehrheit späterer Gegner hat sich ihrem Stil der Verdammung
angeschlossen, und alle zeitgenössischen Feinde des Theaters, die sich
mit dem Mantel frommer Gläubigkeit umgeben, schauen zu den
frühen theologischen Klassikern als ihren Vorbildern auf. Es scheint
daher angebracht, diese zur Schau getragene ekklesiastische
Rachsüchtigkeit etwas genauer zu betrachten.« In fast hegelschem
Ton, jedenfalls mit quasi historizistischer Haltung, gesteht er der
Kirche das Recht der Verdammung jener Übel zu, die es zur Zeit der

Kirchenväter auf der Bühne durchaus gegeben habe. Doch stellt er »die Mittel, derer sie sich gegen die Zügellosigkeit der von ihnen verurteilten Sachverhalte bedienten«, in Frage. Er vereint seine historische Perspektive mit einer psychologischen. Wie Mansel es formuliert, St. Chrysostomus »studierte alle dramatischen Poeten«, und er borgte für seine berühmten Predigten durchaus von dramatischen Vorbildern, während Tertullian selbst so viel Phantasie besaß, der er schließlich erlag und die ihn selbst zum ketzerischen Sektierer machte. Mansel deutet an, daß das spätere Wüten Tertullians gegen das Theater als ein Buß- und Sühneakt verstanden werden kann. Wohl als erster charakterisierte er die Schriften der Kirchenväter »als eine Anhäufung von Unsinn und Dummheiten ... gerichtet gegen eine sublime Kunst«. Er dringt darauf, die kirchenväterlichen Ansichten über das Theater im Kontext ihrer historischen Zeitgebundenheit zu interpretieren, und versucht nachzuweisen, daß die Kirchenväter bei ihrer Verdammung der weltlichen Bühne sich selber der Theaterrhetorik bedienten. So versucht Mansel, die Bedeutung der frühen Christen als Kritiker der Moderne völlig abzuwerten. An ihrer Stelle führt er Adison, Milton und Johnson als auch für die Gegenwart bedeutsame christliche, moralische Lehrer und geistige Wortführer an, deren Beiträge zur Bühne hinreichend Zeugnis ablegen für die moralische Substanz des Theaters. Mansel profitiert von der historischen Distanz, die es ihm leicht machte, die eifernden Tiraden der Kirchenväter zu zerpflücken und auf ihre nicht immer geradlinigen Biographien zu verweisen. Darüber hinaus konnte er sich in seiner Verteidigung des Theaters auf die große Tradition der englischen Literaten und auf die humanistischen Grundlagen der englischen Bühne stützen.

Wollte man die hier nur in groben Umrissen angedeutete Geschichte der Theaterkontroverse durch das 19. Jahrhundert bis zur Gegenwart verfolgen, müßte man sie im Licht der Veränderungen, die sich im Theater selber vollzogen haben, untersuchen. Die Entwicklung des Theaters von der Restaurations- zur sentimentalen Komödie und dann zu Tennyson und seinen Zeitgenossen mußte notwendigerweise den Charakter der Debatte weitgehend umgestalten. Der Blütezeit des realistischen und naturalistischen Theaters wären die Kategorien dieser Pamphletliteratur gänzlich unangemessen.

Kapitel III
Die Debatte über kulturelle Standards:
Das englische 18. Jahrhundert als Beispiel[1]

I Die literarischen Medien

Wenn man den Begriff »Massenmedien« in der Bedeutung nimmt, daß damit gängige, für eine umfangreiche Käuferschaft produzierte Kulturgüter bezeichnet werden, dann ist in England das 18. Jahrhundert die erste Epoche in der Geschichte, auf die er sinnvoll angewendet werden kann. Während der ersten Jahrzehnte des 18. Jahrhunderts wurden die Druckerzeugnisse dank der wachsenden Industriealisierung und Verstädterung Englands, aber auch dank der billigeren Papierherstellung und der verbesserten Methoden der Produktion und des Vertriebs literarischer Erzeugnisse billiger und leichter zugänglich denn je zuvor. Die Gebildeten lasen beträchtlich mehr als im vorangegangenen Jahrhundert; die Frauen erwiesen sich als besonders leidenschaftliche Leser, und für die Klasse der Kaufleute und Händler wurde Bildung zu einer Voraussetzung ihrer Gewerbetätigkeit. Im letzten Viertel des Jahrhunderts hatten selbst abgelegene Dörfer ihren eigenen Schulmeister oder unterhielten zumindest Sonntagsschulen, in denen die ersten Anfänge des Lesens gelehrt wurden.

Die Zeitschriften

Trotz der Tatsache, daß sich immer neue literarische Formen entwickkelten und der Wettbewerb immer stärker wurde, fand jede neue Gattung oder jede Variation einer alten Gattung einen aufnahmebereiten Markt. Das neueste und charakteristischste Medium dieser Epoche war die Zeitschrift, die sich deutlich von den Pamphleten unterschied, deren Träger religiöse oder politische Gruppen waren. In den fünfzig Jahren zwischen 1730 und 1780 wurde dem Londoner

1 Die erste Veröffentlichung dieses Kapitels, das von Marjorie Fiske-Löwenthal und mir gemeinsam verfaßt wurde, erschien in »Common Frontiers of the Social Sciences«, Chicago 1957.

Publikum mindestens eine neue Zeitschrift im Jahr angeboten. Die meisten dieser Zeitschriften zeigten eine Allerweltsaufmachung und brachten Fragen und Antworten zu allen Problemen des persönlichen Lebens (mit zahlreichen Ratschlägen für Leute, die Liebeskummer hatten), Nachrichten, Gesellschaftsklatsch und Romane. Die Urbilder nahezu aller modernen Zeitschriftentypen entstanden bereits und waren zum größten Teil erfolgreich: Frauenzeitschriften, geschwätzige Monatszeitschriften für das Theater, Zeitschriften mit Tatsachenberichten und Liebesgeschichten, Nachrichtenmagazine und Zeitschriften für Rezensionen und sogar für gedrängte Kurzfassungen ganzer Bücher.

Die volkstümlichen Romane

Während die Zeitschriften, deren Inhalt jeweils nur aus einem Essay bestand, wie »Spectator«, »Tatler«, »The Rambler«, »The Bee« und das vermischte Schriften bringende »Gentleman's Magazine« neue literarische Gattungen darstellten, war der Roman zwar keine neue Gattung, erfreute sich aber besonders nach der Mitte des Jahrhunderts neuer Beliebtheit. Obgleich die ersten Bestseller im allgemeinen Neudrucke von Romanen des 17. Jahrhunderts waren, brachte schon die Veröffentlichung von Richardsons »Pamela« im Jahre 1740 eine bedeutsame Veränderung. In den dreißig Jahren nach *Pamela* ist für alle Romane eine Mischung von bürgerlichem Realismus und Sentimentalität charakteristisch, die die vier führenden Autoren Richardson, Fielding, Smollet und Sterne in verschiedenartiger Weise in ihren Werken zur Geltung brachten. Mit ihnen erreichte der Roman des 18. Jahrhunderts seinen Höhepunkt; nach ihnen kam eine Periode der Nachahmung, der Wiederholung und einer so schlechten literarischen Technik, daß die Schriftsteller fürchteten, diese Gattung werde überhaupt aussterben. Diese Befürchtung wurde jedoch vom Publikum nicht geteilt. Für die Leser büßte der Roman selbst dann nichts an Beliebtheit ein, als die Werke hauptsächlich aus verschiedenen alten Bänden zusammengestückelt und unter neuen marktschreierischen Titeln herausgegeben wurden. Erst in den letzten Jahrzehnten des Jahrhunderts, als der ungeheuer beliebte romantische Roman aufkam, kehrte man zu einer sorgfältigeren literarischen Technik zurück. In den späten 80er Jahren zeigte sich dann auch eine

Vermehrung der Jugendbücher. In immer steigender Zahl wurden Bücher verfügbar, die unterhaltender, wenn auch nicht weniger lehrreich als die Standardjugendbücher von der Art des *Pilgrim's Progress* waren.

Je mehr Menschen die Fähigkeit des Lesens erwarben, desto gewinnbringender wurde auch das Schreiben von Romanen. Während der 90er Jahre konnte sich selbst ein verhältnismäßig unbekannter Schriftsteller ein schönes Einkommen verschaffen, indem er für ein begeistertes Publikum Fortsetzungsromane schrieb. Die Aufteilung eines Romans in drei Bände war bei den Damen besonders beliebt, da *ein* solcher Band, wie es hieß, bequem während eines einzigen Besuches beim Friseur[2] durchgelesen werden konnte. Bücher aller Art von geringerem Umfang lassen sich dann in der zweiten Hälfte des 18. Jahrhunderts in großer Zahl nachweisen. Ihr Auftauchen beweist, daß jetzt ein verstärktes Interesse an Auszügen, Kurzfassungen und Anthologien bestand. Die zunehmende Neigung für das, was Dr. Johnson »allgemeine und bequeme Lektüre« nannte, scheint von diesen kleinen und leichten Büchern befriedigt worden zu sein. Er selbst billigte diese Entwicklung durchaus; denn Bücher sollen leicht in der Hand zu halten und mitzuführen sein; gewichtige Bücher bieten den entmutigenden Anblick, als ob große Gelehrsamkeit nötig sei, und können unter Umständen das Publikum sogar abschrecken.[3]

Die Veränderungen auf dem Theater

Am Anfang des 18. Jahrhunderts war die Bühne schon längst zu einer englischen Institution geworden, deren Beliebtheit und deren Prestige zwar mit dem Wechsel der politischen oder religiösen Verhältnise stieg oder fiel, die aber immer eine bedeutende Stätte war, an der ein Schriftsteller seine Werke darbieten konnte.

Das Drama der Restauration, das die Sitten und Gebräuche der Aristokratie dargestellt hatte, war so anzüglich gewesen, daß es reformfreudigen Pastoren und Laien weite Angriffsflächen bot. Angriffe gegen die englische Bühne waren nichts Neues, und die

2 A.S. Collins, The Profession of Letters: Study of the Relation of Author to Patron, Publisher, and Public, 1780-1832, London 1928, S. 98.

3 Ebenda, S. 65.

moralischen und theologischen Argumente, mit denen man gegen sie vorging, änderten sich in der Zeit vom 16. bis zum 18. Jahrhundert kaum. Als das Restaurationsdrama bürgerlichen Themen weichen mußte, wurde der Besuch des Theaters sehr viel reputabler, und nach der Lizensierung der beiden privilegierten Theater in Drury Lane und in Covent Garden im Jahre 1737 wurde die Bühne erneut zu einer anerkannten Unterhaltungsstätte für die Frommen so gut wie für die weltlich Gesinnten – was natürlich nicht bedeutet, daß die Eiferer aufgehört hätten, sie anzugreifen.

Unter Garricks Leitung erreichte das Drury Lane Theater einen neuen Höhepunkt, sowohl was die Volkstümlichkeit als auch was die Qualität der Aufführungen anging. Trotzdem waren die beiden privilegierten Theater gezwungen, zu Pantomimen, prunkvollen Opern, Ballettaufführungen und einer Vielzahl anderer sensationeller Erfindungen ihre Zuflucht zu nehmen, um sich ein genügend großes Publikum zu sichern. Der Brauch, die Darbietungen des Abends in zwei Teile aufzugliedern, deren erster ein ernstes und deren zweiter ein heiteres Stück brachte, hatte beträchtlichen Einfluß auf das Publikum, da es für Berufstätige schwierig war, die erste Vorstellung zu besuchen. Einnahmestatistiken der größeren Theater zeigen, daß viele Zuschauer der ersten Aufführung auch der zweiten beiwohnten, daß aber eine weit größere Gruppe erst zum zweiten Teil des Abends kam. Es bestand die Einrichtung, den Eintrittspreis nach dem Ende des ersten Stücks abends auf die Hälfte herabzusetzen. Als man versuchte, diese Einrichtung abzuschaffen, kam es zu öffentlichen Demonstrationen und sogar zu Tumulten.[4]

Im Laufe des Jahrhunderts vermehrte sich das Publikum beträchtlich. In der Hauptstadt und in den Provinzen begannen kleinere Bühnen aufzublühen, aber auch die bestehenden Theater wurden vergrößert. Die beiden privilegierten Theater konnten 1732 zusammen 14000 Personen wöchentlich aufnehmen, 1747 über 15000 und 1762 22000.[5] Die durchschnittliche Zuschauerzahl dürfte allerdings beträchtlich unter der Maximalzahl gelegen haben.

4 H.W. Pedicord, The Theatrical Public in the Time of Garrick, New York 1954, S. 14-15.
5 Ebenda, S. 16.

Die Zeitungen

Das Urbild der modernen Zeitung entstand bald nach dem Wegfall des »Licensing Act« im Jahre 1695. Innerhalb von ein oder zwei Jahren gründeten die Whigs und die Tories politische Zeitungen, und im Jahre 1700 zirkulierten mehrere Zeitungen in London. Dreimal in der Woche, wenn die Post abging, wurden sie auch in die Provinzen versandt. 1709 wurden 18 Zeitungen ein- oder mehrmals die Woche in London herausgebracht, so daß sich eine Gesamtzahl von über fünfzig Ausgaben ergab. Schon 1730 klagten die Kaffeehausbesitzer, daß es unmöglich sei, sie alle zu halten. 1760 schließlich wurden annähernd zwölf Millionen Exemplare im Jahr verkauft.

Im Laufe des 18. Jahrhunderts wurde die Tageszeitung finanziell unabhängig und selbstbewußt: finanziell unabhängig, weil immer mehr Leute lesen lernten; selbstbewußt infolge des erfolgreichen Kampfs gegen religiöse und politische Kontrolle.[6] Obgleich die Reaktionen auf diesen wachsenden literarischen Markt unterschiedlich waren, interessierten sich die, die ihm Beachtung schenkten, im allgemeinen mehr für die Möglichkeiten, die er für die geistige und ästhetische Entwicklung des Landes bot, als für die Gefahren, die sein Einfluß auf die öffentliche Meinung heraufbeschwören konnte. Erst in den ersten Jahrzehnten des 19. Jahrhunderts, als es schon mehr als 400 Zeitungen in England und Irland gab, begannen sich die Intellektuellen stärker um die Frage zu kümmern, inwieweit die Zeitung ein Mittel zur Manipulation von Meinungen sei.

II   Die Bildung eines Publikums

Im 18. Jahrhundert gab es in England kein Massenpublikum im modernen Sinn. Das sollte sich erst im folgenden Jahrhundert entwickeln. Aber das 18. Jahrhundert war doch in dem Sinne schon modern, daß von dieser Zeit an ein Schriftsteller von dem Verkauf seiner Werke an das Publikum leben konnte. Genau betrachtet fand eine Verlagerung von privater Förderung (gewöhnlich dank der Protektion durch die Aristokratie) und einem begrenzten Publikum zu öffentlicher Förderung und einem potentiell unbegrenzten Publi-

6 W.T. Laprade, Public Opinion and Politics in Eigtheenth Century England, New York 1936, S. 13-14.

kum statt. Zur gleichen Zeit wurden die Herstellung, der Verlag und der Vertrieb von literarischen Werken gewinnbringende Geschäftszweige. Alle diese Neuerungen berührten sowohl den Inhalt als auch die Form der Literatur und führten deshalb zu zahlreichen ästhetischen und ethischen Problemen. Nicht alle diese Probleme waren neu; einige entstanden bereits im 17. und selbst im 16. Jahrhundert, als das Theaterpublikum auch aus breiteren Volksschichten kam. Aber im 18. Jahrhundert stellte sich die Frage nach den Wünschen und Neigungen des Publikums für den Schriftsteller mit neuer Schärfe, da sein Publikum nun die einzige Quelle seines Lebensunterhalts wurde.

Obwohl uns verläßliche Zahlen über die Leserschaft fehlen, ist kaum daran zu zweifeln, daß die Lesefreudigkeit des englischen Publikums während des 18. Jahrhunderts zweimal erheblich zunahm. Das erstemal geschah dies in den dreißiger und vierziger Jahren, als volkstümliche Zeitschriften und kurz danach auch Romane den Markt zu überschwemmen begannen. Dieser Aufschwung erklärt sich freilich mehr daraus, daß die Gebildeten mehr Bücher lasen, als daraus, daß es eine größere Anzahl Leute gab, die lesen konnten. In den letzten zwei Jahrzehnten des Jahrhunderts dagegen, als die Bibelgesellschaften, die politischen Pamphletisten und die Reformer große Massen an billiger Literatur produzierten, um gemeinsam dem Einfluß revolutionärer Schriftsteller von der Art Tom Paines entgegenzuwirken, läßt sich der gesteigerte Konsum auf ein Wachstum des Lesepublikums selbst zurückführen. In der Zwischenzeit hatten die Dorfschulmeister und die Sonntagsschulen – die ersteren, um ihren Lebensunterhalt zu verdienen, und die letzteren, um das Wort Gottes zu verbreiten – begonnen, die Kinder aus den Schichten der Angestellten, Arbeiter und Bauern das Abc zu lehren.[7] Nach zeitgenössischen Schätzungen vermehrte sich die Zahl der Druckerpressen in London von 75 im Jahre 1724 auf 150 bis 200 im Jahre 1757; die Zahl der jährlichen Neuerscheinungen von Büchern vervierfachte sich im Laufe des Jahrhunderts[8]; und der Beruf des Schriftstellers

7 In seinem Buch »The English Common Reader«, Chicago 1957, legt Richard D. Altick dar, daß zwar der Konsum an Lesestoff während des ganzen 18. Jahrhunderts stetig steigt, daß aber erst nach den neunziger Jahren die Zusammensetzung der Leserschaft demokratisch wurde. Im ganzen meint er, daß das 17. Jahrhundert ein repräsentativeres und nicht unbedingt kleineres Lesepublikum hatte.
8 Ian Watt, The Rise of the Novel, London 1957, S. 37.

wurde ein angesehener und oft sogar sehr einträglicher Erwerbs-
zweig, der sich einer so großen Achtung erfreute, daß schon 1752
Samuel Johnson seine Zeit als das Zeitalter der Autoren bezeichnete.[9]

Teils als Ursache und teils als Folge dieser Vermehrung der Lesefreudigkeit und der Entwicklung des Autors zu einem berufsmäßigen
Schriftsteller entstanden eine ganze Reihe von Kanälen, die den
Markt für literarische Produkte immer mehr auszuweiten strebten.
Diese Geschäftszweige entstanden entweder völlig neu oder nahmen
nach dem ersten Viertel des Jahrhunderts einen ganz neuen Aufschwung. Hier ist besonders auf die Leihbüchereien, den Buchhandel
und das Verlagswesen sowie auf die kritischen Zeitschriften zu
verweisen. Diese Einrichtungen waren eng miteinander und mit den
Autoren, deren Werke sie förderten oder ausbeuteten, verbunden,
und es gab, wie heute, nicht selten Spannungen zwischen den
Autoren und jenen, die die leitenden Stellungen im Verlags- und
Vertriebswesen innehatten. Verschiedene andere, nicht dem Erwerb
dienende Einrichtungen trugen ebenfalls dazu bei, die Nachfrage
nach literarischen Erzeugnissen zu vergrößern. Literarische Gesellschaften und Lesezirkel breiteten sich in ganz London aus und
wurden schließlich auch in den Provinzen nachgeahmt. Die Kaffeehäuser in der Hauptstadt und in den Provinzstädten entwickelten sich
zu Treffpunkten, an denen man zusammenkam, um zu lesen oder
zuzuhören, was aus Zeitungen und Zeitschriften laut vorgelesen
wurde, und wo man dann über das Gelesene und Gehörte diskutierte.

Einige Kaffeehäuser waren vornehmlich literarische Treffpunkte.
Pope z. B. verbrachte einen großen Teil seiner Zeit im Gespräch mit
anderen Schriftstellern in einem von ihm bevorzugten Kaffeehaus, bis
er merkte, daß der Weingenuß seine Gesundheit untergrub. Zu den
bekannteren literarischen Kaffeehäusern zählte in der ersten Hälfte
des Jahrhunderts der Kit-Cat-Club, zu dessen Mitgliedern zahlreiche
führende Schriftsteller der Epoche gehörten und dessen Sekretär
Tonson, der bedeutendste Buchhändler seiner Zeit, war. Dieser Club
bestand hauptsächlich aus Whigs, aber er gab sich große Mühe, junge
Schriftsteller ohne Rücksicht auf ihre politische Überzeugung zu
fördern. So setzte er besonders für Komödien Geldpreise aus. Swift

9 Adventurer, Nr. 115, British Essayists, XXI, 137-38.

half, den Brothers' Club zu gründen. Seine Mitglieder waren hauptsächlich Tories, aber ihre Interessen galten vornehmlich der Literatur, und auch sie trugen zur Unterstützung erfolgversprechender junger Schriftsteller bei.[10]

Die Blaustrumpf-Klubs, die um die Mitte des Jahrhunderts von einer Gruppe literarisch interessierter Frauen aus den oberen Gesellschaftsschichten gegründet wurden und deren Ziel darin bestand, die Kartenspiele durch literarische Gespräche zu ersetzen, wurden bald sowohl in London als auch in den Provinzen von Frauen aus den bürgerlichen Schichten nachgeahmt. Diese Gruppen trugen jedenfalls sehr viel dazu bei, daß Lesen (und Schreiben) auch unter den Frauen gesellschaftliches Ansehen erhielt. In der zweiten Hälfte des Jahrhunderts bestanden in allen Teilen des Landes zwanglose Klubs, in denen Bücher gemeinsam gekauft und diskutiert wurden. Wie sehr diese Klubs den Verkauf von Büchern förderten, wird von dem Buchhändler Lackington in seinen Memoiren beschrieben:

»In allen Teilen Englands hat sich eine Anzahl von Buchklubs gebildet, in denen jedes Mitglied vierteljährlich eine gewisse Summe zum Ankauf von Büchern zeichnet: In einigen der Klubs werden die Bücher, nachdem sie von allen Subskribenten gelesen worden sind, an die Meistbietenden von ihnen verkauft, und das Geld, das durch diesen Verkauf hereinkommt, wird für neue Ankäufe ausgegeben. Durch dieses kluge und wohldurchdachte Vorgehen hat jedes Mitglied die Möglichkeit, das Werk irgendeines Schriftstellers zu erwerben, von dem es glaubt, daß er ein besonderes Maß an Aufmerksamkeit verdient.«[11]

Obwohl sich die Käufer in den Provinzen manchmal darüber beklagten, daß die Buchhändler in der Hauptstadt ihre schriftlichen Aufträge nicht beachteten, besuchten andererseits unternehmende Buchverkäufer die Klubs in den entlegenen Gebieten, sandten ihnen Kataloge und leisteten ihnen auch in anderer Weise moralische oder materielle Unterstützung.

---

10 Leslie Stephen, English Literature and Society in the Eighteenth Century, London 1904, S. 37-38.
11 James Lackington, Memoirs of the Forty-Five First Years of the Life of James Lackington, Written by Himself, London 1803, S. 250.

Die Bemühungen der Buchhändler (die zugleich auch Verleger waren) um ein Lesepublikum richteten sich jedoch in der Hauptsache auf bestimmte kommerzielle Unternehmungen. Die erste Leihbücherei in England wurde im Jahre 1740, dem Jahr der Veröffentlichung von Richardsons *Pamela*, gegründet. Eine der Einrichtungen, die zur raschen Ausbreitung der Lesefreudigkeit innerhalb des Bürgertums entscheidend beitrugen, wurde also zur gleichen Zeit gegründet, als der erste bedeutende Roman dieser gesellschaftlichen Klasse erschien.

Die Leihbüchereien verlangten gewöhnlich einen jährlichen Mitgliedsbeitrag; dafür durfte das Mitglied alle Bücher und Zeitschriften ausleihen, die von seiner Leihbücherei geführt wurden. Um die Wende des Jahrhunderts waren ungefähr tausend dieser kommerziellen Unternehmungen über das ganze Land verstreut, und ihre Kunden schlossen sowohl Angehörige der Arbeiterklasse als auch des Bürgertums ein. Andererseits fehlten jedoch bemerkenswerterweise freie öffentliche Büchereien. Die Bücherei der Royal Society enthielt nur eine mäßige Sammlung, und das Britische Museum, das schon damals für seine Sammlung von Originalmanuskripten berühmt war, besaß nur eine kümmerliche Zahl von Büchern. Edward Gibbon hatte guten Grund für seine Klage, daß »die größte Stadt der Welt immer noch ohne eine öffentliche Bücherei« wäre.[12]

Die Buchhändler betrachteten die Entwicklung der Leihbüchereien zunächst mit Mißtrauen. Aber sie erkannten bald, daß diese Einrichtungen nicht nur den Absatz an Büchern nicht senkten, sondern sowohl einen bedeutenden Absatzmarkt bildeten, als auch eine nicht zu unterschätzende Werbewirkung ausübten.[13] Die Leihbüchereien versorgten nicht nur Familien mit Büchern, die es sich nicht leisten konnten, sie zu kaufen, sondern boten dem Leser auch die Möglichkeit, ein Buch kennenzulernen, ehe er es kaufte.[14]

Besonders die Frauen bedienten sich der neuen Einrichtung mit dem größten Vergnügen. Gegen Ende des Jahrhunderts hin gibt es kaum einen volkstümlichen Roman, dessen Heldin nicht irgendwann einmal in ihren freudigen oder trüben Stunden einen Roman in ihrer

12 William Lecky, History of England in the Eighteenth Century, Bd. I, New York 1888, S. 165.

13 Collins, a.a.O., Kap. I passim.

14 Lackington, a.a.O., S. 225.

Leihbücherei ausleiht oder ihr Mädchen fortschickt, einen zu holen. Zu dieser Zeit waren die Buchhändler bereits von der neuen Einrichtung begeistert. Lackington war überzeugt, daß neben seiner eigenen Buchhandlung »die Leihbüchereien sehr viel zur Unterhaltung und zur Bildung des schönen Geschlechts beigetragen haben; bei weitem der größte Teil der Damen hat jetzt einen Geschmack für Bücher ... Es ist allgemein üblich, daß Damen lesen, und zwar nicht nur Romane, obgleich manche von diesen ganz hervorragende Werke sind, die sowohl das Gemüt als auch den Geist zu bilden streben; aber sie lesen darüber hinaus auch die besten Bücher, die in englischer Sprache erschienen sind, und vielleicht auch die besten Autoren in verschiedenen anderen Sprachen; und es gibt einige tausend vornehme Damen, die meine Buchhandlung besuchen und die ebensogut Bücher auszuwählen wissen und ebensowohl mit den Werken von ästhetischem und geistigem Rang vertraut sind wie jeder gebildete Mann im Königreich, obwohl die Männer nur zu oft verächtlich auf die Romanleserinnen herabblicken.«[15]

Zwar tadelten in der zweiten Hälfte des Jahrhunderts einige Literaten die Leihbüchereien dafür, daß sie einen augenscheinlich unersättlichen Appetit nach Romanen erzeugten, den die Buchhändler mit allen Mitteln zu befriedigen strebten; auch gab es viele Schriftsteller, die in ihren Romanen sich über die Leihbücherei lustig machten; trotzdem gab es im Laufe des Jahrhunderts nur wenige ernsthafte Angriffe auf die Einrichtung der Leihbüchereien.[16]

Der Buchhandel

Gegenüber den Buchhändlern war der selbständige Literat allerdings weniger duldsam. Es ist möglich, daß die neu entstandene finanzielle Abhängigkeit von den Verlegern und Buchhändlern eine gewisse Sehnsucht nach den Tagen des aristokratischen Mäzenatentums hervorrief; auf jeden Fall gaben ihm die Praktiken vieler Buchhändler hinreichend Grund zur Klage. Die Gestalten von Tonson und Curll

15 Ebenda, S. 259.
16 Coleridge sprach später voller Schärfe von »Süchtigen der Leihbüchereien«. Er glaubte, daß ihre Lektüre den gleichen Wert habe wie der Versuch, Wort für Wort »alle Anzeigen in einer Tageszeitung an einem regnerischen Tag in einer Gaststätte zu lesen«.

zeigen uns, wie verschieden der Ruf eines Buchhändlers zur Zeit eines Alexander Pope sein konnte. Tonson, der schon oben als Sekretär des Kit-Cat Klubs erwähnt wurde, sicherte sich seinen Platz in der Geschichte des Buchhandels als der geschätzte Verleger von Miltons *Verlorenem Paradies* und zahlreicher Werke von Dryden und Addison. Er erfreute sich der Wertschätzung fast aller seiner Autoren, denen gegenüber er in den geschäftlichen Angelegenheiten großzügig war und die er durch seinen geistigen Einfluß anregte.

Edmund Curll dagegen, eine der berüchtigtsten Gestalten in der Geschichte des Handels, erwarb keine Achtung und wurde auch von den Schriftstellern in keiner Weise geschätzt. Er war skrupellos und clever; er entwickelte eine Art stupider Geschäftsgewandtheit, die ihn zwar wiederholt ins Gefängnis brachte, die ihn aber bei seiner Entlassung stets ermutigte, mit verdoppeltem Eifer dieselbe Tätigkeit weiterzubetreiben, für die er eingekerkert worden war. Er besaß eine besondere Fertigkeit, Skandalaffären kommerziell zu nutzen, ein zu seiner Zeit – und auch später – recht einträgliches Geschäft. Er verlegte zwar auch einige nützliche Werke, aber angesichts des Umfangs seiner Publikationen nimmt das nicht wunder. Seine Energie widmete er hauptsächlich der Suche nach zugkräftigen Titeln und nach intim-persönlichen, oft zotigen Werbetexten für die Biographien und pornographischen Schriften, die ihm von Gelegenheitsschreibern zusammengeschmiert wurden. Er zahlte ihnen dafür Hungerlöhne.[17]

In Popes *Dunciad* wurde er mit einer beißenden Kritik bedacht. Die Gründe dafür liegen auf der Hand.

Gegen 1800 bildeten das Verlagswesen und der Buchhandel einen bedeutenden Geschäftszweig des Landes. Es erübrigt sich zu sagen, daß sowohl Tonson als auch Curll ihre Nachfolger hatten. Lackington war sowohl der erfolgreichste als auch der selbstbewußteste Buchhändler in der zweiten Hälfte des Jahrhunderts. 1774 eröffnete er sein Geschäft; bereits 1779 veröffentlichte er seinen ersten Katalog von zwölftausend Titeln, von dem er schätzte, daß er von mehr als dreißigtausend Leuten im Jahr eingesehen worden sei. Lackington war es auch, der zuerst auf die Idee kam, Ausverkäufe zu veranstalten; um die Wende des Jahrhunderts verkaufte er über 100000 Bände im Jahr. Während er eingestand, daß er einen beträchtlichen Gewinn

17 Ralph Strauss, The Unspeakable Curll, New York 1928.

habe, rechnete er es sich zur Ehre an, daß er auch solchen gesellschaftlichen Gruppen Bücher zugänglich machte, die sich sonst keine hätten leisten können.[18]

»...Wenn ich darüber nachdenke, welche gewaltige Anzahl von Menschen der unteren Gesellschaftsschichten daraus Nutzen gezogen haben, daß sie zu erträglichen Bedingungen ihrer natürlichen Neigung zum Erwerb von Wissen nachgeben konnten – wenn ich das bedenke, so könnte ich beinahe eitel genug sein zu behaupten, daß ich eine bedeutsame Rolle für die Verbreitung des allgemeinen Wunsches nach Lektüre, der heute in den unteren Schichten der Gesellschaft so lebhaft ist, gespielt habe.«[19]

Nach 1780 stieg der bereits recht hohe Preis für Bücher noch mehr.[20] Gut eingeführte Verleger machten ihre Bucheinbände immer kunstvoller und kostbarer, zum Teil deshalb, weil die Etikette der höher gestellten Angehörigen des weiblichen Publikums prunkvolle Einbände verlangte. Aber bald erschienen neue Buchhändler auf dem Plan und gaben Nachdrucke heraus, unter denen sich auch kleine Taschenausgaben der Klassiker zu mäßigen Preisen befanden. Ein anderer erfolgreicher Verkaufsschlager war die Herausgabe von Klassikern, Gedichten und Romanen in wöchentlichen Fortsetzungen, die auf Zeitungspapier gedruckt waren und nur sechs Pence kosteten.[21] Weniger mit Skrupeln behaftete Buchhändler gingen sogar dazu über, daß sie eine gewisse Zeit warteten, bis die Leser die erste Version eines Buches wieder vergessen hatten, um dann diese Werke, besonders die seichten Romane, unter neuen Titeln, aber ohne jede weitere Änderung wieder herauszugeben.

Die Werbung entwickelte alle möglichen Methoden, von den augenscheinlich absurden bis zu sehr wohldurchdachten, und sie kannte schon damals alle die Mittel, die bis heute zum Repertoire des Verlegers gehören. Zunächst verdiente der Titel Aufmerksamkeit. Wenn er anziehend, schlüpfrig und sensationell war, leistete er auf

18 Lackington, a. a. O., S. 224.
19 Collins, a. a. O., S. 63-64.
20 Einige Hinweise über die relativen Kosten für Bücher und andere Freizeitbeschäftigungen können aus den folgenden Zahlen entnommen werden, die von H. W. Pedicord gegeben wurden und für die Jahrzehnte in der Mitte des Jahrhunderts gelten: Ein Platz in der ersten Galerie in Drury Lane 24 pence, ein Glas Bier 3 pence, das billigste Mittagessen 3½ pence, ein kleines Buch 36 pence.
21 Collins, a. a. O., S. 58.

jeden Fall gute Dienste. So las man: Die zerstörte Schönheit, Der atomisierte Ehebruch, Weibliche Falschheit und tausend ähnliche Titel. Daß alte Bücher neue Titel erhielten, gab es nicht nur bei den Broschüren; auch viele Werke in festem Einband wurden gerettet, indem man einfach die Titelseite herauslöste, den alten Titel durch einen eindrucksvolleren oder schlüpfrigeren ersetzte und das verjüngte Werk als zweite, verbesserte und vermehrte Auflage anbot.[22] Ein besonders erfolgreiches Mittel bestand darin, von dem Autor (oder der Autorin) zu sagen, daß er oder sie berühmt, geheimnisvoll oder berüchtigt sei; und Schriftsteller, von denen man sagte, daß sie des Landes verwiesen wären, wurden mit ganz besonderer Begierde aufgenommen. Zustimmende Urteile durch Persönlichkeiten in hoher Stellung wurden ebenfalls häufig gebraucht. Im ganzen unterhielten die Verleger zumindest mit ihren führenden Autoren enge und freundschaftliche Beziehungen, und nur ein Schriftsteller scheint die Abhängigkeit von seinem Verleger so hinderlich gefunden zu haben, daß er versuchte, sich frei zu machen. Im Jahre 1765 gründete ein gewisser John Trusler eine Literarische Gesellschaft, deren Aufgabe darin bestehen sollte, den Verleger als Mittelsmann auszuschalten, indem sie es dem Schriftsteller ermöglichte, seine Werke allein herauszubringen und allen Gewinn aus ihnen für sich zu behalten. Diese Gesellschaft half anscheinend niemandem als Trusler selbst, aber er vermochte nur eines seiner Bücher zu verkaufen.[23] Bis zur Mitte des Jahrhunderts wurden sehr viele Werke durch Subskriptionen finanziert; zu diesen lud jedoch im allgemeinen der Verleger selbst ein; nur gelegentlich mußte ein armer und unbekannter Autor sie sich selbst zusammenholen.

So sehr die Unternehmen der führenden Buchhändler Londons in der zweiten Hälfte des Jahrhunderts blühten, so war ihr Einfluß in den Provinzen doch nicht sehr groß, es sei denn indirekt durch die Leihbüchereien und durch reisende Händler. Lackington beschreibt eine Reise nach Edinburgh im Jahre 1787, auf der er es sich zur Aufgabe gemacht hatte, in jeder Stadt anzuhalten. Sein Ziel war ein doppeltes: Er wollte die Entwicklung seines Geschäftszweiges untersuchen und seltene oder wertvolle Bücher erwerben. In letzterer Hinsicht war seine Reise ein bemerkenswerter Fehlschlag: Er fand

22 J. M. S. Tompkins, The Popular Novel in England, 1770-1800, London 1932, S. 7.
23 Ebenda, S. 10.

nicht nur bestürzend wenige wertvolle Bücher, sondern die Regale der Provinzläden waren hauptsächlich mit Schund angefüllt.[24] Als er die Reise später wiederholte, hatte sich die Situation kaum geändert.

Obgleich ein skrupelloser Verleger wie Curll fast auf einstimmige Ablehnung stieß, stimmten die Schriftsteller in ihrem Urteil über das Verlagswesen sonst sehr viel weniger überein. Sowohl Samuel Johnson als Oliver Goldsmith waren in hohem Maße von ihren Verlegern abhängig; aber während Johnson beinahe Dankbarkeit zeigte, betrachtete Goldsmith die Lage im günstigsten Falle mit einem lachenden und einem weinenden Auge. Vielleicht war, wie Krutch meint, Johnsons günstige Einstellung die Folge einer glücklichen Erfahrung, die er in seiner Frühzeit mit einem Verleger gemacht hatte, der ihn durch ein Darlehen vor dem Verhungern bewahrt hatte.[25] Auf jeden Fall ließ es Johnson nicht an Empfehlungen mangeln. In einem der Artikel im »Idler« zum Beispiel schreibt er den Verlegern mehr Verdienste als den Schulen um die Verbreitung von Wissen unter den breiten Volksschichten Englands zu.[26]

Zu Beginn seiner Schriftstellerlaufbahn litt Johnson unter viel härterer Armut als Goldsmith, dessen Hauptproblem darin bestand, daß ihm das Geld zwischen den Fingern zerrann. Johnsons Armut war spartanischer. Wir wissen, unter welchen Bedingungen er *Rasselas* schrieb: Das Buch wurde in wenigen Tagen hingeworfen, damit er das Begräbnis seiner Mutter bezahlen konnte. Und Boswell berichtet, daß Johnson von dem Honorar für sein *Wörterbuch* (das zuerst im Jahre 1745 veröffentlicht wurde) kaum etwas übrigbehielt, nachdem er die Schulden, die während seiner Arbeit daran aufgelaufen waren, bezahlt hatte. Doch Johnson trat den Klagen Boswells mit einer energischen Verteidigung des Verlegers entgegen und rechtfertigte das geringe Honorar des Schriftstellers, indem er die Risiken aufzählte, die der Verleger auf sich nahm.[27]

Goldsmith hatte für diese Art der Verteidigung nichts übrig. In seinem Werk »Enquiry into the Present State of Learning« und in zweien der Briefe in »The Citizen of the World«, von denen der eine sich ausschließlich mit den zweifelhaften Praktiken der Verleger

24 Lackington, a. a. O., S. 268.
25 Joseph Wood Krutch, Samuel Johnson, New York 1944, S. 35.
26 A. S. Collins, The Growth of the Reading Public During the Eighteenth Century, in: Review of English Studies, Bd. II, London 1926, S. 429.
27 James Boswell, Life of Samuel Johnson, London 1953, S. 217.

beschäftigt, untersucht er die Rolle des Verlegers in ausgesprochen kritischer Weise. In seinem »Enquiry« bemerkt er gleich zu Anfang, daß die Interessen des Schriftstellers und die des Verlegers einander diametral entgegenlaufen: »Der Autor, der nicht mehr von den Großen protegiert wird, nimmt natürlich seine Zuflucht zum Verleger. Man kann sich nicht leicht eine Verbindung vorstellen, die für den Geschmack schädlicher ist als diese. Das Interesse des einen besteht darin, so wenig wie möglich für das Schreiben auszuwerfen, und das des anderen, soviel wie möglich zu schreiben.«[28] Und er greift ganz offen einige der weniger auffallenden Werbemethoden an, so vor allem die Methode, den Verfassern von Büchern, deren Veröffentlichung bevorstand, eine imposante gesellschaftliche Stellung zuzuschreiben, ganz gleich, ob dies der Wahrheit entsprach oder nicht, »(Verleger)... scheinen überzeugt zu sein, daß ein Buch, das von einem gewöhnlichen Menschen geschrieben ist, weder belehren noch moralisch bessern kann; nur Könige, Khane und Mandarine können mit einer gewissen Aussicht auf Erfolg schreiben.«[29]

Der bissigste Sarkasmus findet sich jedoch im Brief Nr. LI in »The Citizen of the World«. Hier beschreibt Goldsmith den Besuch eines Buchhändlers bei dem ironischen und geistvollen Weltbürger. Der Buchhändler bemerkt zunächst, daß die Kauflust seiner Leser sehr von der Jahreszeit abhängig sei: » Ich würde es ebensowenig wagen, ein neues Werk im Sommer herauszubringen, als Schweinefleisch an Hundstagen zu verkaufen.« Danach rühmt er sich, daß seine Bücher immer neu sind und daß die alten am Ende jeder Saison bei den Koffermachern abgestoßen werden. Selbst wenn er jedoch Mangel an neuen Büchern haben sollte, so gibt es keinen Mangel an neuen Titeln: »Ich habe mindestens zehn neue Titel bei mir, zu denen nur noch Bücher hinzugefügt werden müssen, um aus ihnen die besten Dinge in der Welt zu machen.« Er ist schnell bereit, in seinem Mangel an ideellen Absichten eine Tugend zu sehen, und bekennt bescheiden, daß er nicht die Absicht habe, das Publikum zu leiten; im Gegenteil, das Publikum – und noch dazu die niederste Schicht des Publikums – führe ihn.[30] Das war die traurige Lage des Schriftstellers gegenüber dem Verleger.

28 Oliver Goldsmith, An Enquiry into the Present State of Learning in Europe, (1759), in: The Works of Oliver Goldsmith, Bd. II, New York 1881, S. 56-57.
29 Ders., The Citizen of the World, Brief XCIII, London 1934, S. 255.
30 Ebenda, Brief Nr. LI, S. 142.

Die Buchbesprechungen, die zuerst am Ende des 17. Jahrhunderts auftauchen, dienten zunächst vornehmlich den Gelehrten. Die literarischen Anzeiger dieser Zeit beschränkten sich auf wissenschaftliche und philosophische Werke, und ihr Hauptzweck bestand zunächst darin, die Gelehrten mit leicht zugänglichen, englisch geschriebenen Zusammenfassungen der Werke ihrer ausländischen Kollegen zu versorgen. Einer der ersten literarischen Anzeiger des 18. Jahrhunderts, die »Memoirs of Literature«, die von 1710-1714 von dem hugenottischen Flüchtling LaRoche herausgegeben wurden, diente als Vorbild für den gelehrten Anzeiger. Diese in regelmäßigen Abständen erscheinende Zeitschrift enthielt zu etwa gleichen Teilen Zusammenfassungen von englischen und ausländischen Werken. Kritiken waren selten. Im Jahre 1725 brachte LaRoche, angeblich mit der Hilfe eines Verlegers, eine weitere Zeitschrift, »New Memoirs of Literature«, heraus, in der er sich als wagemutiger erwies: Denn dieser Anzeiger – von dem jede Ausgabe ungefähr 75 Seiten stark war – brachte nicht nur Zusammenfassungen von Büchern, sondern fügte den zur Besprechung ausgewählten Werken auch Kommentare hinzu. Das »Literary Magazine«, das zuerst 1735 unter der Redaktion von Ephraim Chambers veröffentlicht wurde, nahm eine größere Auswahl an Werken auf, obgleich es sich immer noch auf die »ernsten« beschränkte. Die Zeitschrift war reichhaltiger an Kommentaren und biographischen Hinweisen als ihre Vorgänger, wenn auch in ihren Urteilen außerordentlich zurückhaltend. Nach den Worten ihres Herausgebers besteht die Pflicht des Rezensenten darin, »... einen verläßlichen Bericht von den Büchern zu geben, die in seine Hände gelangen... Wenn er die Haltung und die Sprache eines Zensors oder Richters sich anmaßt, tastet er die Rechte des Publikums an, das der einzige und unabhängige Richter über die Leistung eines Schriftstellers und den Wert seiner Arbeiten ist...«[31]
Die erste literarische Rundschau, die sich der volkstümlichen Literatur annahm und auf diese Weise neue Leserkreise erschloß, war »The Compendious Library«, eine Zeitschrift von hundert Seiten Umfang, die zweimonatlich in Dublin erschien. Die Ansätze in dieser Rich-

---

31 Zitiert bei Walter Graham, English Literary Periodicals, New York 1930, S. 204 f.

tung waren jedoch noch selten und zögernd. Bei der Besprechung von Fieldings *Amelia* z.B. bemerkt der Rezensent, daß Märchen und Romane eigentlich keine Beachtung in literarischen Zeitschriften beanspruchen dürften, aber er rechtfertigt die Ausnahme in diesem Fall mit der Begründung, daß Romane, die »der Verbesserung der Sitten und der Ausbreitung der Tugend« dienen, zugelassen werden könnten, und fügt die Bemerkung hinzu, daß »dies einer, wenn nicht sogar der hauptsächliche Gesichtspunkt sei, von dem aus Fieldings Leistung betrachtet werden müsse...«[32]

Mit der Gründung der »Monthly Review« durch Ralph Griffith im Jahre 1749 nahmen dann die Bücherrundschauen, in denen alle Druckerzeugnisse berücksichtigt wurden, ihren Anfang. Die Zeitschrift, die zunächst in dem Rufe stand, dem Staat und der Kirche gegenüber feindlich eingestellt zu sein, fand bald eine Konkurrenz in der »Critical Review«, die sich rühmte, von den Tories und der Kirche unterstützt zu werden. Ihr Verleger war Archibald Hamilton, ihr Herausgeber von 1756-1763 Tobias Smollet. Beide Zeitschriften konnten auf bedeutende Mitarbeiter verweisen: Goldsmith schrieb zwanzig Artikel für »Monthly«, und sowohl Johnson als auch Smollet verfaßten Artikel für »Critical«. Beide Zeitschriften behandelten die wichtigeren Bücher des Monats ziemlich ausführlich. In einem »Katalog«, der jeder Ausgabe beigegeben war, wurden auch alle anderen Veröffentlichungen des Monats in einer drei- bis vierseitigen Übersicht behandelt. Was von der »Critical Review« als Ziel dargelegt wurde, gilt ebenso für »Monthly«, nämlich »kurz den Plan von jedem Werk zu skizzieren; auf die auffälligsten Schönheiten und die wesentlichsten Mängel hinzuweisen; den Kommentar durch geeignete Zitate zu belegen und alles in einem Stil zu schreiben, der zur Unterhaltung der Leser beiträgt.«[33] Die Zeitschrift »Critical« behauptete sich bis 1790 erfolgreich neben »Monthly«, die bis zur Mitte des 19. Jahrhunderts bestand. Obwohl gelegentlich von Schriftstellern als anmaßend kritisiert, neigten diese Rundschauen und ihre Konkurrenzunternehmen mehr zum Lob als zur Kritik. Ein Beweis dafür ist z.B. der Prospekt der »New London Review«, einer kurzlebigen Publikation der Jahre 1799 und 1800. »Der Plan und seine zukünftige Durchführung gründet sich auf die Überzeugung,

32 Ebenda, S. 208.
33 Ebenda, S. 21.

daß nur wenige Werke völlig ohne Verdienst sind; daß es nützlicher ist, verborgene Werte aufzuzeigen, als allgemeine Fehler zu übertreiben; daß der Geschmack des Publikums weniger durch schlechten Stil als durch intolerante Kritik verdorben wird.« Die Kritik sollte sich auf die Werke solcher Schriftsteller beschränken, die irgendwelche wesentlichen gesellschaftlichen Tabus verletzten. »Obgleich diese Zeitschrift sich keinerlei Anmaßung erlauben wird, wird sie mit scharfer und eindeutiger Mißbilligung solchen Werken entgegentreten, die die Harmonie des Staates stören, die rechtmäßige Autorität beleidigen, die lebenswichtigen Quellen oder die bestehenden Einrichtungen unseres Glaubens angreifen oder in irgendeiner Hinsicht den geheiligten Formen der Sitte widersprechen, so geistvoll, elegant und geschickt sie auch geschrieben sein mögen.«[34]

Die Aufgabe, alle neuen Bücher bei ihrem Erscheinen zu besprechen, wurde immer undurchführbarer. Einer der Rezensenten der »Monthly« beklagte sich 1788: »Der Rezensent des modernen Romans ist wie Herkules gegenüber der Hydra – sobald ein Haupt abgeschlagen ist, sind schon zwei oder drei neue an seiner Stelle.«[35]

Die weniger gewissenhaften Zeitschriften lösten das Problem durch einen Auswahlprozeß, dessen Prinzip darin bestand, denjenigen Verlegern gefällig zu sein, von denen die höchsten Einkünfte durch Anzeigen kamen; die Verleger ihrerseits verteilten Rezensionsexemplare nur an die Zeitschriften, in denen sie annoncierten. Diese Bücher wurden zuerst besprochen; wenn es die Zeit und der Raum dann noch zuließen, sandte der Herausgeber seinen »Sammler« auch noch zu anderen Verlagshäusern nach Büchern, die vielleicht der Beachtung wert sein mochten. So kam es, daß manche Bücher oft erst Monate nach ihrem Erscheinen besprochen wurden; von besonders gefragten Werken, die schon ausverkauft waren, wenn der »Sammler« endlich kam, erschienen überhaupt keine Besprechungen.[36]

Was die Rezensenten selbst anbetrifft, so hatten »Monthly« und »Critical« und eine Anzahl ähnlicher Zeitschriften neben hervorragenden und weit bekannten noch eine ganze Reihe von zuverlässigen Mitarbeitern; häufiger jedoch waren die Rezensenten armselig bezahlte Leute, die sich notdürftig ihren Lebensunterhalt verdienten, indem sie Seite um Seite mit wörtlichen Zitaten füllten. Bei der

34 Ebenda, S. 224-225.
35 Zitiert bei Tompkins, a.a.O., S. 15.
36 Ebenda.

Auswahl verfuhren sie dabei nach einem zeitgenössischen Bericht so, daß sie nach der Lektüre des Vorworts das Buch wieder schlossen, eine Stricknadel ganz willkürlich zwischen die Seiten steckten, das Buch an der entsprechenden Stelle öffneten, eine oder sogar mehrere Seiten abschrieben und danach den Vorgang wiederholten. Ein Romanschriftsteller der siebziger Jahre klagte Rezensenten an, daß sie über die Verdienste oder die Schwächen eines Schriftstellers nur aufgrund des Titels urteilten. Ein Mitarbeiter des »Gentleman's Magazine« klagte im Jahre 1782 die Rezensenten an, daß sie nur die Bücher derjenigen Verleger priesen, die Anteile an ihrer Zeitschrift besaßen, während sie die Bücher aller anderen in Grund und Boden verdammten. Wieder ein anderer Schriftsteller beschuldigte sie, daß sie sich von den Autoren bestechen ließen und manchmal so weit gingen, diese selbst die Rezensionen ihrer Werke schreiben zu lassen.[37]

Wie aufgrund seiner günstigeren Einstellung gegenüber den Verlegern zu erwarten ist, war Samuel Johnson auch gegenüber den Rezensenten viel nachsichtiger als Oliver Goldsmith, der einen beträchtlichen Teil eines anderen Briefes in seinem »Citizen of the World« der Bloßstellung ihrer Praktiken widmete. Goldsmith bringt die Voreingenommenheit der Rezensionen mit der Tatsache in Verbindung, daß die Rezensenten von den Verlegern bezahlt werden oder, noch schlimmer, daß die Verleger selbst die Rezensionen schreiben.

»Es gibt eine Gruppe von Leuten, die sich Rezensenten nennen. Sie maßen sich an, über das Reich der Literatur zu wachen, messen den Ruf eines Schriftstellers nach der Anzahl der Seiten... und verunglimpfen den Charakter eines Mannes, gegen dessen Schriften sie nichts einwenden können. Solche Lumpen werden von irgendeinem gewinnsüchtigen Verleger bezahlt. Häufig nimmt der Verleger selbst ihnen diese schmutzige Arbeit ab; verlangt wird nur, möglichst gemein und stumpfsinnig zu sein.« Der chinesische Besucher fragt darauf seinen Gastgeber, ob dies das Schicksal eines jeden Schriftstellers sei, und der Engländer erwidert: »Ja... außer, wenn er als Mandarin geboren ist. Wenn er viel Geld hat, kann er sich von den Rezensenten einen guten Ruf erkaufen.«[38]

---

37 Ebenda, S. 15-16.
38 Goldsmith, The Citizen of the World, Brief Nr. XIII, a.a.O., S. 34.

So zweideutig war die Lage des Rezensionswesens in der zweiten Hälfte des Jahrhunderts. Erst mit der Gründung der »Edinburgh Review« und des »Quarterly« am Anfang des 19. Jahrhunderts wurden die Rezensenten langsam vom Einfluß der Verleger frei. Sofern sie jetzt noch Unterwürfigkeit zeigten, war es eher gegenüber dem Druck der politischen Parteien als dem der Verlagshäuser.

III Stufen der Reaktion

Die bissigen Kommentare der Schriftsteller über die verschiedenen Mittel zur Steigerung des Buchumsatzes beeinflußten die günstige Entwicklung des literarischen Marktes damals so wenig wie heute. Alexander Pope machte düstere Prophezeiungen über das niedrige Niveau, auf das die Literatur herabsinken werde; aber obwohl er später von Henry Fielding in einem Rückblick als König Alexander, als der despotische Herrscher im Reich der Literatur bezeichnet wurde, stimmten Popes »Untertanen« in seinen Protest gegen die Veränderungen auf literarischem Gebiet nicht ein. Das taten sie erst sehr viel später. Im Gegenteil, viele literarische Persönlichkeiten der ersten Hälfte des Jahrhunderts gründeten Zeitschriften, die ausdrücklich für das wachsende Publikum der bürgerlichen Schichten bestimmt waren, und alle arbeiteten irgendwann einmal während ihrer Laufbahn an Zeitschriften oder Zeitungen mit.

Ihre Vorgänger hatten für eine geschlossenere Schicht geschrieben; der Hochadel, der begüterte Landadel und die Gelehrten hatten die Mehrheit ihrer Leser ausgemacht. Diese Leser diskutierten wie die Schriftsteller über die »Regeln« und über guten und schlechten Stil, genauso wie sie über gute und schlechte Musik, Architektur und Malerei diskutierten; aber sie unterschieden nicht zwischen »hoher« und »niederer« Kunst, und sie diskutierten nicht über Verschiedenheiten des ästhetischen Urteils in den verschiedenen gesellschaftlichen Schichten des Publikums. Auch die Entstehung eines größeren Marktes änderte die Art dieser Diskussionen zunächst nicht. Man nahm zwar an, daß jede literarische Gattung ihre eigenen Mittel, Vergnügen zu bereiten, habe, aber im allgemeinen sah man die Aufgabe der Literatur etwa so, wie sie der Kritiker John Dennis in seiner Erörterung über »höhere« und »niedere« Dichtkunst formulierte: »1) Die höhere Dichtkunst ist die Kunst, durch die der Dichter eine berechtigte und wohlbegründete Leidenschaft zu gefallen und zu belehren erweckt... 2) Die niedere Dichtkunst ist eine Kunst, durch die der Dichter eine geringere Leidenschaft für die obenerwähnten Zwecke weckt...«[39]

Nicht alle literarischen Zeitgenossen von John Dennis würden mit ihm darin übereingestimmt haben, daß die Erweckung einer großen Leidenschaft die conditio sine qua non großer Dichtung sei, aber seine Meinung, daß das Ziel aller Literatur darin bestehe zu belehren, würde wenig Widerspruch gefunden haben. Der Schriftsteller hat eine gesellschaftliche Aufgabe; er muß sein Talent gebrauchen, um an der Erziehung seiner Leser mitzuwirken. Und wie man annahm, daß den schöpferischen Talenten des Schriftstellers ein hohes moralisches Verantwortungsbewußtsein entspreche, so nahm man auch an, daß ein für moralische Belehrungen empfängliches Publikum auch eines ästhetischen Urteils fähig sein müsse. Aber als die Zahl der Schriftsteller, der Leser und der literarischen Produkte sich vervielfachte, wich der anfängliche Optimismus einer Stimmung, die nicht mehr weit von Pessimismus entfernt war.

Optimismus

Im 18. Jahrhundert zeigte das englische Publikum schon früh eine starke Neigung für eine Reform der Sitten und der Moral. Nicht der unbedeutendste Ausdruck dieser Neigung war die breite Unterstützung, die Unternehmungen wie die »Gesellschaft zur Verbreitung christlicher Erkenntnis« und die »Gesellschaft für die Reform der Sitten« erhielten. Es handelte sich dabei um Gruppen, die weitverzweigte Organisationen besaßen, durch die zahlreiche Pamphlete und Bücher moralisierenden, neo-puritanischen Inhalts verbreitet wurden.[40] Das Ideal des Gentleman, nach dem Kaufleute und Adlige in gleicher Weise strebten, war nicht länger die übertrieben gezierte und elegante Person, die zu einem Stereotyp der Restaurationskomödie geworden war, sondern der tugendhafte christliche Bürger. In

39 John Dennis, The Grounds of Criticism in Poetry, Critical Works of John Dennis, Bd. I, Baltimore 1943, S. 338.
40 George Sherburn, The Restoration and the Eighteenth Century, Teil III von A Literary History of England, herausgegeben von Albert C. Baugh, New York 1948, S. 826.

einer solchen Atmosphäre wurde es als selbstverständlich angenommen, daß die neuen literarischen Formen der Erbauung und Erhebung zu dienen hätten. Ein Aristokrat wie der Earl of Shaftesbury und ein Schriftsteller wie Defoe, der sich direkt als das Gewissen der bürgerlichen und kleinbürgerlichen Schichten ansah, konnten mit dem religiösen Kreuzzügler Sir Richard Blackmore darin übereinstimmen, daß es die Verpflichtung des Schriftstellers sei, »den Geist durch Belehrung über die Tugend zu bilden«[41]. Es entspricht völlig dieser Vorstellung, daß die ersten Zeitschriften und Zeitungen wegen ihrer Neigung zur Politik häufig angegriffen wurden – so bestand z.B. die passendste Strafe, die Pope in der ersten Ausgabe der *Dunciad* für einen der angegriffenen »niederen« Schriftsteller einfiel, darin, daß er ihn »zuletzt in der Abfallgrube für alle Schriftsteller dieser Art, bei einer politischen Tageszeitung«[42] enden ließ. Und Addison pries seine eigene Zeitschrift auf Kosten der Zeitungen an, die er, wenn auch milde, dafür tadelte, »daß sie sich mit dem beschäftigen, was im Moskowiterreich und in Polen geschieht, anstatt sich der Kenntnis des eigenen Selbst zu widmen«[43].

Der Glaube, daß die Neigung zur moralischen Erbauung, die in der Leserschaft so deutlich sichtbar war, mit der Fähigkeit zu einer ästhetischen Bildung Hand in Hand ginge, wurde zunächst durch den Erfolg jenes Zeitschriftentypus verstärkt, bei dem der Inhalt einer Nummer aus einem einzigen Essay bestand. Diese Zeitschriften verbanden einen eleganten Stil mit gesellschaftlichen und kulturellen Zielen und traten zuerst mit der Veröffentlichung von Steeles *Tatler* im Jahre 1709 auf den Plan. Der unmittelbare Nachfolger des *Tatler*, der *Spectator* (1711), der ein Gemeinschaftsunternehmen von Steele und Addison war, wurde zur beliebtesten Zeitschrift der Zeit. In einer der ersten Ausgaben teilte Addison mit, daß sein Verleger die tägliche Auflagenhöhe der Zeitschrift mit 3000 Exemplaren angegeben habe; er selbst schätze mit ziemlicher Sicherheit, daß jedes Exemplar 20 Leser (oder je nach Lage auch Hörer) habe.[44] Addison

41 J. W. H. Atkins, English Literary Criticism: 17th and 18th Centuries, London 1951, S. 102.

42 Alexander Pope, The Dunciad (A), hrsg. J. Sutherland, London 1953, S. 165.

43 Joseph Addison, The Spectator, Nr. 10, Bd. I, London 1950, S. 32.

44 Da es im 18. Jahrhundert noch keine Entsprechung zu unserem »fortlaufenden Index der Zeitschriftenauflagen« gab, sind diese Zahlen nicht sicher. Samuel Johnson errechnete anhand der Stempelsteuer (in: Lives of the Poets), daß vom

benutzte diese Zahlen als Ausgangspunkt für eine Darlegung seiner Ziele, die nicht nur eine gedrängte Zusammenfassung des Prinzips der »Kunst als Mittel zur Belehrung«, sondern auch ein Glaubensbekenntnis zu den Fähigkeiten seiner Leser darstellt.

»Man sagte von Sokrates, daß er die Philosophie vom Himmel herabgeholt habe, damit sie unter den Menschen wohne; und ich habe den Ehrgeiz, daß man einmal von mir sagen soll, daß ich die Philosophie aus den Gelehrtenklausen und Büchereien, den Schulen und Universitäten herausgeholt habe, damit sie in Klubs und in Gesellschaften, an Teetischen und in Kaffeehäusern lebt.« Diese Welt des Teetisches und des Kaffeehauses war nach Addisons Ansicht nicht auf den Adel und die Gelehrten beschränkt; zu seiner »Bruderschaft der Zuschauer« zählte er sowohl Kaufleute als auch Ärzte, »Politiker im Ruhestand« ebenso wie Mitglieder der Royal Society und schließlich alle jene »Ungebildeten der Gesellschaft«, die bis dahin »keinerlei Ideen vermittelt erhielten außer denen, die das Geschäft und das Tagesgespräch ihnen nahebrachte.« Endlich stellte er sich die ganze »weibliche Welt« als seine Leser vor, aber ganz besonders die »gewöhnlichen« Frauen, deren wichtigste Beschäftigung im Nähen und deren Mühsal im Kochen besteht. Obwohl es schon einige Frauen gebe, die in einer »höheren Sphäre des Wissens und der Tugend« leben, so sei doch ihre Zahl nur gering, und er hoffe, ihre Schar zu vergrößern, »... indem ich diese Zeitschrift täglich erscheinen lasse und mich bemühen werde, sie zu einer unschuldigen und sogar belehrenden Unterhaltung zu machen, so daß sie wenigstens den Geist meiner weiblichen Leser von schlimmeren Belanglosigkeiten abhalten kann«[45].

Daß das meiste von dem, was Addison als Unterhaltung bezeichnete, sowohl moralisch als auch ästhetisch »bildend« war, wird dem modernen Leser sofort klar, wenn er aufs Geratewohl irgendeine Nummer des »Spectator« herausgreift. Addison und Steele erschöpften gemeinsam den ganzen Themenkreis ihrer Zeit von »Puritanischer Frömmigkeit« (Addison) bis zum »Elend der Prostitution« (Steele). Addison teilte seinen Lesern mit, daß er einem Klub angehöre, der eine Art von »beratendem Komitee« für den *Spectator*

Spectator im Durchschnitt täglich 1700 Exemplare verkauft wurden. Die Schätzungen von Addisons Herausgeber, Richard Hurd, und anderen, kommen näher an die von Addison angegebenen Durchschnittszahlen heran.

45 Addison, Spectator, Nr. 10, a.a.O., S. 31-33.

bilde; seine Leser könnten »mit Genugtuung feststellen, daß es keine soziale Stellung und keinen Rang unter ihnen gibt, die nicht durch irgendeinen in diesem Club repräsentiert werden, und daß sich immer jemand findet, der sich ihrer jeweiligen Interessen annimmt.« Dann beschreibt Addison eine kürzliche Sitzung des Klubs, bei der er von einigen Mitgliedern beglückwünscht, von anderen aber zur Rede gestellt wurde. Gelegentlich versuchten zwar einige Mitglieder dieses Komitees, ihre Sonderinteressen durchzusetzen, aber Addison versichert dem Leser geschwind, daß er solchem Druck widerstehe.

»Nachdem ich so meinen Entschluß gefaßt habe, im Namen der Tugend und des gesunden Menschenverstandes kühn vorwärtszuschreiten und ihre Gegner zu bekämpfen, in welcher gesellschaftlichen Stellung oder Rang sie sich auch finden mögen, werde ich in Zukunft gegenüber allen Einwendungen, die man mir deswegen machen wird, taub sein.«[46]

Der ganzen Folge des *Spectator* (er erschien täglich bis zum 6. Dezember 1712) ist reichlich Literaturkritik beigemischt. Sie stammte hauptsächlich von Addison und diente ganz eindeutig dem Zweck, eine Verbindung zwischen dem »esprit«, der klassischen Tradition der Elite und den moralischen Wahrheiten herzustellen, die mit dem Ethos der aufsteigenden bürgerlichen Schichten eng verbunden waren.[47]

Es wurde jedoch immer schwieriger, die Behauptung zu rechtfertigen, daß eine moralische Reform untrennbar mit einer ästhetischen verknüpft sein müsse. Wenn es stimmt, daß der *Spectator* schließlich eine Leserschaft von 20-30000 Personen hatte, dann handelt es sich vermutlich um einen Zeitpunkt im England des 18. Jahrhunderts, an dem sich die literarische Entwicklung vieler Menschen im Gleichgewicht befand: Sie wurden einerseits von der Eleganz eines Addison angezogen, der seinen Stil nicht auf das Niveau seiner Leser herabschraubte, und sie waren andererseits noch nicht durch die sensationellen oder sentimentalen Stilmittel verführt, wie sie von seinen Nachfolgern gebraucht wurden. Diese Bedingungen galten aber nur für eine relativ kurze Zeitspanne, und die nachfolgenden Ereignisse haben sie verschleiert. Die Literaturhistoriker erkennen die literarische Leistung der Essayisten durchaus an, aber sie weisen zugleich

46 Addison, Spectator, Nr. 34, a. a. O., S. 104.
47 Addison, Spectator, Nr. 63, a. a. O., S. 196.

darauf hin, daß sie einer Selbsttäuschung zum Opfer fielen, als sie glaubten, daß die moralischen Interessen ihrer Leser in irgendeiner Weise mit einer Fähigkeit zu – oder einem Interesse an – einer ästhetischen Entwicklung verbunden seien. Addison und die anderen Essayisten hatten sich eine Annäherung zwischen dem englischen Klassizismus und den Moralvorstellungen der bürgerlichen Schichten erhofft. In Wirklichkeit ebneten sie den Weg für einen Kompromiß.[48]

Schon vor der Mitte des Jahrhunderts begann das Publikum, seine Neigungen überaus deutlich zu zeigen. Defoes *Robinson Crusoe*, der vornehmlich als eine Abenteuergeschichte verstanden wurde, wurde augenblicklich zum Bestseller, sieben Jahre, nachdem die letzte Ausgabe des *Spectator* gedruckt worden war. In den nächsten dreißig Jahren erlebte das Buch zahlreiche Auflagen und Übersetzungen. Im Jahre 1750 erschien *The Oeconomy of Human Life*[49] (Die rechte Einteilung des menschlichen Lebens), ein Werk, das im 18. Jahrhundert 21 Auflagen erlebte (einige weitere im 19. Jahrhundert) und in sechs Sprachen übersetzt wurde. Dieses Buch, das sich durch die Banalität seiner Gedanken auszeichnete, erreichte eine beispiellose Beliebtheit. Man hat es direkt als einen Beweis für die »unersättliche Gier des 18. Jahrhunderts nach moralischen Plattheiten« angeführt.[50]

Im selben Jahre, in dem der *Spectator* gegründet wurde, hatte Shaftesbury geschrieben: »So erweisen sich die Künste und die Tugenden als unzertrennliche Freunde;«[51] aber daß das Publikum um die Mitte des Jahrhunderts bereits völlig anders dachte, beweist das Schicksal, das einer der bedeutendsten Nachfolger des *Spectator, The Rambler*, fand. Diese Halbmonatszeitschrift wurde von Dr. Johnson im selben Jahr gegründet, in dem *The Oeconomy* ihren aufsehenerregenden Erfolg errang. Wie für den *Spectator* vier Jahrzehnte früher, bestand auch für *The Rambler* das Ziel darin, eine Verbindung zwischen intellektuell-ästhetischer und moralischer Verfeinerung

48 Emile Legouis und Louis Cazamian, A History of English Literature, New York 1933, S. 738.

49 Der Verfasser ist umstritten; einige Historiker schreiben das Werk Dodsley, andere Chesterfield zu.

50 B. Sprague Allen, Tides in English Taste, Bd. II, Cambridge, Mass. 1937, S. 36-37.

51 Zitiert bei Allen, a.a.O., S. 120.

52 Graham, a.a.O., S. 120.

herzustellen. Aber von einer Nummer, die von Samuel Richardson geschrieben wurde (Nr. 97), abgesehen, war die höchste Auflage des *Rambler* 500 Exemplare oder ein Zehntel der Auflage, die der *Spectator* am zehnten Tage nach seiner Gründung erreicht zu haben behauptete.[52]

Opportunismus

Während die zahllosen Nachahmungen des *Spectator* zwischen 1712 und 1750 alle erstaunlich kurzlebig waren, erlebte das *Gentleman's Magazine*, das über fünfzig Seiten mit Nachrichten und unterhaltendem Stoff bot, gleich bei seinem ersten Erscheinen im Jahre 1731 fünf Auflagen. Etwa zwanzig Jahre später schrieb Johnson, daß es eine der einträglichsten Publikationen sei (es hatte zu dieser Zeit eine Auflagenhöhe von 15 000), und am Ende des Jahrhunderts berichtete sein Herausgeber, John Nicols, daß es immer noch ein sehr erfolgreiches Unternehmen sei.[53]

Da das Publikum seine Interessen deutlich genug zeigte, indem es bestimmte literarische Produkte kaufte und andere nicht, konnte der Verleger, Buchhändler oder Autor, der die Fertigkeit besaß, die öffentliche Meinung zu erfassen, reich oder doch wenigstens recht wohlhabend werden. 1722 gab es in London fünftausend Menschen, die vom Schreiben, Drucken, Verlegen und Verkauf von Druckerzeugnissen lebten[54]; die Zahl derjenigen, die in der Mitte des Jahrhunderts ihren Lebensunterhalt auf dem literarischen Markt verdienten, müßte wahrscheinlich nach Zehntausenden gezählt werden. Es war nicht länger notwendig, gebildet oder Mitglied einer Universität zu sein, um den Beruf des Schriftstellers zu ergreifen. Hausfrauen und Buchhalter, die ein paar hundert Mark extra verdienen wollten, schrieben jetzt ebenso Romane wie Landgeistliche, die in früheren Zeiten in Botanik oder Archäologie dilettiert hatten. Nur wenige dieser Schriftsteller fühlten sich genötigt, sich für ihre Werke oder ihre Gewinne zu rechtfertigen, und noch weniger waren augenscheinlich an literarischen Maßstäben interessiert.

Die Zeit war längst vorbei, in der elegante und stilgewandte Schöngei-

---

53 Graham, a.a.O., S. 152ff.
54 Laprade, a.a.O., S. 249.

ster und Intellektuelle nach Wahrheit, Schönheit und Klarheit für sich und ihre geistesverwandten Leser strebten. Statt dessen schrieben bürgerliche Romanschriftsteller wie Richardson und Fielding für die Menschen ihrer Gesellschaftsschicht. Wie Smollet und Sterne nach ihnen sind sie gewiß um Wahrheit und Klarheit bemüht gewesen, zumindest soweit diese Werte sich mit der Moralität vertrugen, aber um Schönheit haben sie sich wenig gekümmert. Ihre Welt war, um sich der Worte Leslie Stephens zu bedienen, »die Welt des bürgerlichen John Bull geworden ... Die Generation, die Wesley lauscht, bedarf einer weltlichen Literatur, die, sei sie nun sentimental wie bei Richardson oder voll gesunden Menschenverstands wie bei Fielding, auf jeden Fall den soliden, praktischen und nüchternen Beweggründen entsprechen muß, die dem Durchschnittsengländer jener Zeit verständlich sind.«[55] Obgleich Fielding oft satirisch ist, zeigt sich bei ihm dennoch die gleiche feierlich-ernste Atmosphäre. Er tadelt die Schriftsteller, die nur unterhalten oder schockieren, und sagt ausdrücklich, er schrecke nicht davor zurück, »Rabelais und selbst Aristophanes« denen zuzuzählen, die die einzigen Wege zu moralischer Gesundheit und Weisheit lächerlich gemacht hätten, nämlich »Nüchternheit, Bescheidenheit, Anstand, Tugend und Religion ...« Und er formuliert eine Regel, die von den meisten Schriftstellern seiner Zeit eingehalten wurde – wenn auch der Grad ihrer Ehrlichkeit recht verschieden war: »Bei der Übung des Geistes wie des Körpers ist die Unterhaltung nur von zweitrangiger Bedeutung. Sie dient lediglich dazu, das angenehm zu machen, was zugleich für solch edle Ziele wie die Gesundheit und die Wahrheit nützlich ist.«[56]

Diese moralischen Vorschriften waren für die Mehrheit der Schriftsteller um die Jahrhundertmitte so selbstverständlich, daß sie ohne alle Absicht das Bedürfnis des Lesers erfüllten, sich belehrt zu fühlen, während er amüsiert, zerstreut oder geschockt wurde. Die Erwachsenen sagten sich, daß das Lesen von Romanen für die Jugend belehrend sei, und die oberen Schichten waren überzeugt, daß das Lesen oder der Besuch des Theaters die Angehörigen der niederen Schichten bilde. In seinem »Bon Ton« verspottete der Schauspieler, Schriftsteller und Regisseur Garrick dergleichen Rationalisierungen in einem Gespräch zwischen einem Herrn und seinem Diener:

55 Stephen, a.a.O., S. 249.
56 Henry Fielding, The Covent Garden Journal, Nr. 10 in: The Works of Henry Fielding, Band X, London 1903, S. 26.

»Sir John: Nun, was habe ich dir versprochen?
Davy: Daß ich heute einen Platz für Sixpence in einem Theater haben sollte und morgen einen für einen Shilling in einem anderen.
Sir John: Hm, das ist richtig. Ist es auch ein moralisches Stück, Davy?
Davy: Aber natürlich! Und der Verfasser ist ein Geistlicher. Es heißt ›Die Kanaanitischen Nebenbuhler oder die Tragödie von Braggadocia‹.
Sir John: Du bist ein guter Junge, und ich halte mein Wort. Da ist das Geld.«[57]

Nur wenige Schriftsteller, zumal weibliche Autoren, die sich um die Erziehung junger Mädchen bemühten, verzichteten anscheinend überhaupt darauf, unterhalten zu wollen. Der Verkauf ihrer Bücher litt jedoch offensichtlich nicht darunter. Die Eltern unschuldiger Gemüter sahen darauf, daß sie bestimmte Bücher stets griffbereit hatten, wie z.B. Mrs. Chapones *Briefe über die Vervollkommnung des Geistes*, die zweihundert Seiten voller zuverlässiger Ratschläge über die Religion, die Bibel, die Neigungen, den Charakter und die Höflichkeit enthielten. Nach den Worten Hannah Mores, der Verfasserin moralisierender Romane, bildet Mrs. Chapones Werk »die jungen Leute im Entwicklungsalter«, und ein anderer Zeitgenosse, Samuel Hoole, läßt die Heldin seiner *Aurelia* ihr Ideal in einer Frau erblicken, auf deren Toilettentisch der Band von Mrs. Chapone liegt:

> Einfach der Toilettentisch und ohne eitlen Tand,
> dafür auf ihm geöffnet lag Chapones belehrend' Band.[58]

Den extremen Gegensatz bildeten die Sensationsautoren, die ihre Werke mit Sex und Sadismus anfüllten. Aber auch sie fügten hier und da als eine Art später Einsicht ein paar warnende Zeilen hinzu, in denen sie den Leser darauf hinwiesen, daß sein (oder häufiger ihr) Schicksal gräßlich sein werde, wenn er (oder sie) den Pfad der Tugend verlasse. Unter dem Deckmantel »satirischer Entrüstung« wurden Enthüllungen über Laster und Leichtfertigkeit in hohen und niederen Gesellschaftsschichten in den Romanen, auf der Bühne, in Zeitschriften und Zeitungen ausgebeutet. Manche dieser Skandalaffären waren

---

57 Zitiert bei Pedicord, a.a.O., S. 31.
58 Zitiert bei Chauney B. Tinker, The Salon and English Letters, New York 1915, S. 177-179.

wahr, manche wurden nur als wahr dargestellt.[59] Beinahe jedes Mittel war recht, »wenn es den Autoren die Möglichkeit gab, ein satirisches Bild von den verschiedenen Klassen und Berufen in einer korrupten Gesellschaft zu geben«[60]. Charles Johnstone (1719-1800) wies darauf hin, daß die moralisierenden Zusätze in hohem Grade nur als Entschuldigung dafür dienten, um dem Verlangen nach obszönen Einzelheiten nachzugeben: »Es gibt kein stärkeres Argument gegen die Anklage, daß in unserem Jahrhundert die moralische Tugend und die Religion degeneriert seien, als die Begierde, mit der alle Menschen diejenigen Werke lesen, in denen die Verstöße gegen diese Werte mit unumstößlichen Beweisen dargestellt werden.«[61] Seine Ehrlichkeit ist um so entwaffnender, wenn man sich vor Augen hält, daß er der Autor des Romans *Chrysal* war, der selbst zu diesen berüchtigten Machwerken gehörte.

Im Vorwort zur ersten Auflage der *Dunciad* (1728) hatte Pope durch die Worte eines fingierten Erklärers seines Werkes (»Martinus Scriblerus«) deutlich erkennen lassen, daß ihn die Pedanten und Gecken in der literarischen Welt, aber auch die schiere Zahl der Autoren, die überall im Lande auftauchten, seit Papier billig und reichlich zu haben war, verstörten: »Er (unser Dichter) lebte in jenen Tagen, in denen (nachdem die Vorsehung die Erfindung des Buchdrucks als Geißel für die Sünden der Gelehrten zugelassen hatte) auch das Papier so billig und die Zahl der Drucker so groß wurde, daß sich eine Flut von Autoren über das Land ergoß: ... unser Dichter ... sah es als seine Aufgabe an, die wohl der Anstrengung eines ehrlichen Satirikers würdig ist, den Dummen abzuraten und die Boshaften zu strafen; das ist auch das einzige, was man noch tun kann. In dieser um das öffentliche Wohl besorgten Überzeugung faßte er den Plan zu diesem

---

59 Eine Vorstellung der behandelten Themen vermitteln die Titel einiger dieser Romane: »Liebesbriefe zwischen einem Adligen und seiner Schwester«; »Die Unnatürliche Mutter«; »Verfolgte Liebesunschuld, worin von den schrecklichen Folgen berichtet wird, die sich aus der Leidenschaft zwischen einem jungen Mann ... und einer jungen Dame ergaben«. »Die grausame Herrin, worin von dem wahren Prozeß gegen E. B. und ihre Tochter wegen des Mordes an Jane Buttersworth, ihrem Dienstmädchen, berichtet wird«; »Die verhängnisvolle Verbindung«, »Oberst Digby and Miss Stanley« usw.

60 Sherburn, a. a. O., S. 1031.

61 Zitiert bei Tompkins, a. a. O., S. 47.

Gedicht . . .«[62] So diente Pope im ersten Drittel des Aufklärungsjahrhunderts als das Gewissen der Konservativen. Indem er den Gedanken in Frage stellte, daß der technische Fortschritt an sich gut sei, nahm er die spätere Diskussion über die Abwehrstellung des schöpferischen Menschen in einer Massengesellschaft vorweg. Er gehörte nicht zu den Gläubigen, sondern zu den Zweiflern, die energisch davor warnten, diese Veränderungen und die Leute, die von ihnen profitierten, zu unterschätzen. »Fühle Dich, geneigter Leser, nicht zu sicher in deiner Verachtung der Werkzeuge einer solchen Revolution in der gelehrten Welt, und unterschätze nicht die erbärmlichen Kreaturen, wie sie in unserem Gedicht beschrieben wurden; sondern erinnere Dich an das, was man in holländischen Geschichten irgendwo nachlesen kann, daß nämlich ein großer Teil ihrer Provinzen einstmals überflutet wurde wegen eines kleinen Loches, das von einer einzigen Wasserratte in einen ihrer Deiche genagt wurde.« Er beschließt das Gedicht mit einer Prophezeiung: »Kunst nach Kunst entschwindet, und alles ist Nacht . . . Deine Hand, Stumpfsinnigkeit, läßt den Vorhang fallen, und alles ist von völliger Dunkelheit bedeckt.«[63]

Vierzehn Jahre später schreibt Pope im Vorwort zu *The New Dunciad* (1742), daß er sich jetzt daranmache, »die Erfüllung jener Prophezeiungen nachzuweisen, die er am Ende des früheren Werkes erwähnt habe«[64]. Zu dieser Zeit hatten bereits seine Schriftstellerkollegen darüber nachzudenken begonnen, ob die erste Ausgabe, obwohl sie ohne Zweifel auch als Äußerung eines verletzten Stolzes angesehen werden müsse, nicht doch auch manche Züge einer echten Vorausschau besitze.

Steigende Bestürzung

Nach der Mitte des Jahrhunderts sah sich der Schriftsteller zwei Problemen gegenüber, die vorher für ihn keine Bedeutung gehabt hatten. War das immer größer werdende Publikum für literarische Produkte (das jetzt schon bis in die unteren Gesellschaftsschichten

62 Pope, Dunciad, a.a.O., S. 49-50.
63 Pope, Dunciad, a.a.O., S. 192f.
64 Zitiert bei Ian Jack, Augustan Satire, 1660-1750, Oxford 1952, S. 119.

hineinreichte)[65] wirklich fähig oder auch nur daran interessiert, durch das geschriebene oder gesprochene Wort, das es in immer größerem Maße konsumierte, ästhetisch oder moralisch gebildet zu werden? Und welche Folgen hatte diese neue Lage – in der der Lebensunterhalt des Schriftstellers davon abhing, daß er anstatt einem oder zwei aristokratischen oder politischen Mäzenen diesem breiten Publikum gefällig war – für die Integrität des Künstlers?

Die Schriftsteller, die hierdurch vor allem beunruhigt waren, gehörten nicht etwa dem Adel an, von dem hätte erwartet werden können, daß er die kulturellen Ambitionen der Neureichen und der Kaufleute mit Abneigung betrachtete. Es waren auch durchaus keine verbitterten Menschen, denen es nicht gelungen war, Anerkennung zu gewinnen. Vielmehr waren es Schriftsteller vornehmlich bürgerlicher Herkunft, die ihren Lebensunterhalt damit verdient hatten, daß sie ernst gemeinte Werke gerade für diejenigen Leserkreise geschrieben hatten, denen sie nun skeptisch gegenüberstanden. Der *Spectator*, der *Tatler* und die meisten ihrer Nachahmer hatten versucht, den neuen Lesern zu zeigen, worin der gute Geschmack bestehe – auf dem Gebiet der Moral ebensosehr wie im Benehmen, in der Musik, der Architektur, den Möbeln, der Landschaftsgärtnerei und der Literatur. Mehr als dreißig Jahre lang war denen, die lesen konnten, das Beste geboten worden. Jetzt begannen Garrick, Goldsmith, Johnson, Fielding und andere, Popes frühere und nicht sehr hohe Meinung über den Geschmack des Publikums zu übernehmen. Pope hatte sich schon immer über die Geschmacksmoden, den Snobismus und die Wankelmütigkeit des Publikums geärgert.

»Manche fällen nie ein eigenes Urteil, sondern übernehmen die Gedanken, die gerade im Schwange sind. Einige urteilen nach den Namen der Autoren, nicht nach ihren Werken, und so loben oder

65 Es ist fast unmöglich, den Zeitpunkt genau zu bestimmen, von dem an eine ins Gewicht fallende Anzahl von Angehörigen der Arbeiterklasse in das lesende Publikum einzuschließen wäre. Die meisten Literarhistoriker nehmen ungefähr die Zeit zwischen 1760 und 1770 an. Tompkins berichtet z. B. in seinem Werk »The Popular Novel in England: 1779-1800«, daß auf den Bauernhöfen die Lektüre von Romanen das Erzählen von Geschichten ersetzt habe und daß in der Stadt »die Lehrmädchen der Modistinnen, die in der zeitgenössischen Satire ebenso regelmäßig wie Macaulays Schuljunge auftauchten, zwei Pennies sparten, um in der Leihbücherei einen Band mit dem Titel ›Die verhängnisvolle Einwilligung‹ oder ›Anekdoten aus einem Nonnenkloster‹ auszuleihen«.

tadeln sie nicht die Werke, sondern die Menschen. Einige loben am Morgen, was sie am Abend tadeln; aber immer denken sie, daß ihre letzte Meinung auch die absolut richtige ist.«[66]

Jetzt fand Fielding, daß die meisten Menschen »ganz offensichtlich ohne jeden Geschmack« sind, und behauptete, das Durchschnittsniveau des Publikums seiner Zeit sei überaus niedrig. »Es ist eine Eigenschaft, bei der sie sehr wenig über den Zustand des Kindesalters hinauskommen. Das erste, was ein Kind in einem Buch liebt, ist ein Bild, das zweite eine Geschichte und das dritte ein Scherz. Und damit haben wir denn die wahre Eselsbrücke gefunden, über die nur wenige Leser jemals hinauskommen.«[67] Von einem weniger distanzierten Gesichtspunkt aus griff ein Essayist namens Jackson, der im Hauptberuf in Battersea Tapeten entwarf und malte, das niedrige Niveau des Publikums in einem Essay über Stiche und Drucke an. »Die Leute, die die überladenen und bedeutungslosen Tapeten (auf die man so häufig treffen kann) vorziehen, ... würden auch einen Fächer einem Bild von Raffael vorziehen ... Man hat wahrscheinlich auch allen Grund zu dem Verdacht, daß dort, wo man so bombastische Möbel findet, der literarische Geschmack dessen, der die Wohnung ausgestattet hat, recht gering ist und daß er Tom D'Urfy (Verfasser von zotigen Balladen und Melodramen aus dem ersten Viertel des 18. Jahrhunderts) einem Shakespeare, Sir Richard Blackmore einem Milton ... und einen Anagrammpoeten Vergil vorziehen würde...«[68] Er schließt natürlich mit einem geschäftstüchtigen Appell an den Snobismus seiner Leser: Der Leser seines Essays könne seinen feinen Geschmack in der Literatur und auf allen anderen Gebieten beweisen, indem er Jacksons »klassische« Tapeten kaufe.

Die Zweifel über die Fähigkeiten ihres Publikums zwangen die Schriftsteller dann auch, sich mit dem Problem auseinanderzusetzen, welche Wirkungen der sich ausweitende Markt auf die Schriftsteller selbst habe. Trotz seines allgemeinen Pessimismus über die Qualität eines großen Teils der zeitgenössischen Literatur war Pope, der selbst von dem Verkauf seiner Bücher lebte, doch überzeugt, daß das literarische Genie am Ende die Anerkennung des Publikums finden werde und, umgekehrt, daß ein Schriftsteller, dem es schlechtgeht,

---

66 Pope, Essay on Criticism, in The Best of Pope, hg. George Sherburn, New York 1940, S. 64-65.

67 Fielding, a.a.O., Bd. X, S. 28.

68 Zitiert bei Allen, a.a.O., Bd. I, S. 243-244.

auch schlecht sei. Ein anonymer Mitarbeiter von *Mist's Journal* schrieb im Jahre 1728, Pope »beweise« von den Schriftstellern, »daß sie arm seien, indem er behaupte, sie seien schlecht; und er beweise, daß sie schlecht seien, indem er behaupte, sie seien arm«[69]. Seine Nachfolger waren ihrer Sache nicht mehr so sicher, Johnson, Fielding und Goldsmith schrieben Werke, die im Sinne Popes sicher nicht schlecht waren, für ein Publikum, das sich immer deutlicher als unfähig erwies, den guten Schriftstellern mehr Resonanz zu schenken als den schlechten. Sie fragten sich, in welchem Maße die Überzeugung des Schriftstellers, daß seine Leser wankelmütig und von schlechtem Geschmack seien, seine Integrität und Schöpferkraft beeinflusse und welche Folgen die Forderung der Buch- und Zeitschriftenverleger nach Massenproduktion auf das Niveau der Werke habe.

Für Oliver Goldsmith waren das keine akademischen Fragen. Denn er arbeitete an mindestens zehn Zeitschriften mit und war für zahllose Kompilationen und Übersetzungen verantwortlich, mit denen er die Einkünfte aus seinen anderen Werken aufzubessern versuchte. Er diskutierte diese Fragen mit der ganzen Leidenschaft eines Mannes, dessen Berufsehre auf dem Spiel steht. Bewußt oder unbewußt wird der Autor durch die Neigungen seines Publikums beeinflußt; das kann, wie Goldsmith in seinem frühen Essay »Upon Taste« ausführt, bedeuten, »daß das Genie, anstatt wie ein kräftiger Baum zu wachsen, der seine Zweige nach allen Seiten streckt, einer verkümmerten Eibe gleicht, die in eine jämmerliche Form hineingequält wurde, die keinen Schatten mehr wirft, keine Blüte zeigt, keinen Duft verbreitet, keine Frucht trägt und in dem müßigen Betrachter nur ein paar belanglose Einfälle zu seiner Belustigung weckt«[70]. Im Laufe seiner späteren produktiven Jahre reflektierte Goldsmith oft über die ethischen und künstlerischen Konflikte des Schriftstellers, der von den Neigungen des Publikums abhängig ist, und er beantwortete seine eigene Frage, ob das Genie jetzt nur noch belanglose Einfälle produzieren könne, abwechselnd mit ja und nein. Sein erstes eigenständiges Werk »An Enquiry into the Present State of Polite Learning in Europe« untersuchte das Dilemma, in dem sich der Autor gegenüber einem wachsenden Markt befand. Er brachte es fertig, in diesem Buch und dann in den wenige Jahre später geschriebenen Briefen des »Citizen of the World« beide möglichen Positionen einzunehmen.

69 Zitiert bei James Sutherland, a. a. O., S. XLVIII.
70 Zitiert bei Allen, a. a. O., Bd. II, S. 189.

So schreibt er z.B. im 8. Kapitel des *Enquiry* zu der Frage der finanziellen Abhängigkeit vom Publikum: »Eine lange Gewöhnung, für seinen Lebensunterhalt zu schreiben, verkehrt schließlich den Ehrgeiz eines jeden Schriftstellers in Habsucht ... er verzweifelt daran, Anerkennung zu finden, und wendet sich dem Profit zu ... Der Mann, der unter dem Schirm der Großen der Menschheit Ehrenvolles getan haben würde, wird unter dem Patronat der Buchhändler zu einem Wesen, das dem Druckereiarbeiter nur noch wenig voraus hat.«[71] Wenige Jahre später (er hatte in der Zwischenzeit seine kurzlebige Zeitschrift *The Bee* veröffentlicht, als Gelegenheitsarbeit sein *Leben Voltaires* verfaßt und, vermutlich mit der Hilfe Samuel Johnsons, einen dringend benötigten Vorschuß von 60 Pfund für den *Vicar of Wakefield* erhalten) schrieb er einen Dankeshymnus darüber, daß das Patronat des Publikums an die Stelle der »Schirmherrschaft der Großen« getreten sei. Der Schriftsteller komme erst zu seiner vollen Entfaltung, wenn sich der entscheidende Übergang vom einzelnen Mäzen zum Publikum vollzogen habe. »Gegenwärtig hängen die paar Dichter Englands für ihren Lebensunterhalt nicht mehr von den Großen ab, sie haben keine anderen Mäzene als das Publikum, und das Publikum, als Ganzes betrachtet, ist ein guter und großzügiger Herr. Ein Schriftsteller, der wirkliches Verdienst besitzt, kann heutzutage leicht reich werden, wenn sein Sinnen und Trachten darauf gerichtet ist; und die, die kein Verdienst haben, sollen ruhig in ihrer verdienten Vergessenheit bleiben.« Der Dichter wird nicht nur den ihm zukommenden Lohn finden; zum erstenmal kann er auch Selbstbewußtsein und Unabhängigkeit entwickeln: »Er kann jetzt eine Einladung zum Essen ausschlagen, ohne fürchten zu müssen, das Mißfallen seines Mäzens zu erwecken oder zu verhungern, weil er zu Hause bleibt. Er kann es jetzt wagen, in genau derselben Kleidung wie andere Menschen in Gesellschaft zu erscheinen und kann sogar Fürsten gegenüber die ganze Überlegenheit seines Geistes zeigen. Obgleich er sich keines großen Vermögens in dieser Welt rühmen kann, kann er doch mutig die Würde eines unabhängigen Menschen behaupten.«[72] Ferner hatte Goldsmith im *Enquiry* noch geschrieben, daß der Autor, der sich an einen Verleger wende, weil er keine Mäzene mehr finden könne, nur noch für die

71 Goldsmith, Enquriy into the Present State, a.a.O., S. 57.
72 Goldsmith, Citizen of the World, Brief LXXXIV, a.a.O., S. 234.

Quantität und nicht mehr für die Qualität seines Werkes bezahlt werde; »unter diesen Umständen verzichtet der Autor auf Ruhm und schreibt mit phlegmatischer Apathie für das tägliche Brot«[73]. Im 39. Brief des »Citizen of the World« dagegen weist er nach, daß »fast alle hervorragenden Werke... die hier (in England) erschienen sind, Kinder der Not sind«; danach empfiehlt er das Fasten als nützlich für die Entwicklung des Genies. »Glaube mir, mein Freund, der Hunger hat eine erstaunliche Kraft, das Genie anzuregen; und wer schon mit einem vollen Bauch wie ein Held denken kann, wird sich nach einer Fastenkur zur Erhabenheit eines Halbgottes erheben.«[74]

Johnson plagte sich für gewöhnlich weniger mit den Konflikten zwischen dem Schriftsteller und seinem Markt, stellte aber ähnliche Fragen. Etwa zur selben Zeit, als Goldsmith seine Besorgnis über das Schicksal des literarischen Genies äußerte, fragte Johnson: Wer soll über das Verdienst eines Autors urteilen, und wie kann dieser bei der Größe des Angebotes den Weg zur Anerkennung finden? Bei der Diskussion dieses Problems beschrieb Johnson zunächst einige Bedürfnisse und Neigungen eines Massenpublikums.

»Wer durch Schreiben Ruhm gewinnen will, strebt nach der Aufmerksamkeit einer großen Anzahl von Menschen, die von Vergnügen zu Vergnügen taumeln oder von Geschäften überhäuft sind, auf jeden Fall aber keine Zeit für geistige Freuden haben; er wendet sich an Richter, die durch Leidenschaften voreingenommen oder durch Vorurteile verdorben sind, so daß jede Würdigung irgendeiner neuartigen Leistung ausgeschlossen ist. Einige sind zu träge, um irgendetwas zu lesen, ehe sein Ruf gegründet ist; andere zu neidisch, um seinen Ruhm zu verbreiten, dessen bloßes Wachstum ihnen schon ein Ärgernis ist.« Dann stellt er eine Liste der Reaktionsweisen des Publikums zusammen. »Alles was neu ist, wird bekämpft, weil die meisten nicht gern belehrt werden wollen; und das, was schon bekannt ist, wird verworfen, weil man sich nicht genügend klar darüber ist, daß die Menschen häufiger verlangen, erinnert statt belehrt zu werden. Die Gelehrten scheuen davor zurück, ihre Meinung zu früh zu äußern, um nicht ihren Ruf zu gefährden; die Unwissenden dagegen bilden sich immer ein, daß es ein Beweis für vornehme Zurückhaltung ist, wenn sie sich weigern, ihre Billigung zu zei-

73 Goldsmith, Enquiry into the Present State, a.a.O., S. 57.
74 Goldsmith, Citizen of the World, Brief XCIII, a.a.O., S. 256.

gen...« Wenn ein Autor, so schließt er, endlich doch Anerkennung gewinnt, so kann man das keinesfalls der Urteilskraft seiner Leser zuschreiben: »... und wer trotz aller dieser Hindernisse einen Weg zur Anerkennung findet, muß eingestehen, daß er dafür außer seinem Fleiß, seiner Gelehrsamkeit und seinem Geist noch anderen Ursachen Dank schuldet.«[75]

Ein solches Publikum ist nicht zum Richter geeignet; deshalb muß der Schriftsteller selbst die literarische Szene untersuchen. Er muß die Werke prüfen, die in so großer Zahl gekauft werden, und er muß herauszufinden versuchen, warum das Publikum sich nicht auf den Schwingen der Moral und der Schönheit erhoben hat, wie Addison gehofft und Pope trotz all seines Selbstbewußtseins hinsichtlich der Anerkennung seiner eigenen Werke bezweifelt hatte.

IV   Anklage

Indem sie sich fragten, welchen Einfluß der wachsende Markt für literarische Erzeugnisse auf die moralische, intellektuelle und ästhetische Entwicklung des einzelnen wie des ganzen Landes habe, bildeten die englischen Literaten wahrscheinlich die erste Gruppe, die sich ganz bewußt mit dem Problem der Kultur innerhalb der modernen Gesellschaft auseinandersetzte. Wenn der englische Kritiker des 18. Jahrhunderts die Szene rings um sich betrachtete, so galt seine Besorgnis nicht so sehr den neuen Formen, in denen die Literatur jetzt verbreitet wurde, also den volkstümlichen Zeitschriften, den Zeitungen, den billigen Ausgaben und Nachdrucken; das Interesse dafür sollte sich erst später entwickeln, als alle diese neuen literarischen Formen zu fest etablierten Bestandteilen der modernen Gesellschaft geworden waren. Er neigte eher dazu, sich auf die Wandlungen im Gehalt zu konzentrieren, die sich aus der Tatsache ergaben, daß viele Schriftsteller ganz bewußt für den niederen Geschmack innerhalb des wachsenden Publikums schrieben. Der Begriff Massenschriftsteller (popular writer) wurde in dieser Periode zum erstenmal in abwertendem Sinne gebraucht. Oliver Goldsmith benutzte ihn in seinem *Enquiry*, als er die Befürchtung aussprach, daß die »Affektiertheit mancher Massenschriftsteller« andere zu »lasterhaften

75 Johnson, The Rambler, Nr. 2, British Essayists, XVI, S. 76.

Nachahmungen«[76] verführen könnte. Pope gebrauchte zwar das Wort »Massen« in seiner *Dunciad* nicht, aber er argumentierte, daß das Streben nach Popularität die Ursache für das niedrige Niveau sei, zu dem viele Schriftsteller seiner Zeit herabgesunken seien.[77]

Im Inhalt der Dramen und Romane fanden auffällige Veränderungen während der ersten Hälfte des Jahrhunderts statt. Diese Veränderungen liefen auf eine völlige Übernahme der Charaktertypen der aufsteigenden bürgerlichen Schichten hinaus. Die Gattung der sentimentalen oder »tränenreichen« Komödie, die an die Stelle des Restaurationsdramas trat, konzentrierte sich auf die beruflichen und die häuslichen Probleme bürgerlicher Menschen. Der Held dieser realistischen Dramen war im allgemeinen ein ganz gewöhnlicher Mensch, der ein Muster an Tugend war, und der Schurke ein ebenso gewöhnlicher Mensch mit wohlbekannten und alltäglichen Lastern. Diese Veränderungen mögen dem Ansehen des Theaters zugute gekommen sein, aber nach der Meinung wenigstens eines verläßlichen Beobachters machten sie es auch sehr viel weniger unterhaltend. Fielding erklärte, »der Dramatiker hat durch die Verbannung des Humors von der Bühne, und dies ist gleichbedeutend mit der Verbannung der menschlichen Natur, die Bühne so langweilig wie ein Wohnzimmer gemacht«[78]. Dieser Wechsel von gesellschaftlich hochstehenden Personen zu städtischen Kaufleuten und Lehrlingen mit ihrem ganz privaten Leben – ein Wechsel, der sich an George Lillos bürgerlichen Tragödien in den dreißiger Jahren deutlich ablesen läßt – brachte auch eine bemerkenswerte Veränderung in den Erfahrungen des Publikums mit sich: es war jetzt auch für den gewöhnlichen Theaterbesucher möglich, sich mit den Helden und Heldinnen auf der Bühne zu identifizieren. Die Dramatiker der Restauration hatten halbwirkliche Personen geschaffen, die in unwirklichen Situationen handelten; in den neuen Dramen aus dem bürgerlichen Leben waren Realismus und Glaubwürdigkeit die obersten Ziele.[79] Diese Möglichkeit der Identifikation durch einfache Nachahmung weckte viele moralische Bedenken (im Gegensatz zu

76 Goldsmith, Enquiry into the Present State, a.a.O., S. 47 ff.

77 Pope, Dunciad (B), a.a.O., S. 272-273.

78 Fielding, zitiert bei Ernest A. Baker, The History of the English Novel Bd. IV, London 1934, S. 15.

79 F. W. Bateson, English Comic Drama, 1700-1750, Oxford 1929, S. 8.

den ästhetischen) in den Intellektuellen, als sie um die Mitte des Jahrhunderts versuchten, die neuen literarischen Tendenzen zu bewerten und einen modus vivendi mit ihnen zu finden.

Dabei verursachte der Roman das meiste Unbehagen wegen der Folgen einer Identifikation mit den literarischen Personen. Die Zahl der jährlich geschriebenen Romane überstieg die Zahl der neuen Theaterstücke beträchtlich, und für viele war es gewiß bequemer, einen Roman zu lesen, als das Theater zu besuchen. Zwar kostete ein dünnes Buch etwa dreimal so viel wie ein Sitz im obersten Rang eines der konzessionierten Theater; aber man konnte sich Bücher von Freunden und in Leihbüchereien leihen, und man konnte sie ganz nach Belieben immer wieder lesen. Der Roman bot nicht nur eine bequeme Entspannung, sondern seine Länge und sein weniger strenger Aufbau machten ihn auch geeigneter dazu, alle Einzelheiten und Nuancen des bürgerlichen Lebens nachzuzeichnen. Im allgemeinen unterschied sich sein Inhalt von den Romanzen des 17. und frühen 18. Jahrhunderts in ähnlicher Weise wie die sentimentale Komödie vom Drama der Restauration. Wie Samuel Johnson in seinem Essay »Die moderne Form des Romans« im *Rambler* hervorhob, bestand der kennzeichnende Zug der neuen Romanliteratur in der realistischen Schilderung der Personen und der Situationen. »Die Romane, die die gegenwärtige Generation besonders anzusprechen scheinen, stellen das Leben so dar, wie es wirklich ist. Es wird nur durch solche Ereignisse bereichert, die täglich in der Welt geschehen, und nur durch solche Leidenschaften und Eigenschaften beeinflußt, die man wirklich in den Menschen beobachten kann.« Johnson legt dann dar, wie diese Betonung des Realismus ein neues Problem für den Schriftsteller mit sich bringt. Er kann sich nicht länger auf seine Buchgelehrsamkeit verlassen und sich sicher fühlen, weil er mehr weiß als die meisten seiner Leser. Er muß ein scharfer Beobachter der Menschenwelt um sich herum werden. Wenn er einen Fehler begeht, merkt es auch der gewöhnliche Leser, da »unsere zeitgenössischen Schriftsteller an Porträts arbeiten, deren Originale jeder kennt und bei denen jeder die geringste Abweichung von der genauen Wiedergabe des Urbildes entdecken kann«[80].

---

80 Johnson, The Rambler, Nr. 4, British Essayists, XVI, S. 82-83.

Die Komödie der Restauration hatte die Schwächen der Aristokratie mit leichten, aber treffenden Strichen gezeichnet und oft echte Karikaturen geschaffen. Der Theaterbesucher oder Leser wurde durch den Geist und die Eleganz dieser geistvollen Stücke glänzend unterhalten, aber es würde ihm schwer gefallen sein, sich mit ihren stark stilisierten Charakteren zu identifizieren. Zudem war der heroische Roman dieser Periode nicht weniger stilisiert und lebensfern. Johnson wies darauf hin, daß diese Romangattung die Identifikation erschwere, indem sie zu irgendwelchen Maschinen und konventionellen, aber weit hergeholten Auskunftsmitteln griff, wie z. B. »Riesen, die eine Dame von den Hochzeitszeremonien wegschleppen, und Ritter, die sie aus der Gefangenschaft befreien«[81]. Johnsons Analyse der Probleme, die durch die neue Betonung des Realismus aufgeworfen wurden, ist so tiefdringend, daß sein Essay über den modernen Roman eine genauere Lektüre lohnt. Er stellt sich die Frage, ob die zeitgenössischen Schriftsteller in ihrem Eifer, die Realität abzubilden, nicht die tadelnswerten und die beispielhaften Züge eines Charakters so dicht miteinander verweben, daß der Leser dem Laster zuletzt ebensoviel Neigung entgegenbringe wie der Tugend. »In ihrem Bemühen, der Natur zu folgen, verquicken manche Schriftsteller die guten und die schlechten Eigenschaften in ihren Hauptpersonen so eng, daß beide in gleicher Weise hervortreten; und da wir sie in ihren Abenteuern mit Vergnügen begleiten und dazu geführt werden, uns allmählich für sie zu interessieren, verlieren wir den Abscheu vor ihren Fehlern, weil diese unser Vergnügen nicht beeinträchtigen oder weil wir sie vielleicht sogar mit größerer Milde ansehen, da sie mit so vielen Verdiensten verbunden sind.« Bei der Untersuchung dieses Dilemmas hebt Johnson hervor, daß es im Laufe der Geschichte einige »hervorragende Bösewichte« gegeben hat, deren Verbrechen niemals als »völlig verabscheuenswürdig« angesehen wurden, da ihre oft anziehende Persönlichkeit sie mit einem gefälligen Licht umgab. Er verwahrt sich dagegen, solche Menschen realistisch darzustellen, da sie »die großen Verderber der Welt sind und ihr Ebenbild ebensowenig im Gedächtnis bewahrt zu bleiben verdient wie die Kunst, schmerzlos zu morden.«

81 Ebenda.

Trotz seiner Verachtung des *deus ex machina* bedauert es Johnson, daß die höchst unrealistischen Romane, die er in seiner Jugendzeit las, verschwunden sind. »In den Romanen, die früher geschrieben wurden, war jede Handlung und jedes Gefühl so weit von dem entfernt, was wirklich unter den Menschen geschieht, daß der Leser kaum in Gefahr geriet, daraus irgendeine Nutzanwendung für sich selbst zu ziehen: Tugenden und Laster waren gleichermaßen jenseits seiner Handlungssphäre, und er vertrieb sich die Zeit mit Helden und Verrätern, mit Rettern und Verfolgern, als ob es Wesen von einem anderen Stern wären, ...deren Fehler und deren Vorzüge nichts mit den seinen gemein hatten.« Johnson beschreibt sehr genau den Identifizierungs- und Nachahmungsprozeß, der durch die neue realistische Dichtung in Gang gebracht wurde. »Aber wenn der Abenteurer sich auf gleicher Ebene bewegt wie die übrige Welt und wenn er innerhalb des universalen Dramas in Szenen auftritt, wie sie jeder andere Mensch auch durchleben könnte, dann beobachten ihn die jugendlichen Zuschauer mit verdoppelter Aufmerksamkeit, weil sie hoffen, aus der Beobachtung seines Verhaltens und seiner Erfolge einen Gewinn für ihr eigenes Handeln ziehen zu können, wenn sie in eine ähnliche Lage geraten.« Obwohl ein solcher Prozeß ungünstige Folgen haben könne, glaubt Johnson doch, daß der Identifikation mit Romanpersonen auch ein erzieherischer Wert abgewonnen werden könne und daß realistische Geschichten ein Vorteil für den Erzieher seien: »Diese wohlbekannten Geschichten können vielleicht zu größerem Nutzen gewendet werden als die feierlichen Moralerzählungen, denn sie vermitteln das Wissen von Lastern und Tugenden viel wirkungsvoller als Axiome und Definitionen.« Vielleicht, so schließt Johnson (wobei er weit größeren Nachdruck auf die Wirkungen als auf die Integrität des Künstlers legt, sollte der Schriftsteller die Wirklichkeit ein wenig manipulieren. Die Tugend sollte in kluger Weise hervorgehoben werden, während das Laster zwar nicht völlig eliminiert, aber stets so dargestellt werden sollte, daß es in dem Leser ein Gefühl des Ekels hervorruft. »Ich kann keinen Grund sehen, warum in Erzählungen, in denen es der historischen Wahrhaftigkeit nicht bedarf, nicht die vollkommenste Idee der Tugend dargestellt werden sollte..., die das höchste und gewisseste ist, das die Menschheit erreichen kann... Indem jene einige Schicksalsschläge überwindet und andere erduldet, kann sie uns lehren, was wir hoffen dürfen und was wir leisten können. Das Laster muß zwar auch gezeigt werden, aber es sollte stets abstoßend wirken.« Zuletzt formuliert er geradezu einen Kodex für Romanschriftsteller, denn er schließt mit einer Passage, die auf die Forderung nach einer Schwarzweiß-Zeichnung der Charaktere hinausläuft[82]: »... auch sollte weder die Anmut eines fröhlichen Charakters noch die Würde der Tapferkeit in solcher Weise mit dem Laster verbunden auftreten, daß unser Geist dadurch mit ihm versöhnt werden könnte: wo immer es auftritt, sollte es durch die Tücke seiner Handlungen Haß und durch die Niedrigkeit seiner Absichten Verachtung erregen; denn wenn es durch geistige oder charakterliche Gaben ausgezeichnet erscheint, wird es nur selten aus tiefstem Herzensgrunde verabscheut werden... Es gibt Tausende von Lesern, die nichts dagegen einzuwenden hätten, als böse zu gelten, wenn man ihnen nur zugestände, daß sie geistvoll sind.«[83]

Johnson stand mit seinen Klagen über den Mißbrauch des Realismus nicht allein. Lady Mary Wortley Montagu, die zwar keine berufsmäßige Kritikerin, aber die Verfasserin bezaubernder Briefe war, berührte die Angelegenheit in ihrer privaten Korrespondenz. Sie berief sich auf den Realismus der Charakterporträts in Richardsons *Clarissa* und *Pamela*, die sie als die beiden Bücher heraushob, »die mehr allgemeines Unheil anrichten werden als die Werke von Lord Rochester«[84]. Und Oliver Goldsmith ging sogar noch über Johnson hinaus, als er empfahl, daß Romane vor allem auch für die Jugend geeignet sein müßten. In einem Essay über Erziehung drückte er seine Besorgnisse über die Wirkungen lebensechter Darstellungen aus und verlangte, daß »einige geistvolle Männer sich damit beschäftigen sollten, Bücher zu schreiben, die auch die Gemüter unserer Jugend interessieren können... Um so deutlich wie möglich zu sein: Die alte

---

82 Johnsons Kritik an Shakespeare gründete sich vor allem darauf, daß dieser bei der Darstellung seiner Charaktere Gut und Böse nicht sorgfältig gegeneinander abwäge. Im Vorwort zu seiner Shakespeare-Ausgabe schreibt er, daß Shakespeare »seine Personen gleichermaßen, ohne Stellung zu nehmen, in ihren guten und bösen Handlungen verfolgt, sie am Schluß entläßt, ohne sich weiter Gedanken über sie zu machen, und es dem Zufall überläßt, wie ihr Beispiel wirkt. Diesen Fehler kann die Rohheit seines Zeitalters nicht entschuldigen, denn es ist stets die Aufgabe des Schriftstellers, die Welt zu bessern...«

83 Johnson, The Rambler, Nr. 4, a.a.O., S. 84-88.

84 Mary Wortley Montagu, Complete Works, hg. von Lord Wharncliffe, Paris 1837, S. 100-105.

Geschichte von Whittington, der seine Katze freiließ, dürfte für das jugendliche Gemüt geeigneter sein als Tom Jones, Joseph Andrews und hundert andere..« Statt vorzuschlagen, daß berufsmäßige Schriftsteller ihre Bücher den Bedürfnissen der Jugenderziehung anpaßten, regte Goldsmith an, daß Schulmeister Romane verfassen sollten: »Wenn unsere Schulmeister, soweit sie genügend Verstand haben, um ein solches Werk abzufassen, sich damit beschäftigen, würden sie ihren Schülern mehr dienen als mit all den Grammatiken und Wörterbüchern, die sie in zehn Jahren verfassen mögen.«[85] Während Johnson und Goldsmith zwischen reifen und unreifen Lesern unterschieden – ihre Sorge über die Wirkungen des Realismus beschränkte sich hauptsächlich auf die Jugend –, zogen sie doch keine scharfen Grenzlinien zwischen den verschiedenen Niveaulagen der Dichtung. Sie waren überzeugt, daß jede realistische Dichtung moralische Probleme aufwerfe, ganz gleich, ob sie das Werk eines großen Schriftstellers oder eines Gelegenheitsschreibers sei.

Obgleich Dr. Johnson gelegentlich empfohlen hatte, daß literarische Charaktere entweder völlig gut oder völlig böse sein sollten, unterstützte er den Realismus, mag dieser auch notwendig zur realistischen Darstellung des Bösen führen. In *Lives of the Poets*, das beinahe dreißig Jahre nach der Veröffentlichung des Essays über die Dichtkunst im *Rambler* erschien, besteht er darauf, daß der Schriftsteller verpflichtet sei, das Leben so zu zeigen, wie es wirklich ist. Trotzdem räumt Johnson ein, daß er gelegentlich seinen Lesern auch gefällig sein und die Dinge in einem rosigen Licht zeigen dürfe.[86]

Lebenswahre Charakterdarstellungen konnten nun freilich leicht langweilig werden, und die Schriftsteller bedienten sich deshalb vieler Mittel, um das Interesse an den alltäglichen Menschen und Vorgängen in ihren Romanen und Dramen wachzuhalten. Es gab vor allem zwei Methoden, die Leser zu fesseln, einmal eingehende Beschreibungen zarter Gefühle, zum anderen genaue Darstellungen von

---

85 Goldsmith, The Bee, Nr. 6, in: Citizen of the World, a. a. O., S. 399.
86 Johnson, Lives of the English Poets, Bd. II, New York 1857, S. 135. – Das bedeutet für Johnsons Einstellung gegenüber der Literatur keinen Sieg des Realismus über den Moralismus. René Wellek weist in seiner »Geschichte der Literaturkritik« (Bd. I, Neuwied 1959, S. 94) nach, daß beide Elemente – zusammen mit einem generalisierenden Element – in allen kritischen Arbeiten Johnsons eng miteinander verwoben sind, wobei aber »weit häufiger der Moralist auch unter Ausschluß, ja zum Nachteil des Kritikers« überwiegt.

Gewalttaten, Verbrechen und Greueln. Wie im Hollywoodfilm traten beide Lockmittel oft zusammen in ein und demselben Werk auf. Dabei wurde sorgfältig darauf geachtet, daß der empfindsame Held das Opfer und nicht der Verbrecher war.

Diese Mittel zur Verhütung von Langeweile konfrontierten freilich den schöpferischen Schriftsteller mit einer Anzahl von weiteren Problemen.

1. Wenn, wie man glaubte, das englische Publikum für die realistische Darstellung von Verbrechen und Gewalttätigkeiten ungemein empfänglich ist, wird dann nicht gerade durch die Darstellung solcher Vorgänge der Sadismus des Publikums nur reflektiert und ermutigt?

2. Wenn alltägliche Charaktere weniger langweilig dargestellt werden, indem man sie mit einem reichen Gefühlsleben ausstattet, werden dann nicht die Köpfe der Leser mir romantischen Vorstellungen angefüllt, die ihnen nichts nützen, wenn sie in einer prosaischen Welt um ihren Lebensunterhalt ringen oder Ehen schließen? Noch schlimmer: kann nicht die Identifikation mit der irrealen Welt der Gefühle zur Flucht aus den Schwierigkeiten des Alltagslebens dienen?

3. Das Publikum begann vielleicht gerade wegen der Vertrautheit mit diesen realistischen Personen und Vorgängen jetzt der bloßen Neuheit und der Abwechslung immer größere Bedeutung zuzuschreiben und sie als Werte an sich zu betrachten. Der Schriftsteller fragte sich nun, was er tun könne, um zu verhindern, daß diese Sucht nach dem Sensationellen den Geschmack des Publikums noch mehr verderbe.

4. Bedeutet das lawinenartige Anschwellen der Massenliteratur, die nur geringe Anforderungen an den Leser und kaum größere an den Schriftsteller stellt, nicht die sehr ernst zu nehmende Gefahr, daß die Literatur einer Periode der Mittelmäßigkeit entgegengeht?

Verbrechen und Gewalttätigkeit

Obgleich die modernen Massenmedien anschaulichere und allgegenwärtigere Darstellungsmittel zur Verfügung haben als die des 18. Jahrhunderts, entstanden die Beschreibungen von Sadismus und Brutalität nicht erst mit den »comics«, den Groschenheften und dem

Fernsehen. Vielmehr lassen einige der Schauerromane, die sich in den letzten drei Jahrzehnten des 18. Jahrhunderts der größten Beliebtheit erfreuten, manche dieser Groschenhefte voller Sex und Sadismus, die heute unter dem Ladentisch verkauft werden, eher harmlos erscheinen.

Die Gattung des »gotischen« Romans, die einen Vorläufer in Walpoles »Castle of Otranto« (1764) hatte, erreichte ein Vierteljahrhundert später ihre Blüte mit »The Monk« von M. G. Lewis, einem Roman, der fast völlig aus Szenen voller Sadismus, Sinnlichkeit und Greuel besteht.[87] Lewis' Buch erreichte sehr rasch zahlreiche Auflagen und setzte einen neuen Maßstab der Brutalität, dem in den meisten späteren »gotischen« Romanen Englands nachgeeifert wurde. Aber während diese Schauergeschichten zur Zeit ihrer Veröffentlichung wenig umstritten waren, zeigte sich nach 1800 eine scharfe Reaktion sowohl unter dem Volk als auch bei den Intellektuellen.

Dagegen wurde die Diskussion über Verbrechen und Gewalttätigkeiten auf der Bühne während des ganzen 18. Jahrhunderts mit größter Heftigkeit geführt. Die Einwendungen der Neo-Puritaner gegen das Theater gründeten sich zum großen Teil auf das Mißfallen an den Morden und Quälereien, die seit langem auf der Bühne heimisch geworden waren. Aber im allgemeinen machten weder sie noch ihre Nachfolger einen Unterschied zwischen Gottlosigkeit und Sittenlosigkeit auf der einen Seite und verbrecherischem oder brutalem Verhalten auf der anderen. Wenn Defoe und andere die Bühne als die »Brutstätte des Verbrechens« bezeichneten, waren sie ebensosehr über das Verhalten des Publikums und über das verderbliche Milieu des Theaters besorgt wie über die Vorgänge auf der Bühne. Für die weniger moralischen Kritiker waren die Gewalttaten auf der Bühne die Hauptansatzpunkte ihrer Kritik. Selbst Addison, der im allgemeinen gegenüber den Ausschweifungen in der Oper und im Schauspiel ziemlich tolerant war, ging auf das Problem ein: »Aber von allen Methoden, Mitleid und Schrecken zu erregen, ist keine so absurd und barbarisch, und keine setzt uns so sehr der Verachtung und dem Gelächter unserer Nachbarn aus wie die schrecklichen Schlächtereien

---

87 »The Mysteries of Udolpho« von Mrs. Radcliffe war vielleicht der bedeutendste Schauerroman der Zeit. Im Gegensatz zu M. G. Lewis löste Mrs. Radcliffe das Übernatürliche durch rationale Erklärungen auf; die Attraktivität ihres Werkes bestand weniger darin, daß es Schauder einflößte, als darin, daß es die Neugier reizte.

untereinander, die auf der englischen Bühne so furchtbar häufig sind.« Er sympathisiert mit den französischen Kritikern, die darauf hingewiesen hatten, daß die Darstellung von »erdolchten, vergifteten, gefolterten und gepfählten Menschen« auf der englischen Bühne »Zeichen eines grausamen Zuges« im englischen Nationalcharakter sei. Danach attackiert Addison den beliebten Höhepunkt aller Tragödien seiner Zeit, bei dem in einer großen, allgemeinen Massenschlächterei jeder Vorwand zu Mord und Folter weidlich ausgenutzt wurde. »Es ist tatsächlich ein merkwürdiger Anblick, wenn unsere Bühne in der letzten Szene einer Tragödie mit Leichen bedeckt ist; oder wenn man in der Garderobe eines Schauspielhauses mehrere Dolche, Stiletts, Räder, Giftbecher und andere tödliche Waffen findet.«[88] Aber trotz solcher abschätziger Urteile wurde der Hunger des englischen Publikums nach Blut und Gewalttat weiterhin gestillt. In der Mitte der dreißiger Jahre veröffentlichte Henry Fielding seine Satire *Pasquin*, die einige der dramatischen Auswüchse seiner Zeit, vor allem die Vorliebe für Metzeleien und Gift, verspottete. Zwanzig Jahre später bemerkte Oliver Goldsmith, daß »Tod und Zärtlichkeit die Hauptleidenschaften jedes modernen Theaterhelden sind; in dem einen Augenblick umarmen sie sich und im nächsten gehen sie mit Dolchen aufeinander los; so sind Dolche und Küsse in jeder Szene miteinander gemischt«[89]. In seiner Abhandlung *Of Tragedy* verwarf David Hume solche realistischen Greueldarstellungen, weil sie den Hauptzielen der Tragödie im Wege stünden. »Eine Handlung, die im Trauerspiel vorgestellt wird, kann zu blutig und gräßlich seyn ... Von dieser Art ist die Handlung, welche in der ehrgeitzigen Stiefmutter vorgestellt wird; wo ein ehrwürdiger Greis, in der größten Wut und Verzweiflung, gegen eine Säule läuft, und seinen Kopf daran zerstößt, und sie über und über mit Hirn und Blut besprützt. Das Englische Theater hat von dergleichen Bildern nur allzu viel.«[90] Anders als in der gegenwärtigen Diskussion dieses Themas scheint kein Kritiker des 18. Jahrhunderts solche Darstellungen von »Verbrechen und Gewalttätigkeit« im Roman oder im Drama gebilligt zu haben. Auch fehlt in diesem Zusammenhang auffälligerweise jeder Hinweis auf den aristotelischen Begriff der Katharsis, obwohl dieser

---

88 Addison, Spectator, Nr. 44, a.a.O., S. 134.
89 Goldsmith, Citizen of the World, Brief XXI, a.a.O., S. 56.
90 David Hume, Of Tragedy, in Four Dissertations, London 1757, S. 198-99, zit. nach D. Hume. Vier Abhandlungen, Quedlinburg und Leipzig 1759, S. 232-233.

in Verbindung mit Leiden aus anderen Gründen durchaus vorhanden ist.

Sentimentalität

In seinem *Essay on the Theatre* berichtet Goldsmith über die Reaktion eines Freundes auf die schmucklose Darstellung bürgerlicher Typen und ihrer Probleme. Der Freund verließ das Theater während des Schauspiels über einen Geldverleiher mit der Bemerkung: »Es ist mir völlig gleichgültig, ob er aus seinem Kontor in dem Fish Street Hill hinausgeworfen wird oder nicht, da er immer noch genügend übrig behalten wird, um einen Laden in St. Giles aufzumachen ...«[91] Während das Drama der Langeweile durch Gewalttätigkeiten und andere »besondere Attraktionen« entgegenzuwirken suchte, hatten die Romanschriftsteller ihre eigenen Mittel. Richardson hatte das Beispiel gegeben: Die Darstellung der Schwierigkeiten und Erfolge der bürgerlichen und kleinbürgerlichen Schichten gewann erhebliche Anziehungskraft, wenn genaue Beschreibungen der Herzensangelegenheiten dieser Leute mit eingefügt wurden. Goldsmiths *Vicar of Wakefield* gilt im allgemeinen als ein hervorragendes Werk dieser Gattung, und Mackenzies *The Man of Feeling* stellt die äußerste Möglichkeit dieses Romantyps dar, der das Gewöhnliche und Realistische in Charakter und Milieu mit genauen Beschreibungen und überschwenglichen Steigerungen des Gefühls verband.[92]

Im rührseligen und empfindsamen Roman (sie unterschieden sich mehr dem Grade als der Art nach) waren die Gefühle wichtiger als das Verhalten, und vernünftiges Denken oder Handeln wurde nur rohen und empfindungslosen Seelen zugeschrieben. Verzeihung und Reue

91 Goldsmith, A Comparison between Sentimental and Laughing Comedy, a. a. O., Bd. III, S. 380.
92 Die vorherrschende sentimentale Stimmung in den Romanen dieser Zeit wurde zum Teil der Tatsache zugeschrieben, daß es eine große Anzahl von Romanschriftstellerinnen gab, die für ein vornehmlich weibliches Romanpublikum schrieben. Gewiß fehlte es nicht an zeitgenössischen Satiren auf diese Schriftstellerinnen: unter anderen wies Smollet in *Humphrey Clinker* darauf hin, daß der Mißerfolg einer seiner Personen als Romanschriftsteller entschuldbar sei, da die Damen das ganze Gebiet »des Geistes, der Feinfühligkeit und der Kenntnis des menschlichen Herzens« für sich allein reserviert hätten.

waren die Höhepunkte menschlichen Fühlens, und der Grund derjenigen Handlungen, die zu Verzeihung oder Reue führten, war ebenso unbedeutend wie der Mord, mit dem die moderne Detektivgeschichte begann. Aber diese ausführlichen Darstellungen von Gefühlen ließen die ersten Diskussionen über die Gefahren des Eskapismus entstehen.

Da der Roman des 17. und frühen 18. Jahrhunderts seiner Art nach völlig unwahrscheinlich war und überdies von weniger Leuten gelesen worden war als der empfindsame Roman, hat es vor der Mitte des Jahrhunderts nur wenige Kritiker gegeben, die sich über die Wirkung der Romanliteratur auf den Leser Gedanken gemacht haben. Freilich hatte schon Addison eine Dame ein wenig verspottet, die eine große Zahl dieser romantischen Erzählungen verschlang und sich schließlich die Zeit damit zu vertreiben begann, daß sie ihren Park in eine romantische Grottenlandschaft verwandelte. Aber er war weder entrüstet noch über die gesellschaftlichen Folgen solchen Handelns besorgt.[93]

Die starke Betonung der Gefühlsseligkeit in den Romanen der zweiten Hälfte des Jahrhunderts führte jedoch zu einer Beunruhigung, die gesellschaftlich bedeutungsvoller war. Eine allzu ausführliche Beschäftigung mit der Literatur hat zwei wichtige Folgen: sie hält den Leser von nützlicher Tätigkeit ab, und sie füllt seinen Kopf mit romantischen Träumen, die er im wirklichen Leben niemals realisieren kann. Trotz des *Vicar of Wakefield* warnte Goldsmith des öfteren davor, wie gefährlich es sei, in der unwirklichen Welt der Gefühle zu leben. In einem Brief an seinen Bruder über die Erziehung seines Neffen riet er dem Vater sogar, das Lesen von Romanen überhaupt zu verbieten. Solche romantischen Bilder von der Welt seien Fallstricke und Blendwerke für die Jugend:

»Sie lehren den jungen Menschen, sich nach einer Schönheit und nach einem Glück zu sehnen, die niemals existiert haben; aber das bescheidene Glück, das das Schicksal ihnen gewährt hat, verachten sie, da sie immer mehr von ihm erwarten, als ihnen zugeteilt ist...«[94] Kurz, die Lektüre empfindsamer Romane ist nicht nützlich. Aber für das junge Mädchen ist dieser Zeitvertreib noch gefährlicher als für den jungen Mann. Denn wenn ihr Sinn mit Gefühlen und Empfindungen

93 Addison, Spectator, Nr. 37, a.a.O., S. 112.
94 Zitiert bei Francis Gallaway, Reason, Rule, and Revolt in English Classicism, New York 1940, S. 115.

angefüllt ist, wird es ihr schwerfallen, einen Mann zu lieben, dessen Alltagsleben von der trivialen Aufgabe, den Lebensunterhalt für Frau und Kind zu verdienen, ausgefüllt ist. Ferner wird, wie Cowper mit Empörung bemerkt, die junge Dame durch die Lektüre »solchen sentimentalen Papierkrams, solcher weinerlichen und faselnden Torheiten« so überspannt, daß die bloße Einfügung einer Warnung nicht mehr genügt, »um das Feuer zu ersticken«.[95]

Am besten würden die bürgerlichen Charaktere auch mit bürgerlichen Gefühlen ausgestattet, da ein zu großes Interesse für zärtliche Gefühle den jungen Menschen für das bürgerliche Leben ungeeignet mache. Richardsons Charlotte Grandison meint, daß »ein mildes, gemäßigtes Behagen besser ist als eine heftige, einseitige und verrückte Leidenschaft ... Wer hört je von lodernden Blicken, Flammen, Liebesgöttern ... und dergleichen Unsinn in der Ehe? Die Leidenschaft ist vergänglich ...«[96]

Aber alle solche Warnungen dämmten die Flut der sentimentalen Literatur nicht ein, die den Leser zur Flucht aus der Langeweile des Alltagslebens verhalf. Die bürgerlichen Schichten wünschten zwar, sich im Spiegel zu sehen, sie wünschten aber zugleich, daß ihr materialistisches Ich in zarten Gefühlen verhüllt und dadurch anziehender gemacht werde.

Neuheit und Abwechslung

Die Besorgnis über den Hunger des Menschen nach Zerstreuung entstand nicht erst zu Beginn des 18. Jahrhunderts und mit der Entwicklung verkäuflicher literarischer Produkte. Wir zeigten in einem früheren Kapitel, daß Montaigne und später Pascal das Problem schon im 16. und 17. Jahrhundert diskutiert hatten. Aber erst durch Voltaires Essay über den Geschmack wurden Schriftsteller und Gelehrte nachdrücklich auf die Implikationen dieses Problems hingewiesen, die sich in einer Gesellschaft, die rasch mit allen Arten von Unterhaltungsliteratur überschwemmt wurde, ergeben mußten.

Bei einem Überblick über den kulturellen Schauplatz seiner Zeit fand

95 William Cowper, The Progress of Error, in: Poetical Works of William Cowper, hg. von H.S. Milford, London 1934, S. 24.
96 Richardson, The Novels of Samuel Richardson, Bd. XIX, London 1902, S. 15-16.

Voltaire, daß »... das Publikum in seiner Gier nach Neuem diesen Absichten Beifall klatscht; aber dieser Beifall wird bald von Überdruß und Ekel gefolgt. Eine neue Gruppe von Schriftstellern macht sich an die Arbeit, erfindet neue Mittel, um den launenhaften Geschmack zu erfreuen, und entfernt sich dabei noch weiter von der Natur ... Überwältigt von immer neuen Erfindungen, die mit unglaublicher Geschwindigkeit aufeinander folgen und einander aufheben, weiß man kaum noch, wo man steht...«[97] Wenn die englischen Schriftsteller den wachsenden Markt für literarische Erzeugnisse und die klar erkennbaren Neigungen der Käufer betrachteten, fanden sie genügend Beweise dafür, daß Voltaires Besorgnis gerechtfertigt war.

Auch David Garrick fand sich immer wieder mit der Forderung des Publikums nach Neuem konfrontiert. Im Laufe seiner dreißigjährigen Karriere sah er sich immer häufiger gezwungen, seine künstlerischen Maßstäbe herabzuschrauben, indem er Zwischenspiele und Programme mit zwei Nummern einführte, »die so mancherlei Gegenstände bieten, durch die unser geschäftiges und neugieriges Zeitalter unterhalten sein will«[98]. Dr. Johnson widmete einen Essay im *Idler* dem »fürchterlichen« Stil – einer von einigen Schriftstellern eingeführten Manier, so dunkel wie möglich zu schreiben, um dem Gewöhnlichen das Ansehen des Neuartigen zu geben. Bei der Erklärung der Gründe für dieses Stilmittel (das er als »Popanz«-Stil bezeichnet) meint Johnson, daß die Forderung, gewöhnliche Dinge auf ungewöhnliche Art dargeboten zu bekommen, für seine Zeit charakteristisch sei. Die Mittel, zu denen die Massenschriftsteller ihre Zuflucht nehmen, sind von der Art, daß Zeitangaben durch algebraische Berechnungen umschrieben, das Einnehmen des Tees nach Art eines militärische Vorgangs dargestellt wird, kurz »... man verläßt den ausgetretenen Weg, nur weil er bekannt ist, und schlägt einen neuen Pfad ein, wenn er auch noch so krumm und uneben ist, nur weil der gerade Weg schon früher gefunden wurde«.

In einem anderen Essay im *Idler* spricht er von der »Vermehrung der Bücher«, besonders der Kompilationen, und bemerkt, daß sie keinen wirklichen Zweck haben, sondern nur »die Wahl erschweren«. Er

97 Voltaire, Essay on Taste, in: Alexandre Gerard, An Essay on Taste: With Three Dissertations on the Same Subject, by Mr. de Voltaire, Mr. d'Alembert, and Mr. de Montesquieu, London 1759, S. 220.
98 David Garrick, »Prologue«, The Farmer's Return from London, in: Poetical Works of David Garrick, Bd. I, London 1785, S. 186-188.

schließt jedoch mit der Bemerkung, daß solche Schriftsteller aufs Ganze gesehen wenig Schaden anrichten, da sie nur Symptome einer kurzlebigen Mode seien.[99]

Die Forderung nach Neuem wurde vor allem von den Zeitschriften befriedigt. Aber seltsamerweise wurden diese volkstümlichen Sammlungen »vermischter Schriften«, deren Anzahl sich im Laufe des Jahrhunderts rasch vermehrte, von den ernst zu nehmenden Schriftstellern nicht konsequent angegriffen.[100] Oliver Goldsmith freilich widmete einen seiner Essays einer gutmütigen Verspottung dieser Zeitschriften. Er vergleicht sein Los als Essayist, der jeweils nur über ein Thema schreibe, mit dem der »glücklicheren« Zeitschriftenautoren, die gleichzeitig über verschiedene Themen schrieben und auf diese Weise nicht in die Gefahr kämen, ihre Leser zu langweilen. Die Zeitschrift, die er beschreibt, ähnelt dem *Gentleman's Magazine* oder einem ähnlichen Vorläufer von *Reader's Digest* aus dem 18. Jahrhundert:

»Wenn ein Magazin mit seinem Artikel über den spanischen Krieg zu langweilen beginnt, wird unsere Aufmerksamkeit bald durch »das Gespenst von Cock Lane« wieder geweckt; wenn der Leser darüber einzunicken beginnt, wird er schnell durch eine orientalische Geschichte geweckt: Erzählungen bereiten uns auf Gedichte vor und Gedichte auf eine meteorologische Geschichte des Wetters. Es gehört zum Wesen eines Magazins, niemals lange bei einem Thema zu verweilen. Und wie das Pferd eines Seemanns, so hat auch der Leser die angenehme Abwechslung, daß der Sporn oft wechselt«. Goldsmith bricht dann in die ironische Klage aus, er könne keinen Grund dafür finden, daß die Magazinschriftsteller alle Belohnungen des Genius für sich einheimsten, und er entwirft einen Plan, aus seinen eigenen Essays ein Miniaturmagazin zu machen, indem er ebenfalls von Thema zu Thema springe. Er kündigt ferner an, daß er, wenn man ihn nur in angemessener Weise dazu auffordere, sein Magazin mit Bildern ausstatten werde. Die Zeitschrift soll dann das »Höllische Magazin« genannt werden und wird ganz im Gegensatz zu anderen Schöpfungen dieser Art ihr Versprechen erfüllen und die

99 Johnson, The Idler, Nr. 36 und Nr. 85, British Essayists, XXVII,124, 297-98.
100 Es ist möglich, daß die Intellektuellen das Magazin als nicht ihrer Aufmerksamkeit würdig ansahen, genauso wie sie die Kritik der Trivialliteratur aus der zweiten Hälfte des Jahrhunderts den »mittleren« Schriftstellern überlassen zu haben scheinen.

Gesellschaft in Erstaunen setzen. Darauf folgen im üblichen Stil der Buchankündigungen des 18. Jahrhunderts Schmeicheleien für das künftige Publikum. Goldsmith versichert seinen zukünftigen Lesern, daß das Magazin von Personen von Rang (und Vermögen) geleitet werde, die diesen Dienst an der Gesellschaft nicht um des persönlichen Vorteils willen, sondern nur zu ihrem Vergnügen leisten werden.[101]

Eine Methode, den alltäglichen Charakteren und Situationen, die die Massenliteratur der Zeit beherrschten, Anziehungskraft zu verleihen, bestand in der Beachtung der feinsten Nuancen von Gefühl und Stimmung; eine andere in der Verwendung exotischer Szenerien. Die Erschließung des Fernen Ostens für den englischen Handel hatte zu einer der wohl stärksten Modeströmungen geführt, die England je erlebt hat. Alle Gebiete – Musik, Stoffmuster, Kleidermoden, Möbel, Architektur, Gartenkunst und Malerei – wurden von dieser Forderung nach dem Orientalischen ergriffen. Der Nabob, der für ein oder zwei Jahre nach China ging und mit den Taschen voller Gold heimkehrte, wurde eine Zeitlang zur bevorzugten Heldenfigur. Die Schriftsteller zögerten natürlich nicht, die Lage zu ihrem eigenen Vorteil auszunutzen. Nabobs wurden auf der Bühne herausgestellt, wo sie sich oft als von großem dramatischem Nutzen erwiesen. Essays, Briefe und Romane versetzten den gewöhnlichen Engländer in völlig ungewohnte Umgebungen, die von kostbarem Schmuck angefüllt und von einem dichten Schleier des Geheimnisses umhüllt waren (es braucht kaum hinzugefügt zu werden, daß der Abenteurer für gewöhnlich seiner Herkunft treu und trotz allem ein Engländer blieb). In diesen orientalischen Abenteuererzählungen wurde oft die »Weisheit des Ostens« gepriesen wie z.B. in William Whiteheads Vorwort zu Arthur Murphys Übersetzung von Voltaires *L'Orphelin de la Chine:* »und kühn vermittelt er dem Geist Britanniens die Morallehre des Konfuzius. Nehmt das euch angebotene Gut auf«[102].

Es gab freilich auch einige chauvinistische Stimmen, die etwa sagten: »Was kann der Orient schon bieten, das England nicht ebenso gut oder besser hat?« Aber im großen und ganzen wurde die Vorliebe für das Orientalische, die ebenso unter den Mitgliedern des königlichen Hauses wie unter den Ladenmädchen zu finden war, nicht in gleicher

101 Goldsmith, Specimen of a Magazine in Miniature, in: The Miscellaneous Works of Oliver Goldsmith, hg. von David Masson, London 1925, S. 288.
102 Zitiert bei Allen, a.a.O., Band II, S. 25-26.

Weise als gefährlich für den Leser angesehen wie die Hingabe an das Gefühl. Schließlich war sie dem Handel förderlich, und die Erzählungen von den schwer erworbenen Reichtümern dienten eher als weiterer Ansporn – falls es eines solchen überhaupt noch bedurfte –, sich auf die praktischen und gewinnbringenden Aufgaben des Lebens zu konzentrieren.

Die literarisch Gebildeten beschränkten sich im allgemeinen darauf, die chinesische Mode als einen weiteren Beweis für die unersättliche Lust des Publikums nach Neuheit und Abwechslung anzuführen. Mit erheblich größerem inneren Abstand als in seinen Äußerungen über den rührseligen Roman bemerkte Goldsmith, das erschlaffte Europa »hat sich in letzter Zeit sogar nach China gewandt, um in seine alltäglichen Unterhaltungen mehr Abwechslung zu bringen«[103]. Er selbst gebrauchte, nicht ohne sich dafür zu entschuldigen, den orientalischen Anstrich als Mittel, um seinem Kommentar zu den verschiedenen Aspekten des zeitgenössischen Lebens mehr Breitenwirkung zu verleihen, wie sein *Citizen of the World* beweist, der »Briefe von einem in London lebenden chinesischen Philosophen an seine Freunde im Orient enthält«. In seiner Einleitung zu diesen Briefen klagt er zuerst über die Wankelmütigkeit des Publikums und über die Unüberlegtheit, mit der das »Gesindel« der Massenschriftsteller mit Lob überschüttet wird, und dann berichtet er über einen Traum, in dem »... der Erfolg so vieler Schriftsteller endlich eine Wirkung auf mich auszuüben begann; wenn diese, so rief ich zuletzt aus, Anerkennung und ein gesichertes Leben finden, so wird vielleicht auch der bislang Erfolglose einmal Glück haben. Ich bin entschlossen, es erneut zu versuchen«. Kritisch bemerkt er dann, daß bisher »der chinesische Tand und die chinesischen Feuerwerke« nur dazu gedient hätten, den Geschmack des Publikums »zu verderben«, er dagegen werde »versuchen, wieweit sie bei der Bildung unseres Verstandes behilflich sein können«[104].

Goldsmith und seine Schriftstellerkollegen waren allerdings weniger tolerant gegenüber den Konsequenzen, zu denen der Wunsch des Publikums nach Neuem in der Oper und im Drama geführt hatte. Das Theater des 17. Jahrhunderts hatte für ein heterogeneres Publikum sorgen müssen als die gedruckte Literatur der Zeit. Um sich das

103 Ebenda.
104 Goldsmith, »Editor's Preface«, Citizen of the World, a.a.O., S. 4.

Interesse von Menschen mit ganz verschiedenen Geschmacksrichtungen zu erhalten, hatte es von einer Vielzahl publikumswirksamer Mittel Gebrauch gemacht. Die »spektakulären« oder »sensationellen« Mittel, zu denen die Dramatiker und Regisseure des 18. Jahrhunderts griffen, waren also nicht wesentlich von denen verschieden, die man zur Zeit Addisons oder auch in der elisabethanischen Zeit verwendet hatte. Addison hatte sogar mehr als eine Ausgabe des »Spectator« den Mißbräuchen auf der Opernbühne gewidmet, obgleich seine Einwände mild waren, wenn man sie mit denen vergleicht, die Pope zwanzig und Goldsmith und Fielding vierzig Jahre später niederschreiben sollten. Addison hielt viele der Mittel, die Aufmerksamkeit des Publikums zu fesseln, für ganz berechtigt – er trat nur für eine sinnvollere Anwendung ein. Es gibt den »geeigneten Moment« für Donner und Blitz, für Glocken und Gespenster, und wenn man sie mit Zurückhaltung gebraucht, kann man ihnen nur zustimmen. Dasselbe gilt für das vielgeschmähte Taschentuch, »das wichtigste Mittel zur Erweckung von Mitleid«: es soll keinesfalls völlig verschwinden, aber sein Gebrauch muß eine Beziehung zu den Worten des Schauspielers haben.[105] Gegenüber einer geringfügigeren Attraktion war er allerdings weniger tolerant. In einer Ausgabe des »Spectator« bemerkt er, daß es Brauch sei, dem Publikum den erhabenen Charakter des Helden durch die Größe der Federn auf seinem Hut anzudeuten, als ob »ein großer Mann und ein stattlicher Mann« dasselbe seien. Das sei nicht nur eine Beleidigung des Publikums, sondern bringe auch den Schauspieler in Verlegenheit, »denn wenn er gerade vorgibt, von Sorgen um seine Geliebte, sein Vaterland oder seine Freunde erfüllt zu sein, kann man an seinen Handlungen sehen, daß seine größte Sorge darin besteht, den Federbusch nicht vom Haupte fallen zu lassen«[106].

Addisons heftigster Sarkasmus galt jedoch der unbedachten Vermengung des Symbolischen mit dem Wirklichen. Wenn er die Freilassung lebendiger Vögel aus einem Käfig auf der Opernbühne verspottet, so gilt sein Einwand nicht der Tatsache, daß sie überhaupt dorthin gebracht wurden, sondern der, daß ihr Gesang nur zu deutlich von Instrumenten ausging, die hinter der Bühne verborgen waren und von Menschen geblasen wurden. Er schließt mit einer Beschreibung,

105 Addison, Spectator, Nr. 44, a.a.O., S. 133.
106 Addison, Spectator, Nr. 42, a.a.O., S. 127.

wohin solche Absurditäten führen können, mit der er offensichtlich versucht, die Regisseure durch einen Schock wieder zu Verstand zu bringen.

»Ich fand..., daß große Vorhaben zur Verbesserung der Oper geplant waren; daß man vorgeschlagen hat, eine Mauer zum Teil niederzureißen und die Zuschauer mit einer Schar von einhundert Pferden zu überraschen, und daß es tatsächlich einen Plan gab, einen Fluß in das Gebäude zu leiten, um sein Wasser zu Fontänen und Wasserspielen zu verwenden.«[107]

Hätte Addison bis zur Mitte des Jahrhunderts gelebt, dann würde er gesehen haben, daß er, weit entfernt davon, die Regisseure abzuschrecken, ihnen noch neue Ideen in den Kopf gesetzt hatte, denn all der Humbug für Auge und Ohr war mehr als je zuvor an der Tagesordnung, weil Theater und Oper weit heftiger mit den Zeitschriften und Romanen um die Gunst des Publikums zu konkurrieren hatten.

Als sich die Mißbräuche häuften, fanden sich auch beredsame Satiriker. Pope vergaß das Theater in seiner Schmähschrift auf die literarische Welt seiner Zeit gewiß nicht:

»Man unterbricht das Spiel; fort mit Handlung und Dialog,
Weg mit den Kulissen, zu Fuß und Roß ziehen sie ein;
In langer Reihe folget Schar auf Schar,
Lords, Herolde, Bischöfe, in Hermelin, Gold und Brokat...«[108]

Aber die am tiefsten dringende Analyse blieb wiederum Goldsmith vorbehalten. Er widmete einen der Briefe des *Citizen of the World* einer Beschreibung der Saisoneröffnung an den zwei konzessionierten Theatern in Drury Lane und Covent Garden. Goldsmith schreibt zunächst über die Konkurrenz zwischen den beiden Theatern, in denen »... die Generäle beider Armeen über verschiedene Reservetruppen verfügen, die gelegentlich Hilfe bringen. Hat man in dem einen Haus ein Paar diamantene Agraffen, so findet man in dem anderen ein Paar Augenbrauen, die ihnen ebenbürtig sind. ... Kann man in dem einen mehr Kinder auf die Bühne bringen, so hat man in dem anderen mehr Wachsoldaten in roten Röcken, die zum Erstaunen jedes Zuschauers einherstolzieren und ihre Waffen schultern«.

107 Addison, Spectator, Nr. 5, a.a.O., S. 18.
108 Pope, First Epistle to the Second Book of Horace, in: The Best of Pope, a.a.O., S. 236/37.

Goldsmith findet den Gedanken lächerlich, daß das Publikum – trotz der moralischen Plattheiten der Zeit – irgendwelche Belehrungen aus solchen Vorstellungen davontragen könne, und er berichtet, daß er selbst durch »die Trompeten und durch das Kreischen und Schreien hinter und auf der Bühne« schon immer ganz betäubt sei, ehe die Vorstellung zu Ende gehe. Goldsmith nennt die Dinge beim richtigen Namen, wenn er sagt, daß das Theater weithin nur ein auf Profit angelegtes Geschäft ist, und er äußert sein Erstaunen darüber, daß die Zunft der Schauspieldichter noch keine Lehrlingsausbildung eingerichtet habe, da ja nichts leichter erscheinen müsse, als für die englische Bühne zu schreiben. »Wenn der Autor den Wert von Donner und Blitz genau kennt, wenn er in alle Geheimnisse des Szenenwechsels und der Falltüren eingedrungen ist, wenn er die passenden Phrasen zur Einführung eines Seiltänzers oder eines Wasserfalls geschickt zusammenstellen kann, ... dann weiß er alles, um ein modernes Publikum zu ergötzen«. Und wie in seinem *Höllischen Magazin* fügt er diesem Essay einige ironische Ratschläge für den Schriftsteller an, der Popularität erlangen möchte. Als erstes solle er niemals erwarten, daß sich der Schauspieler den Erfordernissen eines Dramas anpasse; es sei die Aufgabe des Autors, die besonderen Fähigkeiten eines jeden Schauspielers richtig einzuschätzen und sein Stück ihren jeweiligen Fähigkeiten zum Ausdruck von Furcht, Schmerz und Überraschung anzupassen. Solches Seufzen und Stöhnen und Aufschreien sei der sicherste Weg, den Beifall des Publikums zu gewinnen. Es gebe in der Tat keinen anderen Weg, das Publikum mitzureißen. Der Autor finde Trost in dem Wissen, daß er, habe er sich einmal solche Kniffe angeeignet, keine weiteren Fähigkeiten mehr brauche, und der Theaterbesucher könne sich entspannen, da er die Gewißheit haben dürfe, daß er im Theater »all die Mühe des Denkens aus seinem Sinn verbannen« könne.[109]

Diesen scherzhaften Ratschlägen für den Dramatiker können eine ganze Reihe weiterer Beispiele zur Seite gestellt werden. In seinem *Essay on the Theater,* der zwei Jahrzehnte nach dem *Citizen of the World* geschrieben wurde, formuliert Goldsmith das Problem des »zahlenden« Publikums in so modernen Begriffen, daß sie sehr wohl einer Diskussion des Films aus der Mitte des 20. Jahrhunderts entstammen könnten. Er beginnt mit einer Kritik der rührseligen

109 Goldsmith, Citizen..., Brief LXXXIX, S. 219/20.

Komödie und meint, daß solche Stücke vor allem deswegen beliebt sind, weil sich die Dramatiker bemühen, der Forderung des Publikums nach Neuheit entgegenzukommen. Er nimmt dann die Gegenposition zu seinen eigenen Thesen ein, wenn er sagt, daß schließlich das Theater »dazu da ist, die Menschen zu amüsieren, und daß es, wird das Ziel erreicht, wenig ausmacht, wie man dahin gelangt«. Alles, was dem Publikum gefällt, ist gut, »der Erfolg ist der Maßstab des Verdienstes«. Er kehrt dann wieder zu seiner eigenen Position zurück und stellt die Frage, die seitdem sehr geläufig geworden ist, aber auch in unserer Zeit nicht besser beantwortet wird als damals: Was würde geschehen, wenn man dem Publikum gute Schauspiele bieten würde?[110]

Aber das englische Publikum erfreute sich weiterhin an den verschiedenen Mitteln, die man zu seiner Anlockung und Unterhaltung ersonnen hatte. Der groteske Effekt jener »Mischung von Dolchen und Küssen« wurde von einem deutschen Besucher eines englischen Schauspieles beschrieben, in dem die Hauptheldin durch ihre tragische Lage so erschüttert wurde, daß sie für den Rest der Vorstellung ausfiel: »... und sie mußte bewußtlos von der Bühne getragen werden. Und auch die Zuschauer, die die Spannung nicht ertragen konnten, verließen das Theater, so daß das Stück ohne die Hauptheldin vor einer Handvoll von ungewöhnlich hartgesottenen Zuschauern zu Ende gebracht wurde.«[111]

So stark auch die Anziehungskraft tragischer Gefühle war, so galt doch die höchste Begeisterung des Publikums im 18. Jahrhundert einer prunkvollen Ausstattung. Während Garrick Direktor des Drury Lane Theaters war, wurden vier üppig ausgestattete Pantomimen und Garricks reich ausgestattetes Stück »The Jubilee« gespielt; jedes lief länger als irgendein ernstes Drama, das während derselben Zeit gespielt wurde. Nach einem sehr kurzen Anfangserfolg mußten alle echten Kunstwerke, zu Garricks Bedauern sogar seine Shakespeare-Aufführungen, durch die Hinzufügung groß herausgebrachter und immer neuer Zwischenspiele wie Paraden, Maskenspiele und Tänze attraktiver gestaltet werden.[112] Dieser Wunsch der Leserschaft

110 Goldsmith, A Comparison between Sentimental and Laughing Comedy, a. a. O.
111 Zitiert bei John A. Kelley, German Visitors to the English Theaters in the Eighteenth Century, Princeton N. J. 1936, S. 55.
112 Pedicord, a. a. O., S. 135-39.

und des Theaterpublikums nach immer Neuem machte es beinahe jedem Schriftsteller möglich, einmal für einige Zeit Popularität zu erringen, vorausgesetzt, daß er sein Publikum überzeugen konnte, er biete etwas noch nie Dagewesenes. Pope versuchte, diese Opportunisten, die sich diesem Hang anpaßten, dadurch abzuschrecken, daß er sie unter Nennung von Namen und Titel öffentlich lächerlich machte. Aber er hatte den Vorteil für sich, daß er noch die literarische Szene zu Beginn des Jahrhunderts betrachten konnte, als sich seine Namen noch in einem einzigen Buch zusammenstellen ließen. Seine Nachfolger konnten mit der Flut nicht mehr auf die gleiche Weise fertig werden, daß sie jeden einzelnen Namen aufzählten, und waren deshalb gezwungen, sich weniger bestimmt auszudrücken.

Mittelmäßigkeit

Man kann den Gedanken, daß es zyklische Abläufe in der Kunst und in der Wissenschaft gebe, beinahe in jedem Zeitalter finden. Im England des 18. Jahrhunderts ist er, zusammen mit der Vorstellung, daß die eigene Zeit eine Zeit des Niedergangs sei, anscheinend zuerst von David Hume in seinem Essay über *The Rise and Progress of the Arts and Sciences* (1742) formuliert worden. Er behauptet, daß in dem Augenblick, in dem »die Künste und Wissenschaften in irgendeinem Staat ihren Höhepunkt erreichen...«, natürlicher- oder besser notwendigerweise ihr Niedergang einsetzen muß...«, von dem sie sich bei diesem Volk selten oder nie erholen werden...«[113]. Wenige Jahre später wiederholt Voltaire auf dem Festland Humes Gedanken, wenn auch etwas weniger dogmatisch: »Der Geschmack einer Nation kann verfallen und völlig verdorben werden; und es geschieht fast immer, daß die Periode seiner Vollendung seinem Niedergang vorangeht.«[114]

Weder Hume noch Voltaire scheinen ihre Gedanken über den Niedergang der Kultur unmittelbar mit dem wachsenden Publikum und der hierfür bestimmten Massenliteratur in Beziehung gebracht zu haben, obgleich Hume ausdrücklich sagt, daß der Hunger des Publikums nach Neuem »die Menschen weit von der Schlichtheit der

113 David Hume, The Rise and Progress of the Arts and Sciences, in: Philosophical Works, Band III, London 1826, S. 152.
114 Voltaire, a. a. O.

Natur wegführt und ihre Schriften mit einem affektierten und eingebildeten Wesen füllt«[115]. Aber andere Schriftsteller aus der Mitte des Jahrhunderts bezogen ihre Befürchtungen auf die neue Tyrannei der Publikumswünsche und die neue Hochflut der Massenliteratur. Unter den ersten Vertretern dieses Gedankens finden wir Pope und Swift, die ganz allgemein über den Mangel vieler Schriftsteller an literarischer Qualifikation klagen; wir finden weniger bedeutende Autoren, die sich über Dutzendschreiber und ihre Produktionsmethoden beklagen; und wir finden sowohl Leser als auch Schriftsteller, die sich über die Wertlosigkeit jener neuartigen Charaktere in Romanen beklagen, die in der Literatur des 18. Jahrhunderts auftauchen. Schließlich gibt es auch eine Gruppe von Philosophen und Schriftstellern, die ernstlich durch die Tatsache beunruhigt werden, daß infolge der Ausbreitung der Bildung jedermann Literaturkritiker werden kann, daß inkompetente Personen jetzt Urteile fällen und daß als Folge davon die literarischen Maßstäbe überhaupt zerstört werden könnten.[116]

Einige Zeit vor der Veröffentlichung der ersten Ausgabe von *The Dunciad* (1728) schrieb Pope an Swift, daß ihn vor allem die »kleinen« Schriftsteller der Welt ärgerten, die »parteiischen Schriftsteller, die langweiligen Dichter und die maßlosen Kritiker«. »Mein Ärger gilt den kleinen Schurken; es ärgert einen mehr, mit einem Nachttopf niedergestreckt zu werden als von einem Blitz ... Aber von Apothekengehilfen, von Angestellten der Untersekretäre der Sekre-

---

115 Hume, Of Simplicitiy and Refinement in Writing, in: Philosophical Works, a.a.O., Bd. III, S. 223.
116 In seinem Überblick über die englische Literatur des 18. Jahrhunderts in *Lectures on the History of Literature* (1838) bedauert Thomas Carlyle die Pfuscherei, die sich aus dem Warencharakter der literarischen Produkte ergibt, und reflektiert darüber, daß sie »alle Menschen« in Verwirrung stürzen werde: »...ein Beobachter sieht den Pfuscher fest etabliert; er sieht überall um sich herum die Wahrheit zu Boden getreten; in seinem eigenen Büro sieht er die Pfuscherei am Werke, und das, was mit Pfuscherei getan wird, wird besser getan als alles andere; bis er sich schließlich auch für diese Ordnung der Dinge entscheidet und sich in diese elende Schar aufnehmen läßt, begierig nach Profit, ohne Glauben – mit Ausnahme des Glaubens, der immer unter solchen Menschen vertreten wird, daß nämlich alles Käufliche mit Geld gekauft werden kann und daß das Vergnügen vergnüglich ist. Aber wehe über das Land und das Volk, das immer für alles, was es tut, Bezahlung erwartet! Es ist bitter, so etwas zu sehen... Alle Menschen werden dadurch in ihrem innersten Herzen in Verwirrung gestürzt werden.«

täre, die keine Sekretäre sind, zu Tode gespritzt zu werden, wie der arme Wycherly (der bedeutende Komödiendichter der Restauration war 1716 gestorben, Anm. des Verf.) auf seinem Totenbette zu mir sagte – das kann auch einen Hund ärgern, der so dumm wie Phillips selbst ist.«[117]

Das Ziel seines Buches war nach seinen eigenen Worten, die dummen Autoren »seiner Zeit zurückzuhalten und die böswilligen zu bestrafen«. Das Gedicht enthält direkte und oft sehr persönliche Angriffe nicht nur gegen die Schriftsteller, die Pope als zweitklassig ansah, sondern auch gegen Verleger, Reklameleute und Rezensenten, die durch die Förderung solcher Schriftsteller den Hunger des Publikums nach Unterrichtung und Neuigkeiten stillten. Die Heldin oder vielmehr die bête noire der Dunciad ist die Göttin der Dummheit, eine »arbeitsame, schwerfällige, geschäftige, dreiste und blinde Gottheit«, die in der literarischen Welt des 18. Jahrhunderts ihre Heimat gefunden zu haben scheint. Neben ihrem Hofstaat von Schriftstellern und Dutzendschreibern ist sie von einem Publikum umgeben, das Pope in die Kategorien der geschmacklosen Bewunderer, der Schmeichler und Dummköpfe, der Faulpelze und der kleinlichen Philosophen einteilt. Ziemlich am Anfang des Gedichtes fordert die Göttin die Dummköpfe auf, eine Gruppe von jungen Studenten zu belehren, die die Szene betreten. Als Folge ihrer Belehrung trinken die Jünglinge aus dem Becher, »der ihnen völliges Vergessen aller göttlichen, bürgerlichen, moralischen und vernünftigen Verpflichtungen bringt« und sie unfähig macht, eine schöpferische Rolle im Leben zu spielen.[118] Mit anderen Worten, die Zukunft der bürgerlichen Gesellschaft ist in Gefahr, weil die Studenten, auf denen die Hoffnung der Gesellschaft ruht, durch den sinnlosen, stupiden, unschöpferischen Lesestoff verdorben werden, der von Nichtskönnern produziert wird.[119]

Die zweite Ausgabe der Dunciad (1742) war erheblich weniger persönlich, aber zugleich weiter in ihrem Gesichtskreis, da sie über den eigentlichen Bereich der Literatur hinausging und sich dem Theater, der Oper und sogar der Erziehung und der Politik zuwandte. Beide Ausgaben richten insgesamt ihr Feuer gegen

117 Zitiert nach Sutherland, a.a.O., s. X-XI. John Phillips, 1631-1706, war wahrscheinlich ein Neffe von Milton.
118 Dunciad (B), a.a.O., S. 337-38.
119 Pope, First Epistle to ... Horace, a.a.O., S. 233.

bestimmte Schriftsteller. Und, worauf einer von Popes jüngsten Herausgebern hinwies, die von ihm angegriffenen »kleinen Schufte« der Literatur haben sein Urteil glänzend bestätigt, daß sie der Vergessenheit anheimfallen würden.[120]

Die Furcht vor einem Niedergang galt sowohl dem Roman als auch dem Drama. Die von Richardson und Fielding und später von Sterne und Smollet im Roman erreichten Leistungen galten als unvergleichlich gewichtiger als alles, was in den folgenden zwei oder drei Jahrzehnten des Jahrhunderts geschaffen wurde. Im Rückblick erschienen ihre Werke nicht als der Beginn eines neuen Zeitalters für den Roman, sondern als Höhepunkt. Es waren allerdings eher die ernst zu nehmenden Journalisten als die wenigen großen Persönlichkeiten der Literatur in der zweiten Hälfte des Jahrhunderts, die die Werke der minderwertigen Romanschriftsteller untersuchten.[121] *The Sylph* zum Beispiel, eine kurzlebige Essay-Zeitschrift, die gegen Ende des Jahrhunderts erschien, widmete ein ganzes Heft der eindrucksvollen Parodie derjenigen Methoden, nach denen volkstümliche Romane zusammengeschustert wurden: der Trick besteht darin, die Wörter mechanisch auf der Seite auszubreiten und sie ein wenig durcheinanderzumischen, damit sie Sätze bilden: »Je nachdem, wie sie angeordnet und zusammengestellt sind, entstehen Erzählungen, Wechselreden, Gefühlsausbrüche, Beschreibungen usw., und wenn eine sehr große Anzahl von ihnen ... zusammengezwängt sind, bezeichnet man das Ganze als Roman ...«[122]

Ein anderer Schriftsteller empfahl in der Weise Swifts, daß man Maschinen benutzen solle, um die Herstellung von Romanen zu vereinfachen; Mitarbeiter verschiedener anderer angesehener Zeitschriften aus der zweiten Hälfte des Jahrhunderts spielen häufig auf die Plagiate, Wiederholungen und Einflickungen an, aus denen sich häufig das als »Roman« bezeichnete Gebilde zusammensetzte. Einer

120 Sutherland, a.a.O., S. XLII.
121 In der Terminologie des 20. Jahrhunderts könnten wir sagen, daß dies ein typisches Beispiel für die Kritik der mittelmäßig Gebildeten an den Spießern ist. Die führenden Intellektuellen dagegen machten, wie wir sahen, keinen Unterschied, wenigstens nicht bis zum Ende des Jahrhunderts. Erst in Jane Austens Parodien der Schauerromane kann man eine Wendung der führenden Intellektuellen gegen die mittelmäßig Gebildeten sehen.
122 The Sylph, Nr. 19, zitiert nach J.T.Taylor, Early Opposition to the English Novel: The Popular Reaction from 1760 to 1830, New York 1943, S. 43.

murrte, daß durch die Menge der Romanschreiber alle Themen erschöpft wären; die Zeit des Romans sei vorüber:

»Die Herstellung von Romanen wird schon so lange betrieben, daß sie im allgemeinen nun zur Mittelmäßigkeit herabgesunken sind ... Wir sind dieser abgenutzten literarischen Gattung so überdrüssig, daß wir allen Gefallen an ihr verloren haben.«[123]

Man hat den Niedergang des englischen Dramas nach 1740 teilweise der Tatsache zugeschrieben, daß es in dieser Epoche keinen großen Dramatiker gab; aber es ist auch zu beachten, daß das Publikum aus breiteren sozialen Schichten bestand und zugleich künstlerisch weniger interessiert war als das Publikum der ersten Hälfte des Jahrhunderts.[124] Außerdem war, wie wir bereits angedeutet haben, der bürgerliche Realismus im allgemeinen auf der Bühne langweiliger als im Druck. Eine andere Ursache für den Niedergang des Theaters wurde darin gesehen, daß die baulichen Veränderungen, mit denen man für ein größeres Publikum Raum zu schaffen suchte, von Autor und Schauspieler eine Reihe von Anpassungen erforderten, die ein »gutes Theater« sehr erschwerten. Die Beleuchtung war trübe, die Akustik schlecht, und die Übertreibungen, die notwendig waren, um diese Mängel zu überspielen, verliehen tragischen wie komischen Stücken eine possenhafte Note.

Aber in den Augen vieler Künstler scheint die Zunahme der »Richter und Kritiker« am stärksten zu dem Niedergang in der Welt der Literatur beigetragen zu haben. Als die Fähigkeit des Lesens sich durch alle Schichten der Gesellschaft hindurch ausbreitete, schien jeder dazu berufen zu sein, Maßstäbe zu setzen und zu beurteilen; nach der Bemerkung eines Essayisten sind »Musikanten, Schauspieler, Sänger, Tänzer und selbst Handwerker alle Söhne und Töchter des Geschmacks ...«[125]. Oliver Goldsmith schickt seinem *Enquiry* die Bemerkung voran, daß er den Niedergang des Genius in seinem Zeitalter als unabwendbar ansehe, und er sieht die Schuld vornehmlich in der ständig steigenden Zahl von Kritikern oder Möchte-Gern-Kritikern.[126]

Anscheinend wühlten die Dilettanten im Publikum weit mehr als die berufsmäßigen Kritiker. Lange Zeit über waren die literarischen

123 Zitiert nach Tompkins, a.a.O., S. 5.
124 Bateson, a.a.O., S. 145.
125 Zitiert nach Allen, a.a.O., Band I, S. 110.
126 Goldsmith, Enquiry into the Present State, a.a.O., S. 58.

Maßstäbe einzig und allein eine Angelegenheit der Schriftsteller selbst gewesen, und die einzige Bedrohung ihrer selbstgesetzten Maßstäbe war die Nötigung, hin und wieder ein Lobgedicht für einen wohlhabenden Mäzen zu verfassen, falls sie in der glücklichen Lage waren, einen zu haben. Im letzten betrachtet, lief die Unruhe über die Stimme der Massen darauf hinaus, daß man sich um den Pessimismus Goldsmiths scharte – daß der Schriftsteller »unter dem Patronat der Buchhändler zu einem Wesen wird, das dem Druckereiarbeiter nur noch wenig voraus hat« – und seine optimistische Formulierung nicht akzeptierte: »Das Publikum als Ganzes betrachtet ist ein guter und großzügiger Herr.« Es lag aber nicht nur daran, daß jetzt »jedermann« literarische Urteile vernehmlich aussprach, sondern, schlimmer noch, es gab so viele Grade der Publikumsmeinung, daß die verschiedenen Geschmacksrichtungen für den Künstler als miteinander unvereinbar erschienen.

Von allen Seiten häuften sich die Klagen, Fielding schrieb: »Wie ist es möglich, zu gleicher Zeit Geschmacksrichtungen zu befriedigen, die so vollkommen einander entgegengesetzt sind?«[127] Und Garrick wandte sich mit den folgenden Zeilen an die verschiedenen Schichten seines Publikums: »Was sollen wir tun, um Eueren verschiedenen Geschmack zu treffen? Ihr findet Gefallen an der Satire (zum Parterre gewendet) und Ihr an geistvollen Ragouts (zu den Logen). Euer Geschmack gilt der Komödie und dem neuesten Witz der Saison (zur ersten Galerie), Ihr ruft nach der Hornpfeife und nach eisernen Herzen (2. Galerie).«[128] Warburton sympathisierte mit dem Schicksal der Dramatiker, »die oft wie Huren behandelt werden: sie werden vom Publikum bei ihrem ersten Erscheinen mit Entzücken und Begeisterung empfangen, aber nach näherer Bekanntschaft werden sie nur noch sehr kühl aufgenommen, obwohl sie nunmehr große Fortschritte in der Kunst zu gefallen gemacht haben«[129].

In seiner Rolle als Regisseur wies Cibber als erster auf eine neue Betrachtungsweise des Publikums hin, die letztlich einen Kompromiß zwischen den Maßstäben des Künstlers und den verschiedenen Geschmacksrichtungen des Publikums ermöglichen sollte. In einer seiner *Two Dissertations on the Theatre* spricht er über »die Stadt«,

127 Fielding, »Prologue«, The Universal Gallant, a.a.O., Bd. III, S. 165.
128 Garrick, Epilogue to Arthur Murrays All in the Wrong, a.a.O., Bd. I, S. 173-174.
129 Zitiert nach Pedicord, a.a.O., S. 119.

womit das Publikum allgemein bezeichnet wurde. Wenn man einen Autor oder einen Schriftsteller persönlich frage, wen er mit diesem Begriff meine, so werde er, nach Auffassung Cibbers, sagen, daß er die »wenigen Urteilsfähigen« meint – aber wenn man ihn auffordere, diese wenigen Urteilsfähigen näher zu bezeichnen, werde man finden, daß jeder auf seine jeweiligen Freunde hinweise, auf »jene, die seine Vorstellungen bewundern und in den Himmel heben«. Fragt man einen Theaterleiter, so werde er ebenfalls auf diejenigen Meinungen in »der Stadt« verweisen, die ihm am angenehmsten sind und seinen Wünschen am meisten entsprechen. Cibber fährt fort, daß, genau betrachtet, die Sache jedoch nicht so einfach sei. Man müsse verschiedene Einflußebenen innerhalb des Publikums unterscheiden. Unabhängig von ihrer gesellschaftlichen Stellung bilden jene die wirklichen Führer der öffentlichen Meinung, die am Theater interessiert sind und es in ihren jeweiligen Zirkeln fördern. »Ich glaube, man muß annehmen, daß die Stadt alle Arten von Menschen vom höchsten Aristokraten bis zum niedersten Handwerker umfaßt, soweit sie in ihren verschiedenen gesellschaftlichen Positionen dramatische Darbietungen fördern. Zur Stadt gehören also alle Personen, die, gleich ob von adliger, bürgerlicher oder niederer Herkunft, ihre Plätze bezahlen und die Logen, den Zuschauerraum und die Galerien bei der Aufführung eines Dramas füllen.«[130] In gewisser Weise könnte aus Cibbers Bemerkungen eine Verteidigung der Demokratie im Bereich der Kunst herausgelesen werden. Angesichts des Dilemmas, das das wachsende bürgerliche und kleinbürgerliche Publikum mit sich brachte, versuchten noch viele andere begabte Künstler theoretische Gründe zu finden, die diesen pluralistischen Gesichtspunkt stützen könnten. Aber die Aufgabe war schwierig, und man mußte sowohl Klassenschranken als auch ästhetische Schranken in Rechnung ziehen.

In der ersten Hälfte des Jahrhunderts kämpfte die bürgerliche Klasse erfolgreich darum, ihre Werte und Interessen gegenüber den vom Adel vertretenen geltend zu machen. Die wachsende Industrialisierung und die neue Bedeutung, die in der zweiten Hälfte des Jahrhunderts dem Arbeiter gegeben wurde, brachte jedoch eine Verschiebung des Blickpunktes mit sich: In der bürgerlichen Klasse entstand jetzt der Verdacht, daß der gefährlichste Feind nicht oben, sondern unten

130 Theophilus Cibber, Two Dissertations on the Theatres, London 1756, S. 5.

stehe. Und obwohl die Klassengrenzen in der literarischen Welt nicht scharf gezogen waren, waren sie doch auch wieder nicht völlig verwischt.

Als die Armen- und Sonntagsschulen ihr Werk begannen und der Anteil der Lesekundigen unter den Arbeitern und Bauern stieg, wurde die Frage, wer lesen solle, bald noch strittiger als die, worüber man zu schreiben habe. In diesem Falle scheint freilich die Besorgnis nicht unter den Literaten entstanden zu sein.[131] Soweit eine Zurechnung überhaupt möglich ist, scheint sie vielmehr unter den Nicht-Intellektuellen der bürgerlichen Schicht aufgekommen zu sein. Die von ihnen aufgezeigten Probleme waren nicht ästhetischer Art; sie fürchteten nicht, daß die Literatur verdorben werden könnte, wenn man dem Geschmack und den Fähigkeiten eines Arbeiterpublikums entgegenkommen wollte. Das Problem war eines der ökonomischen Selbstbehauptung: Daß die Arbeiter infolge eines starken Hanges zur Lektüre schließlich die bloß körperliche Arbeit verabscheuen würden.

Der Kern des Arguments gegen das Lesen der Arbeiter bestand in dem Gedanken, daß die Armen nur so lange lenksam und nützlich bleiben, als sie zu »einem gewissen Grad in Unwissenheit« erhalten werden. Man könnte vielleicht die Bibel zulassen, aber jede andere Art von Lektüre werde mit hoher Wahrscheinlichkeit die Arbeiter mit »der körperlichen Arbeit« unzufrieden machen, die »bestimmt ist, ihr Leben auszufüllen«[132]. Die vorgeschlagenen Abhilfemaßnahmen reichten von einer völligen Einstellung allen Leseunterrichts für die Kinder der niederen Klassen bis zu einer Zensur ihrer Lektüre, so daß ihnen nur noch religiöse Schriften zugänglich wären. Ein Brief an den Herausgeber des *Gentleman's Magazine* schlug eine recht modern klingende Methode der Zensur vor: Eine Buchprüfungskommission sollte eingesetzt werden, die eine anerkannte Leseliste für Jugendliche, Arbeiter und andere Angehörige der »niederen Schichten« zusammenstellen sollte. Das Komitee, das aus »würdigen Persönlichkeiten« bestehen sollte, würde die jährliche Romanproduktion lesen, seine Listen in »monatlichen Ausgaben« veröffentlichen

---

131 Samuel Johnson z. B., der von einem reichen Bekannten gefragt wurde, ob die Arbeiter weniger arbeitswillig sein würden, wenn sie die Schule besuchten und lesen lernten, antwortete mit einem eindeutigen Nein.

132 Taylor, a. a. O., S. 101 ff.

und auf »Werke mit ungeeigneter Tendenz offen hinweisen und verdienstvolle empfehlen«[133].

In dieser Atmosphäre also aus ästhetischen und Klasseninteressen vollzog sich die Diskussion über den Geschmack – worin besteht er, wer hat ihn, wie kann man ihn erwerben?

V Die Verteidigung

Im 17. und am Beginn des 18. Jahrhunderts neigte die langsam sich ausbreitende bürgerliche Oberschicht, die aus wohlhabenden Geschäftsleuten bestand, dahin, sich mit dem ästhetischen Geschmack und Ziel der Aristokratie zu identifizieren. Es war für die Schriftsteller nicht notwendig, sich den erklärten Interessen dieses neuen Publikums anzupassen, da es von dem bereits vorhandenen ununterscheidbar war. Die Probleme der Literaten hatten weniger mit der Frage zu tun, wer die Literatur beurteilen sollte, als mit der Rolle der Literatur im Verhältnis zu anderen geistigen Tätigkeiten, mit den Abgrenzungen der verschiedenen Gattungen und mit der Stellung des Dichters im Gesamtzusammenhang der Dinge. So konnte die Frage gestellt werden, ob der Dichter den Philosophen in seiner Tätigkeit als Lehrer übertreffe (im 16. Jahrhundert): oder nach der Stellung von Dichter und Wissenschaftler im Vergleich zueinander (im 17. Jahrhundert); oder ob die klassischen Regeln die einzigen legitimen Maßstäbe seien, die bei der Beurteilung eines literarischen Werkes angelegt werden dürften (im frühen 18. Jahrhundert).

Bis zur Mitte des Jahrhunderts war eine bürgerliche Schicht, die nicht mehr nur aus Geschäftsleuten und Grundbesitzern, sondern aus Ladenbesitzern, Angestellten, Handlungsgehilfen und Bauern bestand, in steigendem Maße wohlhabend, gebildet und ehrgeizig geworden. Ihre literarischen Interessen waren nicht notwendig mit denen der oberen Klassen identisch, ihre Bildungsvoraussetzungen auf jeden Fall primitiver, ihre Bildungsansprüche zur gleichen Zeit deutlich spürbar.

Das neue Publikum besaß keine gediegene klassische Bildung, und es interessierte sich mehr für die Schaustellung von Gefühlen als für vernünftige Argumente. Auch ließ der bürgerliche Realismus keinen

133 Taylor, a. a. O., S. 97.

Raum mehr für die Freude an rein geistigen Beschäftigungen. Das Ziel hieß vorwärtskommen, durch den Erwerb praktisch verwertbarer Kenntnisse seine Chancen verbessern – eine Tendenz, die ihren Höhepunkt im 19. Jahrhundert in der Manie des statistisch Beweisbaren und unmittelbar Nützlichen erreichen sollte, in jener Art von Handbüchern und Leitfäden für jede nur mögliche Tätigkeit, die Matthew Arnold als so schockierend empfand und von der er sich mit dem hochmütigen Satz distanzierte: »Die Kultur wirkt auf andere Weise.« In einer solchen Lage wurden die Trennungslinien zwischen Kunst und Leben, Literatur und Überredung, ästhetischem und Gefühlserlebnis nur zu leicht verwischt und oft ununterscheidbar.[134] Nach der Mitte des Jahrhunderts ist deshalb die Stellung des Kritikers keineswegs mehr eindeutig. Er kann über die Qualitäten eines Buches sprechen, über die geistigen und seelischen Prozesse, die an seiner Produktion Anteil hatten, oder über den kritischen Prozeß seiner Bewertung – aber ganz gleich, auf welche Weise er an das Werk herangeht, selten verfehlt er, die Erfahrung des Lesers oder verschiedener Lesertypen in Betracht zu ziehen.[135] Kurz, seitdem die Schriftsteller beruflich völlig von dem Interesse, dem Wohlwollen und den Kaufgewohnheiten eines breiten Publikums abhingen, begannen sie, sich ernsthaft darüber Gedanken zu machen, in welcher Weise dieses Publikum literarische Produkte aufnahm und welche Rolle es bei der Formulierung literarischer Maßstäbe spielte. Für den Schriftsteller wie für das Publikum, von dem er abhing, bestand die Frage darin, zwischen dem Weizen der echten Kunst und der Spreu des Kitsches zu unterscheiden.

Mitte des 18. Jahrhunderts waren die meisten Schriftsteller Angehörige des Bürgertums, das im Verlauf der industriellen Revolution zu sich selbst kam. Sein empiristischer Geist bestimmte auch die Haltung dieser Schriftsteller gegenüber literarischen Problemen; und die Methoden, mit denen sie den Forderungen eines immer differenzierteren Publikums gerecht zu werden suchten, waren ebenso vielfältig wie der Geschmack dieses Publikums selbst. Sie reichten von Oliver Goldsmiths Überzeugung, daß der allgemein erhobene Anspruch auf Geschmack eine korrumpierende Wirkung haben werde, bis zu Edmund Burkes Glauben an die Idee demokratischer Gleichberechti-

---

134 René Wellek, Geschichte der Literatur-Kritik 1750-1830, Neuwied 1959, S. 36.
135 Sherburn, a. a. O., S. 997.

gung auch im Hinblick auf die literarischen Maßstäbe. Um die Mitte des Jahrhunderts konnte jeder bekanntere Schriftsteller auf wenigstens einen Essay – oft aber auf einen ganzen Band – zum Thema des Geschmacks hinweisen.

Goldsmith stellte sich die Frage, ob nicht der »natürliche« gute Geschmack durch die zahlreichen Beispiele eines »schlechten« Geschmacks verdorben werde, die gerade für »den ungeschulten Geist und die jugendliche Einbildungskraft« von so einzigartiger Anziehungskraft seien.[136] Aber trotz seiner verächtlichen Bemerkungen über die tatsächlichen Fähigkeiten des Theaterpublikums schrieb Goldsmith doch dem Publikum seiner Zeit gewisse »eingeborene« Urteilsmaßstäbe zu, die ebensogut verdorben wie auch gebildet werden könnten. Während Fielding zwar zustimmte, daß der »natürliche Geschmack« verdorben werden könne, drückte er zugleich noch deutlicher als Goldsmith jenen für die Schriftsteller des 18. Jahrhunderts kennzeichnenden Fortschrittsglauben aus, wenn er beschreibt, wie die »kleinen Samenkörner des Geschmacks«, die praktisch in jedem Menschen vorhanden sind, durch Übung und Erziehung fruchtbar gemacht werden können. Fielding fährt mit dem Versprechen fort, daß er »wahrscheinlich... in einem späteren Aufsatz versuchen wird, einige Regeln aufzustellen, durch die alle Menschen ein gewisses Maß an Geschmack erwerben können«[137]. Daß dieser Aufsatz nicht geschrieben wurde, kann als ein Hinweis darauf gelten, auf welche Schwierigkeiten der Versuch traf, jene Urteilsprinzipien aufzufinden und zu beschreiben, von denen man annahm, daß sie allen Menschen gemeinsam seien.

Einer der auffälligsten Züge im Denken um die Mitte des 18. Jahrhunderts war der Glaube an die Möglichkeit, die menschliche Natur zu vervollkommnen, der mit dem Glauben an den materiellen Fortschritt Hand in Hand zu gehen schien. Verschiedene Schriftsteller begannen sich zu fragen, ob es nicht möglich sei, daß nur der Mangel an geeigneter Erziehung das Publikum daran hindere, sich zu echter Kennerschaft zu entwickeln.

136 Goldsmith, Taste, a.a.O., S. 314-15.
137 Fielding, Covent Garden Journal, Nr. 10, a.a.O., S. 29.

Drei Wege wurden auf der Suche nach gemeinsamen Prinzipien beschritten: 1.) der Rückgriff auf das Gefühl einer »inneren Überzeugung«, daß es solche Prinzipien geben müsse; 2.) der Versuch, ihre Existenz zu beweisen, indem man sie von gewissen Beispielen ableitete; 3.) die Bemühung, sie abzuleiten, indem man ihre Wirkung bestimmte. Nirgends jedoch ging ein Analytiker des Geschmacks so weit, daß er beschrieb oder definierte, wie diese Prinzipien denn nun tatsächlich lauteten.

Die erste dieser drei Methoden – das Argument der inneren Überzeugung – zeigte sich schon früh im 18. Jahrhundert und suchte ihre Gültigkeit zu erhärten, indem sie auf »einfache« Menschen hinwies, die klares Urteil und echten Geschmack zeigten. In einer Vorwegnahme der Bewunderung, die später dem »natürlichen« Menschen, dem »edlen Wilden« und dem »unverdorbenen Kind« entgegengebracht wurde, hatte z. B. der *Tatler* eine junge Frau vorgestellt, »die einen natürlichen Verstand besaß, der sie zu einem besseren Richter als tausend Kritiker machte«. Und der *Guardian* stellte einen Fußsoldaten als den »höflichsten britischen Zuschauer« heraus, »und zwar durch die Kraft der Natur, unbefleckt von den Fehlern einer schlecht angewendeten Erziehung«[138]. Später gründeten Hume und Edmund Burke (dieser in seinem frühen Werk über Ästhetik) ihre Vorstellung von einem allen Menschen gemeinsamen Geschmack auf ihre eigene innere Überzeugung, daß universale Maßstäbe existierten. In seinem *Essay on Taste* bestimmte Burke zunächst seinen Gegenstand »als die Fähigkeit oder Fähigkeiten des Geistes, die durch die Werke der Einbildungskraft und die schönen Künste angerührt werden oder ein Urteil über sie fällen«. Das Ziel der Untersuchung ist »herauszufinden, ob es irgendwelche Prinzipien für die Tätigkeit der Einbildungskraft gibt, die so allgemein, so wohl begründet und so gewiß sind, daß sie uns die Möglichkeit geben, unseren Verstand exakt auf sie anzuwenden. Und ich bin überzeugt, daß es solche Prinzipien des Geschmacks gibt...«[139] Wir können jedoch gleich sehen, daß Burke seinen Essay zwar mit einer Erörterung derjenigen menschlichen

138 Addison, Tatler, Nr. 165; Guardian, Nr. 19. British Essayists, Bd. III, 319; XIII, 162.
139 Edmund Burke, Essay on Taste, in: Band XXIV der Harvard Classics, New York 1909, S. 13.

Fähigkeiten fortsetzt, die beim Erwerb des Geschmacks beteiligt sind, daß er aber weder irgendwelche besonderen Prinzipien herausanalysiert, noch nachweist, daß ihnen allgemeine menschliche Vermögen zugrunde liegen. In ähnlicher Weise forderte Hume die Allgemeingültigkeit des Geschmacks. Alle Menschen, deren »Organe« in Ordnung sind, haben eine »beträchtliche Gleichförmigkeit der Empfindungen«, und von dieser Gleichförmigkeit »können wir einen Begriff von der vollkommenen und allgemeinen Schönheit herleiten«[140]. Aber auch Hume gelang es nicht, allgemeine ästhetische Prinzipien zu bestimmen.

Selbst die, die im Abstrakten entschieden an der Idee einer Einheitlichkeit des Geschmacks festhielten, konnten beträchtliche Meinungsverschiedenheiten nicht vermeiden, wenn es darum ging, ein gegebenes Werk zu beurteilen. Wenngleich es ihnen nicht gelang, die gesuchten allgemeinen Prinzipien zu bestimmen, konnten sie doch wenigstens jene Geschmacksrichtungen beschreiben und versuchen, sie hinwegzuerklären, die so abweichend waren, daß sie nicht als Äußerungen der angenommenen Prinzipien angesehen werden konnten. Burke, dessen Meinung einige Jahre später fast Wort für Wort von dem schottischen Literaturkritiker Hugh Blair wiederholt wurde, nahm bei der Erörterung dieser Abweichungen seine Zuflucht zu einer Analogie mit dem Geschmackssinn. Er wies darauf hin, daß man vielleicht einen Menschen finden könne, der unfähig sei, zwischen Milch und Essig zu unterscheiden oder der Tabak und Essig als süß, Milch als bitter und Zucker als sauer bezeichne. Von einem solchen Menschen nun, meinte Burke, könne man weder sagen, daß er Geschmack besitze, noch daß er keinen besitze. Er sei ganz einfach »völlig verrückt«: »...wenn man behauptet, daß sich über den Geschmack nicht streiten lasse, so kann das nur bedeuten, daß man von einem bestimmten Menschen nicht genau sagen kann, welchen Genuß oder welches Mißfallen ihm der Geschmack einer bestimmten Sache bereitet... aber wir können mit genügender Klarheit darüber diskutieren, welche Dinge von Natur aus für unsere Sinne angenehm oder unangenehm sind«[141].

140 Hume, On Taste in Four Dissertations, a.a.O., S. 215 (Von der Grundregel des Geschmacks, a.a.O., S. 249f).
141 Burke, a.a.O., S. 14-15. In seinen »Lectures on Rhetoric« schreibt Blair: »Wenn es irgend Jemandem einfiele zu behaupten, der Zucker sey bitter, und der Tobak sey süße so würden alle seine Schlüsse wodurch er uns dieses beweisen

Es war jedoch Lord Kames, der am eindeutigsten die innere Überzeugung als »Beweis« für die Existenz einer Gruppe von allgemeinverbindlichen künstlerischen Maßstäben in Anspruch nahm. Als er freilich seinen Glauben zu beweisen versuchte, entfernte er sich weit von seinem Begriff der Allgemeingültigkeit.

Wie die meisten Kritiker und Philosophen, die die Vielzahl der Geschmacksrichtungen im Publikum des 18. Jahrhunderts auf einen gemeinsamen Nenner zu bringen versuchten, stellte Kames zunächst fest, daß es eine »allgemeingültige Überzeugung« im Bereich der Moral gebe, und behauptete dann, daß »diese Überzeugung von einer gemeinschaftlichen Natur oder Regel einen nicht weniger deutlichen Grund des Begriffes gibt, den wir von einem richtigen und einem unrichtigen Gefühl oder Geschmack in den schönen Künsten haben«. Die extremen Abweichungen schiebt Kames in derselben Weise beiseite wie Burke: »Ein Mensch, der allgemein angenehme Gegenstände verwirft, und sich an allgemein unangenehmen Gegenständen ergezt, wird als ein Ungeheuer angesehen«. Sein Hauptargument für das Vorhandensein eines einheitlichen Geschmacks bildet die Tatsache, daß Kunstwerke als solche anerkannt werden: die Natur hat uns »mit dieser Einförmigkeit des Geschmacks gebildet...; die schönen Künste würden nie eine Figur haben machen können, wenn nicht diese Einförmigkeit (sc. des Geschmacks) das Übergewicht in unserer Natur hätte«. Die »Überzeugung von einer gemeinschaftlichen Regel macht einen Teil unserer Natur aus«[142].

Eine weitere Bestätigung der Theorie von der inneren Überzeugung wurde gelegentlich mit Hilfe gewisser »Testfälle« unternommen. Kulturprodukte existieren; diejenigen unter ihnen, die von allgemeinem Interesse sind und die Prüfung durch die Geschichte bestanden haben, können als ein Beweis für die Existenz allgemeingültiger Maßstäbe angesehen werden. Schon Addison hatte den Universalitätstest vorweggenommen: Die Tatsache, daß er, ein gebildeter

wollte, vergebens seyn. Niemand würde anstehen, den Geschmack eines solchen Menschen für unnatürlich und verdorben zu halten, und das aus keiner andern Ursache, als weil er von dem Geschmacke des übrigen Theils seiner Gattung so gänzlich abweichend befunden würde« (Hugo Blairs Vorlesungen über Rhetorik und schöne Wissenschaften, Erster Theil, Liegnitz und Leipzig 1785, S. 48).
142 Henry Home, Lord Kames, Elements of Criticism, Bd. III, Edinburgh 1772, S. 358-65. Zit. nach der deutschen Ausgabe: Heinrich Home, Grundsätze der Critik, Dritter Theil, Leipzig 1766, S. 434-441.

Engländer, sich an den Volksliedern aller Länder, durch die er reiste, erfreuen konnte, war ein Beweis dafür, daß alles, was von »einer Menge« als gut empfunden wird, nach einem allgemeinen Maßstab beurteilt worden sein muß: »Die menschliche Natur ist in allen vernünftigen Wesen gleich; und alles, was ihr entspricht, findet auch Bewunderer unter Lesern von jedem Bildungsgrad und jeder Stellung.«[143] Joshua Reynolds griff dieses Argument in seinen *Discourses* wieder auf – man kann alle Geschmacksfragen durch einen Rückgriff auf das der ganzen Menschheit gemeinsame »Vernunftvermögen« entscheiden. Auch er vermied die Frage, welche Maßstäbe, Prinzipien oder Kriterien dieses allgemeine Vernunftvermögen bilden. Er sagte nur, daß je besser ein Schriftsteller mit den Werken verschiedener Epochen und verschiedener Länder vertraut sei, er desto wahrscheinlicher diese unbestimmten, aber einheitlichen Maßstäbe auffinden werde. Dem Test der Allgemeinheit fügte Reynolds den Test der Dauer hinzu. »Was gefallen hat und noch gefällt, wird auch weiter gefallen; hiervon lassen sich die Regeln der Kunst ableiten.«[144] Wenn man, wie die meisten Schriftsteller der Jahrhundertmitte offensichtlich taten, diese beiden Beweise für allgemeinverbindliche künstlerische Maßstäbe annimmt, so folgt daraus, wie Hugh Blair in seinen *Lectures on Rhetoric* sagt, daß man wegen der Maßstäbe des Geschmacks die Meinung der Mehrheit befragen muß. »Das, was die Menschen am einstimmigsten bewundern, muß ohne Zweifel für schön gehalten werden. Derjenige Geschmack, welcher mit den allgemeinen Empfindungen der Menschen zusammenstimmt, muß als richtig und wahr gelten. Dies ist also der Maßstab, an welchen wir uns halten müssen. Das allgemeine Gefühl der Menschen kann einzig und allein für die höchste Entscheidung in Sachen des Geschmacks gehalten werden (und hat) über den Geschmack der Einzelnen zu entscheiden.«[145]

So erwiesen die Schriftsteller der Jahrhundertmitte ihrem neuen Herrn, dem breiten Publikum, ihre Reverenz. Aber die Diskussion endete nicht mit dem Glauben an einen gemeinsamen Nenner.

Lord Kames' Schriften, zumal die *Elements of Criticism*, beleuchten die Verwirrung, in der sich diejenigen befanden, die die Wirkung der

143 Addison, Spectator, Nr. 70, a.a.O., Bd. I, S. 215.
144 Zitiert nach Gallaway, a.a.O., S. 53.
145 Hugh Blair, Lectures on Rhetoric, Bd. I, Basel 1801, S. 34-35 (dt. a.a.O., S. 47-48).

allgemeinen Prinzipien zu beschreiben suchten.[146] Er beginnt damit,
die uns mittlerweile vertraut gewordenen Begriffe »allgemeine
Natur«, »allgemeine Vernunft« und »allgemeine Maßstäbe« mit dem
guten Geschmack gleichzusetzen. Kames bemerkt, daß im großen
und ganzen jeder Mensch wisse, daß solche Maßstäbe existieren.
Gleich Burke und Blair tadelt er den Geschmack des einzelnen,
dessen Urteil davon abweicht: »Wir verurteilen mit Recht jeden
Geschmack, der von dem abweicht, was durch den allgemeinen
Maßstab festgelegt ist.« Damit fordert er zugleich, daß das geheimnisvolle »Wir« (das auch in Burkes Bemerkungen über den
Geschmack erscheint) mit dem Recht zu verurteilen ausgestattet
sei.

Die entscheidende Frage ist aber, wer denn dieses »Wir« bildet. Und
hier beginnt nun Kames, obwohl er den Begriff »allgemeine« Maßstäbe gebraucht, zu unterscheiden. Im Bereich des moralischen
Urteils, meint er, könne man sich auf die Maßstäbe »eines jeden«
verlassen. Wenn es allerdings um das Urteil in der Literatur und in
der Kunst gehe, sei es kaum erlaubt, »unterschiedslos Stimmen zu
sammeln«. Im Reich der Ästhetik muß eine »behutsame Wahl«
getroffen werden. Trotz seiner anfänglichen Annahme einer »universalen Überzeugung« schließt Kames dann doch den größeren Teil der
Menschheit ausdrücklich von dem Recht aus, zu dem »allgemeinen«
Maßstab beizusteuern. Schien es, daß er von einer demokratischen
Voraussetzung ausgehe, so errichtet Kames nun überaus starre
Klassenschranken: »Insbesondere besitzen die, die ihren Lebensunterhalt durch körperliche Arbeit verdienen, keinerlei Geschmack.«
Sie können an der Formulierung der moralischen Prinzipien teilha-
ben, und sie müssen sich ihnen unterordnen, aber sie haben keine
Stimme in der Welt der Kunst und der Literatur.[147] Aber Kames gibt
sich mit der Zurückweisung der Arbeiter noch nicht zufrieden. Auch

146 A.a.O., S. 47-48.
147 Das ist weit von den undifferenzierten Feststellungen Addisons entfernt, die
er im frühen 18. Jahrhundert traf, ehe das Bürgertum durch den Kauf literarischer
Werke seinen Geschmack deutlicher bestimmte. Bevor er feststellte, daß »die
menschliche Natur in allen vernünftigen Wesen gleich ist«, hatte Addison gesagt:
»... es ist unmöglich, daß eine Menge, und sei sie auch nur der Abschaum einer
Nation, übereinstimmend einen Gegenstand für wertvoll halten oder billigen
kann, wenn dieser nicht die besondere Eigenschaft in sich birgt, den Geist des
Menschen zu erfreuen und zu erheben« (Spectator, Nr. 70, a.a.O.).

andere besitzen in kulturellen Angelegenheiten kein Stimmrecht. Das extreme Gegenteil bilden die Reichen und Verschwender, die sich eines auffälligen Aufwands erfreuen und moralisch wie ästhetisch »wollüstig« sind; auch sie werden disqualifiziert. Da das offenbare Ziel dieser Oberschicht darin besteht, »die Gaffer zu erstaunen und zu demütigen«, können sie kein Verständnis für die »feinen und zarten Gefühlsnuancen in den schönen Künsten haben«. Übrig bleiben diejenigen Individuen, die sich streng von den niederen Schichten getrennt halten, zugleich aber auch gegenüber der aus der Restaurationszeit überlebenden Aristokratie keinen Neid hegen und sie samt ihrem antiquierten Lebensstil nicht nachzuahmen suchen. Schließlich können innerhalb der Gruppe, die jetzt die Mittelklasse heißt, auch nur diejenigen Kunstrichter werden, die »einen guten natürlichen Geschmack besitzen ... der durch Erziehung, Nachdenken und Erfahrung gebildet worden ist.« Mit anderen Worten, nur die geistige Elite ist dazu befähigt, kulturelle Werke zu beurteilen. Wir haben hier also ein deutliches Beispiel, wie der Intellektuelle seine gesellschaftliche Rolle als Mentor und kultureller Führer der neuen bürgerlichen Gesellschaft bestimmt.

Nachdem Kames die Fähigkeit zum ästhetischen Urteil auf eine kleine Gruppe Auserwählter beschränkt hat, kehrt er zu seinem Ausgangspunkt zurück und versichert seinen Lesern erneut, daß die gute oder schlechte Qualität eines Kulturprodukts klar erkennbar sei und daß »die Menschheit« zur Unterscheidung fähig sei. Seine Elitetheorie wird durch eine Verschiebung wieder demokratisiert: Man müsse nur warten, bis die jetzt von den wenigen Auserwählten formulierten und angewendeten Maßstäbe von der ganzen Menschheit als allgemeinverbindlich anerkannt werden. Und Kames ist zuversichtlich, daß diese Zeit kommen werde.

Es war die Leistung David Humes, am schärfsten die widersprüchliche Position herauszuarbeiten, in der sich diejenigen befanden, die nach allgemeinverbindlichen Kriterien für die Beurteilung der Kunst suchten. Hume stellte fest, daß die Prinzipien des Geschmacks allgemeingültig »und beynahe, wo nicht gänzlich einerley bey allen Menschen sind«; aber er beendete diesen Satz mit der Bemerkung, daß »doch nur wenige geschickt (sind), von einem Werk der Kunst zu urtheilen, oder ihre eigene Empfindung zur Grundregel der Schönheit zu setzen«[148].

148 Hume, On Taste, a.a.O., S. 228 (dt. a.a.O., S. 263).

Kames, Hume und Blair sind die bedeutendsten unter den Kritikern, die von dem Gedanken – oder der Hoffnung – ausgehen, daß die Maßstäbe zur Beurteilung literarischer oder anderer Kulturprodukte allen Menschen gemeinsam sind und schließlich fast zu dem entgegengesetzten Schluß gelangen: »Alle« sind in Wirklichkeit nur einige Auserwählte. Andere Schriftsteller und Kritiker, die mit gleich geringem Erfolg nach einem allgemeinen, demokratischen Prinzip gesucht hatten, entgingen dem Dilemma, indem sie neue Vorstellungen entwickelten, die sich am besten unter dem Oberbegriff einer »Idee der Mannigfaltigkeit« subsumieren lassen.

Von der Allgemeinheit zur Mannigfaltigkeit

Um es kurz zu wiederholen: Wir haben drei Phasen in der Diskussion über das neue Publikum und die für seinen Bedarf geschaffenen literarischen Werke unterschieden. Zuerst gab es eine Periode der Hoffnung, in der die Literaten darauf warteten, daß die ästhetischen Anlagen des Publikums die Entwicklung seiner eigenen moralischen Neigungen einholen würden. Es folgte eine Periode des »Opportunismus«, in der in rascher Folge neue Schriftsteller und neue Werke auftauchten und in der die Literaten eine Politik des aufmerksamen Abwartens betrieben. Daran schloß sich eine Periode der Bestürzung unter den Intellektuellen an, während der das Publikum und die neuen Massenmedien scharf kritisiert wurden. Die Auseinandersetzung über den »Geschmack« könnte als eine vierte Periode angesehen werden. Wie wir sahen, wurde diese Diskussion von ihren Teilnehmern in der Hoffnung geführt, daß die mannigfachen Unterschiede im Geschmack und das unbestreitbar niedrige Geschmacksniveau mancher Gruppen des Publikums eher scheinbar als wirklich seien und daß sich schließlich doch grundlegende Prinzipien finden ließen, über die Künstler und Publikum sich einigen könnten. Aber die Untersuchung führte nur zu einem mehr oder minder allgemeinen Übereinkommen: Alle diejenigen literarischen und künstlerischen Schöpfungen, die sich über die Zeiten hin erhalten haben, sind »gut«, ganz gleich, ob es sich um Volkslieder oder um griechische Plastik handelt, und die Tatsache, daß eine gewisse Anzahl solcher Werke sich erhalten haben, dient als Beweis, daß allgemeingültige Maßstäbe des Urteils existieren. Diese Behauptungen konnten freilich nur wenig dazu beitragen, den Konflikt zwischen der Integrität des Künstlers und den Neigungen des Publikums, das ihn bezahlte, zu lösen. Die Untersuchung führte jedoch zu der weitverbreiteten Überzeugung, daß in allen Diskussionen über literarische Maßstäbe die Erfahrungen des Publikums berücksichtigt werden müßten.

Als die Suche nach allgemeinverbindlichen Maßstäben nachließ, traten psychologische und beschreibende Begriffe wie Anschauung, individuelle und nationale Unterschiede und »relative« oder »historische« Gesichtspunkte immer auffälliger in den Werken der Kritiker auf. Diese schenkten dem Bedürfnis nach Genuß, Unterhaltung, Zerstreuung und Erholung immer mehr Aufmerksamkeit. Der Nachdruck wurde also immer mehr darauf gelegt, die Erfahrungen des Publikums zu analysieren, als ob man hoffte, daß eine Untersuchung der vom Leser erfahrenen Befriedigungserlebnisse zu neuen Erkenntnissen über die Natur der »allgemeingültigen« Maßstäbe führen werde.

Es ist eine müßige Frage, inwieweit diese Verlagerung des Akzents sich aus der Abhängigkeit des Schriftstellers von seinem Publikum ergab und inwieweit sie sich auf das Fehlen eindrucksvoller literarischer Persönlichkeiten zurückführen läßt. Fielding stellte eine fast schon soziologische Theorie der »großen Persönlichkeit« auf. In einem Artikel über das »Reich der Literatur« im *Covent Garden Journal* ging er der allgemeinen Lage der Literatur in verschiedenen geschichtlichen Perioden nach. So gab es zuerst eine »geistliche« Demokratie; dann eine Periode des Absolutismus, die mit dem politischen Absolutismus im Zeitalter Heinrichs VIII. zusammenging; drittens die Zeit einer literarischen Aristokratie, die von Shakespeare, Ben Jonson, Beaumont und Fletcher eingeleitet und zunächst von Dryden und später von Pope, in dem Fielding immer einen literarischen Autokraten sieht, fortgesetzt wurde.

Aber die eigene Epoche ist für Fielding durch den Niedergang der literarischen Führung charakterisiert: »Nach dem Tode König Alexanders fiel das Reich der Literatur in einen Zustand der Demokratie oder, genauer, der völligen Anarchie zurück ...«[149]

So nachdrücklich die Wirkung literarischer Werke auf ihre Leser betont wurde, so waren doch keinesfalls alle an der Diskussion über die Maßstäbe beteiligten Schriftsteller, Philosophen und Literaturkri-

149 Fielding, Covent Garden Journal, Nr. 23, a.a.O., S. 41-47.

tiker sich darin einig, die Erfahrung des Publikums als die einzig gültige Grundlage literarischer Kriterien anzunehmen. Man kann im allgemeinen drei frühe Arten unterscheiden, das Problem der Wirkungen zu lösen. Wir können die erste als die relative, die zweite als die psychologische und die dritte als die beschreibende bezeichnen. Es erübrigt sich zu sagen, daß damals wie heute beträchtliche Überschneidungen zwischen diesen Kategorien vorkamen.

Relative Begriffe hatten, ehe die Teilnehmer an der Kontroverse über den Geschmack sich ihrer bemächtigten, in der literarischen Welt bereits eine gewisse Rolle gespielt. Schon 1710 hatte der *Tatler* darauf hingewiesen, daß Lebensweise und Charaktereigenheiten eines Schriftstellers oder Lesers in gewissem Maße ihren jeweiligen Geschmack beeinflussen.[150] Dieser Begriff der Relativität (der in Wirklichkeit nur ein gemäßigter Ausdruck für Verschiedenheit des Geschmacks ist) findet sich häufig in den Werken Addisons und späterer Schriftsteller, die die Beziehung zwischen gesellschaftlicher Lage und Geschmack u.ä. untersuchten. Die Idee der Relativität wurde auch in einer neuen Hinwendung zum Studium der Literatur selbst sichtbar. So hatte zum Beispiel Pope im Vorwort zu seiner umstrittenen Shakespeare-Ausgabe darauf hingewiesen, in wie bedeutsamer Weise historische, klimatische und nationale Faktoren unsere Vorstellungen über gute und schlechte Literatur beeinflussen.[151] Vor allem aber war es Johnson, der in seinen *Lives* die Voraussetzungen für eine vergleichende Literaturgeschichte und, nebenbei bemerkt, für exakte Textkritik schuf.[152] Die vergleichende Literaturgeschichte entwickelte sich also Hand in Hand mit den vergleichenden Methoden einer Untersuchung der Wirkung literarischer Werke.

Es bestand eine enge Beziehung zwischen den vergleichenden und relativen Methoden und den psychologischen Theorien und Hypothesen, die zur gleichen Zeit entwickelt wurden. Der Ausdruck »Ideenassoziation« wurde anscheinend ein bevorzugter Begriff in der Analyse der Publikumserfahrung. Es bestand allgemeine Übereinstimmung darüber, daß eine große Mannigfaltigkeit solcher Assoziationen zu erwarten sei, wenn eine sehr unterschiedlich zusammengesetzte Gruppe von Menschen demselben Werk gegenübergestellt

150 Richard Steele, Tatler, Nr. 173, British Essayists III, 356-360.
151 Needham, a.a.O., S. 36.
152 Ebenda, S. 52.

wurde. Immer mehr setzte sich die Vorstellung durch, daß die Freude
an literarischen Erlebnissen eine Sache des persönlichen Gefühls sei
und sich keinesfalls notwendig an objektiven Maßstäben der Schönheit oder der Vernunft orientieren müsse. Alles was irgendein
Mensch mit seinen Sinnesorganen als angenehm empfand, war auch
angenehm.[153] Obwohl Johnson entschiedener als andere an rationalen
Prinzipien festhielt, betonte auch er, daß sie der persönlichen Reaktion untergeordnet seien. Diese Prinzipien müssen behutsam angewendet werden, daher spricht er vom »Jargon derer, die lieber nach
Prinzipien als nach der Anschauung urteilen«[154].

Die extreme Gegenposition der beschreibenden Methode vertraten
die Schriftsteller, die die Vorstellung von Regeln überhaupt fallenlie-
ßen und sich damit rechtfertigten, daß die Leser während der Lektüre
ganz impulsiv reagieren und gar nicht die Zeit haben, selbst wenn sie
dazu fähig sein sollten, irgendwelche Maßstäbe anzulegen. So unterstützte zum Beispiel *The Monthly Review* aus eben diesen Gründen
den Angriff von Lord Kames gegen die Regeln und stimmte bereitwillig seiner Meinung zu: »Wenn der Geist angezogen oder abgestoßen
wird, so findet diese Anziehung oder Abstoßung gleichsam impulsiv
statt und läßt keine Zeit für die formelle Anwendung gegebener
Prinzipien zur Beeinflussung des Urteils.«[155]

Auf lange Sicht hin gesehen bewirkte diese neue Beachtung der
Publikumserfahrung, daß emotionale Befriedigungen gerechtfertigt
wurden. Während sich zwar die Anerkennung des Gefühls bis zur
Gegenwart hin durchgehalten hat, ist es offenbar keineswegs klar,
inwieweit der Übergang von der Anwendung rationaler Maßstäbe zu
einer Analyse der Gefühsreaktionen sich aus der Notwendigkeit
ergab, ein neues Massenpublikum und eine neue Gruppe literarischer
Produkte zu berücksichtigen. Klar ist nur, wie ein moderner Historiker dargestellt hat, daß »die Untersuchung der Mechanismen des
Geistes durch die bedeutenderen philosophischen Denker wie Hume
zu einer Auflösung der Vernunft in Einbildungskraft und Glauben
und des gesunden Menschenverstandes in Intuition geführt hat.
Durch diese Schläge wurde die Grundlage der klassischen Kunst

153 Gallaway, a.a.O., S. 347.
154 Zitiert nach Sherburn, a.a.O., S. 1001.
155 Edward Niles Hooker, »The Reviewers and the New Criticism, 1754-1770«,
Philological Quarterly, Bd. XIII, 1934, S. 197.

zersprengt ... und die Ungewißheit ebnete den Weg für die Betonung des Gefühls als des wichtigsten Faktors in Leben und Kunst.«[156]

Diese Art der Befriedigung fand in den ersten Jahrzehnten des Jahrhunderts verhältnismäßig wenig Anerkennung. Denn in dieser Zeit mußte in jedem literarischen und überhaupt in jedem Kulturprodukt das Vergnügen der moralischen Erbauung untergeordnet sein oder wenigstens so scheinen. Jetzt werden zum ersten Mal in diesem Jahrhundert Begriffe wie »Entspannung« und »Unterhaltung« ohne Entschuldigung gebraucht. »Die Natur des Menschen ist so beschaffen, daß seine Kräfte durch den Gebrauch bald erschöpft werden ... In den Stunden, da wir wachen, ist uns noch von Zeit zu Zeit einige Belustigung nöthig, durch die sich die Seele von ernsthaften Geschäfften erhohle. Die Einbildungskraft, unter allen unsern Kräften die wirksamste ... trägt mehr bey, als sonst irgend eine Ursache, die Seele mit frischen Kräften zu versehen und ihre Stärke wieder herzustellen, indem sie uns mit muntern und lustigen Bildern ergetzt; eine Ergetzung, an der wir viel Geschmack finden, wenn wir Erhohlung nöthig haben.«[157] Dieses Eingeständnis hat keinen lehrhaften Beigeschmack mehr. Man hat den Eindruck, als ob das Gefühl der Niederlage bei der Suche nach einer allgemeingültigen ästhetischen Anschauung im Publikum von einem Gefühl der Erleichterung darüber begleitet sei, daß man nicht länger verpflichtet war, an seiner moralischen Besserung mitzuwirken. So stellt zum Beispiel Hume dar, wie der Mensch dem Druck zu entrinnen sucht, der ihn beschwert, wenn er mit seinen Gedanken allein ist. »Um dieser beschwerlichen Stellung los zu werden, sucht sie (die Seele) jeden Zeitvertreib und jede Arbeit auf: Geschäfte, Spiele, Schaubühnen und öffentliche Hinrichtungen; kurz, alles was nur ihre Leidenschaften erregen und ihre Aufmerksamkeit von ihr selbst entfernen kann.« Er stellt eine Liste der Gefühle auf, die auf diese Weise erregt werden können, und bemerkt, daß sie, ganz gleich ob sie angenehm oder unangenehm, fröhlich oder traurig, verworren oder klar sind, auf jeden Fall der »faden Langeweile« vorzuziehen sind, an der der Mensch leidet, wenn er nur seinen eigenen inneren Kräften überlassen bleibt. Um seine These zu erhärten, weist er auf die in der Gesellschaft betriebenen Spiele hin; wo das aufregendste Spiel stattfindet,

---

156 Gallaway, a.a.O., S. 345.
157 Kames, a.a.O., Band I, S. 337 (deutsch a.a.O., S. 411).

sammeln sich auch die meisten, selbst wenn an diesem Tisch nicht die besten Spieler sitzen. Sich mit Menschen zu identifizieren, die solche mit Gewinn oder Verlust verbundenen Leidenschaften durchleben, bringt Erleichterung von den eigenen Depressionen. »Es macht, daß ihnen die Zeit leichter vergeht, und erleichtert die Beklemmung einigermaßen, die den Menschen gemeiniglich lästig fällt, wenn sie ihren eigenen Gedanken und Nachsinnen ganz überlassen sind.«[158] Später analysierte der Kritiker Archibald Alison die verschiedenen »Eigenschaften des Geistes«, die durch das Lesen angesprochen werden können. Er unterschied sogar zwischen aktiven und passiven Befriedigungen. »Die Eigenschaften des Geistes, die Gefühle hervorrufen können, sind entweder seine aktiven oder seine passiven Eigenschaften; entweder seine Kräfte und Fähigkeiten wie Wohlwollen, Weisheit, Tapferkeit, Erfindungskraft, Phantasie usw. oder seine Gefühle und Stimmungen wie Liebe, Freude, Hoffnung, Dankbarkeit, Reinheit, Treue, Unschuld usw.«[159] Wie in vielen Analysen der Publikumserfahrung aus der zweiten Hälfte des 18. Jahrhunderts überrascht Alisons Pragmatismus, der in starkem Gegensatz zu dem vorherrschend moralisierenden Ton der Jahrhundertmitte steht. Diese beinahe wissenschaftliche Bemühung um die Erfahrung des Publikums bereitete den Weg für eine neue Vorstellung von der Rolle des Kritikers.

Der Kritiker als Vermittler

Schon längere Zeit hatte sich die Unzufriedenheit mit der strengen und pedantischen Literaturkritik, die den ersten Teil des Jahrhunderts beherrscht hatte, aufgestaut. Schon Swift hatte solche Pedanterie attackiert. Sein *Battle of the Books* ist voller Hiebe auf die »boshafte Gottheit, genannt Kritik«. Die Mischung von Buchgelehrsamkeit und Zungenfertigkeit bei diesen Kritikern bringe keinen anderen Nutzen, als daß sie »den Kaffeehausschöngeistern Stoff für ihre literarischen Ansprüche« liefere.[160] Auch Pope griff, augenscheinlich von Swift angeregt, wenngleich er dessen gar nicht bedurft hätte, die destruktive Wirkung oder bestenfalls Nichtigkeit derjeni-

158 Hume, Of Tragedy, a.a.O., S. 186-87 (deutsch a.a.O., S. 218-219).
159 Archibald Alison, On Taste (1790), zitiert nach Needham, a.a.O., S. 181.
160 Zitiert nach Atkins, a.a.O., S. 173-75.

gen an, die von kleinlichen und oft sinnlosen Angriffen auf die Schriften anderer lebten. Nichts ist diesen Kritikern heilig; bei jedem Thema »reden sie den anderen tot, denn Narren drängen sich dort vor, wo Engel zurückscheuen«[161]. In einer Besprechung deutscher Werke zeigte Goldsmith später dieselbe Verachtung für diese kritische Haarspalterei wie seine bedeutenden Vorgänger. »Ihre Beharrlichkeit kennt keine Parallele ... sie schreiben ganze Bände, obwohl sie nicht für eine Seite Gedanken haben. Da sie selbst nie ermüden, meinen sie auch, daß es dem Leser niemals langweilig wird; so plätschern sie dahin, indem sie alles sagen, was überhaupt zu dem Thema gesagt werden kann, und niemals das auswählen, was für ihren Zweck wichtig ist.«[162]

Wieder war es Addison, der die neue Vorstellung von der Rolle des Kritikers vorwegnahm. Dieser solle schöpferisch und aufbauend, kurz der »Deuter der Schönheit« sein. Nachdem Addison mit seinen einflußreichen Artikeln über »Paradise Lost« im *Spectator* einen Anfang gemacht hatte, schrieb er über das Werk fast jedes bedeutenden Schriftstellers wenigstens einen kritischen Essay unter dem Titel »Die Schönheiten von ...«[163] Diese Idee einer deutenden Funktion des Kritikers schloß freilich ein, daß er sowohl gegenüber dem allgemeinen Publikum als auch gegenüber seinen Kollegen unter den Schriftstellern und Intellektuellen Verantwortung übernahm. Die meisten Schriftsteller und Kritiker der Jahrhundertmitte folgten dem Beispiel Addisons. Nach Johnson besteht die Funktion des Kritikers darin, den Menschen zu helfen, »sich am Leben zu freuen oder es auszuhalten«[164]. Zugleich kennzeichnet es die Schriftsteller der Jahrhundertmitte, daß sie – wenigstens in ihren optimistischen Augenblicken – in dem Beitrag des Kritikers ein Mittel zur Hebung des ästhetischen Niveaus des Publikums sahen. So gesehen hat der Kritiker eine erzieherische Aufgabe. Goldsmith sieht ihn – und er denkt dabei im Gegensatz zum Gelehrten oder Kompilator an den »Gebildeten« – »in einer Mittlerstellung zwischen der Welt und der Studierstube, zwischen Gelehrsamkeit und allgemeiner Menschenvernunft«.

Die wohl weitreichendste Veränderung in der Auffassung des Kriti-

---

161 Pope, Essay on Criticism, a. a. O., S. 71.
162 Goldsmith, Enquiry into the Present State, a. a. O., S. 31.
163 Sherburn, a. a. O., S. 841-42.
164 Zitiert nach Atkins, a. a. O., S. 312.

kers bestand jedoch darin, daß ihm eine doppelte Funktion zugeschrieben wurde. Er sollte nicht nur die Schönheiten der literarischen Werke dem Publikum deuten, woran, nach Goldsmiths Formulierung, »sogar der Philosoph allgemeinen Beifall finden kann«; er muß auch dem Schriftsteller das Publikum deuten. Der Kritiker »belehrt also nicht nur die gewöhnlichen Menschen, welcher Charakterzug besonderes Lob verdient«, sondern er hat auch »dem Gelehrten« zu zeigen, »worauf er seine Anstrengung richten muß, um dieses Lob zu verdienen«. Goldsmith glaubte, daß das Fehlen solcher kritischen Vermittler erkläre, daß das Ziel vieler Schriftsteller der Reichtum und nicht wahrer literarischer Ruhm sei. Das Ergebnis, fürchtete er, sei, daß von den literarischen Werken seiner Zeit nichts in der Erinnerung bleiben werde.[165]

Wir sahen, daß Goldsmith in seinem Bemühen, mit dem Dilemma des Schriftstellers fertig zu werden, eine Reihe gelegentlich einander widersprechender Ansichten vertrat. Wir sahen jedoch auch, daß es eher Goldsmiths optimistische Gedanken denn seine pessimistischen waren, die die Richtung der zukünftigen Entwicklung absteckten. So sollte auch seine Auffassung von dem »idealen« Kritiker, von seiner Mittlerrolle zwischen Publikum und Schriftsteller weiterwirken. Kritiker, Schriftsteller und Philosophen – Johnson, Burke, Hume, Reynolds, Kames und die Wartons – sie alle gingen von Goldsmiths Prämisse aus, als sie die Erfahrung der Leser zu analysieren begannen.

Ein Kritiker muß zu verstehen suchen, was im Geist des Lesers vor sich geht. Nach Johnsons Worten muß er »... Meinung in Wissen verwandeln ... und muß zwischen den der Unterhaltung dienenden Mitteln unterscheiden, soweit ihre Ursachen bekannt sind.« Johnson skizziert dann eine Methode zur Untersuchung der Erfahrungen mit Massenmedien, die wir heute als wissenschaftlich-beschreibend bezeichnen würden, und er weist darauf hin, daß »... die Literaturkritik, die bis jetzt nur die Anarchie des Unwissens, die Launen der Einbildung und die Tyrannei der Vorschriften gekannt hat, ... nun in den Bereich der Wissenschaft eingeordnet werden kann«[166]. Joseph Wood Krutch hebt ihn hervor als den Verfechter des Gedankens, daß der Kritiker »sein Recht von dem Recht des ganzen Publikums,

165 Goldsmith, Enquiry into the Present State, a.a.O., S. 47.
166 Johnson, The Rambler, Nr. 92, British Essayists XVII, S. 182.

dessen Teil er ist, ableitet – und nicht von der Tatsache, daß er Kritiker ist. Er wird im allgemeinen mit dem Urteil des Publikums, soweit es reiflich erwogen ist, übereinstimmen, da Literatur nicht auf Grund von Gelehrsamkeit beurteilt werden soll, ... sondern in Übereinstimmung mit derselben allgemeinen Menschenvernunft, die uns leitet, wenn wir den Geschäften unseres Lebens nachgehen.«[167] Diese Orientierung an der Erfahrung des Publikums gab der Diskussion über Kunst und Massenkultur eine völlig neue Richtung. Trotz ihrer Konflikte und Kontroversen bereiteten die englischen Schriftsteller der Mitte des 18. Jahrhunderts den Weg für die Kritiker und Philosophen des 19. Jahrhunderts, die die Metaphysik des demokratischen Kulturstaats entwickelten. Sie waren die ersten, die in einer immer stärker industrialisierten und beweglichen Gesellschaft die Bedeutung von Entspannung, Unterhaltung und Erholung von dem Druck der Arbeit erkannten, ganz gleich, ob es sich um einen müden Unternehmer oder Arbeiter handelte. Damit zeigten sie sich weit unvoreingenommener als ihre Kollegen jenseits des Kanals. Während Hume zum Beispiel die psychologischen Faktoren analysierte, die bei »Zerstreuung« und Unterhaltung ins Spiel kommen, nahmen Schiller und Goethe einen moralischen Standpunkt ein: Das Publikum bedarf zwar der Zerstreuung, aber wenn es keinen weniger passiven Weg findet, sie zu erlangen, wird die Kultur gewißlich zugrunde gehen.[168]

167 Krutch, a.a.O., S. 147.
168 Siehe »Der Künstler und sein Publikum«, in Kapitel 2 dieses Buches.

Exkurs
Die Debatte über kulturelle Standards im England des neunzehnten Jahrhunderts*

In soziologischen Kreisen ist es modisch geworden, Kultur zu einem Untersuchungsgegenstand zu machen. Jedoch eine der Schwierigkeiten, die Soziologie der Kultur zu einem lebensfähigen Gebiet zu machen, ist darin gelegen, daß sie der geschichtlichen Ortung verpflichtet ist: auf dem Kontinent eine Quelle populärer Betörung, in den USA eine Quelle für Langeweile und Ungeduld. Dennoch haben Soziologen große Fortschritte in der Überwindung von engstirnigen Facheinteilungen gemacht. In zunehmendem Maße haben sie entdeckt, daß viele unserer Kollegen in Literaturgeschichte und Kritik gute soziologische Prosa geschrieben haben, indem sie Literatur als ein kulturelles Phänomen in einen sozialen Kontext versetzt haben. Raymond Williams und Ian Watt in England, wie auch Henry Nash Smith und Lionel Trilling in den USA können hierfür als hervorstechende Beispiele genannt werden.

Eine der vielversprechendsten soziologischen Annäherungen an die zeitgenössische Kultur ist das Studium der Intellektuellen als eine Berufsklasse, insbesondere als die Verwalter vorherrschender kultureller Symbolsysteme. Vier britische Zeitschriften des 19. Jahrhunderts sind untersucht worden: *The Quarterly Review* und *Blackwood's Edinburgh Magazine*, eine Whig-Zeitschrift, *The Edinburgh Review*, und *The Westminster Review*, das Organ der philosphischen Radikalen. Sie zeigen die leidenschaftliche und parteiliche Beschäftigung erstklassiger und mittelklassiger Schriftsteller mit dem Schicksal kultureller Institutionen und Mores im vorherrschenden Mittelklasseklima der Industrialisierung und Verstädterung. Eine der auffallendsten Eigenschaften an den Beiträgen in diesen Zeitschriften ist, daß sie eine Art uranfängliche soziologische Annäherungsweise mit literarischen und ästhetischen Belangen verbinden. Jugenddelinquenz und Verbrechensstatistiken, Stadtentwicklungen und Familienleben, technologischer Fortschritt und Bildungsinstitutionen sind nur einige der Komplexe, um die sich die Argumente scharen.

* Diese Studie wurde in Zusammenarbeit mit Ina Lawson verfaßt.

Unsere Aufgabe ist es, intellektuelle Aussagen zu analysieren, die in einem eindeutig umschriebenen Kommunikationsmedium gemacht worden sind, d.h. in weitverbreiteten Zeitschriften, die hauptsächlich Buchbesprechungen bringen, deren Verfasser entweder zu den großen Namen ihrer Epoche gehören oder überhaupt angesehen sind. Zu fragen ist nach dem allgemeinen sozialen Klima und nach den spezifischen sozialen Umständen im intellektuellen und kulturellen Bereich, die Leute bewegen, über bestimmte Sujets auf eine bestimmte Art und Weise zu schreiben. Unsere Möglichkeiten, aus diesen intellektuellen Produkten als Indikatoren eines sozialen Zusammenhangs gültige soziologische Folgerungen zu ziehen, werden durch die Tatsache verstärkt, daß wir es hauptsächlich mit einem angehäuften Gesamt von Schriften zu tun haben, das von einer bestimmten Zeitschrift zur Veröffentlichung angenommen wurde. Dies nämlich gibt uns zum einen einen Hinweis auf die *redaktionellen* Absichten – sichtbar in der Auswahl der Beiträge – und zum anderen auf die *ökonomischen* Absichten zu Zwecken der Aufrechterhaltung einer genügend hohen Auflage.

Diese intellektuellen Produkte werden im Rahmen des sozialen Wandels analysiert, d.h. angesichts ansteigender Industrialisierung, neuer Transport- und Kommunikationsweisen, Verstädterung und »Kulturindustrien« (z.B. Zeitungen, Theater, Erwachsenenbildung usw.). Es steht zu erwarten, daß diese Veränderungen in typischer Weise in dem Zeitschriftenmaterial ihren Niederschlag finden werden. Ideologisch gesehen reproduziert das Gesamt dieser Literatur die Unvereinbarkeiten, die Feindschaften und die widersprüchlichen Werturteile, die zwischen 1800 und 1900 mit den drastischen Veränderungen in Handel und Industrie, in politischen wie auch in erzieherischen Institutionen einhergehen. Die soziologische Analyse versucht, diese »abgeleiteten« sozialen Daten des literarischen Quellenmaterials als symbolische Äußerungen von zugrundeliegenden sozialen Tendenzen und Gegentendenzen zu interpretieren.

Das Problem kultureller Standards begann gewiß nicht mit dem 19. Jahrhundert, sondern trat mit den Anfängen der Mittelklassegesittung hervor. Seine theoretischen Wurzeln ließen sich bei Montaigne und Pascal finden, während sich pragmatische Fragen über Standards von Geschmack und Ästhetik in den Zeitschriften von Addison und Steele entwickelten. Die Debatte über Kultur im England des 19. Jahrhunderts stellt auf breiterer Basis eine Fortsetzung von Problemen und Streitfragen dar, die ihren Ausdruck im vorangegangenen Jahrhundert gefunden hatten. Alle Facetten des nationalen Lebens unterlagen der Bewertung, oft gar der peinlichen Nachprüfung.

Die Debatte über Kunst und Populärkultur, wie sie sich in diesen Zeitschriften entfaltet, verleiht verschiedenen Belangen Ausdruck, die kurz wie folgt skizziert werden können:

1. Welches ist die Wirkung der Verbreitung von Populärkultur, d.h. massenproduzierter Kultur für breite Massen – auf das Publikum? Senkt sie den Geschmack der Nation? Dient sie einem verderbten und degenerierten Geschmack, oder stellt sie harmlose Unterhaltung für den unterjochten Arbeiter dar? Ist Populärkultur für die ständig ansteigende Kriminalität verantwortlich? Reflektiert sie das Versagen des Programms für Allgemeinbildung, d.h. ein Versagen von seiten der englischen Erzieher, ein literarisches und urteilsfähiges Publikum zu schaffen, das die Standards der Vergangenheit aufrechterhalten und verbessern kann? Kündigt sie einen Niedergang in der moralischen Struktur und in der intellektuellen Qualität der Nation an?

2. Welche Beziehung besteht zwischen Populärkultur und den sozialen Bedingungen der unteren Schichten? Reflektieren Qualität und großer Konsum von populärer Literatur z.B. den Einfluß industrieller Technologie auf den Arbeiter, indem Freizeit in dem Maße der Unterhaltung verschrieben ist, daß sie einem Eskapismus gleichkommt?

3. Welche Wirkung hat Populärkultur auf den seriösen Künstler? Welche verborgenen Zwänge ruft die Situation hervor? Der ansteigende wirtschaftliche Nachteil des seriösen Künstlers wird angesichts des Warenwertes der Populärkultur zu einem heiklen Sachverhalt. Ist es daher möglich, daß der seriöse Künstler, um der Konkurrenz mit seinen weniger begabten, aber sicher gierigeren Brüdern willen, voreilig wird und Werke auf den Markt bringt, die nicht seinem Talent entsprechen?

4. Welche Beziehung besteht zwischen Populärkultur und zeitgenössischer Kritik? Läßt sich sagen, daß die in erster Linie für die Mittel- und Oberschicht schreibenden Kritiker mangels Kontakt oder Einfluß auf die Ausbreitung der Populärkultur ihrer Verantwortung nicht genüge getan haben? Geht es hier um eine Frage der Literatur, der Soziologie, der Kunst oder der Wissenschaft? Welche Rolle sollte die Kritik spielen?

5. Handelt es sich hier um eine Frage aus dem ökonomischen Bereich? Was läßt sich von einem ökonomischen System sagen, das der Mittelmäßigkeit Wohlstand beschert und das Beste betteln gehen läßt? (Für die Tories war demokratischer Kapitalismus ein verfallendes System; sie bestanden auf Gönnerschaft.)

Für die Zwecke unserer Ausführungen läßt sich sagen, daß das 19. Jahrhundert ohnegleichen war, und sei es nur deswegen, weil professionelle Schriftsteller und Künstler nun zum ersten Mal einem Massenpublikum, und zwar im modernen Sinn des Begriffs, gegenüberstanden. Eine Betrachtung der literarischen Szene bringt uns sofort in den Mittelpunkt des Wirbels, in dem der seriöse Schriftsteller und der Lohnschreiber – beide dem ihnen neu verliehenen sozialen Status entsprungen – einander trafen. Die Bedingungen hatten sich seit dem 18. Jahrhundert geändert: Mit dem Niedergang des Mäzenatentums mußten diese beiden Berufskünstlergruppen ihre Abhängigkeit von den privilegierten Klassen auf den weitaus trügerischeren ökonomischen Dschungel übertragen, in dem Verbreitung und Verkauf ihrer Arbeiten an ein breites und unbekanntes Publikum die Basis für ihren Lebensunterhalt darstellten. Diese Verschiebung der ökonomischen Basis des Berufsschriftstellers wurde natürlich ungeheuer angetrieben durch die Explosion der technisierten Industrie, verbunden mit der neuen Macht der Mittelschicht als Wohltäter der Kultur und Schiedsrichter des Geschmacks sowie durch das Interesse der neuen literarischen Unterschichten. Diese beiden Gruppen zusammen ergaben ein großes Publikum. Eng verbunden mit der sich verändernden sozialen Zusammensetzung des Publikums war jene Entwicklung, die im 19. Jahrhundert dem Glauben an Fortschritt entsprang, dieser neuen »Kultur für die Millionen«, wie sie immer wieder genannt wird, d.h. der Verbreitung von »nützlicher« Information und Wissen durch die unzähligen hierfür eingerichteten öffentlichen und privaten Vermittlungsstellen. Diese Entwicklung begann recht früh, und um 1830 wurde England von Leseklubs, Gesellschaften, Arbeiterbildungskomitees sowie allen möglichen Buchlisten, Handbüchern und Auszügen überschwemmt. Sie alle sorgten für einen neuen Zugang zu einer Reihe von kulturellen Phänomenen, die nunmehr den Mittel- und Unterschichten zum Gebrauch bereitstanden.

Die Reaktion ließ nicht lange auf sich warten. Diese Verteilung bzw. Verbreitung von Kultur, so sagten die konservativen Kritiker, bedeutet das unvermeidliche Verwässern kultureller Produkte; das neue Publikum, wenn auch im Besitz rudimentärer Fähigkeiten und ästhetischer Sensibilität, kann bei bestem Willen nichts zum kulturellen Austausch beitragen, was einem hohen oder anspruchsvollen Geschmacksniveau entspräche. Als ein Ergebnis dieser Verbreitung wird Mittelmäßigkeit kultureller Produkte zu einem Kennzeichen des Erfolges, und das Publikum – halbgebildet, schlecht geschult, aber danach hungernd, als Beitragender und Teilnehmer am kulturellen Leben seines Landes mitzuwirken – verhilft der zweiten Künstlergarnitur und dem Lohnschreiber zu einer Art von Erfolg, der im Zeitalter des Mäzenatentums unmöglich gewesen wäre.

Der auf diese Weise von einem solch ungleichartigen Milieu umgebene seriöse Künstler wurde seitens der konservativen Gruppen als sehr benachteiligt angesehen. Zum Wettbewerb mit denjenigen gezwungen, deren Publikum in die Millionen ging, mußte er entweder den Gürtel enger schnallen oder sich dem verlockenden Markt für sofortigen Gewinn unterwerfen. Der Niedergang des Dramas und das ansteigende Desinteresse an Poesie wurden als Beweise für den schlechten Stand der *belles lettres* angeführt. Der immer größer werdende Bruch zwischen den »gehobenen« und den »anspruchslosen« Schriftstellern wurde als der bedauernswerte Anfang einer Entwicklung angesehen, die seriöse Arbeiten zur Exklusivität und damit zu ihrer Entfremdung vom täglichen Leben führt. Ein Kritiker, den Gelehrten Courthope (auf den wir später noch eingehen werden) paraphrasierend, schreibt: »... der moderne Poet ist ein Einsiedler, kein Weltmann, der sich eher mit privaten als mit allgemeinen Erfahrungen befaßt. Er zieht sich von Geselligkeit in Einsamkeit, von Aktion in Reflexion zurück. In der Ausübung seiner Kunst wird er sich selbst zum Gesetzgeber, statt sich den Standards zu fügen, die durch die Vergangenheit sanktioniert wurden ... Die gegen die moderne Dichtung gerichteten Beschuldigungen entsprechen daher der Wahrheit.«[1]

Während die absinkenden Standards des populären Geschmacks soziale und ökonomische Zwänge auf den Künstler ausübten und die das englische Erziehungssystem beherrschende utilitarische Auffassung in Frage stellten, wiesen konservative und liberale Kritiker darauf hin, daß sich die Zwangslage des Künstlers durch den

1 Edinburgh Review, Nr. CCCXXXIV (April 1886), S. 467-468.

Schwerpunkt, den man solchen Medien wie den kurzlebigen Quartalszeitschriften, Zeitungen und Groschenheften zuwies, verschlimmerte.

»Hier denn zeigt sich das Wunder unserer Zeit ..., in der beispielloses Talent jeder Art andauernd dem Betreiben der Literatur gewidmet ist, in der aber die *neuen Werke*, mit nur sehr wenigen Ausnahmen, frivol oder ephemer sind und die gesamten seriösen Talente der Nation in die vergänglichen Kanäle der täglichen, wöchentlichen, monatlichen oder vierteljährlichen Presse geschleust werden ... Dieser Stand der Dinge ... ist alarmierend und schädlich ... (und) könnte, wenn er unvermindert fortdauert, ... schließlich Gefahr und Ruin für die nationale Zukunft bedeuten.«[2]

Der für diesen literarischen Typ charakteristische Andrang und äußere Druck wurden als mit der für anspruchsvolle Arbeiten notwendigen Beschaulichkeit und Abgeschiedenheit als im Widerstreit stehend angesehen. In einer Besprechung der Gedichte von Hood schreibt ein Kritiker: »Das immer wiederkehrende Verlangen nach Zeitschriften-Literatur ist verhängnisvoll für alle Überlegungen – für Pflege oder Studium oder Auswahl der Materialien ... Die Zahl der Ziegelsteine muß am bestellten Tag geliefert werden; das Stroh finde man, wo auch immer ... Wie kann von jemandem, der unter solchen Einflüssen erzogen wurde, erwartet werden, mit der Arbeit für einen Monatstermin so umzugehen, wie er es mit für die Ewigkeit geschaffenen Werken tun würde?«[3]

Die *Edinburgh Review* ihrerseits beklagte die Überfülle von aus vielen sozialen Schichten kommenden, auf Wettbewerb eingestellten Amateurschriftstellern, die schnell Handlungen und Situationen »aufbrauchten«, so daß der seriöse Schriftsteller suchen muß oder es ihm schwerfällt, neues Material zu entdecken. Noch wichtiger, jedoch eng mit diesem Problem des Mangels an Erfindungsgabe und der Kurzlebigkeit verbunden, war die Besorgnis der Kritiker, aus historischer Erfahrung die für große Werke notwendigen sozialen Bedingungen aufzudecken. Es galt als ein akzeptiertes Diktum, daß Kreativität nicht zur Eile gedrängt werden kann, daß sie ihre eigene Geschwindigkeit bestimmt, daß der Schaffende nicht vom Redaktionsschluß gequält werden oder in ökonomischen Wettstreit mit

2 Blackwood's Edinburgh Magazine, LI (Januar 1842), S. 107ff.
3 Edinburgh Review, Nr. CLXVIII (April 1846), S. 383.

Schreibern von Schundwerken und Eintagsfliegen gedrängt werden darf. Kreativität wurde als eine höchst individuelle Angelegenheit angesehen, als am anderen Ende zum Rezept des schnellen Erfolges liegend. Die zugrundeliegende Frage war, ob das 19. Jahrhundert mit seiner starken materialistischen Prägung ein guter Nährboden für die Entwicklung von Größe sein konnte.

Die Verallgemeinerungen einiger Kritiker gingen weit über den literarischen Bezugsrahmen hinaus und enthielten einige scharfe Beurteilungen dieser Periode. Sie beklagten das Verschwinden individueller Kraft, und damit die Möglichkeit intellektueller Größe. Eine Gesellschaft, deren Glaubensbekenntnis sich auf die Entwicklung von Wissenschaft und Technik gründet, hat den nationalen Charakter verändert. Der Mensch des 19. Jahrhunderts ist gefügig gemacht und entkräftet worden; die Industrialisierung hat eine soziale Uniformität geschaffen sowie einen Mangel an lebenden Vorbildern, aus denen der Poet oder Dramatiker wählen könnte: »Die Schilderungen der Poeten waren Kopien von Kopien oder willkürliche Kreationen der Phantasie, nur weil der Poet keine Gelegenheiten mehr hatte, von lebenden Vorbildern zu lernen ... Die Hilfsmittel und Vorrichtungen, die sich nun um den Menschen herum vermehren, entkräften ihn ... Industrialismus ... ist ein Beruhigungsmittel für die Leidenschaften. Es ergibt sich eine gewisse soziale Uniformität ... Die Menschen stehen vor uns, als wären sie in einer Gußform geschaffen.«[4]

Alles dieses kommt uns recht bekannt vor. Als massenproduzierte »Kunst«, insbesondere Straßenliteratur, einen immer stärker werdenden Einfluß auf die englische soziale Landschaft ausübte, fragte man sich nach der genauen Natur dieses Phänomens. Wie kann man es definieren und messen; wie es bewerten? Kritiker erklärten den »Straßenkitsch« zum Werkzeug moralischer Verkommenheit, und so lautet eine typische Beschreibung der Auswirkungen der Straßenliteratur folgendermaßen: »Dies ist das unerträgliche Zeug, das Zehntausende von jugendlichen Lesern findet, welches Nebenwege des Verbrechens übertüncht und dazu beiträgt, unsere Besserungsanstalten mit frühreifen Galgenvögeln übelster Art zu füllen. Übelster Art nicht schon deswegen, weil sie aller moralischen Werte beraubt und in bezug auf Gedanken, Geschmack und Gefühl verderbt sind,

4 Edinburgh Review, Nr. CIXXX (April 1849), S. 360.

sondern weil sie überdies eine verschlagene Intelligenz besitzen, die sie ihr Wissen in der niederträchtigsten Weise anwenden läßt.«[5]
Eine direkte Beziehung zwischen Schundroman und der hohen Kriminalitätsrate in den hauptstädtischen Zonen schien offensichtlich zu sein. Aufgeklärtere Stimmen gaben jedoch zu bedenken, daß, obwohl das Lesen über Verbrechen noch keinen Verbrecher mache, Populärliteratur zumindest Gewalt und Leidenschaft anziehend gestalte; auch das moralische Ende neutralisiere dabei nichts. Die Zusammensetzung des Publikums wurde oft ungenau unter die Rubrik »Die Unterschichten« oder »Die Million« eingereiht. Auch Publikumsspezifikationen waren ebenso ungenau. Der oben zitierte Verfasser sah ein hauptsächlich aus Frauen zusammengesetztes Publikum: aus »Ladenmädchen, Hausangestellten und ebenso anderen halbgebildeten und leicht zu entflammenden jungen Personen«. Richard Altick, Autor des inzwischen klassischen *The English Common Reader*, weist darauf hin, daß im Vergleich zum Publikum von Dickens und Thackeray »dieses Publikum durch jenes ›unbekannte Publikum‹ überragt wurde, welches Wilkie Collins in *Household Words* im August 1858 beschrieben hatte: Leser – drei Millionen schätzte er –, die selten, wenn überhaupt ein Buch kauften, aber einen unersättlichen Markt für billige Wochenblätter darstellten, die in ihrer Qualität deutlich unter der von Dickens lagen. Für die meisten Beobachter neutralisierte das niedrige literarische und intellektuelle Niveau dieser von »Hausangestellten, ungelernten Arbeitern, Ladenangestellten und ihren Familien gelesenen Heftchenromane bei weitem irgendwelche optimistischen Folgerungen, die sich angesichts des Erfolges von Cornhill hätten ziehen lassen.«[6] Die Anhänglichkeit der drei Millionen an Popularisierungen, Sensationssucht und Mittelmäßigkeit trotze den Gesetzen des Fortschritts.
Einige befanden dieses Publikum, das von der Technologie, von ultilitaristischen Glücksvorstellungen und unausgegorenen philanthropischen Ideen eingepfercht war, als Hinweis auf das Versagen der Allgemeinbildung. Das riesige, mit dem Brei aus den Federn von Krämern gefütterte Publikum bedeutete das Ende der einstigen Hoffnung von Lehrern, Gesetzgebern und Philanthropen

5 Edinburgh Review, Nr. CLXV (Januar 1887), S. 50.
6 Richard Altick, The Literature of an Imminent Democracy, in: 1859: Entering an Age of Crisis, Bloomington (Indiana) 1959, S. 222. *Cornhill Magazine* war ein erfolgreiches Beispiel für »gedankenreichen Mittelklasse-Journalismus«.

auf eine gebildete und literarische Öffentlichkeit, die auf breiter Ebene an den Früchten des kulturellen Gedankenaustausches teilnehmen könnte. Um 1860 erzeugte der enorme Anstieg der populären Literatur als Ware eine erbitterte und langandauernde Diskussion über die Unzulänglichkeiten der Allgemeinbildung und ihr Versagen, zusammen mit Belesenheit einen urteilsfähigen Standard gegenüber dem Schönen und Guten in der Welt zu entwickeln. Andere hingegen sahen in der Populärliteratur weniger eine Bedrohung der moralischen Struktur und der Standards des Geschmacks der Nation, als ein Beispiel für das verständliche Verlangen, dem Druck des industriellen Zeitalters zu entfliehen. Jeglicher Erfahrung von Individualität beraubt, ihre Sinnesorgane durch das Beharren der Höhergestellten auf Verbreitung »nützlicher Information« abgestumpft, konnten die Massen entschuldigt werden, wenn sie in der Populärkultur die »Vorlieben« fanden, mit denen sie anderswo nicht versehen wurden. Schuldlos wandten sie sich ihr zu Zwecken der Entlastung zu, und die Tatsache, daß diese in der Form von sensationeller Vulgarität und Pseudomoralität gefunden wurde, war sicher nicht der Verantwortung des Publikums zuzuschreiben, sondern der der Produzenten und Verbreiter. Die ausgedehnte Industrialisierung wurde angesichts ihrer Zweischneidigkeit für die Schaffung eines intellektuellen Vakuums verantwortlich gemacht, welches unumgänglich durch kommerzielle Interessen und die intellektuellen Haltungen der Verfasser von literarischem Schund ausgebeutet wurde. Daß die Massen mit ihrem Schund zufrieden waren, rührte nach Ansicht der *Contemporary Review* daher, »daß nichts Besseres und gleichzeitig Billiges in ihrer Reichweite vorhanden war«[7]. Sogar noch konservativere Stimmen wurden laut, die gegenüber dem Erreichten unverblümt pessimistisch waren. Besonders die Mitarbeiter der *Quarterly Review* waren der Ansicht, daß die Wechselbeziehung zwischen Popularität und Qualität nur noch mehr auseinandertreten könne. Für sie bedeutet der Wechsel der Maßgeblichen vom Herrschaftshaus zum Frauenleseklub das Ende eines zunehmend gesunden kulturellen Lebens: Geschmack ist das Produkt der Freiheit, das Produkt eines aufgeklärten, verständnisvollen und wohlhabenden Teiles der Gesellschaft. Ein hoher Standard kultureller Leistung ist unumgänglich verbunden mit der Exklusivität kultureller Anziehungskraft; Verbreitung endet in Mittelmäßigkeit.

7 Contemporary Review, XIV (Juni 1870), S. 459.

Während das uns wohlbekannte »Wir geben dem Publikum, was es will« eine beständige Verteidigung seitens des Buchhandels war, weigerten sich die meisten Kritiker, diesen Standpunkt zu akzeptieren. Vorschläge, die zur Erleichterung der Situation gemacht wurden, enthielten Pläne, den Markt mit billigen Ausgaben der Klassiker zu überschwemmen und die große Verantwortung der Lieferanten populärer Literatur zu betonen. Empson, ein bekannter Kritiker, sprach vage von der Pflicht der Verleger und Händler, »dem guten Geschmack ihr Votum zu geben«[8]. Auch gesetzliche Maßnahmen und Regierungskontrollen wurden zeitweilig erwogen, aber solche Pläne machten keinerlei Fortschritte. Eher schien sich eine Laissez-faire-Haltung zu verbreiten. Wie der Kritiker Spedding in der *Edinburgh Review* mit der entwaffnenden Aufrichtigkeit des bürgerlichen Klassenbewußtseins schreibt: »Die Wirtschaft der Welt verlangt nach Charakteren und Talenten, die sowohl hohen als auch niedrigen Aufgaben angepaßt sind, und es ist vergebens zu leugnen, daß die niedrigen Aufgaben am bereitwilligsten und am tüchtigsten von Geistern übernommen werden, denen gewisse der höheren Eigenschaften fehlen ... Wir brauchen sowohl Spione als auch Soldaten, sowohl Henker und Informanten als auch Obrigkeiten und Gesetzgeber, sowohl Rechtsanwälte als auch Richter, sowohl Altertumsforscher als auch Historiker, sowohl Kritiker als auch Poeten, sowohl Zerstörer als auch Aufbauer ... Es wird immer noch mehr als genug grobes Korn und Unkraut geben, deren Fähigkeiten gut genug an die engen Wirkungsbereiche angepaßt sein werden, deren Streben nicht ansteigen wird und die in Wirklichkeit durch die Ausführung dieser notwendigen Arbeiten ihre Talente zum größten Nutzen entwickeln. Da es sie nun einmal gibt, verbleibt die einzige Frage, wie mit ihnen zu verfahren ist: ob sie anzuerkennen sind, je nachdem, wie gut sie sind, oder ob sie als unserer besseren Gesellschaft unwürdig auszustoßen sind ... Wir selbst zögern nicht, die humanere Alternative vorzuziehen ... Es gibt in jedem Menschen und in allen Dingen einen Keim des Guten, der, wenn er verständig hervorgeholt und gepflegt wird, allmählich die Oberhand über das ihn umgebende Schlechte gewinnen mag und es mehr und mehr seine eigene Gestalt annehmen läßt.«[9]

8 Edinburgh Review, Nr. CXXXII (Juli 1837), S. 204.
9 Edinburgh Review, Nr. CXXXVIII (Januar 1839), S. 435.

Zwanzig Jahre später (1859 und 1860), als der Ausdruck »Die Million« aufgehört hatte, eine Übertreibung zu sein, wurde in diesen Zeitschriften bei der Debatte über Populärkultur ein Höhepunkt erreicht. Die frühe, durch die neuen erzieherischen Stimmen geschaffene Aufwallung von Optimismus war dahingeschwunden, und Probleme wurden nun ausgiebig und genau abgegrenzt. Doch die Probleme, die sich mit der Aufrechterhaltung hoher kultureller Produktivität angesichts der sich erweiternden kulturellen Basis befaßten, waren nicht gelöst. Die Geschichte der Literaturkritik des 19. Jahrhunderts, die sich mit dieser Frage so tief beschäftigt, ist eine komplexe Angelegenheit, von der wir nur einen Teil behandeln werden. Abgesehen von den Kritikern aus den Reihen der Schriftsteller (Wordsworth, Coleridge, Hazlitt, De Quincey, Scott), wandten sich die professionellen Kritiker in den vier Zeitschriften einem sehr großen Publikum zu und galten als einflußreiche Meinungsbildner ihrer Leserschaft. Die Erweiterung der Buchrezension zu einem lockeren kritischen Essay erlaubte die Freiheit, Ideen zu entwickeln, und so wurde die Rezension in der Tat zu einer Art Forum, von dem aus »alle die zweiten Ansprachen in der nationalen Debatte gemacht wurden«[10]. Zentral spielte die von Marx entliehene Auffassung eine Rolle, nach der Literatur ein Spiegel sozialer und ökonomischer Bedingungen ist, die durch darwinistische Ideen von der Kultur als einem evolutionären Prozeß verstärkt wurde. Die alten Fragen: »Ist sie normal?«, »Amüsiert sie?« wurden durch Fragen wie: »Ist sie eine genaue Widerspiegelung unserer Welt?«, »Was sagt sie uns über unsere Gesellschaft?« ersetzt. Populärliteratur, so argumentierten Kritiker, ist unmoralisch, weil sie die Realität verzerrt und die Wahrheit verfälscht. Aber sie ist auch eine genaue Widerspiegelung neuer sozialer Wahrheiten, die nicht ignoriert werden können. Populärkultur kann nicht in demselben Licht betrachtet werden wie künstlerische Schöpfungen; sie ist ein Symptom einer neuen sozialen Epoche – wenn nicht einer sozialen Krankheit. Der englische Rezensent von M. Nisards Buch *Histoires des Livres Populaires* schreibt folgendes über Populärliteratur: »Hier handelt es sich zweifellos um die großen sozialen Probleme des Zeitalters, die wohl kaum weniger interessieren dürften als die der Volksschulerziehung. Denn sie

10 Michael Wolff, Victorian Reviewers and Cultural Responsibility, in: 1859: Entering an Age of Crisis, Bloomington (Indiana) 1959, S. 270.

umfassen den Erfolg jener Selbsterziehung, die sich weitaus direkter auf die praktische Formung des individuellen Charakters auswirkt sowie – zum Guten oder zum Bösen –, zumindest am Anfang, auf die Bestimmung der moralischen Prinzipien, die, entweder unbewußt oder offen eingestanden, dazu ausersehen sind, ein Leitbild fürs ganze Leben zu sein. Es ist offensichtlich, daß die willkürlichen Verordnungen einer Regierung oder die abhelfenden Maßnahmen einer Kommission nur die Oberfläche erreichen können: sie befassen sich eher mit den Symptomen als mit der Krankheit.«[11] Gegen Ende des Jahrhunderts war Populärliteratur das Gebiet sowohl des Sozialwissenschaftlers wie das des Kritikers, zusammengeführt in der Person des Literaturkritikers, der sich in der Folge ausgedehnter sozialer Veränderung abmühte, eine rationale Grundlage seiner Existenz zu entwickeln.

Es bestand eine ganze Anzahl möglicher kritischer Haltungen. Auf der einen Seite des Extrems standen die Elitären, die wenig Vertrauen in die Fähigkeit der Massen setzten, jemals zu einem verständnisvollen Publikum für seriöse Werke zu werden. Kritische Entscheidungen und kulturelle Gebote müssen nach ihrer Ansicht an der Spitze getroffen werden, innerhalb der gebildetsten Schicht der Gesellschaft, um schließlich nach unten durchzusickern. Auf der anderen Seite des Extrems standen die intellektuellen »Radikalen«, die unbedingt an den kritischen Geschmack der Massen glaubten. Sie waren der Ansicht, daß, geschichtlich gesehen, die Ungebildeten langsam, besonnen, konservativ und Gefolgsleute des Besten in der Kultur sind. Man habe nur den guten Ruf von Voltaire, Racine oder Shakespeare zu betrachten, um überzeugt zu sein: »Obwohl die weniger kritische Menge im allgemeinen nur langsam Korrektheit in Sachen des Geschmacks erwirbt, ist sie aber auch die letzte, die, wenn sie ihn einmal erworben hat, die Sache des guten Geschmacks preisgibt, um den unbeständigen Führern der Mode bei ihren korrupten Extravaganzen Folge zu leisten ... Racine und Voltaire sind immer noch oder waren bis vor kurzem die Wonne des französischen Volkes, obwohl die ›intellektuellen Schichten‹ den Vergötterungen der romantischen Schule nachliefen.«[12]

In ähnlichem Stil wurde behauptet, daß die Verbreitung von Kultur,

---

11 Edinburgh Review, Nr. CCXVII (Januar 1858), S. 246.
12 Edinburgh Review, Nr. CXXXII (Juli 1837), S. 151.

weit davon entfernt, ein Nivellierungswerkzeug oder der Vorbote von Mittelmäßigkeit und Uniformität zu sein, Abwechslung und Vielfältigkeit auf dem intellektuellen und geistigen Niveau liefere: ein Stimulus für jedes schöpferische Werk und besonders für Romanschriftsteller: »Zivilisation, die dazu neigt, Handlungen von Menschen zu vereinheitlichen, vervielfältigen nur Mannigfaltigkeiten in ihren Ansichten und ihrem Geist ... Viel mehr Nahrung ist für die Weisheit des Romans in Bewegung und Aufruhr gelegen ..., in der gärenden Vernunft und der erregten Einbildungskraft, die mehr zu dieser Ära rapiden und sichtbaren Überganges gehören als in die Zeiten der ›umgürteten Ritter und kühnen Barone‹, als der gelehrteste Weise weniger Einfälle hatte als ein normaler Sterblicher sich heute rühmen kann.«[13]

Dieser Versuch, rationalisierend den düsteren Kulturpropheten zu antworten, stellt den Anfang jener prekären Verbindung zwischen Wissenschaften, Industrialisierung und Kunst dar, die gegen Ende des Jahrhunderts zu einem Ausdruck von Vertrauen stilisiert wurde.

Unterbrechen wir hier für einen Augenblick, um noch einmal das hauptsächliche Interesse dieser Studie darzulegen, nämlich zu erforschen, ob und inwieweit die Belange der Intellektuellen des 19. Jahrhunderts für die Anliegen der zeitgenössischen intellektuellen Szene prägend waren. In dem Maße, wie die Strukturen der sozialen Ordnung sich veränderten, bleiben die noch nicht gelösten und wahrscheinlich unlösbaren Probleme der Anpassung von vergangenen Werten an neue soziale Erfordernisse und besonders der Schaffung neuer kultureller Wertsysteme und vor allen Dingen der Lösung des Rätsels, wie die teils spontan, teils manipulativ auftauchenden Werte und Normen innerhalb der breiten Schicht der industrialisierten Bevölkerungen zu handhaben sind. Würde man dieses Problem nur im Sinne eines Konfliktes zwischen Kultur und Massenkultur darstellen, würde dies nur zu einer Moralpredigt führen. Es jedoch im Sinne der Anstrengungen der Intellektuellen als einer Schicht zu stellen, die versucht, sich mit dieser offensichtlichen Dichotomie auszusöhnen, ist soziologisch und auch anders gesehen eine wahre Aufgabe. Die Analyse unseres Materials zeigt, daß der Versuch der Aussöhnung oder Synthese nicht gelang – damals ebensowenig wie

13 Edinburgh Review, Nr. CXXXVI (Juli 1838), S. 356-357.

heute. Immerhin dürfte die eingehende Beschreibung dieses Fehl-schlages in sich selbst ein Beitrag zu einer mehr anspruchsvollen Neuformulierung der heutigen intellektuellen Positionen be-deuten.

Ein in der *Quarterly Review* 1874 erschienener Artikel von William J. Courthope (Autor einer *History of English Poetry,* ein Buch, das heute noch in Gebrauch ist) liefert reichliche Beweisführung zu die-sem Punkt.[14] Es ist nicht ohne Ironie, daß ein moderner Literaturhi-storiker Courthope wegen eines angeblichen räuberischen Einbruchs des Autors in die Soziologie auf die Finger klopft. Unser moderner Kritiker ist der Ansicht, daß dieses Buch über englische Poesie »in seiner Brauchbarkeit beeinträchtigt ist durch ein allzu striktes Fest-halten an der These, daß eine enge Verbindung zwischen literarischer Mode, Geschmack und Werten einerseits und zeitgenössischen sozia-len und politischen Ansichten und Bedingungen andererseits be-stehe«[15].

Dennoch handelt es sich hier um einen wichtigen, wenn auch recht anmaßenden Artikel, der es unternimmt, drei Bücher von Matthew Arnold, ein Buch von Symonds und eins von Pater zu »rezensieren« und schließlich auch noch zwei von Carlyles klassischen Schriften neu zu bewerten. Die angestellten Überlegungen drehen sich um eine Analyse des Kulturbegriffes selbst. Courthopes Position ist eine zweideutige – in sich selbst paradigmatisch für den intellektuellen Kiebitzer, der sich fast völlig mit einem Standpunkt identifiziert. Diese Art von Parteigängertum ohne Verpflichtung antizipiert eher den Intellektuellen der Mitte des 20. Jahrhunderts, als daß sie für die Literaturen des 19. Jahrhunderts charakteristisch wäre.

Courthope kontrastiert Matthew Arnolds Gedanken mit einer libe-ralen Kulturphilosophie und tut dies so, daß der Eindruck erweckt wird, seine Sympathien lägen auf der Seite dessen, was er als die liberale Position beschreibt. Seine Kritik an Arnold richtet sich gegen »Selbstkultur«, gegen die Verfeinerung der Persönlichkeit in Abson-derung vom Hauptstrom nationaler Kultur. Den gleichen snobisti-schen kulturellen Isolationismus findet er bei Carlyle. Sarkastisch nennt er Carlyle »den Professor«, der, indem er Literatur an die

14 Quarterly Review, Nr. 274 (Oktober 1874), S. 404 ff.
15 Samuel C. Chew, The Nineteenth Century and After, in: A. E. Baugh (Hrsg.) A Literary History of England, New York 1948, S. 1603.

einstmals von der Religion besetzte Stelle setzt, sich »der Strömung der Künstler, Wissenschaftler, Dichter und Berufe schöner Literatur im allgemeinen (anschließt), die sich zu einer Priesterschaft zu Zwecken der Propagierung einer Religion der Ideen zusammenschließen«. Er kontrastiert Carlyles Elitedenken mit der Einstellung des recht radikalen Frederick Harrison, der übrigens der Hohepriester von Auguste Comte in England war und der, was er »die dümmste Heuchelei des Tages ... das scheinheilige Gerede über Kultur« nannte, verspottete. Nach Harrison ist Kultur ein sehr beschränkter Bedeutungsbereich, der eine Funktion bei der Gelehrsamkeit der Literaturkritik besitzen mag, aber »angewandt auf Politik bedeutet er einfach nur einen Hang zu kleinen Nörgeleien, Liebe zu selbstsüchtiger Behaglichkeit und Unentschiedenheit im Handeln«. Insgesamt faßt er dies alles in der klassischen Aussage zusammen: »In der Politik ist der kultivierte Mensch eine der armseligsten lebenden Kreaturen.«

Bei näherer Betrachtung zeigt sich, daß Courthopes recht prekäre und nicht sonderlich eindrucksvolle Nebeneinanderstellung von entgegengesetzten Wertungen der Kultur auf eine viel entscheidendere ideologische Haltung des Intellektuellen gegenüber den kulturellen Dilemmas der modernen Gesellschaft hinweist. Man könnte sagen, daß es eine Projektion ist, wenn er Matthew Arnolds berühmtes Selbstbildnis als »Wandern zwischen zwei Welten, die eine tot, die andere unfähig, geboren zu werden« als »ohnmächtig« brandmarkt. Dies ist genau die Situation des höchst sensibilisierten Intellektuellen, der zwei Aspekten der Entfremdung gegenübersteht: einmal einem kulturellen Erbe, das sich scheinbar von dem Charakter der Zeit abgewandt hat, zum anderen einem Markt der Kulturprodukte, der um die wankelmütigen Idiosynkrasien und psychologischen Bedürfnisse des Volkes wirbt, das bereit ist, einen Preis zu zahlen, wenn die Ware stimmt. Courthopes Haltung spiegelt sich in diesem Dilemma der doppelten Entfremdung wider: Er kann die Carlyle-Arnold-Pater-Position nicht akzeptieren, diese »verantwortungslose Priesterschaft«, die künstlich ein Fernhalten von sozialer Verantwortung erzwingt. Aber er kann auch nicht »die logischen Folgen des Gesetzes von Angebot und Nachfrage innerhalb der Literatur« akzeptieren. Voller Verachtung zitiert er einen Artikel aus der Londoner *Times*, der in bejahenden Worten das Kredo der marktorientierten Massenkultur verkündet: »Wenn ein Roman aus zehn oder ein Gedicht aus tausend überhaupt lesenswert ist, so ist das gerade so viel, wie wir vernünftigerweise zu finden erwarten können. Sicher ist jedoch, daß der Rest einen Bedarf absättigt, der wirklich gespürt wird und einer großen Leserschaft unbestreitbares Vergnügen bereitet. Wenn es das Ziel der Literatur ist, Vergnügen zu vermitteln und das Gemüt von den unerfreulichen Realitäten des Lebens abzulenken, ist es *unmöglich, etwas Lob denjenigen Produktionen zu verweigern,* die dies zuwege bringen, und sei es nur für eine kurze Zeitspanne.«

Courthope verwirft eine Sozialphilosophie, die die öffentliche Meinung nicht nur als Kriterium des Erfolges ansieht, sondern auch als Kriterium des historischen Urteilsspruchs, den es zu akzeptieren gilt. Er bemerkt, daß »nationaler Geschmack verfällt«, und in Tocquevillescher Ausdrucksweise »sträubt er sich gegen diesen vulgären und zynischen Despotismus« der öffentlichen Meinung. Sarkastisch kommentiert er den Leitartikel der *Times:* »Wenn der Gegenstand der Literatur das ist, wie er von dieser großen Zeitung gekennzeichnet wird…, dann können wir mit unserem Lob für die Kunst der Kuppler oder das Geschäft der Opiumhändler von rechtswegen nicht zurückhalten.« Dennoch ist Courthope selbst nicht fähig, das Dilemma dadurch zu lösen, daß er sich als der unnachgiebige Kritiker fernhält oder sich die Haltung des kämpfenden Revolutionärs zu eigen macht. Eher entkräftet er sein Argument, indem er vage die Möglichkeit echter kultureller Aktivität durch »Rücksichtnahme auf die Instinkte, die Traditionen und den Charakter der Gesellschaft, zu der wir gehören«, in Betracht zieht.

Der Artikel ist eine Bestandsaufnahme der sich gegenüberstehenden Topoi und Themen der Kulturdebatte. Hier findet sich das Bewußtsein eines durchgreifenden Wandels vom Aristokratie- zum Mittelklasse-Lebensstil; Einblick wird in die unterschiedlichen kulturellen Ansprüche innerhalb einer stark geschichteten Mittelklasse-Gesellschaft vermittelt; Wissen wird über die Unterschiede von solchen kulturellen Werten ausgebreitet, die durch Geschmack als Kriterium ästhetischer Vollkommenheit und solchen, die durch die Forderungen des Marktes verstärkt werden; auch findet sich, wenn auch nur im Keime, eine diffizile Schilderung der beiden sozialen Widersacher – der Elitisten und der Populisten – in der Kodifizierung dessen, was Kultur bewirken und bedeuten sollte; und schließlich wird, wenn auch mit vielen Zweideutigkeiten und Unsicherheiten, auf die Rolle des Intellektuellen eingegangen, der sich nicht verpflichtet fühlt, ein absolutes Ja oder ein absolutes Nein zu der Welt zu sagen, in der er sich befindet.

Die Debatte über kulturelle Standards im 19. Jahrhundert war eine Fortsetzung von bereits im 18. Jahrhundert vorliegenden Streitfragen. Aber während das vorherige Jahrhundert auf einem Ton der Enttäuschung endete, fand das 19. Jahrhundert begründete Erklärungen. Dies wurde möglich gemacht durch das Zusammenspiel von Englands Hervortreten als imperialistische Macht und dem enormen Fortschritt des Lebensstandards. Im letzten Viertel des Jahrhunderts zeichnen sich die Aufsätze in den Vierteljahres-Zeitschriften durch akademische Trockenheit aus; der frühere Ton von Unmittelbarkeit und Engagement ist vergangen. Der Triumph der Wissenschaft unterstützte einen Optimismus, der es wagte, die Prämissen der Kritik der kulturellen Standards herauszufordern. Demzufolge kann im Jahre 1896 der Rezensent der *Edinburgh Review* sagen: »Wenn es wahr sein sollte, daß die moralische und materielle Wohlfahrt der Massen der Nation nur dadurch erreicht werden kann, daß man es dem Intellektuellen schwerer macht, der Zeit seinen Stempel aufzudrücken, (dann,) so fürchten wir, müssen die Interessen der vielen über die Forderungen der wenigen die Oberhand gewinnen. Und wir müssen uns selbst, so gut wir können, mit der Sicherung des größten Glücks für die größte Anzahl zufrieden geben.« Mit diesem bitteren Klang eines unbehaglichen Vertrauens in das Zeitalter der Wissenschaft und der Massen endet das Jahrhundert.

Kapitel IV
Die Auffassung Dostojewskis
im Vorkriegsdeutschland

Zum Sein des Kunstwerks gehört seine Wirkung; das, was es ist, bestimmt sich wesentlich in dem, als was es erlebt wird. Die Erlebnisse der Menschen aber sind in besonderer Weise präformiert; sie sind nicht willkürlich ausgewählt, entsprechen nicht einer zufälligen Ereignisreihe. Was und wie die Menschen bestimmte Kunstwerke erleben, ob sie diese sich aneignen oder nicht, wer sie sich aneignet, welche Schichten sich in der einen oder andern Hinsicht typisch zu ihnen verhalten, das Niveau und die Färbung aller ästhetischen Urteile – mögen sie in dem anspruchsvollen Gewand der zünftigen Kritik auftreten oder in der auf den ersten Blick nur schwer in ihrer qualitativen und quantitativen Eigenart durchschaubaren Aufnahme durch das breite Publikum sich manifestieren –, alle diese Probleme sind nicht zu verstehen, wenn man sie nicht aus dem Lebensprozeß der Gesellschaft, näher: aus der ökonomischen und sozialen Situation erklärt. Die Rezeption von Kunstwerken studieren heißt einen Beitrag zu einer materialistischen Ästhetik leisten.

Mit keinem einzigen unter den neueren Dichtern ist eine so relativ gleichmäßige, niemals abreißende literarische und kritische Beschäftigung und Auseinandersetzung in Deutschland vor sich gegangen, wie mit Dostojewski. Gewiß gibt es Künstler, die von größerem Einfluß auf die dichterische Produktion gewesen sind oder die höhere Auflagenziffern erreicht haben, gewiß weist die Kurve der literarischen Beschäftigung mit Dostojewski und der Auflagenhöhe seiner Werke sehr erhebliche Schwankungen auf. Aber vollständige Lükken, Jahre auch nur mit vollkommen belangloser uncharakteristischer Literatur über Dostojewski sind seit dem Ende der achtziger Jahre bis 1934 niemals aufgetreten. Dazu kommt, daß die Dostojewskiliteratur nicht bloß auf das Gebiet der Kunstkritik beschränkt bleibt. Neben literarischen Essays und Kritiken stehen politische, religiöse, wissenschaftliche und philosophische Betrachtungen. Wenn man die – schätzungsweise – etwa 800 Nummern umfassende Bibliographie der deutschen Dostojewski-Rezeption von den Anfängen bis zur Gegenwart durchsieht,[1] so wird man ungewöhnlich viele repräsentative Namen aus dem literarischen, religiösen, philosophischen Leben – über die divergentesten Richtungen verteilt – antreffen; es findet sich in diesem Zeitraum (von Goethe abgesehen) kein Dichter, von dem sich Ähnliches sagen ließe. Das gleiche gilt von der Aufteilung der Rezeption in Zeitschriften und Zeitungen; bekanntlich enthalten viele politische Organe, von den Konservativen über den Nationalliberalismus bis zur politischen Linken, ferner die literarischen Zeitschriften im engeren Sinne und schließlich auch wissenschaftliche Periodika der philosophischen, der juristischen, der medizinischen Disziplin repräsentative Auseinandersetzungen mit Dostojewski.

Der Tatbestand der zeitlichen Kontinuität und gruppenmäßigen Breite enthält zugleich einen sachlichen Hinweis. Es müssen gewisse allgemeine und typische Züge sein, die diese Dichte und Breite bedingen. In Dostojewskis Werken müssen sich Faktoren finden, die an ein bestimmtes gesellschaftliches Bewußtsein trotz dessen Differenziertheit, trotz der in ihm vorgehenden Veränderungen mit einiger Hartnäckigkeit und Konstanz zu appellieren vermögen. Welches diese sind, soll nicht an den Werken selbst studiert werden. In dieser Arbeit handelt es sich nicht um den großen Künstler. Auch die Frage, ob und inwieweit die soziologische Analyse seiner Wirkung ihn selber mitbetrifft, bleibt hier offen; bestimmte ideologische Eigentümlichkeiten der für seine Rezeption entscheidenden deutschen Leserschicht des Klein- und Mittelbürgertums gelten jedenfalls für ihn nicht. Doch muß über ihn eine Bemerkung auch in diesem Zusammenhang gemacht werden: es genügt weder der Hinweis auf den Inhalt noch auf die Komposition, noch auf die sprachliche Form, kurzum weder die Berufung auf stoffliche noch auf ästhetische Eigenschaften, um die Stetigkeit der Beschäftigung zu erklären. In der bürgerlichen Erzählkunst hat es gewiß noch größere Dichter als Dostojewski gegeben. Es müssen Erscheinungen sein, die anderen Gebieten angehören als die, mit denen sich der Literarhistoriker gemeinhin auseinandersetzt, es müssen andere Interessen als rein ästhetische sein, die das sonderbare Phänomen zu erklären vermögen. Die Rezeption Dostojewskis in Deutschland geschieht vor allem im

1 Gute, wenn auch ergänzungsbedürftige bibliographische Angaben finden sich bei Theoderich Kampmann, Dostojewski in Deutschland; Münster i. W. 1931 (zuerst 1930 als Dissertation erschienen).

Lager des mittleren und kleinen Bürgertums, und diese Rezeption steht im Zeichen der Ideologie; sie verklärt die gesellschaftliche Situation dieser Schichten. In der Gegenwart zeichnet sich deutlich die relativ weitgehende soziale und ökonomische Ohnmacht dieser Gruppen ab: es ist aber eine Eigentümlichkeit der deutschen Geschichte, daß auch bereits in der Vorkriegszeit hier sich deutlich Züge herausgebildet haben, in denen jene Ohnmacht sich ankündigte. In Deutschland haben die breiten Schichten des Bürgertums auch in der klassischen Zeit des Liberalismus nie entscheidenden Einfluß auf die Politik zu gewinnen vermocht. Eingeengt durch die soziale und innerstaatliche Vormachtstellung der agrarisch, industriell und militärisch zusammengesetzten Oberklasse auf der einen Seite und durch den Aufstieg des Proletariats auf der anderen, angewiesen auf das wirtschaftliche Betätigungsfeld kleiner und mittlerer Erwerbszweige selbständiger oder abhängiger Art, die durch den Konzentrationsprozeß des Kapitals immer mehr an gesellschaftlicher Bedeutung verlieren, verwandelt sich der Triumphzug des westeuropäischen liberalen Bürgertums in Deutschland zu einer Abfolge von Niederlagen und Scheinerfolgen: in einer gleichsam ironischen Wendung der Geschichte drückt sich die Ohnmacht des deutschen mittleren und kleinen Bürgertums darin aus, daß die stärkste Hoffnung des Liberalismus mit dem Tod eines Monarchen, Friedrichs III., zu Grabe getragen wurde.

Das gesellschaftliche Bewußtsein dieser Schichten ist aus ihrer Mittelstellung zu begreifen: weder gehören sie zu den faktisch herrschenden Gruppen, noch fühlen sie sich – und dies in der Vorkriegszeit weitgehend mit Recht – mit ihren Interessen an das Schicksal des Proletariats geknüpft. Das breite Bürgertum war zuerst im Schlepptau der feudalen Aristokratie, gelangte dann unter die vor allem ökonomische Bevormundung der mit dieser verbündeten industriellen und landwirtschaftlichen Großbourgeoisie; in den letzten Vorkriegsjahrzehnten und gewiß in den vergangenen fünfzehn Jahren beschleunigte sich noch dieser Prozeß einer wirtschaftlichen und gesellschaftlichen Entmachtung mehr und mehr. Wie es durch seine realen oder scheinbaren Interessen auf seiten des Privateigentums steht und sich so mit den wirklich herrschenden Schichten solidarisch gegenüber den Forderungen des Proletariats fühlt, wie es andererseits das Bedürfnis hat, seine reale Ohnmacht gegenüber der Großbourgeoisie und seine reale Angst vor den Anforderungen des Proletariats, vor allem auch seine Angst, ihm ökonomisch zugerechnet zu werden, zu verbergen – diese der Tendenz nach aussichtslose Zwitterstellung wird sich auch im gesellschaftlichen Bewußtsein dieses Bürgertums ausprägen.

Die folgenden Ausführungen berücksichtigen nicht die Differenzen, die sich innerhalb dieser Schichten vorfinden. Sie vernachlässigen auch eine spezialisierte Untersuchung, inwieweit das beigebrachte Material aus den Kreisen des breiten Bürgertums stammt oder von ihm gelesen wird. Ob die Rezeption Dostojewskis im Sinne des gesellschaftlichen Bewußtseins dieser Gruppen erfolgt, muß die Analyse selber ergeben. Der Schwierigkeit einer Verallgemeinerung und Vergröberung der Resultate läßt sich kaum entgehen, wenn es sich darum handelt, die beherrschenden Züge einer bestimmten Ideologie zu studieren. Die Möglichkeit einer weiteren Verfeinerung der Ergebnisse steht außer Frage. Aber wie die monopolkapitalistische Phase ein Entwicklungsprozeß ist, der an jeder beliebig herausgegriffenen Stelle stets wieder bestimmte gleiche ökonomische Charakteristika aufweist, z.B. für die Rolle der Mittelschichten im Produktionsprozeß, so gilt auch, daß es zwar in der Bildung der deutschen Ideologie des hier behandelten Zeitraums wichtige Differenzen und Akzentverschiebungen gibt, daß aber zugleich (vom heute gewonnenen historischen Standpunkt aus) an jeder herausgegriffenen Stelle der Geschichte des gesellschaftlichen Bewußtseins typische, immer wieder zu konstatierende Fakten sich aufweisen lassen.

Wenn man die Rezeption Dostojewskis in ihrer außerordentlichen quantitativen und qualitativen Vielfältigkeit betrachtet, so ergibt sich gleich etwas Überraschendes. Die Kategorien, innerhalb deren Dostojewski rezipiert wird, werden bis heute im großen und ganzen durchgehalten. Gewiß schwanken hie und da die Akzente, gewiß wandelt sich allmählich über bestimmte Werke das Geschmacksurteil, gewiß gibt es in manchen Einzeldingen Äußerungen, die einander diametral entgegengesetzt sind, gewiß betont also etwa ein Mitarbeiter der »Preußischen Jahrbücher« mehr die nationale[2], ein dem Naturalismus nahestehender liberaler Kritiker mehr die humanistische Seite bei Dostojewski[3], gewiß gewinnen später einzelne

2 Vgl. Franz Sandvoss, F. M. Dostojewski, a. a. O., 97. Bd. (1899), S. 330 ff.
3 Hermann Conradi, F. M. Dostojewski. In: Die Gesellschaft, 6. Jg. (1889), S. 520 ff.

Gesichtspunkte wie etwa der der religiösen Bedeutung von Gestalt und Werk Dostojewskis an Wichtigkeit. Das viel Augenfälligere aber ist, daß gegenüber all diesen – auch hier anzudeutenden – Differenzen grundlegende gemeinsame Betrachtungsweisen durchgehalten werden. Ob man sich die Literatur der neunziger Jahre oder die dreißig Jahre später ansieht – daß Dostojewski in bestimmter Weise Psychologe sei, daß er in sehr eigentümlicher Art die Menschenliebe predige, daß die Gegensätze auf den verschiedensten theoretischen und praktischen Lebensgebieten bei ihm zur Versöhnung tendierten, daß sein Werk die Seele seines Volkes ausdrücke und noch einige andere typische Urteile bilden das Leitmotiv dieser Rezeptionsgeschichte. Es wird zu zeigen sein, daß und inwiefern in ihnen grundlegende Elemente der bürgerlichen Ideologie enthalten sind.

Mit geringen und nicht entscheidenden Ausnahmen ist die Aufnahme Dostojewskis, die Herausarbeitung der an ihr gewonnenen Kategorien eine positive. Dostojewski wird gebilligt; ja, man kann sagen, daß seine Aufnahme weniger eine Angelegenheit der literarischen Kritik als eine der gläubigen und bereiten Hinnahme ist. Bezeichnend ist, daß es kaum eine literarhistorisch sachgerechte Darstellung seines Lebens und seines schriftstellerischen Schaffens gibt, sondern daß, soweit Gesamtbilder entworfen werden, diese bereits in ihrer Anlage den Charakter von Sinndeutungen haben.[4]

Dostojewski begegnet uns von vornherein im Zeichen des *Mythos*. Das will heißen, daß in seine Person wie in seine Werke wie auch in eine gewisse undurchdringliche Einheit, die man zwischen seinem Leben und seinen Romanen stiftet, Gehalte gelegt werden, die jede nachprüfbare Faktizität transzendieren, die insbesondere außergeschichtlichen Charakter tragen, d.h. vollkommen beziehungslos zum gesellschaftlichen Prozeß stehen, oder die den Anspruch erheben, im Gegensatz zu aller immanenten Geschichtstheorie, zu aller Konstruktion von gesellschaftlicher Gesetzlichkeit das soziale Leben von sich aus sinnhaft zu konstituieren.

Wenn man die Dostojewskiliteratur nach mythischen Spekulationen durchforscht, wird man zunächst einer schier erdrückenden Mannigfaltigkeit begegnen. Ob nun »den Urzuständen nahe«[5], ob ein Wesen

---

4 Genannt seien etwa die Werke von Nötzel, Zweig, Mahrholz, Meyer-Gräfe.
5 K. Weiss, Besprechung einiger Romane Dostojewskis. In: Hochland, Jg. 6 (1908), S. 364.

»voller Teufel und voll Gott«[6], ob ein Heiliger auf dem Weg »von Nazareth auf den Golgatha«[7], ob ein »Abgrund«[8], ob die »Lösung des Problems Rußland«[9], ob »Urphänomen«[10] oder »epileptisches Genie«[11], ob Ineinanderdringen von Leben und Tod[12], von »Vernunft und Wahnsinn«[13], von »Chaos und Gestalt«[14], ob »russischer Dante«[15] oder ein Schicksal, geleitet von »geheimnisvollen Kräften«[16] – an Buntheit der Formulierungen über das Wesen des Dichters und seiner Werke ist kein Mangel. Versucht man, in dieser schier chaotischen Fülle eine gewisse Ordnung zu stiften, so lassen sich wohl folgende Schichten abheben:

1. *In Dostojewskis Werk erscheint das Reich des eigentlichen Seienden*, des über alle bloße Zufälligkeit des menschlichen Lebens Herausgehenden. Mit ihm gelangen wir »zu den mystischen Müttern«[17], er »ragt am meisten hinein in das neue dritte Reich des Menschengeschlechtes«[18]. »...in zehn Zeilen hat sich der Abgrund geöffnet«[19]; »... wir tragen den Abgrund stets in uns«[20]. Man ist »den Urzuständen nahe«[21].

6 O. J. Bierbaum, Dostojewski. In: Die Zukunft. 18 Jg. (1909), S. 186.

7 O. Kaus, Dostojewskis Briefe. In: Die weißen Blätter, Jg. I, 1913-14, S. 1353.

8 L. Beer, Quo Vadis. In: Die Nation. Jg. 1900/01, Bd. 18, S. 793, und K. H. Strobl, Dostojewski, Rußland und die Revolution. In: Die Gegenwart, 36. Jg. 1907, S. 87.

9 K. Weiss, a. a. O.

10 N. Hoffmann, M. Dostojewski. Eine biographische Studie. Berlin 1899, S. 223.

11 Vgl. z. B. Georg Brandes, Dostojewski, ein Essay. Berlin 1889, S. 3, ferner Strobl, a. a. O., Bierbaum, a. a. O.

12 Vgl. H. Coralnik, Das Russenbuch. Straßburg 1914. S. 20.

13 W. Scholz, Dostojewski. In: Westermanns Monatshefte, Bd. 33 (1888-89), S. 766.

14 Hermann Bahr, D. Mereschkowski, O. J. Bierbaum, Dostojewski. 3 Essays, München 1914, S. 15 (Äußerung von Bahr).

15 F. Servaes, Dostojewski. In: Die Zukunft. Bd. 8 (1900), S. 256.

16 D. Mereschkowski, Tolstoi und Dostojewski als Mensch und als Künstler, Leipzig 1903, S. 86.

17 O. J. Bierbaum. In: Die Zukunft, a. a. O., S. 197.

18 Leo Berg, Der Übermensch in der modernen Literatur. Leipzig 1898, S. 111.

19 Beer, a. a. O., S. 794.

20 Strobl, a. a. O.

21 Weiss, a. a. O.

2. *Dostojewskis Leben steht im Zeichen eines Sinns.* Es wird nicht geformt durch mannigfaltige Erlebnisse, sondern diese sind selbst nur Stationen einer »mit unheimlichem Plan bedeutend ersonnenen Existenz«[22], seines »dunklen Wegs«[23]. In das Zuchthaus haben ihn »geheimnisvolle Kräfte, die anscheinend unsichtbar über allen irdischen Schicksalen Dostojewskis walteten«[24], gebracht. Durch Krankheit hat Dostojewski »in die dunkelsten Abgründe des Unglücks hinabgemußt und hat die höchsten Entzückungen der Ekstase durchkosten können«[25]; der »Epileptiker« ist »Gefäß der Gottheit«[26] »... Er war Epileptiker. Was heißt das? ... Daß er eine geheimnisvolle für einen kurzen Moment jach und herrlich erhebende, für Tage grausam niederwerfende Macht in sich fühlte, den Dämon«[27]. Auch sein Tod steht unter einem anderen als einem bloß irdischen Aspekt: »Wie Beethoven stirbt er im heiligen Aufruhr der Elemente, im Gewitter«[28]. Überblickt man die Entwicklung seiner Persönlichkeit: »Sie wächst und formt sich aus den dunklen animalisch-elementaren Wurzeln zur höchsten Vollendung und steigt bis zu den höchsten, lichtesten Gipfeln der Geistigkeit«[29]. Überblickt man sein schweres äußeres Schicksal: »Wenn es richtig ist, daß die Not die Lehrmeisterin des Genies ist, ... so könnte man sagen, Dostojewski verdanke seine poetische Berufung allein seinen Leiden, denn er litt wie wenige Menschen«[30]. »Es scheint manchmal, als ob eine unsichtbare Macht gerade den Menschen, der vor allen anderen empfindlich und aufnahmefähig ist, vor die furchtbarsten Menschenschicksale führte, damit einmal ein Mensch aus eigener Erfahrung den Mitmenschen künde, wie man seinesgleichen zwar beleidigen, erniedrigen und zu Tode quälen kann, wie der Mensch aber immer und überall Mensch bleibt.

22 O. Stössl, Die Briefe von Dostojewski. In: Der neue Merkur, Jg. 1914.

23 Adolf Stern, Geschichte der neuen Literatur, Leipzig 1885, Bd. 7, S. 550.

24 D. Mereschkowski, a. a. O., S. 39.

25 Frieda Freiin von Bülow, Dostojewski in Deutschland. In: Das literarische Echo, Jg. 9 (1906), S. 204.

26 Strobl, a. a. O.

27 Bierbaum, a. a. O.

28 St. Zweig, Dostojewski, die Tragödie seines Lebens. In: Der Merkur, Jg. V. (1914).

29 Mereschkowski, a. a. O., S. 222.

30 I. E. Poritzki, Heine, Dostojewski, Gorki. Leipzig 1902, S. 55.

Solche geheimnisvollen Absichten leiten das Schicksal von Dostojewski.«[31]

Die Beliebigkeit in der Auswahl der mythischen Bilder, die bald christlich, bald heidnisch, bald metaphysisch, dann wieder rein gefühlsmäßig und hymnisch-geformt uns entgegentreten, hat gesellschaftlich gesehen ihren guten Sinn. Sie stellt das öffentliche Leben und den Umkreis der sozialen Existenz in einen Zusammenhang, der jede Kritik, jede Klage übersteigt. Im Genuß von Kunstwerken die Bedingtheit, Bedrängnis, zweifelhafte soziale Perspektive psychisch zu verdrängen, die die eigene Klasse und das ihr angehörende Individuum im gesellschaftlichen Gesamtprozeß bezieht, verschleiert gewiß die Realität. Abgesehen von der Phantasiebefriedigung, die man sich dadurch leistet, daß man den tieferen Sinn menschlichen Lebens und Geschehens überhaupt »versteht«, ist man aufgehoben in eine umgreifende Einheit, in der andere Gruppen kein höheres Recht auf Existenz, keine sublimeren Genüsse erfahren. Der Mechanismus der Ideologienbildung verwandelt den Mangel einer gesellschaftlichen Theorie, der sich aus der realen Situation dieser Klasse erklärt, unversehens in einen überquellenden Reichtum an Bildern und Phantasien – nur, daß es eben Bilder und Phantasien bleiben. Immer wieder wird sich zeigen, daß die Ideologie der Mittelschicht die Tendenz hat, die Verklärung der Wirklichkeit mit Hilfe der Ausschmückung der privaten seelischen Innenwelt zu leisten. Die Weltgeschichte wird zum Privatmythos des Bürgers. Je weniger er sich in ihr leisten kann, desto mehr leistet sie ihm in der Form des irrationalen Scheins.

Wird so der Mythos im Zeichen der Über- und Vorgeschichtlichkeit hinsichtlich des Verhältnisses zur Oberschicht wesentlich verklärende Dienste leisten, so kann die Deutung des Lebensganges von Dostojewski für die Abgrenzung gegenüber den unteren Klassen verarbeitet werden. Gewiß steckt in dem Ansatz des Lebensplans, des Sinnes, der über dem Schicksal des Individuums waltet, zunächst wieder jene Privatisierung, die wir soeben als charakteristisch nannten. Je mehr die Aufstiegsideologie angesichts der wachsenden Vernichtung des selbständigen Unternehmers im Monopolkapitalismus verblaßt, desto mehr wird ein Hochmut ideologische Chancen haben, der das Ressentiment über die soziale Stagnation verdeckt, indem er für den

---

31 K. Nötzel, Dostojewski. In: März, Bd. V (1911), S. 301.

im allgemeinen recht trüben und widrigen Verlauf des persönlichen Lebens höhere, geheimnisvolle Mächte in Anspruch nimmt, mögen sie Pflicht, Gottheit, unter- oder überirdisches Walten heißen. Was nun aber die Verarbeitung des Lebens Dostojewskis angeht, so gehört die Verklärung seines entsetzlichen Leidens, von Zuchthaus, Krankheit, Armut, kurz von allen Situationen, denen die eigentumslosen Schichten am stärksten ausgesetzt sind, in den umfassenderen Zusammenhang einer Verklärung der Passivität. Es ist nicht nur widersinnig, gegen das Leiden anzugehen, das von Instanzen verhängt wird, die sich jedem irdischen, wissenschaftlichen oder sozialreformerischen Zugriff entziehen, sondern es liegt sogar ein Schimmer besonderer Dignität über Menschen, denen Leiden auferlegt sind. Ein solcher Mechanismus kann aus zwei Gründen den Mittelschichten besondere Dienste leisten: er tröstet über die eigenen Sorgen, indem er auf größere hinweist, und er entgiftet die Gefahr für die eigene soziale Existenz, die aus den Reaktionsweisen jener stärker Bedrückten erwachsen könnte, indem er deren härtere Nöte und Leiden recht gerne sieht und weitgehend billigt.

Eine weitere mythische Schicht stellt sich dar in der

3. *Coincidentia oppositorum.* Darunter wird hier folgendes verstanden: die gesamte Rezeptionsgeschichte durchzieht das Motiv, daß der Mensch Dostojewski, der Wesensgehalt seiner Werke, die Anlage der wichtigsten Charaktere, kurzum, der ganze Umkreis seines Lebens und Schaffens gekennzeichnet sei durch die Vereinigung von Tatbeständen, die man gemeinhin als widerspruchsvoll empfindet. Diese Vereinigung der Widersprüche ist man bemüht, auf den verschiedenartigsten Gebieten aufzuzeigen. Es versöhnen sich *ästhetische Gegensätze*: Dostojewski ist »ein konservativer Schriftsteller, dabei ein Naturalist«[32]; »Immer ist bei Dostojewski Grauen der erste Eindruck und der zweite erst Größe«[33]: »Aus den tollsten Widersprüchen ... wächst das Rundbild, die volle plastische Form des Menschen auf«.[34] Es versöhnen sich *weltanschauliche*: die Handlung in den »Brüdern Karamasow« umfaßt »Himmel und Hölle«[35], in Stawrogin steckt »große Heiligkeit und große Bosheit«[36]; Dostojewski »ist Nihilist

32 Stern, a. a. O., S. 550.
33 St. Zweig, a. a. O.
34 Beer, a. a. O.
35 M. Necker, Dostojewski. In: Die Grenzboten, Bd. 44 (1885), S. 349.
36 Mereschkowski, a. a. O., S. 92.

und Orthodoxer«[37]; seine Welt ist »voller Teufel und voll Gott«[38], sie haben in ihm »ihren größten Kampf bestanden«[39]. Es versöhnen sich fernerhin *intellektuelle*: wir finden den Dichter »die höchsten Gipfel der Vernunft erreichend und die tiefsten Tiefen des Mysterienabgrundes herunterstürzend«[40]. Oft »untergräbt Dostojewski seine logisch errichtete Gedankenwelt, um sie in eine unergründliche Tiefe niederzustürzen«[41]. Raskolnikow steht »auf der schmalen Grenze zwischen Vernunft und Wahnsinn«[42]. Es versöhnen sich *moralische* Kontraste: »Der Heilige und der Verbrecher ... sind für ihn nicht einmal Gegensätze«[43]. Dostojewskis Gesicht zeugt von »krankhaften Lüsten, unendlichem Mitleid«[44], seine »Haupt- und Grundtypen« sind »der Heilige und der Verbrecher«[45]; der religiöse »Schwärmer« ist »schuldbeladen« und die »Dirne« »rein«[46]; aus der »Prostituierten« »wird« »eine Heilige«[47], Dostojewski hat gelernt, »selbst unter der anscheinend vertierten, verknöcherten und gefühllosen Hülle einen Rest vom ewig Menschlichem und Edlem, welches auch im tiefsten Abgrund der Verworfenheit dem Menschen nicht ganz abhanden kommt, zu finden«[48]. Es versöhnten sich Gegensätze des *Charakters*: »wir müssen die scheinbaren Widersprüche ... in der Größe seines Genies und seines Herzens auflösen und etwa so ansehen, wie wir die Widersprüche der Natur ansehen«[49]; er war Epileptiker, ein Mensch, in dem »Dumpfstes und Hellstes zusammenfloß«[50], sein Antlitz ist »halb russisches Bauerngesicht, halb

---

37 Strobl, a.a.O., S. 104.
38 Bierbaum. In: Die Zukunft, a.a.O., S. 196.
39 E. Lucka, Dostojewski und der Teufel. In: Das Literar. Echo. Jg. 16 (1913-14), S. 378.
40 R. Saitschik, Die Weltanschauung Dostojewski's und Tolstoi's. Halle 1901, S. 9.
41 a.a.O., S.2.
42 Scholz, a.a.O.
43 Coralnik, a.a.O., S. 20.
44 G. Brandes, a.a.O., S. 3.
45 H. C. Coralnik, a.a.O.
46 Kurtz Eisner, Raskolnikov. In: Soz. Monatshefte, Bd. V (1901), S. 52.
47 G. Brandes, Gestalten und Gedanken. München 1903.
48 W. Henckel, Dostojewski. In: Das Magazin, Jg. 51 (1882), S. 77.
49 N. Hoffmann, Dostojewski. Eine biographische Studie. Berlin 1899, S.2.
50 F. Servaes, Dostojewski. In: Die Zukunft. 8. Jg. (1900), S. 258.

Verbrecherphysiognomie«[51]. Und schließlich kommen bei ihm Widersprüche zur Deckung, die gar nicht mehr in fest umrissenen Kategorien sich fassen lassen, sondern gleichsam rauschartig in seinem Wesen und Werk den Zusammenklang jedes Widerspruches schlechthin aufspüren: »Jede Person ... ist nur ein Stück seiner unermeßlichen verschwimmenden Persönlichkeit ... die scharf umrissenen Details, das Naturalistische, das wir wahrzunehmen glauben, verschwimmt ... es ist der Abgrund, in dem Nebel brauen ... Abgrund und Ebene sind dasselbe«[52]. »Harmonie, das formalistische, abgebrauchte Wort, scheuen wir uns auszusprechen von einem Dichter, der alle Seligkeiten und alle Teufeleien mit fanatischer Kaltblütigkeit erleben läßt.«[53] Er hat das »Rätselhafte und Tiefe der menschlichen Natur« wieder in sein Recht eingesetzt.[54] Seine Welt ist »voller Höhen und Tiefen, Engen und Weiten, Abgründe und Ausblicke«[55]. »Fortwährend nimmt das Chaos Gestalt an, ... gleich aber erweicht sich die Gestalt und zerfließt ...«[56] Seinen künstlerischen Stoffen eignet »Begrenztheit und Unergründlichkeit«[57].

Mit dieser mythologischen Schicht werden wir thematisch auf ein ganz zentrales Moment jeder Ideologiebildung überhaupt hingewiesen, nämlich auf die Verklärung der gesellschaftlichen Widersprüche selbst. Hier findet sich ja das Wesentliche am Mechanismus der Ideologiebildung, und alle anderen Faktoren haben einen nur mehr oder weniger subsidiären Charakter: sie mögen sich aus der sozialökonomischen oder sozialpsychologischen Eigenart der betreffenden Gruppen erklären, sie mögen ihren Akzent von der jeweils in Frage stehenden historischen Situation gewinnen, sie mögen bestimmt sein durch materielle oder kulturelle Tradition. Das aber, worauf es ausschließlich immer wieder ankommt, ist die Verzauberung, Verklärung, Verbrämung des konstitutiven historischen Moments des Klassenkampfes, der gesellschaftlichen Widersprüche, der sozialen Leiden. Hier haben nun die verschiedenen Kategorien der coinciden-

51 Brandes, Dostojewski, a.a.O., S. 3.
52 Strobl, a.a.O., S. 104.
53 Weiss, a.a.O.
54 O. Soyka, Dostojewskis Menschen. In: Wiener Sonntag- und Montag-Zeitung, 1903, Nr. 18.
55 Bierbaum. In: Die Zukunft, 1909, a.a.O., S. 196.
56 H. Bahr, a.a.O.
57 Stoessl, a.a.O.

tia oppositorum, die wir soeben wiedergegeben haben, ihren zentralen Ort. Wenn in der untersten Schicht des Mythos die konkrete Wirklichkeit aus dem Blickfeld gerückt wird, wenn in der Schicht der Sinndeutung individuellen Lebens die Rolle des Individuums im Gesamtprozeß zugleich isoliert und überbewertet erscheint, so geht die coincidentia oppositorum unmittelbar auf den gesellschaftlichen Widerspruchscharakter selbst. In der Regel vollzieht sich ja der ideologische Mechanismus so, daß in einer mehr oder minder vermittelten Weise der vorhandene und veränderbare antagonistische Charakter einer bestehenden Gesellschaftsordnung geleugnet wird; in ganz bestimmten Formen und Ausprägungen ergibt sich in der Ideologie ein Bild der Harmonie im Bestehenden. Im Zusammenhang solcher ideologischen Mechanismen nimmt nun diese coincidentia oppositorum eine Sonderstellung ein: sie leugnet nicht die Widersprüche auf den verschiedensten Kultur- und Lebensgebieten, aber sie leistet gleiche Dienste wie jede andere Ideologie, ja sie leistet sogar noch bessere, indem sie die Widersprüche stehen läßt und sie in einem metaphysischen Sinne rechtfertigt; sie verzaubert die sozialen Widersprüche in Eigenschaften des eigentlich Seienden. Sieht man sich das in der Dostojewski-Rezeption auftretende Verzeichnis dieser Koinzidenzen an, so birgt es gewiß manches, was in eine wahrhaft dialektische materialistische Betrachtungsweise eingehen könnte: die Relativierung konventioneller Moralbegriffe, der Ansatz einer gesellschaftlich orientierten Diskussion des Problems von Prostitution und Verbrechen. Solche Momente könnten in das Geschichtsbild der wirklichen sozialen Kämpfe aufgenommen werden, vermöchten aufklärende destruktive Wirkungen, Radikalisierung des Denkens am Beispiel konkreter gesellschaftlicher Phänomene vorzunehmen. Aber bei der Rezeption gehen diese noch im Zusammenhang mit der »deutlichen Wirklichkeit« stehenden Fakten ein in ein Schema von Antinomien, das der durchaus jeder realen Kontrolle entzogenen Sphäre einer Phantasiewelt angehört. Die Klassengegensätze geraten bereits zur Versöhnung, ehe sie als solche überhaupt ins Bewußtsein gelangen; sie werden nicht nur in Gedanken und Gefühl vereinigt, sondern ihrer Faktizität nach verändert. Besonders über diesem Kapitel der Ideologienbildung könnte der Satz als Motto stehen: »Die politischen und sozialen Probleme verwandelten sich ihm (Dostojewski) in seelische Bekenntnisfragen.«[58] Prägnanter ist in der Tat

58 C. Hoffmann, a. a. O.

»der Kampf gegen die Herrschaft des Intellektualismus« in seiner gesellschaftlichen Bedeutung kaum zu manifestieren. Es kommt nicht darauf an, einen Gedanken durchzuhalten, zu einem Gefühl sich zu bekennen, eine moralische oder politische Haltung als die allein mögliche zu respektieren, sondern auch der entgegengesetzte Gedanke, ein konträres Gefühl, eine vollkommen andere Haltung werden als gleichberechtigt anerkannt. Es kommt nie auf etwas ganz genau Bestimmtes an, sondern die Buntheit des Lebens, seine angebliche Tiefe und Unerschöpflichkeit geben ihm seinen eigentlichen Reiz. Hier drückt sich der in das bloß Phantasierte und wiederum Privatisierte verflüchtigte Hochmut gesellschaftlicher Schichten aus, die aus einer realen denkerischen Auseinandersetzung mit der Außenwelt, d. h. der gesellschaftlichen Wirklichkeit nicht jenen Lustgewinn zu ziehen vermöchten, den ihnen die Freude an der scheinbaren Buntheit und versöhnten Widerspruchshaftigkeit bei der Lektüre der Dichtung gewährt. Die Gleichgültigkeit gegenüber den realen Gegenständen der Außenwelt, der Verzicht auf jede entscheidende Nuance im Denken, dieser Prozeß der Irrationalisierung hat einen klaren gesellschaftlichen Sinn: die Empfänglichkeit der Phantasie für die »Buntheit« der Gegenwart gewinnt an Stärke, und zugleich wird verdeckt, daß reale Vorstellungen über die Zukunft in diesem gesellschaftlichen Bewußtsein sich kaum vorfinden – sie hätten auch ein nur wenig erfreuliches Bild zu entwerfen.

Berührt so die coincidentia oppositorum als solche die zentrale Stelle jeder bürgerlichen Ideologie, so wird eine bestimmte Koinzidenz hier außerordentlich wichtig. Diese enthält den trotz aller Verschiedenheiten der Betrachtungsweise und der verwendeten Kategorien eindeutigen und einheitlichen gesellschaftlichen Sinn der monopolkapitalistischen Entwicklung. Eine zeitgenössische Stimme verrät unversehens die geheime soziale Bedeutung der gesamten Mythologie: »Wie aber danach der Zeitgeist zunächst noch langsam, dann jedoch seit Krieg und Revolution sich schneller zu wandeln beginnt und auf allen Gebieten des geistigen Lebens Gegenströmungen einsetzen, finden wir die Elemente dieses neuen Wesens, nämlich Irrationalismus, Glaube, Gefühl, Idealismus, Symbolismus und ein metaphysisches Weltbild, Affekt und Beschwingung des Herzens, Bindung, Bewegung, Mystik, Geistigkeit und Beseelung, eine primitiv-ekstatische Anschauungsweise mehr und mehr natürlich auch in der Kunst, in der Dichtung wieder, zuerst noch blutleer und gespensterhaft mit dem Schrei nach Gott und Geist, dann frischer, erdhafter, gesunder mit der Bindung an Heimat, Blut, Boden und Nation.«[59] In der Tat kann der nationale Imperialismus sich ausgezeichnet jenes Schlagwortes der Versöhnung aller Widersprüche bedienen. Wie der schon genannte Journalist an Stelle des Chaos der Demokratie den organischen Begriff der Volksgemeinschaft setzen will, so wird Dostojewskis angebliche Interpretation der russischen Volksseele zum Prototyp der nationalen Mythologie. Dieser Gemeinschaftsmythos, der die Klassengegensätze verdeckt, kann in noch ausgezeichneterer Weise als der vorgeschichtliche Mythos den Schein der Identifizierung der Interessen von Mittel- und Oberschicht verleihen.

4. Der nationale oder *völkische Mythos*, der in der Rezeption Dostojewskis entsteht, bedient sich der verschiedensten Formen. So heißt es beispielsweise: »Seine (Dostojewskis) Dichtung ist Asien . . ., und auch das Unmögliche ist bei ihm durchaus möglich . . . im letzten Grund ist, die russische Mystik . . . Sehnsucht und Erfüllung zugleich.«[60] Oder es wird schlechthin verkündet: »Dem Russen ist Theorie und Leben ein und dasselbe.«[61] Besonders freimütig bekennt sich zu dieser nationalen Mythologie versöhnter Widersprüche auch der Historiker Heinrich Friedjung, der zu Dostojewskis Glaubensbekenntnis der russischen Seele bemerkt: »Legt man an die religiösen und politischen Ansichten Dostojewskis den Maßstab der Logik an, so zerbröckeln sie in Widersprüche. Das Elementare ist auch hier stärker als das Verstandesmäßige . . .«[62] Gerade diese Äußerung führt zu einem weiteren typischen Element des nationalen Mythos. Es ist die immer wiederholte Versicherung, daß Dostojewski »eine der größten Manifestationen des russischen Volksgeistes«[63] sei, daß »in ihm . . . die russische Seele ihren machtvollsten und zugleich intimsten Ausdruck gefunden«[64] habe, »daß wir in Dostojewski den Russen

---

59 Hans Naumann, Die deutsche Dichtung der Gegenwart, 6. Aufl. Stuttgart 1933.

60 Strobl, a. a. O.

61 Joseph Müller, Dostojewski – ein Charakterbild, München 1903, S. 183.

62 Heinrich Friedjung, Das Zeitalter des Imperialismus, Berlin 1922, Bd. 3, S. 142.

63 Joseph Melnik, Einleitung zum »Buch vom großen Zorn« von A. S. Wolynski, Frankfurt/M. 1905.

64 Theodor Heuss, Dostojewskis Revolutionsroman. In: Die Hilfe. 12. Jg. (1906), S. 9.

und durch ihn das russische Volk verstehen lernen«[65], daß etwa die Tiefe von Dostojewski Vision des russischen Geistes«[66] sei.

Fragt man näher nach dem Wesen dieses russischen Volkes, so wird man in einige Verlegenheit geraten. Wir erfahren von der »russischen Seele, die ihren Gottesdurst in Erdenlust und verneinende Grübelei zerspaltet«[67], von der »traumhaften Gutmütigkeit ..., die eine Eigentümlichkeit der slavischen Rasse zu sein scheint«[68], davon, daß es kein anderes Volk gibt, »das bis in alle Schichten so religiös ist wie das russische«[69], davon, daß »die Seele des Russen ... sich unmittelbarer, ungestümer, freimütiger als die unsere«[70] äußert. Aber abgesehen von derart schwer faßbaren und unbestimmten Charakterisierungen haben wir uns im wesentlichen damit abzufinden, daß uns Dostojewski und sein Werk »eine Lösung des Problems Russland«[71] bietet, daß er »das an Kräften und Schwächen, Rätseln und Widersprüchen wunderlich reiche Wesen des russischen Volkes besonders rein darstellt«[72], kurz, daß er uns in das »Geheimnis der Volksexistenz«[73] einführt.

Die wichtigste Dokumentierung dieser nationalen Mythologie findet sich bei Moeller van den Bruck, der die verbreitetsten deutschen Ausgaben der Werke Dostojewskis besorgt hat. An ihm, dem Vorläufer des jüngsten deutschen Nationalismus, läßt sich als an einem klassischen biographischen Beispiel der gesellschaftliche Sinn nationaler Mythen von heute studieren. In seiner auch an anderer Stelle abgedruckten Einleitung zu den »Dämonen«[74] redet Moeller v. d. Bruck gleich zu Beginn von der russischen Seele, für die »der Mensch selbst eine dunkle Sehnsucht nach Schau und Erkennen« sei. Im Gegensatz zum Germanen, der der »geborene Ideenträger« sei, und oft noch »als Plato oder Kant wiederkehren« könne, seien die

65 M. Schian, Dostojewski. In: Die christliche Welt, 26. Jg. 1912, Sp. 205.
66 Otto Stoessl, a.a.O.
67 N. Hoffmann, a.a.O., S. 425.
68 E. Hennequin, Dostojewski. In: Die Gesellschaft, 16. Jg. (1900).
69 Jos. Müller, a.a.O.
70 Frieda Freiin von Bülow, a.a.O.
71 K. Weiss, a.a.O.
72 Frieda v. Bülow, a.a.O.
73 Joseph Melnik, a.a.O.
74 Vgl. Einleitung in die Dämonen-Ausgabe des Piper-Verlages, München 1906, und die Buchbesprechung des Romans in »Die Zukunft«, Jg. 1906, S. 66ff.

Slaven »geborene Glaubenskünder«: »nur eine slavische Mutter könnte, wenn es dereinst Abend geworden ist in der westlichen Menschheit und der Germane sich ausruht, aus der östlichen Welt noch einmal Buddha oder Jesus gebären«. In Dostojewski sei nun die russische Weltanschauung zum ersten Mal verkörpert worden; er, »der Ausdruck des russischen Wahnsinns, der Tragödie im Slaventum, die Fleischwerdung all seiner mystischen Verinnerlichung und hektischen Geladenheit«, habe Rußland die ihm eigentümliche Mythologie der Seele gegeben. Es sei immer das eine russische Leben, das in seinen Gestalten ausgedrückt werde, die das ganze Rußland, ja »das ganze Slaventum in all seinen verschiedenen Nationalitäten, Kasten und Typen, vom Verbrecher bis zum Heiligen, in tausend Nuancen« umfaßten. Das russische Leben sei einmal bestimmt durch die »überstark partikularistische, beständig dezentralisierende Rassenentwicklung«, andererseits durch den russischen Nationalcharakter, dessen Merkmale das Traumhafte und Gefühlvolle, die Ergebenheit in ein Fatum, nicht Tat und Wille seien. Dieses verinnerlichte russische Wesen drücke sich überall aus, »selbst wenn es sich in rasenden und sogar gräßlichen Taten ausrollt«.

Dostojewski habe als einer »der ganz wenigen« unter den Dichtern des 19. Jahrhunderts Neues gesagt, mehr als Balzac, Flaubert, Zola, Maupassant. Er kann nur mit Goethe verglichen werden; dieser »grub den Realismus mehr in das Seelische und Ewige ein, dadurch, daß er ihm den Grund der Natur und der aufkommenden Naturwissenschaft legte«. Dostojewski sei noch weiter gegangen als Goethe und habe als »ganzer Naturalist gezeigt, wie auch das moderne Leben wieder seine Mystik und seine Phantastik hat«. Er habe es »in seiner inneren Dämonie ..., mit seinen neuen Schönheiten und Häßlichkeiten, seinen neuen Sittlichkeiten und Unsittlichkeiten ›ergriffen‹ und den Naturalismus, statt ihn etwa gar zur Kopie zu erniedrigen, in Vision wieder aufgelöst«. In seinem Roman habe er nun die innere Dämonie in der russischen Staats- und Geschichtsauffassung aufgezeigt, die mit Rücksicht auf die verkommenen gesellschaftlichen Verhältnisse die russische Jugend wie in einem Fieber zur Politik treibe.

Wie die Konjunktur im Jahre 1906 eine gewisse Etappe des Monopolisierungsprozesses darstellt, so läßt sich der Aufsatz Moeller van den Brucks als ein lehrreiches Symptom seiner Ideologie verstehen. Um die Organisation wirtschaftlicher und politischer Riesengebilde und

-kombinationen auch in den Köpfen der Menschen zu befestigen bedarf es an Stelle des Ideals des Wettbewerbs der Individuen auf Grund der Entwicklung ihres Denkens und Wollens der Verehrung arationaler, dem Forum kritischer Nachprüfbarkeit entzogener Ideale. Es gehört zu den Antagonismen der kapitalistischen Gesellschaft, daß, je stärker die Tendenzen werden, im wirtschaftlichen Unterbau rationale Planmäßigkeit walten zu lassen, im gesellschaftlichen Bewußtsein die rationalen und kritischen Elemente zurückgedrängt werden müssen.

Die Ideologie des Monopolkapitalismus kann sich mit einem gewissen Recht zur Gegnerin des 19. Jahrhunderts erklären. Moeller van den Bruck, der in diesem Kampf vor allem in der Nachkriegszeit eine wichtige Funktion ausgeübt hat, ist auch in dem früheren Aufsatz von symptomatischer Bedeutung. Jetzt nämlich wird jener Kampf dadurch vorbereitet, daß aus dem 19. Jahrhundert eine Legende gemacht, daß sein historischer Inhalt, die Richtung seiner Entwicklung einem Prozeß der Simplifizierung und Verfälschung unterworfen wird. Das zeigt sich zunächst in der stilgeschichtlich ganz unhaltbaren Ausweitung des Begriffs Naturalismus zu einer visionären künstlerischen Weltgestaltung, einer Ausweitung, wie sie auch in der Folgezeit sicherlich nicht ohne direkte Einwirkung dieser weitverbreiteten Einleitung in die »Dämonen« häufig vorgenommen wird.[75] Indem die Beziehungen Dostojewskis zur großen Tradition des europäischen, insbesondere französischen Realismus und Naturalismus geleugnet und die rein anempfundene, durch nichts belegbare Verbindung mit Goethe hergestellt werden, ist Dostojewski in der Tat aus einem bestimmten Zusammenhang des 19. Jahrhunderts herausgerissen. Denn im Zug jener von Moeller v. d. Bruck abgewiesenen Gestalten von Balzac bis Zola gewinnen die menschlichen Qualitäten, die das 19. Jahrhundert entwickelt hat, der Einsatz von persönlicher Leidenschaft, Denkkraft und Entschlußfä-

75 Z. B. spricht Theodor Heuss, a. a. O., S. 9, davon, daß der Naturalismus Dostojewskis »seelischer Art« sei; für Strobel, a. a. O., verwandelt sich bei Dostojewski der Naturalismus in Mystizismus; »das Naturalistische ... wird gespenstig, sobald wir unser Auge einzustellen versuchen«. Auch die biedere, fürs deutsche Haus geschriebene »Geschichte der Weltliteratur« (Bielefeld und Leipzig, 1913) von C. Busse spricht von »dem ins Mystische und Visionäre strebenden Naturalismus« Dostojewskis (Bd. 2, S. 596).

nigkeit, das Bewußtsein für die Realität gesellschaftlicher Widersprüche, die Notwendigkeit einer eindeutigen und nachprüfbaren Stel-
ungnahme zu den sozialen Konflikten mit ihren feinsten psychischen Auswirkungen künstlerische Gestalt; jene Entwicklung des
Romans im Realismus und Naturalismus, auch in den bildenden
Künsten, ist eine der wichtigsten Leistungen des 19. Jahrhunderts
gewesen. Ihre Ergebnisse allerdings stehen im krassen Widerspruch
zu den Bedürfnissen einer monopol-kapitalistischen Ideologie, mit
ihr mehr als mit jeder anderen Etappe der bürgerlichen Gesellschaft,
gerade deswegen, weil sie »Kopie« zu sein sich bemühen, d.h.
Widerspiegelung des wirklichen Lebens, und darum den Appell zur
Veränderung in sich tragen.

Das entscheidende Element der monopol-kapitalistischen Ideologie
findet sich bei Moeller v. d. Bruck unter dem noch etwas naiven und
vagen Titel der Forderung »nationaler Mythologien«. Es ist gewiß
nicht mehr Historie, wenn von Dostojewski behauptet wird, er habe
nicht nur »ganz Rußland«, sondern gar »das ganze Slaventum in all
seinen verschiedenen Nationalitäten, Kasten und Typen, vom einfachen Muschik bis zum Petersburger Aristokraten, vom Nihilisten bis
zum Bürokraten, vom Verbrecher bis zum Heiligen, in tausend
Nuancen umfaßt«; es sind ebensowenig auch nur im entferntesten
noch einem wissenschaftlichen, ja nur irgend einem rationalen Kriterium Behauptungen unterworfen wie die, der Germane sei »gebore-
ner Ideenträger«, zumal dann, wenn auch Plato zu solchen Germanen
gerechnet wird, und die slavische Seele könne in ihrer dunklen
Sehnsuchtsweise einen »Buddha oder Jesus« nochmals erschaffen,
ebensowenig Aussagen wie die von den Rasseneigenarten des Slaven,
zu träumen und nicht zu handeln, zu fühlen und nicht zu tun, dem
Verhängnis sich zu ergeben und nicht zu wollen. Solche Meinungen
sind alle in der Tat gegen die Traditionen und Resultate des 19.
Jahrhunderts gerichtet, und es bedarf keines umständlichen Ver-
fahrens, um darauf aufmerksam zu machen, daß sie alle in vollster
Blüte in den gegenwärtig herrschenden und mächtigsten Ideologien
der monopol-kapitalistisch fortgeschrittensten Länder anzutreffen
sind.

Gerade in der Unbestimmtheit der Fassung des russischen Wesens
liegt ein äußerst brauchbares Vorbild für alle nationalen Ideologien
vor. Je weniger sie im Detail bestimmt umrissen und nachprüfbar
sind, desto weniger haben sie die Kontrastierung mit der Wirklichkeit

zu fürchten, desto intensiver verdecken sie die realen Widersprüche, desto brauchbarer sind sie in der Verschleierung sozial-ökonomischer Interessen und Ansprüche anderer Klassen, vor allem aber auch derjenigen der Mittelschichten selbst, die der im Zeichen dieser Ideologie unternommenen monopol-kapitalistischen Wirschafts- und Staatsführung sehr erheblich widersprechen könnten.

Noch auf eine besondere Eigenart, die der nationale Mythos, wie nicht nur die Formulierungen Moeller v. d. Brucks zeigen, mit den anderen aufgewiesenen irrationalen Schichten teilt, sei hingewiesen. Es ist die Tendenz, sich in Stimmung und Wortwahl *religiöser Bilder und Vorstellungen* zu bedienen. Wie die Aufklärung darin irrt, die Religionsgeschichte als eine Kette von Priesterbetrug aufzufassen, zumal da gerade Religionsgeschichte weitgehend mit Geschichte der Wissenschaften identisch ist, so abwegig wäre es, die religiöse Färbung, die aller nachliberalen Ideologie eignet, auf Akte bewußter Erfindung und Verfälschung des Intellekts zurückzuführen. Vielmehr ist die ideologische Rolle des Religiösen in der Phase des Imperialismus und des national aufgegliederten Monopolkapitalismus weitgehend Verklärung des Nationalismus. Das gilt nicht nur in dem Sinne, mit dem auch schon religiöse Sätze vergangener Geschichtsepochen grauenhaften Taten den moralischen Sinn verliehen haben, im Interesse einer höheren Wahrheit ausgeführt worden zu sein, sondern es kann zugleich ein in äußerstem Maße mit dem Kennzeichen der Zeitlichkeit und der historischen Bedingtheit ausgezeichneter bestimmter Staat, eine bestimmte, vermittels des politischen Apparats herrschende Schicht dadurch die Qualität der Überzeitlichkeit gewinnen, daß diese geschichtlichen Produkte in den Zusammenhang des Ewigen, des Mythos, des Mystischen oder wie immer die terminologischen Bruchstücke aus der Religionsgeschichte lauten mögen, gebracht werden. Moeller v. d. Bruck etwa hat mit seiner eigenen politischen Entwicklung bewiesen, daß es nur eines Schrittes bedarf, um, ebenso wie in Rußland »noch einmal Buddha oder Jesus«, in Deutschland oder einer anderen Nation eine erhöhte Gestalt gebären zu lassen und damit den Ewigkeitscharakter eines bestimmten historischen Zustands im gesellschaftlichen Bewußtsein zu garantieren.

Mit dem Begriff des Mythischen sind die für unseren Zusammenhang wesentlichsten Züge der Dostojewski-Rezeption bezeichnet. Sie stellen sich weitgehend als Mythos der Gemeinschaft dar. Doch

lassen sich auch andere Grundelemente des mittelbürgerlichen gesellschaftlichen Bewußtseins am gleichen Material konkretisieren. Wen-
den wir uns zunächst einem mit dem Titel »*Passivität*« vorläufig
bezeichneten Faktor zu. In ihm spiegelt sich die teils faktische, teils
tendenzielle Ohnmacht der mittleren Schichten wider; sie äußert sich
auch in der Verklärung des Pflichtbegriffs, der Sinndeutung des
Leidens, des Verzichts auf moralische Aktionen, die gegen die
sozialen Mißstände gerichtet waren. Hier, wo man der gesellschaftlichen Praxis wesentlich näher steht als im Mythischen, wird es nicht
verwundern, daß wichtige Gehalte sich vor allem darin ausdrücken,
daß sie überhaupt nicht vorhanden sind. Es fällt nämlich die Sphäre
der Aktivität, d.h. aber vor allem die moralische und politische
Tätigkeit vollkommen aus, bzw. sie wird entwertet. Es hat nicht erst
der Nachkriegszeit bedurft, um Dostojewski als geistige Waffe
gegen den Versuch einer sozialen Umgestaltung der Gesellschaft zu
verwenden. Wenn Dostojewski, der Politiker, beschrieben wird,
ertönt häufig eine hämische oder besorgte Stimme, die dem Gegner
der Revolutionen und der Revolutionäre beipflichtet, die ihn preist
als den Warner vor dem politischen Umsturz, der Unheil, Krankheit,
Widernatürlichkeit bedeutet. Der Weg der politischen Aktion
erscheint schlechthin als Sünde wider die kreatürliche Ergebenheit
oder bloß geistige Erhebung, die als das Wesen des Menschen
angesprochen wird. Wie ein Prophet der Finsternis erscheint Dostojewski, wenn es immer wieder von ihm heißt, daß er »die nihilisti-
schen Attentate vorhergesehen habe«[76]; vor allem nach der Revolution von 1905 und der im Nachfolgejahr erscheinenden Übersetzung
der »Dämonen« hat seine »düstere Prophetie« die »russische
Zukunft«[77] geschaut, hat er sich als »Prophet des politischen Rußlands«[78] enthüllt: »Manche Scenen aus den ›Dämonen‹ sind so
seherisch empfunden, als wären sie während der Revolution und
heute geschrieben.«[79] Schon im Anfang der Rezeptionsgeschichte
wird von Dostojewski gerühmt, daß er »die Krankheit des Nihilis-

76 Vgl. z.B. A. v. Reinholdt, Geschichte der russischen Literatur, Leipzig 1886,
S. 695.
77 L. Brehm, Dostojewskis »Dämonen«. In: Der Deutsche, 5. Bd. 1906, S. 342.
78 R. M. Meyer, Das russische Dreigestirn. In: Oesterreichische Rundschau,
Bd. 16, Jg. 1908, S. 37.
79 Weiss, a. a. O.

mus«[80] gesehen, daß er in dieses »Wespennest«[81] gestochen habe. Und immer mehr wird hervorgehoben, »wie Dostojewski gerade dem Sozialismus gegenüber so leidenschaftlich und schonungslos hervorgetreten ist«[82], den schwächlichen Utopien eines Fourier, Marx usw. »gegenüber«[83]. »Sozialistische Utopien waren seiner Natur nicht nur fremd, sondern direkt zuwider. Was ihm ... den stärksten Widerwillen gegen den Sozialismus einflößte, ... war der moralische Materialismus dieser Lehre.«[84] Es läßt sich auch in diesem Zusammenhang das schon mehrmals erwähnte Zitat wiederholen, nach dem Dostojewski die politischen und sozialen Probleme in seelische Bekenntnisfragen verwandelt habe!

Diese Diskreditierung jeder umwälzenden gesellschaftlichen Praxis enthüllt sich in ihrem gesellschaftlichen Sinn noch klarer, wenn man die bei Dostojewski nicht oder fast gar nicht behandelten Themen betrachtet. Dazu gehört zunächst einmal, daß die meisten seiner Menschen und die meisten Tätigkeiten seiner Menschen Ausnahmeerscheinungen darstellen. Nirgends wird die reale russische Gesellschaft in ihrer Lebenspraxis vor uns entwickelt. In keinem seiner Romane arbeiten die Menschen wirklich, in keinem werden die realen wirtschaftlichen Tätigkeiten und die *materiellen* sozialen *Beziehungen* der Menschen aufgezeigt, bei der Schilderung politischer Angelegenheiten wird niemals die Kenntnis des wirklichen Mechanismus der Bewegung ermittelt, sondern irgendeine verzerrte oder abgelegene Angelegenheit wird behandelt. Aber für die gesellschaftliche Deutung dieses Faktums ist es mindestens ebenso wichtig, daß dieser Mangel in der Rezeption fast nie beachtet oder bezeichnet wird. Der aktive Lebensprozeß der menschlichen Gesellschaft, alle in ihm angelegten vorwärtstreibenden Kräfte, ja, der Gesamtbereich der Produktivkräfte überhaupt wird aus dem Blickfeld gesellschaftlicher Schichten verbannt, die von der Entwicklung dieser Kräfte nichts zu erhoffen haben.

Das unaktivistische Moment jener bürgerlichen Ideologie kommt

80 G. Rollard, Der Roman Raskolnikow. In: Das Magazin für Literatur, 101. Bd., 1882, S. 292.

81 A. Scholz, a. a. O., S. 768.

82 J. Müller, a. a. O., S. 131.

83 a. a. O., S. 180.

84 D. S. Mereschkowski, in dem Essayband Bahr, M. und Bierbaum, a. a. O., S. 33.

noch in dem nicht bemerkten Mangel eines anderen Themas Dostojewskis zum Ausdruck: es fehlt die Kategorie des irdischen *Glücks*. Glück in gesellschaftlichem Maßstab hätte zur Voraussetzung eine aktive Umgestaltung der Wirklichkeit im Sinn der Beseitigung ihrer krassesten Widersprüche. Damit wäre nicht nur eine vollkommene Umgestaltung der gegenwärtigen Machtverhältnisse, sondern auch eine Umstrukturierung des gesellschaftlichen Bewußtseins vonnöten. Seine Triebziele wesentlich auf die Verwirklichung des sozialen Glücks einrichten heißt in unmittelbaren Widerspruch mit dem gesamten vorliegenden Machtapparat geraten. Daß die breiten Schichten des Bürgertums aus ihren gesamten ökonomischen und politischen Voraussetzungen sich nicht zu jener eindeutigen Stellungnahme bekennen können, ist vermerkt worden. Die geringe Rolle, die die Kategorie des Glücks in jenem bürgerlichen gesellschaftlichen Bewußtsein spielt, muß aus den gesamten Verhältnissen dieser Klasse begriffen werden. Eine befriedigende gesellschaftliche Verfassung ist ihr als absteigender Klasse verschlossen und muß sich darum auch dem Bewußtsein in seiner eigentlichen Bedeutung als Glück verschließen.

Nun könnte gegen diese Auffassung, die Dostojewski als Beleg für seine inaktive, der moralischen Tat und dem sozialen Hilfswillen entrückte Ideologie heranzieht, eingewandt werden, gerade Dostojewski eigne sich dazu doch sehr wenig, da er der Verkünder der Liebe und des Mitleids für die Menschen sei. In der Tat wandeln fast die meisten literarischen Äußerungen dieses Thema von Liebe und Mitleid ab, mag es sich geschmackvoll ausdrücken in Formulierungen wie: die »überlegene Ruhe, durch die nur so etwas wie eine tiefgeheime Trauer hindurchzittert, wie ein unendliches Mitleid...«[85], oder peinlich populär wie: »...ihm zittert das Herz vor Mitfühlen, Mitleiden«[86]. Wiederum mag eine recht naive Stelle als Hinweis auf die gesellschaftliche Deutung dienen. »Seine Neigung«, so sagt Busse, »zu den Unterdrückten und Verkommenen nahm allmählich die krankhafte Form des ... ›russischen Mitleids‹ an, jenes Mitleids, das alle anständigen, ehrlich arbeitenden Menschen ausschaltet und sich nur noch auf Dirnen, Mörder, Säufer und ähnliche Blüten am Baum der Menschheit erstreckt.«[87] So grobschlächtig diese Äußerung

85 Hermann Conradi, a. a. O., S. 526.
86 Brehm, a. a. O., S. 346.
87 C. Busse, a. a. O., S. 595.

auch ist, sie weist auf etwas ganz Richtiges hin. Die Rezeptionsgeschichte nimmt keinerlei Anstoß daran, daß bei Dostojewski die Liebe eine Angelegenheit bloßer Gesinnung bleibt, eine weiche Gestimmtheit der Seele, die nur unter der Voraussetzung der wütenden Abwehr jeder sozialen Veränderung, nur unter der Voraussetzung der grundsätzlichen Passivität gegenüber jeder faktischen moralischen Aktion zu begreifen ist. Es ist wie bei der coincidentia oppositorum; an sich könnte in der Forderung von Liebe und Mitleid ein Hinweis auf die gesellschaftlichen Widersprüche und die Notwendigkeit der Reform liegen; es könnte hiermit gleichsam der affektive Zugang zur Aktivität der Menschen in ihren Gedanken und in ihren Handlungen gelegt werden, kurz, es könnte die Predigt der Liebe zur Erkenntnis des Wertes der Gerechtigkeit führen. Hier liegt vielleicht die genaueste Kennzeichnung des ideologischen Standortes dieses Liebes-Begriffs. Sie bleibt ein reiner Gesinnungsvorgang: ein Gewährenlassen, aber keine Forderung. Forderung und Tatkraft können ebensowenig in das gesellschaftliche Bewußtsein relativ ohnmächtiger Schichten eintreten, wie diese als Klasse ein Bekenntnis zur Gerechtigkeit ablegen können, das nicht nur ihre Solidarität mit der Oberschicht zerreißen müßte, sondern umgekehrt auf gemeinsame Klasseninteressen mit den Massen hinwiese. Es gibt mancherlei Bemerkungen, daß Dostojewski im Grund keine innere Beziehung zur Politik gehabt habe, daß er eigentlich kein Politiker gewesen sei[88] – aber es gibt so gut wie keine einzige Bemerkung darüber, daß in den politischen Schriften Dostojewskis niemals die Forderung nach sozialer Gerechtigkeit proklamiert wird.[89] Daß aber diese Kategorie unerheblich ist, eine Kategorie, die gerade in den entscheidenden Werken des europäischen Naturalismus, also im fortgeschrittensten bürgerlichen Lager der Kunst ihren Ausdruck findet, ist ein klares Kennzeichen nicht nur für die im wörtlichsten Sinn reaktionäre

88 Vgl. etwa Thomas Mann, Betrachtungen eines Unpolitischen, Berlin 1919, S. 532ff.
89 In den »Politischen Schriften« (München 1917) steht, wenn ich nicht irre, das Wort »gerecht« nur ein einziges Mal, und zwar bezeichnenderweise in einem Zitat aus Tolstoi (vgl. S. 232, 234). Ein einziges Mal ist die Rede vom Glauben »an die Solidarität der Menschen«, als es darum geht, zu begründen: »Weit eher als der Kampf vertiert der Friede« (S. 415 f.). Auch die Forderung »der tätigen Liebe« wird erhoben – aber als sie konkretisiert wird, bleibt es bei solchen Gesinnungshinweisen wie: »Seid nur aufrichtig und treuherzig«! (S. 247).

Haltung dieses Mannes, d.h. für eine Stellungnahme, welche die Veränderung der bestehenden Ordnung durch geschichtliche Tat verhindern will, es ist vielmehr vor allem ein Kennzeichen für die Schichten, die dieses Schweigen billigen. An Stelle des Programms der Gerechtigkeit tritt die Selbstgerechtigkeit: sie kann sich der Maske einer Sinndeutung des privaten wie der des nationalen Schicksals bedienen. Der Hochmut einer Metaphysizierung der Privatexistenz und die nationalistische Mythologie befriedigen angemessener als ein soziales Programm die ideologischen Ansprüche der Mittelschicht.

Gegen die offizielle Meinung hat L. v. Wiese mit Recht festgestellt: »Man halte Goethe gegen Dostojewski, den Marquis de Lafayette gegen Mussolini, Herder gegen Spengler, Schiller gegen Unruh oder wen man sonst zum Repräsentanten zweier Zeitalter wählen will. Der Glaube an das (bei echter Emanzipation) Edle im Menschen dort, die Verachtung der nur unter straffstem Zügel brauchbaren Menschheitsbestie hier verhält sich wie Tag und Nacht…«[90] Aber das ist eine ganz vereinzelte Stimme, die erkennt, daß in Wirklichkeit Dostojewski nicht auf die Seite jenes Naturalismus gehört, die aus wirklichem Interesse für das Wohl der leidenden Menschen an die Moral und die ihr entspringenden Willensimpulse appelliert, sondern daß er auf die Seite gehört, die in gegenrevolutionärer, ja menschenverachtender Weise das Bestehende billigt.

Ein weiteres wichtiges Element begegnet uns in der rezipierenden Literatur auf Schritt und Tritt; es gibt nicht ein einziges, das – zum mindesten in der Vorkriegszeit – häufiger genannt wäre. Es lautet: *Dostojewski – der Psychologe.* Unaufhörlich wird der Meinung Ausdruck gegeben, daß »der gelehrteste Psychologe bei ihm in die Schule gehen«[91] könne. Gerühmt wird der Beherrscher des »ganzen Gebietes des psychischen Lebens«[92], der »subtilste Psychologe«[93], vor dessen Raskolnikow etwa »alle psychologische Kunst der Welt« dämmere[94], dessen »Dämonen« mit »überwältigender Genialität in

90 Leopold von Wiese, Gibt es noch Liberalismus? In: »Die Wirtschaftswissenschaft nach dem Kriege«, Brentano-Festschrift, München und Leipzig, Bd. I, S. 17.

91 E. Brausewetter, Der Idiot. In: Die Gegenwart, Jg. 1889, 36 Bd., S. 73.

92 O. E. Poritzki, a. a. O., S. 57.

93 O. Hauser, Der Roman des Auslands seit 1800, Leipzig 1913, S. 165.

94 Emil Lucka, Das Problem Raskolnikows, a. a. O., S. 1099.

alle Tiefen der menschlichen Seele und ihrer Dämonie«[95] eindrängen. Versucht man näher zu eruieren, worin denn diese außerordentlichen psychologischen Leistungen bestehen, so wird man im wesentlichen drei Antworten unterscheiden können:

1.) Dostojewski hat neue, bisher *geheime und dunkle psychische Tatbestände* ans Licht gerückt. Er kennt »die geheimsten psychischen Bewegungen der Menschenseele«[96]. Er hat ein »außerordentliches Talent« für die Enthüllungen »unbeachteter Seelenregungen«[97], ja, er dringt »in die tiefsten Geheimnisse des menschlichen Seelenlebens«[98]. Er »ahnt … alle die unbewußten, atavistischen und tierischen Kräfte, die die dunkle Tiefe stammelnder Seelen aufwühlen«[99]. Er ist ein Meister »in dem intuitiven Durchdringen der Ursachen von Seelenerscheinungen«[100], er »entblößte die menschliche Seele bis auf die Tiefe«[101].

2.) Dostojewski ist ein besonderer *Kenner krankhafter seelischer Zustände,* er ist ein unvergleichlicher »Meister der pathologischen Psychologie«[102]. Von einigen Werken läßt sich sagen, daß das Ganze »psychologische Pathologie«[103] sei. Dostojewski übt das beständige »Sondieren des unglücklichen kranken Herzens«[104]. Er ist »ein Darsteller pathologischer Erscheinungen«[105], der »den allmählichen Ausbruch einer Geisteskrankheit treuer geschildert hat als irgend ein anderer Dichter«[106], und ein Fachmann faßt zusammen: »Einen besseren Kenner der kranken Psyche, einen größeren Psychopatho-

95 Johann Schlaf, in Buchbesprechungen des Piper-Verlags, 1914. (Anhang der oben genannten Essays von Bahr-Mereschkowski-Bierbaum.)

96 P. v. Wiskowatow, Geschichte der russischen Literatur, Dorpat u. Fellin 1881, S. 44.

97 A. Stern, a. a. O.

98 K. Woermann, Dostojewskis Raskolnikow, in: Der Kunstwart, Jg. 1887, S. 252.

99 Hennequin, a. a. O., S. 337.

100 R. Saitschik, a. a. O., S. 12.

101 A. L. Wolynski, Die russische Literatur der Gegenwart, in: Neue deutsche Rundschau, 13. Jg. 1909. S. 414.

102 W. Henckel, a. a. O., S. 78.

103 G. Malkowsky, Der Hahnrei, in: Die Gegenwart, Jg. 33. (1888), S. 408.

104 A. Scholz, a. a. O., S. 759.

105 O. Hauser, a. a. O.

106 J. Leipoldt, Vom Jesusbild der Gegenwart, Leipzig 1913, S. 339.

logen als Dostojewski hat es wohl unter Dichtern nicht gegeben.«[107]

3.) Dostojewski gibt eine »einzig dastehende *Psychologie des Verbrechens*[108]«. Wieder bestätigt ein Fachmann: »In Dostojewskis Werken besitzen wir eine geradezu vollendete, getreue Darstellung von krankhaften Geisteszuständen und Verbrechertypen«[109]; der Dichter ist »von der Natur geradezu zum Kriminalpsychologen bestimmt«[110].

Es ist eine Frage für sich, wieweit Dostojewski tatsächlich das psychologische Wissen bereichert hat; ohne Zweifel ist er wie alle großen Romanciers der letzten 150 Jahre um psychologische Fragen sehr energisch bemüht, und die Charakteristik vieler seiner Gestalten ist zweifellos auch von unserem heutigen entwickelteren psychologischen Wissen aus gesehen eine Meisterleistung, die sich besonders im Herausheben von Zwischentönen und Gesten symptomatischer Art, in einem sehr verständnisvollen Hinhören auf die Sprache des Unbewußten ausdrückt. Betrachtet man nun näher das Lob, Dostojewski habe neue Welten des Seelenlebens entdeckt, und die Art seiner Begründung, so fällt zweierlei auf: diese Auffassung wird als ein wichtiges Charakterisierungsmittel für die Eigenart Dostojewskis bis weit in die Nachkriegsjahre, ja, bis in die Gegenwart durchgehalten, bleibt also noch bestehen, als bereits jahrzehntelang höchst differenzierte wissenschaftliche Bemühungen um die »geheimsten psychischen Bewegungen der Menschenseele« im Gange sind, und ferner zeigt es sich, daß es im allgemeinen bei diesen Lobsprüchen bleibt, daß die angebliche Bereicherung, die Dostojewski unserem psychischen Wissen im allgemeinen und der Psycho-Pathologie und der Kriminalpsychologie vermittelt hat, kaum jemals im Genaueren angegeben wird, sondern daß man sich mit bloßen Andeutungen, nichtssagenden Generalisierungen, gruselnden und geheimnisvollen Wortzusammenstellungen begnügt. Wo in Wirklichkeit »neue Wel-

107 F. Münzer, Dostojewski als Psychopathologe, in: Berliner klinische Wochenschrift, Jg. 1914, S. 1943.
108 M. Necker, Dostojewski, in: Die Grenzboten, 44. Jg. (1885), S. 344.
109 W. v. Tschish, Die Verbrechertypen in Dostojewskis Schriften, in: Die Umschau, 5. Jg. 1901, S. 961.
110 J. Stern, Über den Wert der dichterischen Behandlung des Verbrechens für die Strafrechtswissenschaft, in: Zeitschr. f. d. ges. Strafrechtswissenschaft, 26. Band 1906, S. 163.

ten« nicht entdeckt, d.h. wichtige soziale Entscheidungen und Veränderungen nicht vorgenommen werden können, wird man für Eroberungen auf die Sphäre der Innerlichkeit, des Seelenlebens verwiesen. Man hat sich dann den Schein der produktiven und verändernden Tätigkeit und mit ihr den daraus zu erzielenden Lustgewinn verschafft.

Der Anteil des gesellschaftlichen Bewußtseins bürgerlicher Mittelschichten an psychologischen Fragen hat seine Geschichte: In der Situation vor den bürgerlichen Revolutionen in Frankreich und Deutschland, in der nicht nur der ökonomische Mechanismus in Widerspruch mit den politischen Herrschaftsformen geriet, sondern auch ein Mißverhältnis zwischen der geistigen Reife des Bürgertums und der kulturellen Apparatur der Feudalzeit bestand, drückt sich die Proteststimmung des Bürgertums literarisch in einem, in allen geistigen Produktionen sich widerspiegelnden ungestümen Bekenntnis zur Kraft des seelischen Eigenlebens, zu den großen Leidenschaften und in einem Interesse am Studium der Macht solcher Leidenschaften aus. Diese Verklärung der Passionen läßt sich etwa in Goethes »Werther« studieren; es ist ein fortgeschrittenes, gleichzeitig aber an adäquater gesellschaftlicher Betätigung gehindertes bürgerliches Lebensgefühl, das sich in der Emanzipation und Verklärung der Leidenschaft ausdrückt. Unter der Herrschaft des liberalistischen Wirtschaftssystems ist eine fein ausgebildete Psychologie eine notwendige Voraussetzung; man muß seinen Geschäftspartner kennen, man muß wissen, mit wem man es zu tun hat. Die Sicherungen der ständischen Wirtschaft und ihres geregelten Marktes sind bis zu einem gewissen Grad aufgehoben. Der Produzent und Händler steht einem durch Tradition nicht mehr hinlänglich bekannten anderen Produzenten, Händler oder Konsumenten gegenüber. Er muß sie kennen, er muß um ihre psychischen Regungen Bescheid wissen, um ihre möglichen Reaktionen in bezug auf ihn einkalkulieren zu können. Die Rolle, die das lebhafte Diskussionsgespräch im Roman und Drama des Bürgertums spielt, hat hier seine gesellschaftliche Wurzel. Ein Maßstab der psychologischen Kenntnis nämlich, welche die frei miteinander konkurrierenden Subjekte in der bürgerlichen Gesellschaft besitzen, ist das Gespräch. Wer der Überlegenere, Wendigere, Geschicktere ist, wer auf Grund seiner Kenntnis der Reaktionsweisen des Gesprächspartners die rationale Überlegenheit besitzt, hat damit eine der Bedingungen des ökonomischen Sieges in seiner Gewalt.

In der jüngsten Phase des Kapitalismus wiederholt sich in gewisser Weise das gleiche, was für den Absolutismus angedeutet wurde. Besonders in Deutschland, wo infolge des Konsolidierungsprozesses von feudaler politischer Macht und industrieller Großbourgeoisie der Liberalismus nie zur Herrschaft gelangt, sind die breiten bürgerlichen Schichten wieder auf die Befriedigungssphäre der Immanenz gedrängt: genau so, wie sie sich in einer bloßen Phantasiebefriedigung am Glanz des deutschen Kaisertums weiden, ist ihnen das Sich-Ergehen in psychologischen »Entdeckungen«, eine in der Immanenz des Innenlebens bleibende Entdeckerfreude ein ideologischer Trost.

Die Freude an der psychologischen Kunst stellt einen Kompromiß zwischen den Bewußtseinsanteilen der bürgerlichen Mittelklassen aus ihrer aufsteigenden und aus ihrer absteigenden bzw. stagnierenden Periode dar. Jener entnimmt sie die rationale Hülle, die Freude an einem auf neue Erkenntnisse gerichteten gesellschaftlichen Bemühen; aus der Aufklärung ist eine gewisse Freude an einer wissenschaftlichen Haltung zur Welt übrig geblieben. Aber das, was diese Haltung trifft, was sie umschließt, ist nun gerade im Gegenteil eine realität- und weltabgewandte Privatheit: das Innenleben und seine Geheimnisse. Wenn eine selbstbewußte bürgerliche Jugendgeneration in der Lektüre von Karl May bereits Welteroberungen in der Phantasie vorwegnimmt, die die Realität später bescheren soll, so wird der psychologische Seelenkult resignierenden Erwachsenen gleichsam zu einer Regression in ein verarmtes Kinderland: die Südsee- und Indianer-Ideale, die wenigstens noch den Schein einer Welt voll wirklicher Eroberungen und Entdeckungen erweckten, verwandeln sich in die bloße Innerlichkeit der Seele, die gegenüber der äußeren Wirklichkeit abgeschlossen und glorifiziert wird.

Die Vergnügung an der Psychologie der Krankheit und des Verbrechens paßt genau in dieses Bild: Krankenstube und Zelle sind vergegenständlichte Symbole der Isolierung, der erzwungenen Privatisierung; insofern man sich in das Studium dieser Situation verliert, gewinnt die Beschränkung auf die Freuden am eigenen Innenleben einen größeren Glanz. Sie ist erfreulicher, positiver bewertbar als jene erzwungenen privaten Lebenssituationen. Doch noch von einer anderen Seite her bedeutet in diesem Zusammenhang die Freude an der Psychopathologie und an der Kriminalpsychologie ein ideologisches Element: da aus oft genannten Gründen für die Mittelschicht das Ganze der gesellschaftlichen Organisation nicht in Frage gestellt werden kann, da – positiv gesprochen – dieses Ganze prinzipiell hingenommen, gebilligt wird, ist es »gesund«. Verbrechen und Krankheit sind zwar Unkosten, die mit den Gesamtfunktionen eines Organismus nun einmal verbunden sind, aber sie sind Ausnahmen temporärer oder peripherer Natur, die das In-Ordnung-Sein des Ganzen indirekt noch einmal bestätigen.

Um eine Ideologie, um überhaupt ein gesellschaftliches Bewußtsein zu erklären, genügt es nicht, seine Bedingtheit durch die sozialökonomische Situation der Klasse aufzuweisen, der es angehört; vielmehr hat dieser Aufweis ergänzt zu werden durch das Studium der psychischen Mechanismen, welche die Verfestigung des ideologischen Gehalts bedingen und verstärken. Nicht nur geraten in einem allgemeinen anthropologischen Maßstab die Triebregungen jedes Individuums in Konflikt mit den Anforderungen der Außenwelt, mag diese ihm unmittelbar als zu bewältigende Natur oder abgeleitet als mit ihm konkurrierende Lebensansprüche anderer Individuen entgegentreten, sondern in der entfalteten Klassengesellschaft sind es für die einzelnen Gruppen ganz bestimmte Triebe oder Triebkomplexe, deren Befriedigung im Sinn der jeweiligen unmittelbaren Triebziele durch die Stellung der betreffenden Schicht im Produktionsprozeß unmöglich gemacht wird.

Die bestimmten Grenzen und Möglichkeiten, die durch die Situation einer Klasse allen ihren Mitgliedern vorgegeben sind, bringen es mit sich, daß die Umwandlung aller Triebregungen, soweit diese nicht wie Hunger, Durst und Schlaf zur physiologischen Reproduktion des Lebens imperativischen Befriedigungsanspruch erheben, in einer für die meisten Individuen dieser bestimmten sozialen Schicht ähnlichen Weise sich vollzieht. Die Konversion der Triebe geht im Zeichen der Anpassung an die soziale Umwelt vor sich. Sie kann darin bestehen, daß unter völliger Verwandlung des Triebzieles die trieblichen Energien sich kulturellen Leistungen zuwenden. Unter dem Titel der Sublimierung wird von Freud der Mechanismus dieser Indienststellung psychischer Kräfte für den Aufbau der Gesellschaft, für ihren Produktions- und Reproduktionsprozeß behandelt. Sie kann aber auch, und zwar für alle Situationen, in denen aus der Klassenlage heraus diese Indienststellung sich verbietet, auf eine der Realität entlegene Weise als bloße Phantasiebefriedigung geschehen. Auch dann sind die Triebziele verwandelt, aber sie gehören nicht mehr der realen Außenwelt an, sondern sind in innerpsychischen Gebieten aufzusuchen.

Damit werden wir auf einen weiteren Gesichtspunkt hingewiesen: die Rolle der Kunst bei diesem Anpassungsprozeß. Die Kunst spielt unter den geistigen Garanten einer jeweiligen gesellschaftlichen Ordnung stets eine wichtige Rolle. Die materielle Basis einer bestimmten Gesellschaft verlangt von den einzelnen Gruppen gewisse typische und typisch verschiedene Verzichte auf Erfüllung von Triebwünschen. Diese gehen nicht völlig unter, sondern fordern irgendeine andere Erfüllung. Soweit sie von künstlerischen Gebilden geleistet werden kann, üben diese umwandelnde Funktionen an den Triebregungen aus. Die Leistungen solcher Konversion, die Phantasiebefriedigung, die das Kunstwerk gibt, bleiben in der Sphäre des Innenlebens eingeschlossen; die gesellschaftliche Reputation des Kunstwerkes verhilft in dieser Sphäre zur phantasiemäßigen Realisierung der trieblichen Wünsche.

Damit wird das Studium der Aufnahme und Verarbeitung von Dichtungen von einem neuen Gesichtspunkt aus wichtig: es leistet dem Studium derjenigen Faktoren Dienste, die über die bloße Machtapparatur hinaus durch ihre psychische Gewalt eine gesellschaftlich konservierende und retardierende Funktion ausüben.

Eine Analyse des folgenden Materials führt auf die psychologischen Vermittlungsfaktoren, die hier zugrunde liegen.

1. Dostojewski geht als Psychologe »mit der *Kaltblütigkeit eines Anatomen*«[111] vor. »Die sogenannte Psychologie Dostojewskis erinnert an ein mächtiges Laboratorium mit den feinsten, genauesten Geräten und Maschinen zur Ausmessung, Erforschung und Prüfung der menschlichen Seele.«[112] »Dieses Anatomisieren der menschlichen Seele«[113] wird bald als »fast unheimlich« wirkend bezeichnet, bald gilt das Talent dieses »größten Anatomen der Seele«[114] als ein »höchst grausames«[115], jedenfalls ist er als Psychologe »mehr Zergliederer als

111 Rosus, Ein russischer Roman, in: Die neue Zeit. 2. Jahrg. 1884, S. 2 (Sperrung von L. L.).
112 Mereschkowski, Tolstoi und Dostojewski, a. a. O., S. 236.
113 Scholz, a. a. O.
114 F. Dietert, Die russische Literatur der Gegenwart in ihren Hauptvertretern, in: Allgemeine deutsche Universitätszeitung 7. Jg. (1903), S. 136.
115 R. Saitschik (nach einem berühmten Urteil in der russischen Kritik) a. a. O., S. 11.

Zusammenfasser«[116]. Ihm entgeht kein »Winkel der Seele«[117], er hat von dem ärztlichen Vater »die Schärfe der Sonde«[118] ererbt.

2. Bereits in den ersten Rezeptionen wird der »nackte Realismus und Naturalismus«[119], die »gewissenhafteste Treue« gekennzeichnet, mit der »lasterhafte Charaktere« und »scheußlichste Scenen« bei Dostojewski vorgeführt werden.[120] Sein Geschick hat ihm *Einsicht in »die Kloake der Menschheit«*[121] gewährt. In all seinen Büchern hat die Gesellschaft etwas »Lumpenhaftes« an sich: »Da sind nichts als Wucherer, Lügner, Betrüger, kriechende Emporkömmlinge, aufgeblasene Narren, Säufer und Spieler.«[122] Der Dichter »liebt es, seine Leser in die Höhlen des Elends und der Sittenlosigkeit zu führen«[123]; er schrickt »auch nicht vor der Schilderung der alltäglichsten und niedrigsten Ausschweifung«[124] zurück. Seien es »wüste Bilder ausschweifender Phantasie« oder die »glänzend realistische Zeichnung nationaler Typen von Verbrechern und moralischen Ungeheuern«[125], von »Abenteurern«, denen allen »etwas Phantastisches« anhaftet[126] – in all diesen Schilderungen eignet Dostojewski eine ungewöhnliche »Neuheit der Enthüllung«[127]: »Nackt sieht er die Seele vor sich in ihrer Angst und ihrer Erregung.«[128]

3. Wenn ein Autor bereits zu Beginn der Rezeption anläßlich der Lektüre des Raskolnikow bemerkt, es lege sich »*ein Alp auf die Brust*« des Lesers bei der »Schilderung einer von Schuld beladenen Seele«[129], so wird dieses Motiv, daß wir von »wilden Traumbildern« »atemlos« gepackt werden[130], beständig durchgehalten. Mag es sich nun der Formulierung bedienen, »daß es Dostojewski eine grau-

116 Fr. v. Bülow, a. a. O., S. 204.

117 F. Münzer, a. a. O., S. 1945.

118 C. Busse, a. a. O.

119 Vgl. z. B. J. J. Honegger, a. a. O., S. 146, Rosus, a. a. O., S. 3.

120 Magazin für die Literatur des Auslands, Jg. 36 (1867), S. 317.

121 G. Brandes, a. a. O., S. 7. (Sperrung von L. L.).

122 E. Brausewetter, a. a. O., S. 72.

123 A. Garbell, a. a. O., S. 183.

124 D. Mereschkowski, Tolstoi und Dostojewski, a. a. O., S. 119.

125 A. v. Reinholdt, a. a. O., S. 693.

126 E. Brausewetter, a. a. O., S. 72.

127 D. Mereschkowski, a. a. O.

128 R. Meyer, a. a. O., S. 39.

129 W. Henckel, a. a. O., S. 73 (Sperrung von L. L.).

130 E. Brausewetter, a. a. O.

same Wollust gewährte, seine Leser zu quälen«[131], mag es in so banalen Wendungen auftreten wie, daß Dostojewski »ein nervenaufwühlender Schriftsteller«[132] sei, oder in so gesuchten, daß uns nach der Lektüre dieses Dichters »ein ganz besonderes Gelüst ankommt, auf allen vieren zu kriechen«[133], mag es das moralisierende Gewand von der »wahrhaft gotischen Demut«[134] dieses »Virtuosen der Demut«[135] tragen, mag es schließlich als bloße psychische Gestimmtheit sich geben – »in unseren Träumen lebt noch immer manchmal die grauenvolle Möglichkeit des Stürzens. Dieser Abgrund ist Dostojewski«[136] –, immer gilt für die Werke wie für ihre Aufnahme: die Luft ist eine »herzbeklemmende, hirnbedrückende«[137].

Das Bild vom grausamen, schmerzverursachenden Anatomen, in Verbindung mit dessen Hang, das Schmutzige und Unerlaubte ans Tageslicht zu fördern, weist eindeutig darauf hin, daß hier Triebregungen ins Spiel kommen, welche die Lust am Quälen und Peinigen zum Inhalt haben. Zugleich zeigt sich ein eigentümlicher Widerspruch in der Rezeption. Denn an sich ist die mythische Verzauberung von Außen- und Innenwelt, die Betonung ihrer Rätselhaftigkeit, die »durch kein Wissen und keine Kultur auszugleichende Irrationalität der Menschenseele«[138], nicht zu vereinbaren mit der Haltung des Anatomen, der auch in den verborgensten Winkeln Klarheit schaffen soll. Im Material selber findet sich so ein höchst ausgeprägter Antagonismus. Dieser bleibt als ein Zeichen der widerspruchsvollen Klassensituation, die hier in Rede steht, offen. Die Tendenzen, die die reale Situation verklären, indem sie diese zum Symbol eines höheren Sinns erheben, und diejenigen, die das Maß an Macht, das ihr gegenüber möglich ist, in der Phantasie sich dadurch verschaffen, daß sie Aggressionen erleben lassen, die freilich ohne faktisch reale Bedeutung sind, treten unvermittelt gegeneinander; ihr

131 A. Garbell, Ein Dostojewski Gedenktag, in: Das Magazin, Jg. 1898, 65. Jg., S. 183.

132 F. Dietert, Der Russenkultus in der deutschen Literatur. In: Monatsblätter für deutsche Literatur 7. Jg. (1903), S. 163.

133 Max Harden, Literatur und Theater, 1896, S. 80.

134 K. Nötzel, in: »März«, a. a. O., S. 309.

135 O. J. Bierbaum, in: Die Zukunft, a. a. O., S. 192.

136 K. H. Strobl, a. a. O., S. 87.

137 G. Malkowski, Die Besessenen. In: Die Gegenwart. 33. Bd. (1888), S. 42.

138 N. Hoffmann, a. a. O., S. 398.

Widerspruch weist auf das gemeinsame Auftreten der Affekte von Resignation und Wut hin.

Wenn es richtig ist, daß die ökonomische Besonderheit in der Lage jener bürgerlichen Schichten darin zu suchen ist, daß sie immer stärker in das wirtschaftliche und politische Schlepptau der Oberschicht geraten, dann müssen sich bei der Bildung ihrer Ideologie auch jene psychischen Mechanismen vorfinden lassen, die dieses Phänomen der Abhängigkeit verklären. Gruppen, die gemäß ihrer Stellung im Produktionsprozeß von sich aus nur im beschränktesten Umfang die Möglichkeit zu aktiven Veränderungen haben und haben werden, gewinnen ein hohes Maß an Phantasiebefriedigung dann, wenn das Empfangen und Sich-beschenken-Lassen durch wie immer auch strukturiertes Anderes als etwas Wertvolles und zu Billigendes psychisch verarbeitet werden kann. Dieses kann der ganze Umkreis des Mythos, insbesondere die nationale und völkische Mythologie leisten: Das Vaterland, die Nation, das Volk ist die große Mutter, die alle ihre Kinder beschenkt, die ihnen aus ihrem unerschöpflichen Born stets fließenden Reichtum ausströmen läßt. Der Hymnus von der überströmenden Liebe und dem unendlichen Mitleid Dostojewskis läßt sich hier in seinen psychischen Quellen verstehen. Diese Affekte treten ja nicht in Verbindung mit dem Willen zu einer Umgestaltung der gesellschaftlichen Verhältnisse auf, sie bleiben vielmehr ein reiner Gesinnungsvorgang. Menschen lieben oder erfahren mitleidige Liebe; Konsequenzen werden aus ihr nicht gezogen: weder stellt sie einen Mangel ab, noch wird bei ihrer Gewährung diese Abstellung gefordert. Der ideale Edelmut wird zum Spiegel sozialer Ohnmacht. Er dient mit zur Befriedigung der Phantasie von sozialen Gruppen, die von der Realität aus in die Enge getrieben werden. Liebe und Mitleid sind in diesem Zusammenhang bloßer gesellschaftlicher Schein.

Die bisher gemachten Bemerkungen über die Mechanismen der psychischen Vermittlung sind noch unvollständig: sie weisen nur darauf hin, wie gewisse Triebe, und zwar in einer gemäß der gesellschaftlichen Situation spezifischen Auswahl, zu einer Phantasiebefriedigung gelangen. Nun führen aber diese Inhalte, vor allem der Komplex des Anatomen und des Schilderers der unsauberen Nachtseiten des Lebens, an die Schranke der Bewußtseinszensur, d.h., sie sind in gewisser Weise so geartet, daß von seiten der im Lauf der sozialen und individuellen Geschichte herausgebildeten Forderungen

der Moral und des Gewissens die Gefahr ihrer völligen Unterdrük-
kung droht. Im individuellen Haushalt der Person führt das Verbot
der Befriedigung jener partiellen Triebregung in mehr oder minder
unmittelbarer Weise häufig zur Erkrankung, zur Neurose. Diese
Neurose kann durchaus für bestimmte Gesellschaftsschichten
typisch sein, und insofern hat es gar keinen Sinn mehr, von Krankheit
zu sprechen. Ohne Zweifel sind solche »Neurosen« typisch für eine
Vielzahl von Mitgliedern der bürgerlichen Mittelschicht. Aber die
Kunstform der Dichtung, ihr gesellschaftliches Ansehen ist gleichsam
die Prämie dafür, daß an einer Stelle die zensurierende Schranke
geöffnet wird: Die formalen Momente an der Dichtung bestechen das
Gewissen und lassen im Gewande der Phantasie Trieberfüllungen zu,
die außerhalb dieser schützenden Instanz des ästhetischen Wertes
undenkbar wären.

Zudem sind zusätzlich in der Dostojewski-Rezeption psychische
Faktoren am Werk, die den Phantasiegenuß der zensurierten Triebregungen gestatten. Dazu gehört zunächst das unaufhörlich wiederholte Bekenntnis, daß Dostojewskis Werk sich wie ein Alpdruck auf
die Seele lege, daß es zerknirsche und demütige. Der Mechanismus
dieser Selbsterniedrigung ist nicht nur ein psychisches Spiegelbild
gesellschaftlicher Ohnmacht, sondern zugleich eine Legitimierung
sadistischer Impulse, eine Verdeckung des Mangels echter Moralität,
er ist von Freud weitgehend erforscht, ja sogar an einer Stelle unter
ausdrücklichem Bezug auf »die russischen Charaktertypen« (wobei
Freud wohl an die Gestalten Dostojewskis wesentlich mitgedacht
haben dürfte) belegt.[139]

Die Tendenz der Rechtfertigung bedient sich noch weiterer Formen:
zunächst ist auch hier wieder auf den Liebes- und Mitleidskomplex
hinzuweisen. Der ganze Sadismus, den auszuleben die Realität
versagt und dem in der Phantasie gefrönt wird, steht in einem höheren
Glanz, wenn er scheinbar die Aufgabe hat, wertvolle menschliche
Regungen sich erfüllen zu lassen. Wenn Verbrechertum und Prostitution, wenn Perversionen und mit ihnen zusammenhängende andere
»scheußliche Taten« Gelegenheit bieten, Liebe und Mitleid zu üben,
dann sind sie vor dem Bewußtsein legitimiert. Schließlich gibt es noch
eine Art und Weise der Rationalisierung, die zu sehr aktuellen
Gestaltungen des Ideologien bildenden psychischen Mechanismus

139 Vgl. den Aufsatz: Trauer und Melancholie, WW., V, S. 535 ff.

führt. Die Schwierigkeit bleibt ja immer, daß trotz aller psychischen Rationalisierung das Schmutzige und Widrige mit Hilfe der Lektüre des Dichtwerkes nachempfunden, nachphantasiert, daß überhaupt von ihm gesprochen wird. Die abschließend vorgenommene Rechtfertigung besteht nun darin, daß zwar diese Inhalte des Gemeinen Stinkenden, Schmutzigen, Widerwärtigen nicht verschwinden, aber daß sie auf deklassierte Außenseiter der Gesellschaft übertragen werden. Es kann sich dann einerseits die Lust an der Erniedrigung in der Phantasie befriedigen, andererseits wird diese Befriedigung moralisch bestätigt. Wenn es in den politischen Ideologien, die heute in weitem Umfang kleinbürgerliche Schichten ergriffen haben, eine so große Rolle spielt, daß endlich die »schmutzige Wäsche« des Gegners ans Tageslicht gezerrt wird, daß nicht ferner deren »Gestank« die Luft eines gesellschaftlichen Lebenskreises verpesten darf, wenn diese Gegner als schmutzige, verbrecherische Elemente, als Gelichter, die das Tageslicht scheuen, bezeichnet werden, so begegnen wir hier in der politischen Sphäre der Gegenwart dem gleichen psychischen Tatbestand der Befriedigung und Verklärung.

Der Versuch, die Klassenideologie der bürgerlichen Mittelschichten vor dem Krieg in der Dostojewski-Rezeption aufzuweisen, bedarf mindestens in einem Hinweis noch der Klärung der Frage, wie Dostojewski im gesellschaftlichen Bewußtsein anderer Gruppen rezipiert wird. Die Differenzen sollen an einem Beispiel ausgeführt werden.

In den letzten Jahrzehnten des 19. Jahrhunderts findet eine durch die ökonomische Praxis geforderte und erzielte Ausweitung des Wissenshorizontes in jeder Richtung statt. Die drei im folgenden besprochenen Äußerungen weisen auf verschiedene typische Situationen bürgerlicher Schichten in diesem Aneignungsprozeß von Wissensmaterial hin. Rollard[140] ist der Mitarbeiter einer sehr verbreiteten mittelbürgerlichen Unterhaltungszeitschrift; der anonyme *Verfasser eines Nachworts zu den Karamasows*[141] steht in den Diensten eines schon etwas exklusiveren bürgerlich-nationalen Verlags, Zabel[142] endlich, der Mitarbeiter einer führenden politischen Zeitschrift bür-

140 a. a. O.
141 Nachwort zu Dostojewski, Die Brüder Karamasow. Leipzig 1884 (Grunow).
142 Dostojewski, in: Die Gegenwart, Bd. 25 (1884): charakteristischerweise nachgedruckt in der extrem großbürgerlichen »Deutschen Rundschau«, Leip-

gerlicher Kreise, die schon früh auf eine Sammlung aller konservativen und rechtsliberalen Kräfte hingearbeitet hat[143], gehört seinem ganzen Auftreten und gesellschaftlichen Bewußtsein nach – noch 1914 bezeichnet er sich als national-liberal[144] – dem *Großbürgertum* zu. So bleibt das durch Rollard repräsentierte Bildungswissen durchaus im Rahmen des schlichten Familienlebens, wenn er sich mit der Bemerkung begnügt, daß Dostojewski »der treueste Darsteller seiner Zeitgenossen und der gegenwärtigen Zustände seines Vaterlands war« und – mit leisem, unbewußtem Antönen des aus Ressentiment in diesen gesellschaftlichen Schichten nicht seltenen Hochmuts gegenüber einem entwickelten wissenschaftlichen Apparat – mit der Behauptung: »daß ein eingehendes Studium Dostojewskis vielleicht mehr geeignet wäre, Licht über die außerhalb Rußlands noch vielfach herrschende Unkenntnis russischer Zustände zu verbreiten als manche abstrakte wissenschaftliche und politische Abhandlung, die den nichtrussischen Leser doch nicht so ganz in eine Sphäre zu versetzen vermag, welche in vieler Beziehung den Zuständen des übrigen Europas so unähnlich ist«. Der Schluß dieses Satzes, in dem über Rußland fast wie über einen wilden Völkerstamm gesprochen wird, entstammt dem gesellschaftlichen Bewußtsein von Menschen, deren materieller Horizont sich nicht bis zur Möglichkeit der Gewinnung irgendwelcher, vor allem ökonomischer Machtpositionen in diesem Gebiet erstreckt. – Der anonyme Nachwortverfasser zu den »Karamasows« hat schon ein aufgeklärteres und entwickelteres Interesse, indem er diesen Roman in Zusammenhang mit der panslavistischen Bewegung bringt, ja, ihn sogar für das Verständnis des Zwei-Kaiser-Bündnisses heranzieht. Wenn er auch bedauert, daß »der Verfasser« – diese Rubrizierung des Künstlers Dostojewski ist für die Nüchternheit in der Interessenrichtung bürgerlichen Unternehmerdenkens bezeichnend – uns in seinem Roman »hinsichtlich der Grundlinien, welche ihm für die Zukunftsgestaltung der Nation vorgeschwebt haben«, in Ungewißheit gehalten hat, so glaubt er doch, daß nach der Ermordung Alexanders II. »im Slavophilentum sich Gedanken Bahn

zig 1889. Vgl. über die gesellschaftliche Rolle dieser Revue: Zeitschrift f. Sozialforschung, Jahrg. II. (1933), S. 59 f.

143 Vgl. Erich Leupold, Die Außenpolitik in den bedeutendsten politischen Zeitschriften Deutschlands 1890-1909. Leipzig 1933, vor allem S. 9 f.

144 Wer ist's? Ausgabe 1914, S. 1900; vgl. dort auch seine ausgedehnten Reisen in Europa, Asien, Amerika und Afrika.

brächen«, »die Dostojewski, der glänzendste aller Panslavisten und Slavophilen, in seinen ›Brüder Karamasow‹ zu lebendigem Ausdruck gebracht« habe. Diese politisierende Verarbeitung einer Dichtung wie der »Karamasows«, die an sich zu ästhetischen und philosophischen Reflexionen geradezu herauszufordern scheint, ist ebenso charakteristisch für die sammelnden, analen Tendenzen von Schichten, die überall etwas haben und halten möchten, so auch Wissensstoff anreichern wollen, wie für die Überzeugung der gleichen Kreise, daß ihnen dieses Lernen auch etwas einbringen kann. Viel souveräner und bewußter ist der Ausdruck, den Zabel der stofflichen Interessiertheit verleiht. Dostojewski ist ihm »eine hochbedeutsame Erscheinung in der modernen Literatur und für die Beurteilung des russischen Geistes ein ganz unentbehrliches Hilfsmittel«; »die neueste terroristische Bewegung hat uns die Jugend gezeigt, wie sie zum Attentat ihre Zuflucht nimmt ... Dostojewski führt uns in seinem 1867 geschriebenen Romane in die Anfänge dieser Bewegung ein«; es gelingt ihm, damit »ein wichtiges Dokument zu unserer Zeitgeschichte zu liefern«, welches »das Interesse jedes Gebildeten erregen muß«. Man sieht, wie das stoffliche Interesse hier nicht so dumpf und primitiv auftritt, daß es auch jede Anteilnahme unterdrückte; im Gegenteil – nicht nur, daß Raskolnikow als Dichtung eine »hochbedeutsame« Erscheinung, Dostojewski »einer der interessantesten literarischen Charakterköpfe« genannt wird, der feine Klasseninstinkt, wie er in Oberschichten ausgebildet zu sein pflegt, entdeckt in gewisser Weise einen Freund, dessen »Lebenskraft und Originalität« gelobt werden kann, von dessen Romanfiguren zu sagen ist: »sie strotzen förmlich von Lebenswahrheit«. Schon die stilistischen Hilfsmittel, wie gerade dieser Ausdruck »strotzen«, dann die Betonung des »Lebendigen«, ferner die Anerkennung der »ungewöhnlichen Kraft seiner Phantasie und seines Darstellertalentes«, seines Griffs »in das volle Menschenleben«, seiner »vollständig ausgereiften Künstlernatur«, führen in eine vollkommen andere gesellschaftliche Luft, wo die Möglichkeit zu großem Behagen herrscht, das weder durch das Bedürfnis nach Regression in primitivere, lediglich phantastische psychische Genüsse noch durch die nach aufwärts strebende oder schielende Geschäftigkeit, wie sie sich im beständigen Wissensammeln ausdrückt, eingeschränkt wird. – Es wird Dostojewski nicht verziehen, wie er sich zu der Nation und Bourgeoisie Zabels verhält: es wird ihm vorgerechnet, daß er »ganz unfähig war, unser nationales

Geistesleben zu verstehen: im Februar 1871, also zur Zeit unseres höchsten nationalen Aufschwungs, konnte er die Deutschen ein totes Volk nennen, das ohne Zukunft sei«. Zabel ist der erste Deutsche, von dem man den Eindruck hat, daß er Dostojewski sehr genau gelesen hat. Und gerade die Aufmerksamkeit dieser Lektüre mit dem Sinn für die Nuancen, mit dem genauen Verständnis dafür, was akzeptiert werden kann und was abgelehnt werden muß, kurzum eine im Gegensatz zur Breite der Rezeption keineswegs mit psychischen Verdrängungen arbeitende, sondern die Dinge, wie sie sind, aufgreifende und beurteilende Haltung ist für ein gesellschaftliches Bewußtsein charakteristisch, das herrschende Schichten repräsentiert. Die Verhältnisse im eigenen Land erscheinen ihm durchaus gesund, und wenn er auch mit den anderen Rezeptoren das Stichwort von Dostojewskis »unendlichem Mitgefühl für die Unterdrückten und dämonischem Haß den Unterdrückern gegenüber« teilt, so sind ihm doch die Verhältnisse, die diese Gefühle Dostojewskis erweckt haben sollen, wesentlich historisch und national bestimmt: er weist auf die »entsetzliche Grausamkeit der russischen Justiz«, auf die »panslavistische Voreingenommenheit, das herausfordernde Trumpfen auf russische Art und Sitte« hin. Es ist bemerkenswert, daß sich für den gesamten Umkreis der mythischen Ideologie kein Beleg bei Zabel finden läßt.

Der Grenzfall der Rezeption in der Oberschicht weist auf einen anderen hin: den der Aufnahme im Proletariat. In den Anfängen befinden sich dessen literarische Wortführer noch in voller Abhängigkeit von der bürgerlich-konventionellen Auffassung. So vermag sich etwa ein Aufsatz der 80er Jahre aus der »Neuen Zeit« noch nicht über einen bloßen Bildungsstandpunkt und die Übernahme der üblichen literarischen Kategorien herauszuheben[145], und trotz der Bemerkung Rosus', daß bei Dostojewski die russischen Sozialisten und Kommunisten nur als »Schwätzer und Hohlköpfe«[146] geschildert werden, weiß der Verfasser im übrigen nur die Schlagworte von der »Kaltblütigkeit eines Anatomen«[147], der »Krankheitsgeschichte«[148], dem »nackten Realismus«[149] zu wiederholen; auch die Bemerkung,

145 Rosus, a.a.O.
146 a.a.O., S. 1.
147 a.a.O., S. 2.
148 a.a.O., S. 1.
149 a.a.O., S. 3.

daß Raskolnikows Empfindungsleben »nur auf Grund durchaus ungesunder gesellschaftlicher und politischer Zustände«[150] zu verstehen sei, führt nicht zu einer klareren soziologischen Problemstellung. Sie findet sich erst in einem entwickelteren Stadium proletarischen Klassenbewußtseins vor. Zu den wenigen Aufsätzen aus dem sozialistischen Gedankenkreis, die sich mit Dostojewski beschäftigen, gehört ein Aufsatz von Korn in der »Neuen Zeit« aus dem Jahre 1908.[151] Von ihm kann man in keiner Weise sagen, daß er ideologischen Charakter trüge. Noch bewußter als in der großbürgerlichen Stellungnahme von Zabel gelangt hier der Klassenstandpunkt zu seinem Recht. Wie einige Jahre später Maxim Gorki[152] die »Dämonen« ein »tendenziös-reaktionäres Werk, das gerade in unseren Tagen nur schädlich wirken könne«, genannt hat, so ist auch für Korn dieses Werk der Roman eines »reaktionären Giftmichels« – bei aller Anerkennung des »Dichters und Weltanschauungsvisionärs Dostojewski«. Die Bemerkungen Korns entbehren nicht einer gewissen Hellsichtigkeit: sie stellen nicht nur fest, daß es vollkommen sinnlos ist, dieses Werk zu einer Quelle des Verständnisses für die russische Revolution von 1905 heranzuziehen, da in ihm nicht ein »revolutionäres, d. h. ein klassenbewußtes Proletariat«, das es ja damals in Rußland auch noch gar nicht gegeben habe, sondern lediglich »deklassierte Adelige und Kleinbürger, Gesindel zwischen den Klassen« auftrete, sondern er nimmt auch tiefer liegende ideologiebildende Schichten wahr, die dieser Roman, wie das Werk Dostojewskis umschließt. Er wird nämlich aufmerksam auf »das auf den ersten Blick verblüffende Paradoxon, daß eine Ideologie, die in ihrer originalen Fassung die wirtschaftliche und politische Situation des Rußlands der 50er und 60er Jahre zutreffend widergespiegelt haben mag, im großkapitalistischen Deutschland des 20. Jahrhunderts ihre Wiedergeburt erlebt«. Wenn wir Korns Reflexion beiseite lassen über die »Schlüsse, die aus dieser Tatsache auf den Kulturwert des neudeutschen Kapitalismus und die Kulturreife unserer Bourgeoisie gezogen werden können«, Schlüsse übrigens, die dann Korn selber

150 a. a. O., S. 5.
151 Buchbesprechung: Die Dämonen, a. a. O., 4. Januar 1908.
152 Vgl. Arthur Luther, Russischer Brief, in: Das Literarische Echo, 16. Jg. Heft 10, Berlin 1914, S. 715, anläßlich der Besprechung eines Theaterstücks, das die »Dämonen« zu dramatisieren versuchte.

nicht zieht, so ist es wichtig, daß er begreift, wie wenig der Roman zu einer wirklichen Erkenntnis historischer und sozialer Zusammenhänge beiträgt, wie wenig die Handlung auch nur die vorrevolutionären gesellschaftlichen Zustände widerspiegelt und wie die Atmosphäre des Romans »das pure intellektuelle und ethische Chaos« ist. Korn ahnt, daß es gerade jene verschwimmenden Töne in Handlungsführung, Motivation und Stil sind, die die ideologische Brauchbarkeit des Romans für das bürgerliche deutsche Publikum gezeitigt hat. Noch einen Schritt tiefer geht er, wenn er ausführt: »Was die literarischen Wortführer unserer Bourgeoisie neuerdings als Entdeckung verkünden, daß es nämlich nicht auf das Bewußtsein der Menschen, sondern auf ihr Unterbewußtsein ankommt, daß alles Wertvolle der Seele da anfängt, wo der Geist aufhört und die ›Tiefe‹ sich öffnet – das war in der Tat vor 50 Jahren die programmatische Psychologie, war die Weltanschauung Dostojewskis«. Denn mit dieser Bemerkung werden ja nicht die wissenschaftlichen Bemühungen der Psychoanalyse aus der damaligen Zeit getroffen, die sich selber dem geschlossenen Widerstand des fachlichen offiziellen Wissenschaftsbetriebes aussetzte, sondern eben jene antiintellektuellen Strömungen, wie sie in dem Mythos von der Dämonie der Seele, in der ganzen Verzauberung und Privatisierung aller Realität auftreten. Der Schriftsteller, der vom Standpunkt des Proletariats aus schreibt, hat ein sehr empfindliches Organ für die Frage der erklärbaren Aufnahme des Schriftstellers; es ist durchaus kein Zufall, daß gerade aus diesem Lager die soziologische Problemstellung der Rezeption gestellt und in keinem anderen Lager in nennenswerter Weise aufgenommen wird.

Es versteht sich, daß mit diesen beiden Grenzfällen nur die soziologisch wichtigsten Differenzierungen innerhalb der Gesamtgeschichte der Rezeption zur Sprache gebracht worden sind. In der breiten Masse der vorliegenden Dokumente findet sich eine Unzahl von Besonderheiten vor: Religiöse, generationsmäßige, parteipolitische, personalpsychologische Spezialitäten lassen sich reichlichst anführen. Aber sie wären nicht dazu angetan, die Grundlinien der hier vorgetragenen Interpretation zu verändern. Gerade daß in und trotz all diesen Verschiedenheiten die wesentlichsten oben dargestellten ideologischen Züge immer wieder sich durchsetzen, daß sie jenseits dieser Vielfalt sich teilweise überschneidender Grenzen das Bild der Rezeption beherrschen, vermag den Vorrang von Klassenideologien vor mehr oder minder abgeleiteten Ausdrücken geistiger und materieller Sonderinteressen zu beleuchten.

Schließlich bleibt noch ein Vorblick auf die Rezeption Dostojewskis in der Nachkriegszeit übrig. Ihre Dokumentation ist noch wesentlich reichhaltiger als die der Vorkriegsjahrzehnte. Auch in der bunten Vielfalt dieses Materials finden sich alle jene ideologischen Grundelemente vor, die in der Vorkriegszeit bereits angelegt sind: überwiegt in der unmittelbaren Nachkriegszeit während der völligen Deroute der gesellschaftlichen Organisation in Deutschland, insbesondere während der endgültigen ökonomischen Depossedierung der Mittelschicht, der Mythos der Innerlichkeit, so ist in jüngster Gegenwart der nationale Mythos als brauchbares, gleichsam vorbildhaftes Element für die heroisch-völkischen Ideologien in den Vordergrund getreten. Die destruktiven Tendenzen, die freilich nur sehr verzerrt in Dostojewski angelegt sind, üben auf die intellektuelle Jugend in der unmittelbaren Nachkriegszeit eine gewisse Wirkung aus; doch gilt gerade für diese die schon weiter oben gemachte Bemerkung, daß im Sinn sozialpolitischer Radikalisierung Dostojewski nur da wirkte, wo andere, mächtigere Kräfte bereits eingesetzt hatten, während der breite Strom dieser Intellektuellen durchaus innerhalb der Vorstellungen der mittleren Klasse befangen blieb. Gerade für diese Intellektuellen hat Dostojewski noch einen besonderen ideologischen Hilfsdienst leisten können. Indem er als ein spezifisches Produkt russischen Wesens gedeutet wird, indem man in einer Beschäftigung mit seinen Werken dieses Wesen endgültig zu treffen vermeint, glaubt man zugleich einen Schlüssel zum Verständnis des Bolschewismus gefunden zu haben. In der Ideologie der bürgerlichen Intelligenz dient so weitgehend Dostojewski zu einer phantasiemäßigen Umgehung einer realen Auseinandersetzung mit dem Versuch einer Umgestaltung der bürgerlichen Gesellschaftsordnung. Durch den aufgewiesenen psychischen Mechanismus besteht dabei die Möglichkeit, die russische Revolution im Sinn der analsadistischen Züge zu phantastischen Triebgenüssen auszunutzen und sie gleichzeitig mit Hilfe der im Dostojewski-Material verborgenen Rationalisierungen zu verurteilen. Die allerjüngste Phase der Rezeption weist nach zwei Richtungen: in der einen wird Dostojewski in den geistesgeschichtlichen Zusammenhang mit Kierkegaard und der gesamten dialektischen Theologie gestellt. Damit gewinnen die Momente der Vergleichgültigung des Irdischen, der Verklärung des einzelnen, seiner

Innenwelt, seines Verhältnisses zu Gott ein außerordentliches Gewicht. Diese Art der Rezeption ist mit einem gesellschaftlichen Bewußtsein verknüpft, das von der Gegenwart radikal nichts mehr erhofft. Es gehört in den Umkreis resignierter Schichten. Die andere Richtung, welche die politisch an der Herrschaft befindlichen Gruppen repräsentiert, entnimmt zwar positiv aus Dostojewski das nationale Element, grenzt sich aber aus den Bedürfnissen der spezifischen Färbung der in Deutschland herrschenden Ideologie gegen die in der schwächlichen Liebesbereitschaft vorgefundene rassische Unzulänglichkeit Dostojewskis ab. Auch ihr wird Dostojewski zum Schlüssel des Bolschewismus.

In diesen Darlegungen tritt die Kunst eindeutig im Zusammenhang der Ideologie auf. Es wird an einem konkreten Beispiel der Nachweis zu erbringen versucht, daß und inwiefern Kunstwerke mit zu jenen Faktoren gehören, die über die bloß materielle Machtapparatur hinaus den Bestand einer gegebenen Gesellschaftsordnung mit zu sichern vermögen. Keineswegs aber soll damit implicit eine materialistische Theorie der Kunst vorausgesetzt werden, die sie als gesellschaftliches Phänomen ausschließlich in die Sphäre der Ideologie verwiese. Zwar: die psychischen Kräfte, die in der Schaffung und Aufnahme von Kunstwerken aktiviert werden, sind in überwältigendem Ausmaße irrationaler Art; weder der Akt der Schöpfung, noch der des Genusses vollzieht sich als ein theoretischer oder rationaler; wenigstens nicht in primärer Weise. Unter diesem Zeichen des Irrationalen steht die Kunst in Verbindung mit der Religion und unterliegt mit ihr zusammen der gleichen irrationalistischen Verarbeitung. In der Geschicht fast aller uns bekannten Gesellschaften finden sich Religion und Kunst in Verbindung mit dem Appell an die menschlichen Leidenschaften als ein Mittel der Unterdrückung und der Gewalt vor. Nicht daß sie als historische Erscheinungen das bewußt geschaffene Werkzeug bestimmter Gruppen zur Niederhaltung anderer wären – aber sie sind gesellschaftlich produziert als die affektiven Ausdrücke, in denen sich mehr oder minder intensiv entrechtete Schichten mit der sozialen Wirklichkeit abzufinden suchen und andere den Triumph in ihr verklären. Und doch liegt in all diesen historischen Erscheinungen des Irrationalen und insbesondere in der Kunst noch ein anderes Element beschlossen. Wenn es richtig ist, daß sie im Gesamtprozeß wesentlich die Funktion hat, mit dem Bestehenden zu versöhnen, so umschließt sie zugleich das Element der Unzufriedenheit, das versöhnt werden muß. In ihren Gebilden liegt prinzipiell die Gegenwehr, der Widerspruch gegen das Bestehende beschlossen. Damit gelangen wir zu einem Korrektiv gegen die eindeutige Zuordnung der Kunst zum Bereich der Ideologie. Wie sie die Kraft hat, das Bestehende zu sichern, so kann sie auch sich mit jenen Produktivkräften des menschlichen Lebens verknüpfen, die an dem Bestehenden rütteln. So sehr gerade in der Gegenwart die Absage an die Macht der Wissenschaft den Vorwand für Gewalttaten abgibt, so sehr ist es richtig, daß der bloße Schritt in die Wissenschaft, allein und isoliert betrachtet, noch nicht einen Schritt aus dem Elend der Mehrheit der Menschheit heraus bedeutet. Es gehört zur Dialektik jedes Instruments in jeder Klassengesellschaft, daß es nicht nur deren Förderung und Aufrechterhaltung dient, sondern zugleich auch zur Waffe gegen sie selbst geschmiedet werden kann. Wenn gelänge, zum Bewußtsein zu bringen, was an Feindseligkeit und Protest gegen eine bestehende Ordnung, an inhaltlicher Vorstellungskraft über eine mögliche und bessere in der Widerspruchsfülle von Roman und Drama, in der Trauer eines Liebesgedichts, in der Gewalt eines klassischen Musikstücks, ja noch in der Inbrunst und Verzweiflung eines Gebets und in der Weltabgekehrtheit eines starken persönlichen, leidenschaftlichen Gefühls gelegen ist, dann könnte vor der Übermacht und Klarheit, die aus einem solchen allgemeinen Bewußtsein der Menschen spräche, die bestehende Welt nicht mehr bestehen. Die Tatsache, daß bisher im allgemeinen stets die irrationalen Gebilde und mit ihnen die Kunst dazu gedient haben, das Bewußtsein zu bestechen, rechtfertigt nicht den Glauben, daß diese Bestechung ihren einzigen historischen Sinn, ihre einzige Möglichkeit darstelle.

Kapitel V
Die biographische Mode

Die Biographie (von fachwissenschaftlichen Arbeiten der Geschichtsschreibung ist dabei nicht die Rede), welche in der Zeit nach dem Ersten Weltkrieg in immer zunehmendem Maße sich neben den herkömmlichen Gattungen in der Belletristik als Artikel des gehobenen literarischen Massenkonsums behauptet, mag an eine Einrichtung der großen Warenhäuser erinnern. Dort findet man in weitläufigen Kellergeschossen Warenmassen aus sämtlichen Abteilungen des Hauses angesammelt, die nicht mehr mit der Mode Schritt gehalten haben und unterschiedslos, ob sie ursprünglich an den übervölkerten Ständen der Bänder- und Knöpfeabteilung oder in der heiligen Stille des Luxusmöbellagers zum Verkauf standen, nunmehr im gleichen Raum um verhältnismäßig billiges Geld abgegeben werden. In diesen Kellern findet man alles auf einmal; das Prinzip, das die Waren dort eint, ist das Bedürfnis nach beschleunigtem Absatz, nach gewaltsam forciertem Massenkonsum. Die Biographie ist das Lager sämtlicher gängiger Kulturgüter; sie sind alle nicht mehr ganz neu, alle nicht mehr so, wie sie ursprünglich gemeint waren, es kommt auch nicht mehr so genau darauf an, ob von der einen Sache mehr und von der anderen Sache relativ wenig da ist.

Das freilich stellt sich erst heraus, wenn man dem Material auf den Leib rückt: mit nahezu statistischer Genauigkeit wird immer wieder dasselbe Zeug zusammengetragen und ungefähr in der gleichen Aufmachung geliefert. Von der Außenseite sieht es freilich ganz anders aus. Die Biographien gebärden sich, als ob sie in der geistigen Welt das darstellten, was die exklusiven und teuren Fachgeschäfte für die reichen Leute in der Welt der materiellen Konsumgüter sind. Der Vergleich bezeichnet die gesellschaftliche Atmosphäre, in welche die moderne historische Biographie gehört: die der faktischen Armut und des scheinbaren Reichtums. Sie erhebt den Anspruch, den Stein der Weisen für alle Geschichts- und Lebenslagen gleichsam im Plural zu besitzen; aber es zeigt sich dann, daß das kunterbunte Durcheinander der Allgemeinurteile und Rezepte in Wahrheit Ausdruck völliger Ratlosigkeit ist.

Seit 1918 bereits ist die politische Biographie die klassische Emigrationsliteratur des deutschen Bürgertums. Gewiß ist sie weder auf den deutschen Sprachkreis beschränkt noch erst nach dem Ersten Weltkrieg aufgetreten. Schon Nietzsche spricht von »unserer an die biographische Seuche gewöhnten Zeit«[1]. Die gängigsten deutschen biographischen Schriftsteller haben sich in Übersetzungen auch außerhalb ihrer Landes- und Sprachkreise Riesenerfolge zu schaffen gewußt, und die französische und englische Sprache haben während der letzten Jahrzehnte viele eigene Beiträge geliefert. Aber nirgends läßt sich eindeutiger Konstruktion und soziale Rolle dieser Literatur ablesen als am deutschen Material.

Die Analyse der Popular-Biographie ist unter diesen Umständen vor allem ein Beitrag zur Analyse ihrer Leserschicht, ein Beitrag zur Kritik der geistigen Kultur des späten Liberalismus. Es gilt zu zeigen, in welcher Weise Willkür und Widerspruch jeden Anspruch auf Theorie zerstörten, ja, wie letzten Endes diese Literatur eine Karikatur der Theorie ist. Es ist nicht bloß die Rolle des idealistischen Systems, welche die Popular-Biographie – ein kümmerliches Spätprodukt – zu vertreten hat; zugleich repräsentiert sie den großen Roman. In den Aufstiegsperioden des Bürgertums, in denen die Gattung des Erziehungsromans die erzählende Literatur charakterisiert, steht das Individuum in einem durchsichtigen Wechselspiel zwischen seinen eigenen Anlagen und Tendenzen und der Umwelt; das Material, welches die Substanz und die Folie des einzelnen Schicksals bedeutet, entnimmt der Schriftsteller einer exakten Phantasie – Phantasie, weil mit der seltenen Ausnahme einiger mehr für die Oberfläche und das Kolorit verwandten Daten, Gegenständlichkeiten und Figuren ersonnen sind; exakt, weil im Ergebnis solcher dichterischen Einbildungskraft die gesellschaftliche und psychologische Realität so widergespiegelt wird, wie sie die soziale Schicht des Schriftstellers und seiner Leser sieht. Wilhelm Meister, Illusions Perdues, David Copperfield, Education Sentimentale, Der Grüne Heinrich, Anna Karenina – diese Romane sind in ihrer Rezeption nicht nur begleitet von dem sozialpsychologischen Massenphänomen eines »déjà vu«, sie betreiben darüber hinaus die Bestätigung und Rettung des Individuums, indem die Bürde wie das Glück der ersonnenen Einzelexistenz in einer nachvollziehbaren Weise unmittelbar vom

---

1 Nietzsche, Werke, 2. Abt., Band X, Die Philosophie im tragischen Zeitalter der Griechen (Fragment, Frühjahr 1873), Stuttgart 1922, S.26.

Leser erfahren wird. In diesen Kunstwerken sind immer eine bestimmte Welt und bestimmte, in sich konsistente Individuen gegeben, genau in der gleichen Weise, in der die wissenschaftliche Geschichtsschreibung seit der Aufklärung stets die Realität konzipiert hat: als ein mit dem Schicksal der lebenden und lesenden Zeitgenossen verbundener und verstehbarer Zusammenhang von Subjekten. In diesem Sinne besteht in der Tat eine unmittelbare Beziehung zwischen wissenschaftlichem und literarischem Realismus und der Theorie der Gesellschaft: wo jener die Sorge um das Subjekt formuliert, will diese die Bedingungen seines Glücks entwerfen.

Die Biographie ist wie die Fortsetzung so zugleich die Umkehrung des Romans. Die Dokumentation im bürgerlichen Roman hatte die Funktion der Rohstoffe. Ganz anders in der Popular-Biographie: dort vertreten die Dokumentationen, jenes Riesengepränge aus fixierten Daten, Ereignissen, Namen, Briefen usw., die Stelle von sozialen Verhältnissen, die zu Fesseln des Individuums geworden sind; das Individuum ist gleichsam nur noch ein typographisches Element, ein Kolumnentitel, der sich durch die Erzählung der Bücher schlängelt, ein Anlaß bloß, der dazu dient, ein bestimmtes Material hübsch zu gruppieren. Was auch immer anderes, wie zu zeigen ist, die Biographen über ihre Helden proklamieren: diese sind keine mehr, sie haben kein Schicksal, sie sind bloße Funktionen des Geschichtlichen.

Die Begriffe von Geschichte und Zeit, die höchsten Prinzipien der Historie, sind in der Biographie verdinglicht, eine Art versteinerter Anthropologie, sachliche, fast starre Gegenständlichkeiten, denen bestimmte Eigenschaften zukommen. Wenn es heißt: »Gleichgültig gegen den innersten Willen des einzelnen stößt oft der stärkere Wille der Geschichte Menschen und Mächte in ihr mörderisches Spiel« (34/ S. 117)[2], oder auch: »die erhabenen Atemzüge der Geschichte bestimmen den Rhythmus der Epoche zuweilen auch gegen den Willen des Genius, der sie belebt« (20/S. 423), wenn die Geschichte, »die ernsteste der Göttinnen, ungerührt und unbestechlichen Blicks ... die Tiefe der Zeiten« überschaut »und ... mit eherner Hand ohne Lächeln und Mitleid Geschehnis zur Gestaltung« formt (29/ S. 147), wenn Geschichte, die »vielleicht fürchterlichste und entbeh-

2 Ein numeriertes Verzeichnis der zitierten Biographien befindet sich auf S. 256. Wir verweisen im Text auf diese Biographien unter Angabe der betreffenden Nummer.

rungsreichste Seefahrt, . . . die ewige Chronik menschlichen Leidens« (33/S. 373), »fast immer dem Sieger Recht gibt wider den Besiegten« (33/S. 217), wenn sie »im letzten Sinne auf Gewalt fußt«, wenn sie »weder moralisch noch unmoralisch« (28/S. 270) handelt (»Man finde sich damit ab«, dekretiert der die Weltvernunft verkörpernde Biograph, was ihn aber nicht stört, gelegentlich auch die Geschichte den »Richter unseres Tuns« [34/S. 476] zu nennen . . .), wenn sie gar es sich manchmal erlaubt, »aus den Millionenmassen der Menschheit eine einzelne Gestalt« zu wählen, »um an ihr eine weltanschauliche Auseinandersetzung plastisch zum Austrag zu bringen« (28/S. 134) – dann nimmt sie die Züge eines übermächtigen Robot an, der aber kaum das Resultat menschlicher Produktion zu sein scheint, sondern mit erheblichem Getrampel und in unbegreiflicher Willkür die Menschen vor sich herjagt.

Verglichen mit der Phantasie von Filmproduzenten und technokratischen Träumern ist freilich dieser Robot recht armselig. Die Aufzählung seiner Eigenschaften ist seine angemessene Interpretation: er ist ein Klischee – auch dort, wo es ums Konkrete geht. Was zum Beispiel den Erasmus betrifft, so beginnt es damit: »Instinktiv wählte die Zeit richtig«, in ihm »sieht die Zeit das Symbol der still, aber unaufhaltsam wirkenden Vernunft« (37/S. 98 f.); während seines Lebens: »die Zeit zwingt ihn hinein in das Getümmel zur Rechten und zur Linken« (37/S. 20); und am Ende: »aber täusche Dich nicht, alter Mann, Deine wahre Zeit ist vorbei . . .« (37/S. 165). Es versteht sich von selbst, daß von dem Perioden- und Jahrhunderten-Klischee ausgiebiger Gebrauch gemacht wird. Das Mittelalter »mit seiner Verdüsterung« (34/S. 34) »ist grausam und gewalttätig« (34/S. 510); wenn es vorüber ist, haben wir »eine Jahrhundertwende, die zur Zeitwende wird« (37/S. 32). Es gibt das »große und zwiespältige 19. Jahrhundert« (4/S. 10) mit »den Menschen des 19. Jahrhunderts« (4/S. 22), welches »seine Jugend nicht liebt« (29/S. 25); und vom 17. Jahrhundert heißt es: »Das wunderliche Jahrhundert, dessen Kind sie [Christine von Schweden] im Guten und im Bösen war, starb mit ihr« (25/S. 410).

Die Geschichtsschreibung der europäischen Geisteswissenschaften hatte für solchen Pomp weder Raum noch Zeit. Sie wollte belehren, um durch die Vergangenheit eine Gegenwart besser zu begreifen, in der es bestimmte Arbeiten zu verrichten gab – sei es auch nur die Arbeit, neue Philologen oder Historiker mit geschliffenen Werkzeugen auszurüsten, um die vergangene menschliche Praxis zu erforschen.

Was freilich das letztere betraf, war die Historie dem Zorn Nietzsches ausgesetzt, der hier – auf dem äußerst progressiven Vorposten einer bürgerlichen Theorie der Geschichte – unerbittlich der Verbindung des Wissens um die Vergangenheit mit der Praxis einer höheren Vernunft das Wort redete. In seiner Spätzeit hat er sich freilich häufig mit der Vorstellung gequält, daß es eigentlich um die Menschen geschehen sei, daß man »die schlechte Grundbeschaffenheit eines jeden Menschenlebens schon darin erkennt, daß keines verträgt, aufmerksam und in nächster Nähe betrachtet zu werden«[3]. Der geschichtliche Fatalismus, der das Bürgertum bereits ergriff, längst bevor der autoritäre Staat seine Praxis wurde, ließ ihn wiederholt bemerken, daß keiner der Durchschnittsmenschen, daß nichts, »was sich heute als ›guter Mensch‹ fühlt«, fähig wäre, »eine Biographie« zu ertragen.[4] Ihren gegenwärtigen Vertretern hat er damit gewiß das richtige Urteil auf Vorschuß überliefert. Sie zaubern einen geschichtlichen Raum herbei, um den sie genau Bescheid zu wissen vorgeben; man wird versichert, daß »die Geschichte« oder »das Jahrhundert« dies oder jenes mache, dies oder jenes an sich habe, und das geschichtliche Subjekt erscheint als bloßes Produkt. Damit spiegelt die Popular-Biographie – wenn auch in schiefer Form – die Realität wider: an den bürgerlichen Mittelschichten, ihren Literaten und den Konsumenten ihrer Erzeugnisse vollzieht sich in der Tat in immer zunehmendem Maße jener eherne Rhythmus der Weltgeschichte, jener umbarmherzige Zeitgeist, so, daß das »Allgemeine«, von dem jene Kategorien in Phrasen sprechen, das Besondere der Individualität vernichtet. Es wird in der Biographie darüber hinweggeredet; wenn auch der Spiegel schief hängt, in den der Leser schaut, so findet er doch etwas von seiner eigenen historischen Substanz wieder. Die Qualitäten der Geschichte sind hier etwa so beschrieben, wie die Person des Führers und der mit ihm wirklich regierenden Elite zu kennzeichnen wären: mitleidlos, gleichgültig, nur dem Erfolg zugewandt; mit dem Willen und der nötigen Apparatur ausgerüstet, Entscheidungen, welche die überwältigende Majorität betreffen, auszusprechen und zu vollziehen. Die erstarrte Anthropologie des

3 A. a. O.
4 Nietzsche, Zur Genealogie der Moral, Werke, 1. Abt., Bd. VII, Stuttgart 1921, S. 453. Vgl.: Der Wille zur Macht, Werke, 2. Abt., Bd. XVI, Leipzig 1911, S. 417.

Geschichtlichen nimmt die starren Züge der autoritären Herren an. Solche Geschichtsphilosophie verrät ein gesellschaftliches Lebensgefühl, das sich jederzeit einer höchsten Kommandogewalt unterworfen weiß; deren Regeln, gleichsam das Exerzierbuch der Geschichte, sind in unzähligen generalisierenden Behauptungen enthalten, mit denen die biographische Literatur angefüllt ist.

Der Biograph ist der Lieferant der Soziologie für Massenkonsum. Was hier getrieben wird, ist die Karikatur jener induktiven Methode, die sich aus einer Reihe von Beobachtungen zuverlässige Spielregeln des Menschenlebens durch alle seine Zeiträume hindurch zusammenzubrauen sucht. Die politische Soziologie der Biographen ist das »gesunkene Kulturgut« einer um Gesetze bemühten Sozialforschung. Sie arbeitet mit kunstgewerblichen Mitteln; charakteristisch dafür ist das Wörtchen »immer«, ein Favorit aus Stefan Zweigs Sprachschatz, das irgendwelchen Folgerungen aus zufälligen Befunden den Adel des Normativen verleiht. Was war, war immer so, ist so, und so wird es bleiben – ist die Weisheit wie bei jeder generalisierenden Methode so auch ihrer populären Ableger. Zum großartigen Konzept des Molochs Geschichte gehört der common sense der soziologischen Betrachtung, genau so wie zur religiösen Formel auf der ersten Seite des Hauptbuches die nüchternen Ziffern der folgenden Blätter.

Die vornehmlichsten Themen der Popular-Biographie sind Politik, Macht und die Typologie der Führer. Die Art und Weise, in der von der politischen Machtapparatur und ihren Mechanismen die Rede ist, stammt aus dem Gesichtswinkel des Zuschauers, der halt nichts dran machen kann und sich mit der Beobachtung begnügt. Diese Biographen gebärden sich, als ob sie eigentlich die ganze Sache nichts angehe und sie sich's nicht in ihren kühnsten Träumen einfallen ließen, daß sie selbst etwas dabei zu suchen hätten. Dafür gibt es den allgemeinen Trost: »ein Mensch, der sich der Politik verschworen, gehört nicht mehr sich selbst und muß anderen Gesetzen gehorchen als den heiligen seiner Natur« (34/S. 42). Es verbirgt sich hinter bald großen, bald zynischen Worten die spießbürgerliche Ohnmacht, daß die Politik den Charakter verderbe. Sie »ist allezeit die Wissenschaft des Widersinns. Ihr widerstreben die einfachen, die natürlichen, die vernünftigen Lösungen« (34/S. 28). Sie ist so verdinglicht wie der Begriff der Geschichte: »Der einzelne Mensch ist für sie nicht vorhanden, er zählt nicht gegenüber den sichtlichen und sachlichen

Werten des Weltspiels« (34/S. 25). Wer mit ihr zu tun hat, berührt Pech. »Wie es Politiker immer tun müssen: er hatte mit Gott konkordiert« (3/S. 253). Von solchem Menschenschlag ist dann auch nichts anderes zu erwarten, als daß er nach wenig erhabenen Maßstäben handelt: wir erfahren »das ewige und immer wiederkehrende Schauspiel . . ., daß Politiker immer feige werden, sobald sie den Wind umspringen fühlen« (35/S. 493). (Wie wichtig der Biograph seine Mission nimmt, die Gesetze des sozialen Lebens zu entdecken, zeigt sich hier übrigens an den Pleonasmen, die so wenig zum »kultivierten« Schriftsteller gehören: es muß ewig, immer wiederkehrend und noch einmal immer sein.) Es ist ein armseliges Handwerk: so ist zum Beispiel »das Klügste, was ein raffinierter Politiker tun kann: er verschwindet« (34/S. 146).

Das Wesen des Politischen wird mit hämischen Augen betrachtet; aber dies ist nur ein Aspekt. Dahinter verbirgt sich das notwendig psychologische Korrelat des Ressentiments, die heimliche Verliebtheit in den Erfolg, den man im Bewußtsein herabzieht: zur Soziologie des Politikers gehört das liebevolle Verweilen bei einer Phänomenologie der Macht. Aus der Perspektive des Voyeurs ist die Reflexion anläßlich des russisch-napoleonischen Vertrages verständlich: »Man fühlt, wenn Zwei die Welt verteilen, muß es am Schluß zum Kampf der Beiden kommen« (20/S. 275). »Es ist zwar nur ein ewiges Verhängnis der Menschheit, daß ihre denkwürdigsten Taten fast immer befleckt sind von vergossenem Blut und gerade den Härtesten das Größte gelingt« (33/S. 218); aber Macht ist eben ein so überzeugendes Phänomen, daß sie Anerkennung erzwingt. Der gleiche gesellschaftliche Verdrängungsmechanismus, welcher in Begriffen wie Geschichte, Zeit, Politik Verdinglichungen konstruiert, so daß sie als Reflex von sozialen Herrschafts- und Knechtschaftsbeziehungen nicht mehr erkennbar sind, fetischisiert auch den menschlichen Inhalt des Begriffs der Macht. So heißt es etwa: »Die Macht verspricht, auch wenn sie schweigt und nichts verspricht« (22/S. 23), ». . . eine Macht kann sich durchsetzen, aber nicht verraten« (3/S. 175). In dieser Sphäre erstarrt der Biograph so weit, daß er oft nur in Tautologien zu sprechen weiß: »Der Sieg will sein Recht, und immer wandelt es sich zu Unrecht für den Besiegten« (34/S. 386). »Die Geschichte schiebt den äußeren Vorteil meist den Machtmenschen zu« (28/S. 270). Wie ein Knabe in einem Gemisch von Neid und Bewunderung auf die Muskeln des Athleten starrt, in der gleichen heimlichen Verlegenheit blicken die Biographen auf die Sphäre der Tat, Stärke und Macht. »Immer sind aus den Quadern der Härte und des Unrechts die großen Staatsgebäude gebaut« (34/S. 521), »für Machtlose gibt es kein Mitleid« (34/S. 351). Rührselig ist die Rede von der »Ohnmacht jedes rein geistigen Krieges gegen die Übermacht einer geharnischten und gepanzerten Diktatur«, von der »Aussichtslosigkeit seines Unterfangens« (28/S. 10), ». . . immer wird, wer gegen die Machthaber und Machtausteiler der Stunde das Wort erhebt, wenig Gefolgschaft erwarten dürfen bei der unsterblichen Feigheit unseres irdischen Geschlechts« (28/S. 13).

Ebenso beredt ist die Sprache, wo es um das soziologische Lieblingsthema Individuum und Gesellschaft geht. Denn hier ist die Gelegenheit, von den allgemeinen Gesetzen der Führerpersönlichkeiten zu sprechen. Die Unparteiischkeit versteht sich dabei von selbst: »Mussolini ist ein Mann von der feinsten Höflichkeit, wie alle echten Diktatoren« (19/S. 35). Es ist auch kein einfaches Geschäft: »Es gehört zur Tragik aller Despoten, daß sie den unabhängigen Menschen selbst dann noch fürchten, wenn sie ihn politisch machtlos und mundtot gemacht haben« (28/S. 273). Besonders gilt das von revolutionären Führern einschließlich der religiösen Fanatiker: »Das ist eines der Geheimnisse fast aller Revolutionen und das tragische Geschick ihrer Führer: sie lieben alle nicht das Blut und sind doch zwanghaft genötigt, es zu vergießen« (32/S. 61). Was das Verhältnis der Gesellschaft zur Diktatur betrifft, so gibt es bestimmte Regeln für die Vorgeschichte, für den Beginn, für den Höhepunkt und für den Abstieg. Vorher: »Jede Welterneuerung, jede völlige Umpflügung versucht es zunächst mit den gemäßigten Reformatoren statt mit den rabiaten Revolutionären« (37/S. 98 f.). Ein bißchen später: »Alle Diktaturen beginnen mit einer Idee« (28/S. 65). Wenn es dann soweit ist: »Jedesmal hat am Anfang einer Diktatur . . . der Widerstand eine gewisse Wucht« (28/S. 49). Nachher dann: »Immer können Diktatoren nach dem restlosen Triumph eher der Humanität ihr Recht lassen und viel leichter die freie Rede verstatten nach der Sicherung ihrer Macht« (28/S. 239). Aber schließlich: »Nie kann die Menschheit oder ein Teil von ihr, eine einzelne Gruppe, die Diktatur eines einzigen Menschen lange ertragen, ohne ihn zu hassen« (32/S. 96), »Diktaturen bedeuten im großen Plane der Menschheit nur kurzfristige Korrekturen« (28/S. 327).

Im Untergeschoß dieses geistigen Warenhauses findet sich alles. Wie

238

in einem Kaleidoskop erblickt man jetzt eine machiavellistische Soziologie der Politik, erblickt man im nächsten Moment eine utopische Konzeption in der Geschichte. Es ist für die gesellschaftliche Funktion dieser Biographen besonders kennzeichnend, daß sie die beiden Konzeptionen in sich vereinigt. Während aber der frühere Verlauf der divergenten geschichtsphilosophischen Interpretationen in einem erkennbaren Zusammenhang mit den Interessen kämpfender sozialer Gruppen steht, ist das Kunststück, das Unvereinbare zu vereinen, für eine soziale Situation sehr charakteristisch, in der die Biographen gedeihen. Mit der pessimistischen Perspektive finden sie sich ab, indem sie sie teils magisch beschwören und kategorisieren, als ob das Wissen um ihre ewig wiederkehrenden Formen sie für das betroffene Individuum ungefährlich mache, oder indem sie den zynischen Beobachter spielen, den es eigentlich nicht betrifft; und der Optimismus kommt durch die Versicherung zustande, daß schließlich doch das Gute siege. Dieser Pluralismus von Standpunkten wird uns immer wieder begegnen; er gehört zu einer Haltung, der eigentlich nichts mehr ernst ist, die bestimmt jedenfalls den Geist nicht mehr ernst nimmt. Ihre letzte Weisheit ist der Relativismus.

Die optimistische Soziologie läuft auf verschiedenen Bahnen. Die erste, die des geringsten Widerstandes, ist die, nach der es eben zwei verschiedene Menschentypen gibt: den schlechten, den Politiker, und den guten, den Moralistischen, den Geistigen. »Gleichgültig, wie man die Pole dieser ständigen Spannung benennen will – ... diese Namen drücken im Grunde eine letzte, allerinnerlichste und persönlichste Entscheidung aus, was richtiger sei für jeden einzelnen – das Humane oder das Politische, das Ethos oder der Logos, die Persönlichkeit oder die Gemeinsamkeit. Diese immer wieder notwendige Abgrenzung zwischen Freiheit und Autorität bleibt keinem Volke, keiner Zeit« und keinem denkenden Menschen erspart« (28/S. 14).

Ein Nebengeleise bildet die Vorstellung, daß es vielleicht doch so etwas wie eine Versöhnung der »politischen« und »moralischen« Haltung geben könnte. Emil Ludwig, der die Spezialitäten der Goethe-Motti und des realpolitischen common sense pflegte, ist hier vor allem zu zitieren. Man liest dort: »Mit dem Willen zur Macht ohne Ideen der Zeit läßt sich auf die Dauer so wenig regieren, wie mit den Ideen ohne Willen zur Macht« (16/S. 335). In lapidaren Worten zeigt ihm »die Legende dieses Lebens [Masaryks], daß Politik auch heute noch auf ethischer Grundlage möglich ist und daß eine moralische Natur sich im Besitze der Macht nicht zu verdunkeln braucht« (15/S. 73 f.).

Das Hauptinteresse der Soziologen der Politik, wenn sie als Soziologen der Moral sprechen, ist jedoch auf den Nachweis gerichtet, daß eben schließlich immer wieder das Gute siegt. Das wird in einer solchen stereotypen und pathetischen Weise hergesagt, daß es sowohl an die moralischen Trostsprüchlein auf Waschlappen und Poesiealben wie an gewisse Schlagertexte erinnert, es könne ewig nicht so weitergehen, und es komme auch mal wieder anders. Bescheiden, wenn auch nicht gerade richtig, ist noch eine Äußerung wie, daß »in einem Schicksal [es ist wieder von Masaryk die Rede] die Logik abzulesen« sei, »mit der ein anständiger Mensch erntet, was er sät« (15/S. 15). Aber Zweig vor allem hat ein reicheres Register. Wie in einem Song, »Die Vernunft« überschrieben, klingt es: »Manchmal, wenn die anderen trunken toben, muß sie schweigen und verstummen. Aber ihre Zeit kommt, immer kommt sie wieder« (37/S. 25). »Aller Fanatismus wider den Geist zielt aber notwendig ins Leere« (27/S. 410).

So charakteristisch, wie für progressive Tendenzen des liberalistischen Denkens die moralphilosophischen Systeme sind, die zu einer kritischen Waffe gegen das Bestehende werden können, so charakteristisch ist für den Rückzug aus der Sphäre der Praxis die Behauptung, daß Wahrheit und Freiheit im Laufe der Geschichte immer wieder obenauf sind. »Toskana verteidigte das ewige Gefühl der Freiheit. Dieses Ideal der Freiheit überlebt das Dasein aller losgelassenen Gewalten. Ein Tag der Freiheit zerbricht Pyramiden der Sklaverei, die für die Ewigkeit in den Himmel zu ragen scheinen. Die Freiheit kommt immer wieder, liebkost die Menschen, zeigt ihnen ihre Würde, den Gott in ihrem Busen, und prüft die Schwerter« (23/S. 341); oder ganz monumental: »Die Wahrheit siegt immer wieder . . . Die Wahrheit siegt am Ende immer! Nur die das wissen, sind gefeit gegen die scheinbar ewig siegreiche Niedertracht« (8/S. 326).

Zum allgemeinen Teil dieses Scheinsystems einer Sozialphilosophie gehört schließlich noch das Problem von Natur und Geschichte. Seine Behandlung geschieht im Sinn eines schlechten Monismus. Er entspricht jener tiefen Depression und Müdigkeit, jenem Ruin der Initiative, welche den gegenwärtigen Zustand breitester Schichten des Bürgertums, vor allem in Mitteleuropa, charakterisieren. Seine Geschichte beginnt mit einer rapiden, ungehemmt fortschreitenden

Eroberung der außermenschlichen Natur im Dienst des Menschen; in der Gegenwart demonstriert die historische Praxis, wie die Naturbeherrschung immer mehr in den Dienst der Beherrschung des Menschen, seiner Unterwerfung und Vernichtung tritt. Es ist an anderer Stelle darauf hingewiesen worden, daß entscheidende Tendenzen der neueren Belletristik, daß vor allem ihr Naturbegriff die Resignation der Beherrschten vor einer technischen Apparatur spiegelt, welche für das Massenschicksal immer gleichgültiger, ja, immer gefährlicher wird.[5] Die Art, mit der in der biographischen Literatur bald von der angeblichen Identität natürlicher und historischer Gesetze gesprochen wird, bald die Naturphänomene zu klischeehaften Vergleichen des Menschenlebens herhalten, ist die Wiederaufnahme jenes resignierenden Naturpantheismus. Die Komplementärerscheinung zur Verewigung des Gegensatzes von Macht und Ohnmacht, von böser Politik und edler Moral, von erzener Welthistorie und hilflosem Humanismus ist die Verewigung und »Verinnerlichung« des geschichtlichen und natürlichen Daseins. Die schemenhafte Existenz der Natur gehört zu einer schemenhaften gesellschaftlichen Existenz. Hierher passen eben solche Bemerkungen aus Natur und Geisteswelt, die von den gleichen ewigen Gesetzen sprechen. Da gibt es die Analogien, wie etwa die von der Erhaltung der Kraft: ». . . kein moralischer Einsatz von Kraft geht jemals völlig im Weltall verloren« (28/S. 27). Da gibt es das Trägheitsgesetz: »Immer unterschätzten die politischen Ideologien den Widerstand, der in der Trägheit der menschlichen Materie begründet ist« (28/S. 50). Da gibt es die Elemententafel: »Die Zahl der menschlichen Motive ist gegeben wie die der Elemente und kann durch die Forschung nur in ihrer Verwandtschaft oder Fremdheit mit und gegen andere erkannt werden« (12/S. 64). Da gibt es die Bilder aus der Biologie: wir erhalten »einen Beitrag zu einer noch ausständigen und sehr notwendigen Biologie des Diplomaten« (32/S. 11). Wir erfahren vom »Instinkt der Lebewesen, die sich häuten« (8/S. 217); davon, daß »jedes Organ in einem irdischen Leibe . . . instinkthaft« begehrt, »seinen naturgewollten Sinn voll auszuleben« (28/S. 71).

Hinter dieser Vermengung von außer- und innermenschlicher Natur steckt auch wieder die Flucht vor der Theorie. Es ist die Befriedigung

5 Vgl. Leo Löwenthal, Knut Hamsun. Zur Vorgeschichte der autoritären Ideologie, in: Zeitschrift für Sozialforschung, VI. Jahrg., 1937, S. 307f.

des Erklärungsbedürfnisses nach dem Prinzip des geringsten Widerstandes. Das Bild, der Vergleich, die Analogie vertritt die Stelle des Gedankens. Nichts leuchtet auf, man gibt sich rasch zufrieden. Da ist das Menschenleben wie ein Gewässer: »Man sieht dem fröhlich dahineilenden Fluß nicht an, daß er sich hinter der Biegung zur Klamm verengt« (8/S. 72), oder: »Nun, da der Sturzbach sich längst zum Strom geweitet, da große Schiffe die Schätze der Erde auf seinem leitenden Bande tragen und er nähert sich dem Weltmeer, wo seine Wasser sich bald mit aller Welt Wassern mischen werden« (20/S. 291). Und wie überall dieses Denken aus Ohnmacht zur Verdinglichung getrieben wird, so dringt sie hier in die Naturanalogie ein; Natur ist nur eine andere Ausdrucksweise für die Übermächtigkeit der Geschichte: »Aber noch einmal bäumte sich der Gegenwille der Natur empor, als weigerte sie sich, ihr letztes Geheimnis leichthin preiszugeben« (33/S. 229); »Elisabeth und Maria Stuart völlig polare Typen ... gleichsam als hätte es der Natur gefallen, einmal eine große welthistorische Antithese in zwei großen Gestalten bis in die letzte Einzelheit kontrapunktisch durchzuführen« (34/S. 114).

Diese gesellschaftlichen Befunde von bloß phantasierter Macht und gleichzeitiger realer Ohnmacht erhalten eine letzte Bestätigung. Es gibt geradezu mystische Züge in dieser Literatur, bei denen alles und jedes in ein großes graues Einerlei eingeht. Es ist die Mystik des späten bürgerlichen Relativismus, den die Opfer mit den Herren teilen.[6] Für diese ist es der angemessene Ausdruck für die Aufrechterhaltung der Macht um jeden Preis; jene bekennen in nahezu masochistischer Weise, wie wenig sie von ihrem Denken, von der Anwendung des Geistes, dem es mit seinen Intentionen ernst ist, selbst noch halten. Hier ist der Ort, wo der geistesgeschichtliche Ursprung der modernen Biographik seinen gesellschaftlichen Sinn offenbart. Sie stammt aus der Lebensphilosophie[7], welche mit ihrer radikalen Abkehr von den strengen Regeln des philosophischen Systemden-

6 Darüber vgl. Max Horkheimer, Der neueste Angriff auf die Metaphysik, in: Zeitschrift für Sozialforschung, VI. Jahrg., 1937, S. 33.
7 Ganz mit Recht bemerkt Troeltsch in einer Kritik des Verhältnisses Diltheys zur Geschichte: »Und ging er von da zum rein psychologischen Erleben des inneren Werdezusammenhangs fort, so gab es ... günstigenfalls nur das Prinzip der Biographie, wie diese ja überhaupt in Diltheys Schaffen eben deshalb eine so große Rolle spielt und jede größere Entwicklung unter seinen Händen in kleine Biographien zerfällt, so daß er keine seiner großen Arbeiten in sich selber

kens und in ihrer ebenso entschiedenen Gegenstellung gegen jede Kritik der politischen Ökonomie den brutalen Vitalismus der autoritären Praxis hat vorbereiten helfen, wie sehr auch immer die Kronzeugen dieses irrationalistischen Selbstmords des Bürgertums innerlich und äußerlich von der Nutzanwendung ihrer Theorie in der Geschichte in Schrecken gehalten sind. In der für sie typischen Weise findet sich in der biographischen Literatur dieser historische Relativismus wieder. Manchmal verbirgt er sich hinter einem Aufbau von Versicherungen, daß es bei den Gegenständen, über die sie schreiben, um die letzten Dinge gehe – jenem Aufbau von Großartigkeit und Großzügigkeit, der nur Ratlosigkeit heißen sollte. Wie vom unendlichen Lebensstrom, der immer in Bewegung ist und doch stets dasselbe bleibt, wird vom Urhaften, Ewigen und Letzten geplaudert. Wir hören vom »ewigen Menschen« (30/S. 377), vom »ewigen Zug der Menschen nach dem ewigen Ziel« (6/S. 26), vom »urewigen Menschen aus dem vergänglichen Leib des Kulturmenschen« (31/ S. 148), von Freiheit und Gerechtigkeit, den »beiden Urkräften« (36/ S. 254), den »Urtrieben der menschlichen Triebwelt« (37/S. 18), da gibt es den »Urgrund von Lincolns Melancholie« (18/S. 125), wie überhaupt aus naheliegenden Gründen das Urhafte des Politikers seinen besonderen Zauber hat.

Aber es gibt auch Äußerungen, die noch unmittelbarer dem relativistischen Denk- und Sprachstil der Lebensphilosophie entnommen sind. »Der Mensch ist ein pausenloser Wanderer« (6/S. 24); für den Menschen ist »schließlich das Höchste: unendliche Fülle des Lebens« (29/S. 70). Dieser Irrationalismus verklärt das Gefühl auf Kosten des Denkens wie darum auch auf Kosten der Moralität. Es ist geradezu sinnlos, »einen dermaßen von seiner Leidenschaft überwältigten Menschen [wie Maria Stuart] moralisch beurteilen zu wollen« (34/ S. 223). Der Lebensstrom heißt auch bisweilen Schicksal: »Aber dies ist des Schicksals Neigung, gerade den Großen ihr Leben in tragischen Formen zu gestalten. An den Stärksten erprobt es seine Kräfte, stellt steil den Widersinn der Geschehnisse gegen ihre Kräfte, durchwirkt ihre Jahre mit geheimnisvollen Allegorien, hemmt ihre Wege, um sie im Rechten zu bestärken. Es spielt mit ihnen, aber ein erhabenes Spiel: denn Erlebnis ist immer Gewinn« (36/S. 11). Die

abzuschließen vermochte.« (Ernst Troeltsch, Gesammelte Schriften, Band III, Erstes Buch, Kap. 3, Tübingen 1922, S. 521.)

Redeweise vom Spiel ist aufschlußreich. Sie gehört zur relativistischen Ästhetisierung der Geschichte. Auch sie ist eine Maskierung der Ohnmacht, der erzwungenen Rolle des Zuschauers. Emil Ludwig hat sie aufs naivste preisgegeben: »Wenn sich die Schicksale kühner Menschen zu verwirren beginnen, verdoppelt sich die Schönheit ihres Anblicks« (10/S. 245).

Die Biographen sind ausgezogen, um das Königreich der höchsten Wahrheiten zu erproben. Bei Kleinigkeiten haben sie sich nicht aufgehalten – sie sind auf ein Imperium des Geistes aus, in dem die Rätsel des Geschichtlichen, der Zeit, der Natur, des Wesens der Politik, der Moral, des Lebens überhaupt gelöst sind. Zurück kommen sie mit einer Kräuter- und Käfersammlung. In der Sphäre der höchsten Abstraktionen fühlen sie sich zu Hause wie der Positivist im Reich der sogenannten Fakten. Bei ihnen vertreten die Allgemeinheiten die Stelle der Fakten; sie eilen von Konstatierung zu Konstatierung (bei Stefan Zweig gibt es geradezu das Gegenstück zum »Protokollsatz«: es sind die mit »immer« eingeleiteten Sentenzen), indem sie sich aus bekannten Gefilden der Philosophie und der Sozialwissenschaften die divergierendsten generalisierenden Aussagen zusammentragen. Aus diesen unechten Tatsächlichkeiten, die weder die empirische Realität spiegeln noch ihr theoretisches Bild bestimmen, wird ein Schleier gewoben, der aus Geschichte Mythologie macht. Diese Mythologie hat keine Bedeutung. Anders in der George-Schule: in den Prinzipien ihrer Auswahl der Helden und Künder wirkt ein Moment bestimmend, welches ein gesellschaftlicher Index der Sekurität ist: der Geschmack. Jene Schule hat Luxusgüter solcher Art produziert, daß sie zur Feier einer saturierten gesellschaftlichen Elite angemessen beitragen könnten. Sie trägt noch das Erbteil von Kampf und Aktion, die vorgenommenen Zielen gilt und sich nicht beirren läßt: sie kennt die Auswahl und weiß die Tür zu öffnen und zu schließen. Die moderne Biographik hingegen ist wahllos, weil sie ratlos ist. So vielfach, wie ihre Mythen der Allgemeinheit, so beliebig sind ihre Griffe in das Reservoir vergangener Menschenleben. Als ob alles und jeder gerade gut genug wäre, um die Konsistenz des Individuums zu rechtfertigen, an die man nicht mehr glaubt, purzeln Feldherrn, Dichter, Polizeichefs, Monarchen, Komponisten, Entdecker und Religionsstifter in einen großen Topf, aus dem Zufall und Konjunktur sie dann herauslesen. Die Geschichte und ihr Inhalt wird zum Anlaß eines welthistorischen Geschwätzes;

sein Signum ist der Relativismus einer Schicht, die nichts ernst nimmt und die nicht mehr ernst genommen wird.

Daß es so bestellt ist, erfährt eine Bekräftigung durch die Reversibilität. Neben der Spekulation über das Allgemeine als des eigentlich Mächtigen steht unversöhnt die Anpreisung des Individuellen. Neben einer Gesinnung, die sich einer absoluten Notwendigkeit, einem radikalen Determinismus kosmisch-geschichtlicher Gesetze und soziologischer Regeln zu unterwerfen scheint, steht in glatter, unauffälliger Unvereinbarkeit der Hymnus der Individualität. Das Fürchten darf nicht verlernt werden. Wie die generellen Sätze, denen man sich geradezu mit Hingebung entgegenwirft, die Angst produzieren, umsonst gelebt zu haben, ja, eigentlich gar keine Existenz zu besitzen, wenn es nichts Verbindliches gibt, an das man sich halten kann, so lebt die Anbetung des Einzigartigen und Außerordentlichen der Individualität aus dem gleichen Grunde in der Sorge, nur ein verwehendes Stäubchen zu sein. Der Hymnus des Individuellen, der jetzt zu belegen ist, gibt den Spiegel bloßen Scheins, reflektiert die krampfhafte Bemühung, in der Wunschphantasie eine Autonomie und Beständigkeit – die Persönlichkeit – bestätigt zu wissen, die jenes Allgemeine beständig zertritt.

Wie scheinhaft freilich dieses Reich der Freiheit ist, verrät sich rasch. Das Zeichen der Superlative, das es als seine Fahne hat, wirkt lächerlich. Alles, was dem Biographen unter die Finger kommt, schwemmt zu einem künstlichen Koloß auf, die Menschen genauso wie das sonstige Material, mit dem er hantiert. Man blättert im Katalog eines Versandgeschäftes, das auf großen Absatz bedacht sein muß. Alles ist das Beste, das Teuerste, die nie wiederkehrende Gelegenheit. Was der Mensch aus sich macht, was aus dem Menschen werden könnte, die Entfaltung seiner Kräfte, das ihm eigentümliche Glück, zu dem ihn seine Wünsche treiben könnten, sein menschliches Wesen wird zu einem Etikett, zu einer kommerziell gemachten und dann patentamtlich geschützten Besonderheit, die nichts Besonderes mehr ist, weil es mit allem und allen geschieht.

Das Exquisite der Persönlichkeit als Massenartikel soll deshalb sinnfällig durch das Mittel gemacht werden, das es verdient: durch den Katalog.

Kataloge der Superlative

Personenregister

Magellan: »der größte Seefahrer der Geschichte« (33/S. 297)
– »die größte Tat der Seefahrt aller Zeiten« (33/S. 330)
Maria Stuart: Ihre Tat »vielleicht eines der vollkommensten (34/S. 259)
Beispiele« für das Verbrechen aus Leidenschaft
– »Vielleicht keine Frau, die in so abweichender Form gezeich- (34/S. 7)
net worden wäre«
Marie Antoinette: »eine der schönsten« Tragödien »dieses unge- (35/S. 9)
wollten Heldentums«
Masaryk: der »größte homo europaeus« (15/S. 8)
Mussolini: »im Gespräch der natürlichste Mensch von der Welt« (19/S. 37)
Napoleon: »dieser erste Feldherr seiner Periode« (20/S. 171)
– »um das Kleinste besorgt, weil er das Größte will« (20/S. 48)
– »die glühende Jugend Europas« findet »als Vorbild und War- (20/S. 676)
nung keinen Größeren als ihn, der unter allen Männern des
Abendlandes die stärksten Erschütterungen schuf und litt«
Nietzsche: »der hellste Genius des Geistes« (29/S. 243)
Plutarch: »der modernste unter allen Porträtisten« (14/S. 11)
Rathenau: »Als Zeitkritiker . . . nach Nietzsche fast ohne Kon- (14/S. 140)
kurrenz«; »vom edelsten Geschmack«
Romain Rolland: »immer wird er durch Beziehung den Gewal- (36/S. 28)
tigsten verbunden«
Stanley: »das einleuchtendste, sinnfälligste Beispiel eines (2/S. 95)
Helden«
– »er vollbrachte die verwegenste und erfolgreichste Reportage« (2/S. 85)
Freiherr vom Stein: »ein deutscher Mann, der beste, den die (20/S. 403)
Nation in ihrem Sturz und ihrer Befreiung erzeugt hat«
Talleyrand: »Vollendetheit dieses Lebens als der größten dem (3/S. 347)
Menschen möglichen Leistung«
Tolstoi: »der Mächtigste . . . der Gewaltigste des russischen (30/S. 232)
Landes«
– »der menschlichste aller Menschen« (30/S. 234)
– »das neunzehnte Jahrhundert weiß kein Widerspiel ähnlich (30/S. 242)
urweltlicher Vitalität«

Der Katalog der Größe ist zugleich ein Katalog von Monaden. Das
Abgeschlossene der bürgerlichen Existenz, die radikale Fremdheit
gibt eine unendliche Skala von lebenden Wesen bis hinaus zu einem
Spezifikum, das nicht mehr überbietbar ist. Die Verdinglichung des
Menschen hat sich in ein Register von Eigenschaften auseinanderge-
legt, an denen diese Ware Mensch gemessen wird, so daß jede dann
ein besonderes Stück einer Warengattung repräsentiert. Was man
selber gerade an Hand hat, wird als das Unvergleichbare angeboten.

Es ist eine Travestie der Entwicklung des Menschengeschlechts. Wo das Denken abgedankt hat, das es mit dieser Entwicklung und ihren Tendenzen zu tun hat, muß die Seele herhalten. Wenn der Biograph von ihr spricht, legt er gleichsam verzückt den Finger an den Mund, weil es hier ums Heiligste geht (aber verkauft werden muß). Das Innerste und das Tiefste sind gerade gut genug, wo zwischen wahr und falsch nicht mehr unterschieden werden kann:

Seelische Verfassung

248

Marie Antoinettes »allergeheimster Gedanke ist«, *Mirabeau* so (35/S. 381)
 bald wie möglich wegzuschicken

Zum Reißerischen gehört die nie wiederkehrende Gelegenheit. Wenn
in der Sphäre des Generellen das Wörtchen »immer« regiert, ist bei
der Individualität mit dem Partikel »nie« zu arbeiten. Das charakterisiert ja eben das tief widerspruchsvolle Wesen der hier in Rede
stehenden Mentalität, daß die Momente ihres Widerspruchs in
weihevoller und unauffälliger Weise gepaart sind.

Einzigartige Handlung

Napoleon »hält eine Totenfeier, wie sie nie größer ein Liebender (20/S. 347)
 seiner verewigten oder für ewig getrennten Geliebten ge-
 bracht hat«
»Nie glüht eine Idee reiner als in dem einsamen Bekenner« (36/S. 260)
»Nie sah Europa seit den Tagen der Renaissance einen reineren (29/S. 25)
 Aufschwall des Geistes, ein schöneres Geschlecht«
»Nie war in ähnlich kurzer Zeit eine ähnlich herrliche Heka- (29/S. 26 f.)
 tombe von Dichtern, von Künstlern geopfert als um jene
 Zeitwende, die Schiller ahnungslos des eigenen nahen Ge-
 schicks, noch mit rauschendem Hymnus gegrüßt. Nie hielt
 das Schicksal verhängnisvollere Lese reiner und früh verklär-
 ter Gestalten. Nie netzte den Altar der Götter so viel
 göttliches Blut«
»Nie hat eine Frau auf Erden dieser mächtigen Frau auf Erden so (34/S. 434)
 fürchterlich die Wahrheit gesagt, wie die Gefangene aus
 ihrem Kerker«
»Nie hat eine verurteilte Frau künstlerischer und hoheitsvoller (34/S. 503)
 sich dem Tode bereit gemacht«
»Nie vielleicht hat ein großer Religionsstifter den Menschen in (28/S. 78)
 seiner Würde so erbärmlich tief hinabgestoßen«
Nietzsches Herbst 1888: »Vielleicht ist nie in einem so engen (29/S. 310)
 Zeitraum von einem einzigen Genius so viel, so intensiv, so
 ununterbrochen, so hyperbolisch und radikal gedacht
 worden«

Die bisher vorgelegten Kataloge der Individualisierung haben ein
Merkmal gemeinsam: Das Besondere ist zugleich das Überlegenere.
Dieses ganze Reich des Superlativistischen ist ein Wunschtraum der

freien Wirtschaft. Jedem kommt es darauf an, an die Spitze der Pyramide zu kommen, und wenn es gar nicht mehr höher hinaus geht und alle Konkurrenten aus dem Feld geschlagen sind, ist das denkbar höchste Ziel für eine einzelne Existenz in dieser Ordnung erreicht. Der Individualismus des Superlativs, die Orgie, die geradezu damit getrieben wird, weist den wirklich gesellschaftlichen Sinn solcher Anschauung und Redeweise aus; zur Verklärung der Macht gehört ein schlechter Individualismus, der auf der Ausschließlichkeit des Besitzes einer Qualität beruht. Hinter der Elite der historischen Helden verbirgt sich der verdrängte Wunsch, zur Elite der Mächtigen der Gegenwart zu gehören. Übrigens steckt bereits hinter dem Trieb, Biographien zu schreiben, die einzelne Person herauszugreifen und das ganze historische, metaphysische, psychologische, kulturelle Arrangement um sie herum zu gruppieren, ein auf Ausschließlichkeit und Eigenbesitz bedachter Egoismus. Die Biographie drückt den Wunsch des Biographen aus, eine Biographie selbst zu leben, den Wunsch, einer zu sein, der es im Konkurrenzkampf geschafft hat.

Die Mythen der früheren Menschheit sprechen die Entzweiung des Natürlichen und Geschichtlichen aus; die klischeehaften Mythen, welche die Biographen von ihren Lieblingen berichten, bleiben auf die innermenschliche Entzweiung bezogen. Jeder Mensch sein eigener Mythos, ließe sich salopperweise der Sachverhalt referieren. Hier ist ein alphabetisches Register von Schablonen, zusammengestückelt aus dem Sprachschatz von Götter- und Heldensagen, von Weltgeschichte und Lyrik:

Mythos-Register

Balzac: »Als Gott sah, wie ein einzelner Mensch zweitausend (17/S. 249)
Menschen zu schaffen und in Schicksale zu verwickeln wagte,
strafte er ihn mit Blindheit und Schicksalen, wie sie der
Dichter den Seinen auferlegte«

Beethoven: »Nur mit gesenktem Blick nähert sich deinem Werk (17/S. 93)
der Nachgeborene. Aber mit offenem Auge folgt er deinem
Leben: Beethoven, Feuriger, Überwinder«

– »Sein Testament muß immer wieder vollstreckt werden! (6/S. 26)
Immer wieder unzählige Stufen! . . . ›Geschichte‹ ist für uns
künftig: Die Geschichte dieser Stufen«

gestürzt worden; unter den Dämonen nur von der eigenen
Hand«
- »mit der Hand eines Halbgottes«   (20/S. 123
- Seine Züge nähern sich »mit mystischer Gewalt« denen des   (20/S. 229
  Augustus
- »im Wurf eines Halbgottes«   20/S. 244
- »Wie sich die Fäden zur Legende spinnen!«   (20/S. 482
- »Eine große Sage geht zu Ende«   (20/S. 537.
Nietzsche: »Erst der Durchbruch der dämonischen Natur ...   (29/S. 288
  verwandelt sein Schicksal in einen Mythus«
Rhodes: Über sein Grab: »Wie ein Häuptling ruht er hier, der (14/S. 91
  Sohn eines Londoner Pfarrers. So könnte Napoleon ruhen«
Romain Rolland: »Es ist ein mystischer Sinn in diesem Ruhm   (36/S. 46)
  Romain Rollands, wie jedem Geschehnis seines Lebens ...«
Stanley: »Ein Heldenlied ist zu singen wie von Urbeginn der   (2/S. 85)
  Zeiten«
- »Der Satan der Kautschukhölle ... so steht er und so bleibt er (2/S. 298)
  zwischen Unschuld und Schuld bis zum jüngsten Gericht«
Tolstoi: »Er hat es leicht gehabt, bis er die unermeßliche Aufgabe (30/S. 234)
  sich stellte: nicht nur sich selbst, sondern die ganze Mensch-
  heit durch sein Ringen um Wahrheit zu retten. Daß er sie
  unternahm, macht ihn zum Helden, zum Heiligen fast«
Tschaikowsky: »Er ist nicht einer der Größten aus dem großen (21/S. 287)
  Geschlecht – bei weitem nicht. Aber wir spüren und wissen
  doch, daß er ganz in die Gesellschaft der Erlauchten gehört.
  Wir fanden ihn gesegnet mit ihrer Schöpferkraft und beladen
  mit ihrer Melancholie«
Verdi: »die Sage von einem Menschen«   (26/Vorbericht)

Alle diese mythischen Etiketts geben gar keinen genau angebbaren
Sinn. Aus diesen erstarrten Heldenleben spricht keine geschichtliche
Bewegung, sondern nur die Unsicherheit und Zweideutigkeit der
gegenwärtigen Existenz.
Die Dunkelheit des individuellen Schicksals wird um nichts erhellt,
wenn sie mit beliebig auswechselbaren Sinnzeichen versehen wird.
Über ihre schlechte Zufälligkeit wird hinweggeredet, indem sie als
freie Notwendigkeit im historischen Helden erscheint. Es ist immer
wieder dasselbe: wo von der Individualität die Rede ist, scheint ein
Reich der Freiheit aufzublühen, und in Wirklichkeit findet sich ein
Massenartikel. Diese Artikel sind Menschen, die über nichts mehr
selbst zu bestimmen haben. In der Ideologie nennt man das dann:
»Geheimnis«.

Geheimnis-Liste

Bismarck: »Auf der Höhe der Gefahren« spürt er »geheimnisvoller Schickung nach« (9/S. 303)

Elisabeth: »Geheimnis, wie schwer diese durch ihre Liebesunfähigkeit verkümmerte, die ihrer Unfruchtbarkeit grausam bewußte Frau gelitten haben muß« (34/S. 198 f.)

Fonseca: »Vielleicht ist er sich im geheimen bewußt seiner welthistorischen Schuld, einen Columbus verfolgt zu haben« (33/S. 115)

Fouché: «das letzte Machtgeheimnis . . ., daß er zwar immer die Macht will, . . . ihm aber . . . das Bewußtsein der Macht selbst genügt« (32/S. 30)

– »noch in die kalte Erde nimmt er eifersüchtig seine Geheimnisse, um selbst Geheimnis zu bleiben« (32/S. 332)

Lenin: »Hier liegt ein Teil seines Geheimnisses, der erste Schlüssel seines Erfolges: so klar und kalt auf dem Gipfel der Macht zu bleiben, ist nur einem Manne der reinen Idee gegeben, zugleich einem vollen Realisten, den keine Phantasie verführt« (14/S. 95 f.)

Lincoln: Eine Rede öffnet »Blicke in geheime Grotten seiner Seele« (18/S. 100)

Magellan: »immer aber wird der Mensch, der ein Geheimnis in sich birgt und die Kraft hat, es jahrelang hinter den Zähnen zu verpressen, den natürlich Zutraulichen, den Geheimnislosen unheimlich. Von Anfang an hat Magellan aus dem Dunkeln seines Wesens heraus sich Widerstand geschaffen« (33/S. 75)

Napoleon: Darin, daß er ein Sohn der Revolution ist, »liegt ein Teil seiner geheimnisvollen Wirkung« (20/S. 172)

Der Nil: »Wasserscheide . . . Im Laufe jener Seelenwanderung der Ströme hat sie gewechselt, und noch heute bleibt sie geheimnisvoll ungewiß« (11/S. 33)

Ursprung hervorragender Menschen: »Um den Ursprung hervorragender Menschen ballt sich das gleiche Geheimnis, das uns zuweilen aus den Bildnissen großer Meister anschaut« (8/S. 11)

Genius: »geheimnisvoll verwandelt der Genius frühe Anregung in späte zeitüberdauernde Wirklichkeit« (34/S. 304)

»Geheimnis aber wirkt schöpferisch« (34/S. 7)

Schicksal: »Doch gehört es zu den Unheimlichkeiten des Schicksals, daß man die zugehörige Wirklichkeit nicht voll erfassen und überprüfen kann« (4/S. 307)

Geschichte: »Dunkle und krumme Wege geht oft die Geschichte« (34/S. 523)

Geist der lebendigen Entwicklung: »Denn immer weiß der Geist (28/S. 326
der lebendigen Entwicklung, was uns zunächst als grober
Rückschritt erschreckte, für seine geheimnisvollen Zwecke
zu nützen«

Leben: »Immer erst enträtselt der Tod das letzte Lebensgeheim- (33/S. 343
nis einer Gestalt«

Natur: »Aber dies bleibt ja allzeit eines der tiefsten Geheimnisse (34/S. 236
der Natur, daß die Pole der äußersten Empfindung einander
berühren«

Kunst: »das Geheimnis der Kunst in folgende herrliche Formel« (26/Vorbericht
von *Verdi* gefaßt (folgt ein Zitat *Verdis*)

Ruhm: »wunderbar das Geheimnis des Ruhms, wunderbar seine (36/S. 45
ewige Vielfalt«

Gift: »Aber dies ist allzeit ein Geheimnis des Giftes –, daß es (32/S. 96
Heilkraft in sich schließt, wenn man es künstlich destilliert
und seine verborgenen Kräfte zusammenpreßt«

Hygiene: »Die großen geheimnisvollen Vorbedingungen zum (4/S. 17
Aufbau einer systematischen Hygiene und sozialen Krank-
heitsbekämpfung waren erfüllt«

Eine letzte Verklärung erfährt dieser schlechte Individualismus,
indem seine eigentlichen Kainszeichen beim Namen genannt und so
beschworen werden: die Einsamkeit der Existenz und die sinnlose
Form ihres Sterbens.

Schablonen von Einsamkeit und Tod

Beethoven: »ein Ausländer auf der Erde« (6/S. 9)
Bismarck: »mit der strömenden Wärme des Einsamen« (9./S. 74)
Cromwell: »Immer einsamer wird es um Cromwell, je höher er (1/S. 346)
steigt«
Erasmus: »Abseits vom Schlachtfeld, keiner Armee angehörig, (37/S. 23f.)
von beiden befehdet, ist er gestorben, einsam, allein. Einsam,
jedoch – dies das Entscheidende – unabhängig und frei«
Eugenio: »Es wiederholt sich, was sich stets wiederholt hat und (24/S. 368)
bei jedem wiederholen muß, der dazu verurteilt ist, wie ein
leuchtendes Gestirn hoch über den anderen einsam zu sein«
Leonardo: »im Schweigen dieses ewig einsamen Mannes« (14/S. 149)
Lincoln: »die große Einsamkeit, die ihn mitten unter den Men- (18/S. 245)
schen umgibt«

Magellan: »die innere Tragik dieses einsamen Menschen« (33/S. 344)

Marie Antoinette: »weil sie allzu lange allein sein wollte in ihrem (35/S. 161)
Glück, wird sie einsam sein in ihrem Unglück«

– »Wie sie an ihn in äußerster Einsamkeit, so denkt er an sie im (35/S. 610)
gleichen Augenblick«

Napoleon: »Der Mann auf dem Felsen, die Hände auf dem (20/S. 541)
Rücken, starrt über die Fläche. Seine Einsamkeit ist groß«

Rathenau: Es ist vom »Eichensarg des Einsamen« die Rede (14/S. 144)

Romain Rolland: »will ... eine Brüderschaft aller Einsamen (36/S. 105)
dieser Erde«

Wilson: »Aus diesem Fluch naturgesetzter Einsamkeit ...« (14/S. 137)

Beethoven: »Der Dulder reißt den Wundverband auf, weist seine (6/S. 9)
Wunden, wünscht sich ins Grab. Ecce Homo!«

Cromwell: (Es herrscht ein Gewitter) »Schaudernd hört das Volk (1/S. 383)
das gigantische Ringen der guten und bösen Geister um die
Seele des Protektors in den Lüften, dumpf ahnt es einen
großen Zusammenhang zwischen dem himmlischen und dem
irdischen Chaos, zwischen dem Ringen des Sterbenden und
den Mächten des Unendlichen«

Erasmus: »im Tiefsten ruft ihn ein anderer: der Tod« (37/S. 218)

Lenin: »In diesem Sinn eines praktischen Idealisten hat Lenin ein (14/S. 110)
neues Muster aufgestellt für eine kühne, einsame, selbstlose
Bahn. Mit seinem Leben hat er sie bezahlt. Er lacht nicht
mehr«

Leopold: »Nicht lange mehr. Keiner darf hier ins Liebesnest (2/S. 352)
eintreten. Aber da nähert sich einer, den niemand abweist,
und im kleinen Palmenpavillon springt das Tor auf«

Maria Stuart (nach *Rizzios* Ermordung): »Die Toten schlafen (34/S. 220)
nicht gern allein in ihrer Tiefe, immer fordern sie jene zu sich,
die sie hinabgestoßen, immer senden sie Angst und Grauen
als Herolde voraus«

– »Genau wie ihre Schicksalsschwester Marie Antoinette (34/S. 487)
begreift sie erst im Angesicht des Todes ihre eigentliche
Aufgabe«

– »Und die sich im Leben feindlich gemieden und nie einander (34/S. 524)
ins Auge gesehen, nun ruhen sie endlich schwesterlich neben-
einander im gleichen heiligen Schlaf der Unsterblichkeit«

Tolstoi: »Ein erhabenes Symbol, fügt der Tod sich vollkommen (30/S. 375)
seiner Künstlerhand«

Tschaikowsky: »Sein letzter Tag aber bringt sein tiefstes Aben- (21/S. 320)
teuer: er bringt den Ausflug in das Reich des Todes«

Der Katalog der Todesmysterien steht mit innerem Recht am Ende nicht nur der Übersicht über die krampfhaften Bemühungen, die Substantialität des Individuums zu retten, sondern dieses ganzen Abschnitts, der es mit dem Allgemeinen und dem Besonderen als dem eigentümlichen – wenn auch in sich widerspruchsvollen – Substrat des Geschichtlichen zu tun hatte. Der Relativismus ist nur selten das manifeste Glaubensbekenntnis dieser Literatur, aber latent ist er stets vorhanden; ja, in der uneingestandenen und unbewußten Form, in der er im wesentlichen hier auftritt, in diesem Schwanken und beliebigen Wechsel zwischen dem Generellen und dem Individuellen wird seine spezifische Rolle für den späten Liberalismus deutlich: er hat nichts vom bewußten Zynismus der Herren, sondern lebt aus dem Bedürfnis, die Ratlosigkeit der Besiegten zu bemänteln. Der geheimnisvolle Schritt der Weltgeschichte oder das geheimnisvolle Begebnis beim Sterbenden, die Durchsichtigkeit der Gesetze des politischen Handelns und die dunkle, mythische Färbung des Einzelschicksals sind Erklärungsweisen, die gewiß nicht in einer Theorie zu vereinen sind, aber sich sehr wohl zu einer Ideologie zusammenfügen, welche die eigene Vernichtung negieren will. Der Ästhetizismus der neunziger Jahre, die sogenannte Stimmung des fin de siècle, ist noch ein Inbegriff an Aktivität, gemessen an der Müdigkeit und Schwäche, welche von diesen späten Epigonen ausgeht. In der von ihnen vorgelegten Kollektion der Unvergänglichkeit des Vergänglichen, in ihrem Irrgarten von Superlativen und Einzigartigkeiten, zu dem kein Denken einen Wegweiser gibt, sind die Schriftsteller wie die Leser in gleicher Weise verloren.

Zitierte Biographien

1 *Heinrich Bauer*   Oliver Cromwell, München/Berlin 1937.
2 *Ludwig Bauer*   Leopold der Ungeliebte, Amsterdam 1934.
3 *Franz Blei*   Talleyrand, Berlin 1932.
4 *Martin Gumpert*   Dunant, New York/Toronto 1938.
5 *Wilhelm Herzog*   Barthou, Zürich 1938.
6 *Hermann Kesser*   Beethoven der Europäer, Zürich 1937.
7 *Hermann Kesten*   Ferdinand und Isabella, Amsterdam 1936.
8 *Erich Kuttner*   Hans von Marées, Zürich 1937.
9 *Emil Ludwig*   Bismarck, Berlin 1927.

Kapitel VI
Der Triumph der Massenidole[1]

Die folgende Untersuchung unternimmt eine Inhaltsanalyse von
Biographien. Diese literarische Gattung hatte bereits seit dreißig
Jahren den Buchmarkt überschwemmt, ehe dieser Artikel geschrieben
wurde (1943), und war eine Zeitlang zu einem regulären Bestandteil
der Massenzeitschriften geworden. Überraschenderweise
schenkte man dieser Erscheinung nicht viel Aufmerksamkeit. Biographien
in Zeitschriften waren überhaupt nicht, die in Buchform
veröffentlichten nur wenig beachtet worden.[2]

Die Entwicklung begann schon vor dem Ersten Weltkrieg, aber der
Hauptansturm kam erst kurz danach. Seit dem Auftreten der Kurzgeschichte
war die populäre Biographie eine der auffälligsten Neuerscheinungen
im Reich der Literatur. Die Auflagen der Bücher von
Emil Ludwig[3], André Maurois, Lytton Strachey und Stefan Zweig

1 Die erste veröffentlichte Fassung dieses Kapitels erschien unter dem Titel
»Biographies in Popular Magazines« in »Radio Research«, herausgegeben von
Paul F. Lazarsfeld und Frank Stanton, New York 1944.
2 Vergl. Edward H. O'Neill, A History of American Biography, Philadelphia
1935. Seine Bemerkungen S. 179 ff., die Zeit seit 1919 sei »für biographische
Schriften die fruchtbarste der amerikanischen Geschichte«, werden von Helen
McGill Hughes in »News and the Human Interest Story«, Chicago, 1940, S. 285 f
zitiert. Das Buch von William S. Gray und Ruth Munroe, »The Reading Interests
and Habits of Adults«, New York, 1930, das die Leserzahlen für Bücher und
Zeitschriften analysiert, führt die Kategorie »Biographien« in seinen Verzeichnissen
der Zeitschrifteninhalte überhaupt nicht auf. Bei Büchern wird diese Kategorie
nur einmal bei einer repräsentativen Untersuchung der Leser in Hyde Park,
Chicago, angewandt. Alles, was die Verfasser dazu zu bemerken haben, ist
folgendes: »Es besteht eine gewisse Tendenz, Biographien und Gedichte, besonders
wenn sie von mäßigem Umfang sind, anderen Arten der Lektüre außer
Romanen vorzuziehen.« (S. 154). Schließlich führe ich als Zeugen für dieserart
wissenschaftliche Vernachlässigung Donald A. Stouffers Buch »The Art of
Biography in Eighteenth Century England«, Princeton 1941, an. In seiner
ausgezeichneten und sehr eingehenden Untersuchung sagt der Verfasser: »Die
Biographie als Zweig der Literatur ist allzu lange vernachlässigt worden.« (S. 3).
3 Bis zum Frühling 1939 waren 3,1 Mill. Exemplare seiner Bücher verkauft
worden: 1,2 Mill. in Deutschland, 1,1 Mill. in den Vereinigten Staaten, 0,8 Mill.
anderswo. Vergl. Emil Ludwig, Traduction des œuvres, Moscia 1939, S. 2.

gingen in die Millionen, und mit jeder neuen Veröffentlichung wuchs die Zahl der Sprachen, in die sie übersetzt wurden.

Selbst wenn es sich hierbei nur um eine vorübergehende literarische Mode handelte, hätte man immer noch zu erklären, warum diese Mode so langlebig ist und warum sie immer mehr zu einem regulären Bestandteil der verschiedenartigsten Publikationsorgane wird. Who's Who, Wer ist's, früher nur als der Titel eines Spezialhandbuchs für Herausgeber und Reklamefachleute bekannt, ist heute auf zahllosen Gebieten zu einer ausgesprochenen oder stillschweigend vorausgesetzten Frage geworden. Das Interesse an anderen Menschen hat zu einer Art Massenklatsch geführt. Die meisten Wochen- und Monatsschriften und sogar viele Tageszeitungen veröffentlichen in jeder Ausgabe wenigstens eine Lebensgeschichte oder einen Teil einer solchen; Theaterprogramme bieten Kurzbiographien aller Schauspieler; anspruchsvollere Zeitschriften wie *The New Republic* oder *Harper's* geben einen kurzen Bericht über die wichtigsten wissenschaftlichen Leistungen ihrer Mitarbeiter; und jeder Blick in die volkstümlicheren Winkel des Buchhandels, wozu auch die Regale der Warenhäuser zählen, wird unweigerlich auf Biographien fallen. All dies zwingt uns zu dem Schluß, daß es ein soziales Bedürfnis geben muß, das in dieser Literaturgattung Befriedigung sucht.

Eine Möglichkeit, hierüber Klarheit zu schaffen, würde eine Untersuchung der Leserreaktionen bieten. Mit Hilfe verschiedener Umfragetechniken wäre zu erforschen, was die Leser suchen und was sie über das biographische Dickicht denken. Aber es scheint noch verfrüht zu sein, die Reaktionen, die auf diese Weise herausgefordert wurden, zu sammeln und auszuwerten, solange über die Struktur des Inhalts selbst nicht mehr bekannt ist.

Für einen ersten Versuch einer solchen Inhaltsanalyse wurde ein Jahrgang von *The Saturday Evening Post* (SEP) und von *Collier's* durchgearbeitet. Wir wählten die Zeit von April 1940 bis März 1941. Man darf gewiß nicht ohne weiteres den Schluß ziehen, daß die hier gebotenen Ergebnisse unverändert für alle Zeitschriften gelten, die allgemeininteressierende, vielfältige Themen bringen. Aufgrund einiger Proben aus weniger verbreiteten und teureren Zeitschriften, die die verschiedenartigsten Publikationen von *The New Yorker* bis zu *Fortune* (ein Dollar je Exemplar) umfaßten, scheint es höchst unwahrscheinlich, daß die dort veröffentlichten Biographien ihrer durchschnittlichen Inhaltsstruktur nach und deshalb auch in ihren sozialen und gesellschaftlichen Implikationen von denen in den billigeren populären Zeitschriften abweichen. Der Unterschied im Inhalt entspricht einem Unterschied in der Leserschaft.

Leider konnte keine vollständige Untersuchung des neuesten Materials durchgeführt werden, aber Proben, die aufs Geratewohl den untersuchten Zeitschriften entnommen wurden, zeigten, daß auch nach dem Eintritt der Vereinigten Staaten in den Zweiten Weltkrieg keine grundlegende Veränderung in der Auswahl oder der Inhaltsstruktur eingetreten ist.

I Die Idole der Biographien

Ehe wir mit der Darstellung unseres Stoffes beginnen, werden wir kurz das Schicksal der Biographie in den letzten Jahrzehnten verfolgen.

Die Produktionssphäre als Gegenstandsbereich der Biographien in der Vergangenheit

Biographische Artikel sind nicht immer ein regelmäßiger Bestandteil dieser Zeitschriften gewesen. Wenn wir weiter zurückgehen, stoßen wir auf deutliche Unterschiede sowohl in der Zahl der Artikel als auch in der Auswahl der behandelten Persönlichkeiten. Tabelle 1 gibt einen Überblick über die Berufsverteilung der »Helden« in den Biographien zwischen 1901 und 1941.[3a]

Diese Tabelle zeigt deutlich, daß die Zahl der Biographien sich im Laufe der Zeit gewaltig vermehrt hat. Im Jahre 1941 sind im Durchschnitt beinahe viermal soviel Biographien entstanden wie am Anfang des Jahrhunderts. Die Biographie ist heute eine regelmäßige allwöchentliche Erscheinung. Das folgende Beispiel verdeutlicht, wie verhältnismäßig klein die Zahl der Biographien vor vierzig Jahren war: im Jahre 1901/02 finden wir in den zweiundfünfzig Ausgaben der SEP im ganzen nur 21 Biographien, dagegen nicht weniger als 57 im Jahre 1940/41. Die Geringfügigkeit der ersteren Zahl im Vergleich mit der Gegenwart wird noch dadurch unterstrichen, daß zu jener Zeit

3a Für Auszählungen vor 1940 bin ich Fräulein Mariam Werner verpflichtet.

Tabelle 1

Verteilung der Biographien nach Berufen in *The Saturday Evening Post* und *Collier's* für ausgewählte Jahre zwischen 1901 und 1941.

	1901-1914 (5 Jahre berücksichtigt)		1922-1930 (6 Jahre berücksichtigt)		1930-1934 (4 Jahre)		1940-1941 (1 Jahr)	
	Anz.	%	Anz.	%	Anz.	%	Anz.	%
Polit. Leben	81	46	112	28	95	31	31	25
Geschäftsleute, freie Berufe	49	28	72	18	42	14	25	20
Unterhaltung	47	26	211	54	169	55	69	55
Gesamtzahl	177	100	395	100	306	100	125	100
Jahresdurchschnitt an Biographien	36		66		77		125	

die Zahl der sachlichen Beiträge die der Belletristik weit überstieg. Das durchschnittliche Verhältnis lag in der Vergangenheit etwa bei drei Erzählungen gegenüber acht sachlichen Beiträgen; heute gibt es allenfalls doppelt soviel Sachbeiträge und in den meisten Fällen sogar weniger.

Wir teilen die Personen der Biographien in drei Gruppen ein: in Personen aus dem politischen Leben, aus dem Geschäftsleben und den freien Berufen, und aus der Unterhaltungsindustrie (den Begriff im weitesten Sinne des Wortes genommen). Unsere Tabelle läßt uns erkennen, daß es in der Zeit vor dem Ersten Weltkrieg ein sehr großes Interesse an politischen Persönlichkeiten und ein beinahe gleiches Verhältnis zwischen Geschäftsleuten und Angehörigen der freien Berufe einerseits und Persönlichkeiten aus der Vergnügungsindustrie andererseits gab. Nach dem Krieg ändert sich das Bild völlig. Die Anzahl der Personen aus dem politischen Leben fällt um 40 Prozent. Von 1922 bis zur Gegenwart scheint das Zahlenverhältnis ziemlich konstant zu bleiben. Wenn wir die Berufsverteilung nochmals betrachten und dabei die Zahlen für das politische Leben außer acht lassen, ist der beträchtliche Rückgang an Persönlichkeiten aus ernsten und gewichtigen Berufszweigen und der entsprechende Anstieg der Künstler noch deutlicher. Die soziale Bedeutung dieser Veränderung tritt eindrucksvoll hervor, wenn wir die Zusammensetzung der Künstler genauer analysieren. Sie kann aus der Tabelle 2 entnommen werden.

Tabelle 2

Anteil der Biographien von Künstlern aus dem Bereich der ernsten Kunst[*] in SEP und Collier's für ausgewählte Jahre zwischen 1901 und 1941.
(Es wird das Prozentverhältnis zur Gesamtzahl der Künstlerbiographien in jedem Zeitabschnitt angegeben.)

Zeitraum	Anteil der Künstler aus dem Bereich der ernsten Kunst	Gesamtzahl an Künstlern
1901-1914 (5 Jahre berücksichtigt)	77	47
1922-1930 (6 Jahre berücksichtigt)	38	211
1930-1934 (4 Jahre)	29	169
1940-1941 (1 Jahr)	9	69

Während am Anfang des Jahrhunderts drei Viertel aller Künstlerbiographien ernst zu nehmende Künstler und Schriftsteller zum Gegenstand hatten, ist der Anteil dieser Gruppe zwanzig Jahre später um die Hälfte gesunken und tendiert in der Gegenwart dazu, völlig zu verschwinden.

Es ist für die Auswahl der Biographien im ersten Jahrzehnt des Jahrhunderts typisch, daß von den 21 Biographien der SEP 1901-1902 elf aus dem politischen Bereich, sieben aus dem Geschäftsleben und drei aus dem Gebiet des Sports und der Unterhaltung stammten. In jedem Jahr treten die Politiker bis zum Wahltag zahlenmäßig am stärksten hervor: Kandidaten für hohe Staatsämter, z.B. für die Präsidentschaft oder für den Senat; der Finanzminister; ein bedeutender Gouverneur eines Bundesstaates. Aus der Geschäftswelt werden uns vorgestellt: J.P. Morgan, der Bankier; sein Kompagnon, George W. Perkins; James J. Hill, der Präsident der Eisenbahngesellschaft.

[*] Diese Gruppe umfaßt Literatur, die schönen Künste, Musik, Tanz, Theater.

Unter den freien Berufen finden wir einen Pionier der Luftfahrt, den Erfinder des Torpedos, einen berühmten Neger-Pädagogen, einen eingewanderten Wissenschaftler. Unter den Künstlern ist Emma Clavé, eine Opernsängerin, Eugene Field, ein Dichter, und F. Marion Crawford, eine populäre Romanschriftstellerin.

Wenn wir die Auswahl betrachten, erkennen wir, daß sie einen guten Querschnitt der gesellschaftlich wichtigen Berufe darstellt. Noch 1922 ähnelt das Bild mehr der oben dargestellten Berufsverteilung als der, die für die heutigen Zeitschriften charakteristisch ist. Nehmen wir z. B. *Collier's* aus dem Jahre 1922, dann finden wir unter einer Gesamtzahl von zwanzig Biographien nur zwei Künstler, aber acht Geschäftsleute und Angehörige der freien Berufe und zehn Politiker. Sehen wir von den letzteren ab, stoßen wir unter anderem auf: Clarence C. Little, den fortschrittlichen Präsidenten der Universität von Maine; Leonard P. Ayres, den sehr freimütigen Vizepräsidenten der Cleveland Trust Company; James C. Davis, den Generaldirektor der Eisenbahnverwaltung der Vereinigten Staaten; A. H. Smith, den Präsidenten der New Yorker Zentralbahn, und den Städteplaner John Nolen. Aus dem Bereich der Unterhaltungsindustrie gibt es nur eine kurze Zusammenfassung über den Bühnenkomiker Joe Cook (nebenbei bemerkt von Franklin P. Adams) und eine autobiographische Skizze Charlie Chaplins.

Wir können feststellen, daß in beiden Auswahlen ein großer Prozentsatz der Helden Vorbilder aus dem Bereich der industriellen Produktion sind. Sie stammen aus dem Produktionsprozeß, aus der Industrie, dem Geschäftsleben und den Naturwissenschaften. Kein einziger Held kommt aus der Welt des Sports, und die paar Künstler und Unterhalter gehören entweder überhaupt nicht in den Bereich der billigen oder Massenunterhaltung oder sie vertreten, wie Chaplin, eine ernste Einstellung gegenüber ihrer Kunst. (Wir haben aus unserer Erörterung und in unseren Zahlen eine Anzahl ganz kurzer biographischer Skizzen ausgelassen, die im Grunde nichts anderes als Anekdoten waren. Sie wurden bis in die späten zwanziger Jahre ziemlich regelmäßig von SEP veröffentlicht, und zwar unter Überschriften wie »Unbekannte Industriekapitäne«, »Menschen aus Wallstreet«, manchmal auch »Bullen und Bären«[4] genannt, »Wer ist Wer

4 Anm. des Übersetzers. Hier liegt ein unübersetzbares Wortspiel vor, da »bull« auch die Bedeutung Börsenmakler, »bear« die Bedeutung Baissier haben kann.

und Warum?«, »Die Frau des Arbeiters«, »Literarische Profile«.) Das erste Viertel des Jahrhunderts schätzt also die Biographie in der Art einer weltoffenen liberalen Gesellschaft, die wirklich etwas von den führenden Persönlichkeiten in den entscheidenden gesellschaftlichen, wirtschaftlichen und kulturellen Bereichen wissen will. Selbst in den späten zwanziger Jahren, als Jazzkomponisten und Sportler in den inneren Kreis der biographischen Helden eingelassen werden, werden ihre Biographien fast ausschließlich zu dem Zweck geschrieben, den Lesern Kenntnisse von den technischen Einzelheiten ihrer jeweiligen Arbeitsgebiete zu vermitteln.[5] Man betrachtet diese Leute also als eine Bereicherung im Leben der Nation und noch nicht als etwas, das in sich selbst schon ein besonderes Phänomen darstellt und deshalb allein beinahe ungeteilte Aufmerksamkeit verlangt.

Wir wollen einige Stellen aus zweien dieser Geschichten zitieren, die für jene vergangene Epoche charakteristisch zu sein scheinen. In einem Artikel über Theodore Roosevelt wird im Zusammenhang mit der Ermordung McKinleys bemerkt: »Uns, die wir allen Bürgern solche Aufstiegsmöglichkeiten eröffnen, daß ein junger Mann als Arbeiter in ein Stahlunternehmen eintreten und noch vor der Höhe seines Lebens durch eigenen Fleiß und Begabung Präsident einer riesigen Stahlgesellschaft werden kann – uns, die wir solche Möglichkeiten eröffnen wie nie ein Land zuvor, wird der Dolch der Anarchie in den Rücken gestoßen.«[6]

Ein ungebrochenes Vertrauen in die jedem einzelnen gebotenen Chancen bildet das Leitmotiv dieser Biographien. In sehr hohem Maße wollen sie Beispiele des Erfolgs sein, die von jedem nachgeahmt werden können. Wenigstens ihrer Ideologie nach sind sie für den geschrieben, der am folgenden Tag den Mann zu übertreffen unternimmt, den er eben noch beneidet hat.

5 Vergl. z.B. SEP vom 19. September 1925, wo der Autorennfahrer Barney Oldfield einem Reporter Einzelheiten aus seinen Rennerfahrungen, über den Ablauf von Autorennen und über den Bau von Autos berichtet; am 26. Sept. 1925 erläutert die Varietékünstlerin Elsie Janes ihre Imitationen und gibt Einzelheiten ihrer Technik an. Ähnliches gilt für die Biographie des Kapellmeisters Sousa in der SEP vom 31. 10. 1925 und des Radiosprechers Graham McNamee am 1. Mai 1926; nach ein paar Bemerkungen über sein Leben und seine Karriere erörtert McNamee die technischen Aspekte des Radios und berichtet von seinen Radioerfahrungen mit berühmten Persönlichkeiten.

6 The Saturday Evening Post, 12. Oktober 1901.

Die Biographie erscheint als ein Mittel, durch das der Durchschnittsmensch sein Interesse an den bedeutenden Ereignissen der Geschichte
und an dem persönlichen Leben anderer Menschen befriedigen kann.
In der Vergangenheit und zumal vor dem Ersten Weltkrieg lebte die
populäre Biographie in einer optimistischen Atmosphäre, in der
Verständnis historischer Prozesse und das Interesse an erfolgreichen
Menschen anscheinend angenehm in ein und demselben harmoni-
schen Bestreben befriedigt wurden. »Wir wissen, daß die Männer aus
dem Handel, der Industrie und der Hochfinanz die wirklichen
Architekten der Freiheit, der Wissenschaften und der Künste sind –
und deshalb beobachten und studieren wir sie ... Natürlich ist
Perkins ein selfmade-man. Wer von denen, die je Karriere gemacht
haben, wäre es nicht gewesen?«[7] Diese Sätze können als klassische
Formulierung der Epoche des »harten Individualismus« angesehen
werden, in der weder die Zeit noch der Wunsch vorhanden war, ein
näheres Interesse an den Organisatoren der Freizeitgestaltung und an
dieser selbst zu wecken. Charakteristisch ist vielmehr der Tätigkeitsdrang und das Vertrauen darauf, daß die gesellschaftliche Stufenleiter
von allen erklommen werden könne.

Hier und da finden wir auch Bemerkungen darüber eingestreut, daß
die Biographien als Beispiele zur Nachahmung dienen sollen. »Im
Jahr 1890 ließ Russel H. Conwell ein Buch mit dem Titel *Acres of
Diamonds* erscheinen. Dieses Buch behandelte ausdrücklich das
Problem, wie man im Leben erfolgreich sein könne. Der Autor
suchte den Leser zu ermutigen, indem er Beispiele von den Kämpfen
und Triumphen bekannter erfolgreicher Männer und Frauen brachte.
Auch heute wird diese Methode, den Leser durch den Hinweis auf
das Beispiel bedeutender Persönlichkeiten zu ermutigen, noch angewandt, und in den letzten Jahren sind eine ganze Menge von Büchern
erschienen, deren Inhalt zum größten Teil aus den Lebensgeschichten
bedeutender Menschen besteht. Einige Psychologen haben darauf
hingewiesen, daß das Interesse an Autobiographien und Biographien
zum Teil darauf zurückzuführen ist, daß die Leser versuchen, ihr
eigenes Leben mit dem Leben der dargestellten Persönlichkeiten zu
vergleichen; aus den Berichten von den Kämpfen erfolgreicher
Menschen suchen sie Ermutigung zu gewinnen.«[8]

7 The Saturday Evening Post, 28. Juni 1902.
8 Mandel Sherman, Book Selection and Self Therapy, in: The Practice of Book
Selection, herausgegeben von Louis R. Wilson, Chicago 1939, S. 172.

Die anregende Untersuchung von Helen M. Hughes leidet unter der Tendenz, das Problem der Biographien mit recht vereinfachten psychologischen Formeln zu erledigen. Die Verfasserin zitiert ausgiebig O'Neill, Bernard MacFadden und André Maurois und verweist auf den Unterschied zwischen der stärker retrospektiven und verklärenden Haltung in früheren Biographien und »dem ängstlichen Tasten nach Gewißheit bei Menschen, die in einer Zeit rapider Veränderungen leben«. Dieser Unterschied sei mit dem gegenwärtigen Interesse an Biographien verknüpft.

Die Konsumsphäre als Gegenstandsbereich der Biographien in der Gegenwart

Wenn wir uns den Biographien aus unserer eigenen Gegenwart zuwenden, treffen wir auf eine Gruppe von Menschen, die sowohl qualitativ als auch quantitativ nicht mehr mit den Maßstäben der Vergangenheit zu messen ist. Vor knapp zwei Jahrzehnten spielten Menschen aus der Unterhaltungsindustrie nur eine ganz bescheidene Rolle in unserem biographischen Material. Jetzt bilden sie zahlenmäßig die erste Gruppe. Während wir in unseren oben angegebenen früheren Zusammenstellungen keine einzige Persönlichkeit aus der Welt des Sports fanden, liegen sie nun nahe an der Spitze der Beliebtheit. Der Anteil der Menschen aus dem politischen und dem Geschäftsleben bzw. den freien Berufen, die insgesamt zur »ernsten Seite« zählen, ist von 75 auf 45 Prozent der Gesamtzahl gefallen.

Wir untersuchen zunächst die Gruppe der Unpolitischen. Neunundsechzig stammen aus dem Bereich der Unterhaltung und des Sports; nur fünfundzwanzig gehören zu der von uns oben als »ernst« bezeichneten Seite. Aber auch von diesen fünfundzwanzig steht fast die Hälfte im Dienst eines der Massenkommunikationsmittel: Wir finden unter ihnen allein zehn Journalisten und Radiokommentatoren. Unter den übrigen fünfzehn Geschäftsleuten und Angehörigen freier Berufe sind zwei Waffenhändler, Athanasiades (118)[9] und Juan March (134); Dr. Brinkley, ein Quacksalber (3); und Angas (20), der

9 Die Zahlen in Klammern beziehen sich auf die Bibliographie der untersuchten Geschichten; siehe Anhang zu diesem Kapitel. Die Zahlen 1-57 beziehen sich auf *SEP*, die Zahlen 101-168 auf *Collier's*. Über den Unterschied zwischen *SEP* und *Collier's* siehe Anhang, Tabelle 4 und 5.

von vielen als ein zweifelhafter Finanzexperte angesehen wurde; ferner Pittsburgh Phil (23), der im »großen Stil« auf Pferde wettete; Frau D'Arcy Grant, ein weiblicher Schiffskapitän; Jo Carstairs, die Besitzerin eines Insel-Kurortes; die Gebrüder Varian (52), Erfinder von technischen Spielereien, und Taylor (167), ein Erfinder von narrensicheren Sportgeräten; Howard Johnson (37), das Genie der Ausflugsrestaurants; Jinx Falkenburg (137), zu jener Zeit Fotomodell; und schließlich Dr. Peabody (29), der pensionierte Rektor einer protzigen Elementarschule für Kinder der guten Gesellschaft.

Die »ernsten« Persönlichkeiten sind also letzten Endes gar nicht so ernst. In der Tat bleiben nur neun übrig, die als einigermaßen bedeutende oder charakteristische Gestalten der industriellen Welt, des Geschäftslebens und der freien Berufe angesehen werden können, und sechs von ihnen sind Journalisten oder Radiokommentatoren.

Wir haben die Helden der Vergangenheit als »Idole der Produktion« bezeichnet: wir fühlen uns berechtigt, die gegenwärtigen Zeitschriften-Helden als »Idole des Konsums« zu bezeichnen. Tatsächlich steht beinahe jeder von ihnen direkt oder indirekt mit der Freizeitgestaltung in Beziehung: entweder übt er keinen der Berufe aus, die die Grundbedürfnisse der Gesellschaft befriedigen (die Helden aus der Welt der Unterhaltung und des Sports) oder er stellt mehr oder weniger nur eine Karikatur eines gesellschaftlich produktiven Menschen dar. Wenn wir zu den neunundsechzig Personen aus der Welt der Unterhaltung und des Sports die zehn Journalisten und Radioleute, das Fotomodell, den Erfinder von Sportgeräten, den Quacksalber, den Pferdewetter, die Erfinder von Spielereien, die Besitzerin des Insel-Kurortes und den Besitzer der Kette von Restaurants hinzuzählen, dann sind siebenundachtzig von den vierundneunzig unpolitischen Helden unmittelbar in und für die Welt der Konsumenten tätig.

Von den acht Personen, die mit dem Konsum nicht unmittelbar in Beziehung gebracht werden können, haben nur drei bedeutende oder charakteristische Positionen in der Welt der Produktion inne: der Autoproduzent Sloan, der Ingenieur und Industrielle Stout und der Luftfahrtmagnat Smith. Die zwei Waffenhändler, der weibliche Frachtschiffkapitän, der Schulleiter und der zweifelhafte Finanzmann erinnern an die typischen Helden in Kriminalromanen und ähnlichen gängigen Literaturprodukten: Es sind Menschen mit einem mehr oder minder normalen und typischen persönlichen und beruflichen Hintergrund, und sie würden uns zu Tode langweilen, wenn wir nicht entdeckten, daß sich hinter dem »durchschnittlichen« Äußeren eine Situation voll »menschlichen Interesses« verbirgt.

Teilen wir nach Tätigkeitsbereichen anstelle der gröberen Einteilung nach Berufen ein, läßt sich die berufliche Schichtung unserer Helden in einer neuen Weise darstellen. Das geschieht in Tabelle 3 für SEP und Collier's von 1940/41.

Tabelle 3

Die »Helden« und ihre Tätigkeitsbereiche

	Zahl der Geschichten	Prozent
Produktionssphäre	3	2
Konsumsphäre	91	73
Unterhaltungskünstler und Sportler	69	55
Journalisten und Radioleute	10	8
Hersteller und Verteiler von Konsumgütern	5	4
Leichte Literatur	7	6
Politik	31	25
Gesamtzahl	125	100

Wenn in ferner Zukunft ein Forscher die populären Zeitschriften des Jahres 1941 als Informationsquelle benutzte, um festzustellen, zu welchen Persönlichkeiten die amerikanische Öffentlichkeit in den ersten Stadien der größten Krise seit Gründung der Union aufgeschaut habe, müßte er zu einem grotesken Ergebnis kommen. Während die industriellen und wissenschaftlichen Anstrengungen auf Hochtouren laufen, sind die Idole der Massen nicht, wie in der Vergangenheit, die führenden Namen der Produktionsschlacht, sondern die Sterne der Kinos, Baseballplätze und Nachtklubs. Spiegelte um 1900 und selbst noch um 1920 die Berufsverteilung der Zeitschriftenhelden ziemlich genau die Lebensinteressen der Nation wider, beobachten wir heute, daß die Wahl der Helden ganz anderen Bedürfnissen als dem nach echter Information entspricht. Sie scheinen in eine Traumwelt der Massen hineinzuführen, die nicht länger fähig oder willens sind, Biographien vorab als Mittel zur Orientierung oder Bildung anzusehen. Sie erhalten Informationen nicht über die Träger und Methoden der gesellschaftlichen Produktion, sondern über die Vermittler und Methoden des gesellschaftlichen und persönlichen Konsums. Lesen sie während ihrer Freizeit, dann lesen sie fast ausschließlich von Leuten, die direkt oder indirekt für die Freizeit der Leser tätig sind. Die Berufe der dramatis personae sind dergestalt, als ob der gesellschaftliche Produktionsprozeß entweder völlig beseitigt oder von jedermann verstanden sei und darum keiner weiteren Erklärung bedürfte. Statt dessen scheint die Freizeitgestaltung zu dem neuen Rätsel der Gesellschaft geworden zu sein, dem man umfangreiche Lektüre und Studien widmen muß.

Die gesamten gesellschaftlichen Institutionen, die für eine pure Konsumentengesellschaft zu sorgen haben, finden ihre menschliche Verkörperung in einem Literatur-Typus, der gleich einer genormten Ware produziert, von einer riesigen Organisation vertrieben und von einer dritten Masseninstitution, dem Zeitschriftenpublikum, konsumiert wird.

Eine Überprüfung wäre gewiß wichtig, ob der Krieg diese Tendenz bekräftigte, änderte oder gar umkehrte. Wir teilen hier ganz systematisch nur einige wenige Beobachtungen mit.

Am 12. Juli 1942 veröffentlichte *The New York Times* einen Artikel »Wallace warnt vor Neoisolationismus«. Ein Foto zeigt den Vizepräsidenten der Vereinigten Staaten beim Tennisspiel. Die Unterschrift zu diesem Bild lautet »Wallaces Aufschlag (serve)«. Bild und Unterschrift sind ein recht bezeichnendes Symbol. Das Wort »serve«[10] bezieht sich nicht auf die gesellschaftliche Bedeutung des Vizepräsidenten, sondern auf sein privates Leben.

Diese Bemerkung läßt sich unterstreichen, indem wir einige Nummern von SEP und Collier's anführen, die willkürlich aus den Ausgaben während des Sommers 1942 herausgegriffen sind. Während wir uns sonst auf die Analyse von ausgesprochen biographischen Beiträgen beschränken, führen wir hier auch einige andere Themen aus den Nummern an, die wir für dieses Jahr ausgewählt haben, um die umfassende Bedeutung der Konsumsphäre zu verdeutlichen. Denn die aktive Beteiligung Amerikas am Krieg hat nicht nur die

10 Anm. des Übersetzers: Auch hier liegt ein unübersetzbares Wortspiel vor, da »serve« sowohl »dienen« als auch »Aufschlag« bedeuten kann.

Auswahl der Helden für die biographischen Artikel nicht geändert, vielmehr beschäftigten sich auch viele der Sachartikel noch gleichfalls mit den Interessen der Konsumenten.

So stehen von den zehn Sachartikeln in SEP vom 8. August 1942 fünf in Beziehung zu der Welt der Konsumenten: ein Fortsetzungsbericht über Hollywood-Agenten; ein Bericht über einen einheimischen Zirkus; ein Bericht über Ausflugsrestaurants; eine Untersuchung über Frauen als Leser von Büchern; ein Essay über das Pferd und den Einspänner. In der Nummer vom 15. August 1942 ist ein Bericht über die International Correspondence School; die Fortsetzung des Berichts über die Hollywood-Agenten; sowie eine Biographie des Radiostars Kate Smith. Wir werfen noch einen Blick auf *Collier's*, das im ganzen weit mehr Artikel über Kriegsthemen bringt als SEP. Von neun Artikeln in der Nummer vom 4. Juli 1942 gehören fünf in die Welt der Konsumenten. Es findet sich ebenfalls ein Artikel über das Pferd und den Einspänner, einer über einen Baseballstar, ein weiterer über einen Komiker, der in der Truppenbetreuung tätig ist, einer über einen Broadway-Regisseur und schließlich einer über preiswerte Menüs. Drei Wochen später, am 25. Juli, gehören wieder fünf von zehn Artikeln zur gleichen Kategorie.

Mit anderen Worten, von siebenunddreißig Artikeln in vier Nummern der beiden führenden amerikanischen Massenzeitschriften dienten während des Krieges nicht weniger als siebzehn dazu, das Bedürfnis des Durchschnittsbürgers nach angenehmer Unterhaltung zu befriedigen. Ein großer Teil des Lesestoffes, der dem Publikum in der Zeit unmittelbar vor und auch während des Krieges selbst geboten wurde, hatte keinerlei Beziehung zu den wirklichen Problemen der Gesellschaft.

Daß allen diesen biographischen Darstellungen eine gemeinsame Berufsrichtung zugrunde lag, ermutigte uns zu der Folgerung, daß, was für die Auswahl der Personen gelte, auch für die Auswahl dessen, was über sie gesagt wird, gelten müsse. Wie wir im folgenden nachweisen werden, hat sich diese Hypothese als völlig berechtigt erwiesen. Unsere Inhaltsanalyse enthüllte nicht nur bedeutsame Regelmäßigkeiten in bezug auf Vorkommen, Auslassung und Behandlung bestimmter Themen, sondern zeigte auch, daß diese Regelmäßigkeiten mit Hilfe derselben Kategorie des Konsums gedeutet werden können, die sich als Schlüssel in der Auswahl der biographischen Themen erwies. Die Konsumsphäre zieht sich wie ein roter Faden durch diese Geschichten in allen ihren Aspekten. Die Eigentümlichkeiten, die wir im literarischen Stil der Verfasser bemerkten, in ihrer Darstellung der persönlichen Beziehungen, Berufe und Personen, lassen sich alle im Begriff des Verbrauchers zusammenfassen.

Zur Klassifikation der Inhalte der Geschichten wählten wir ein vierteiliges Schema. Erstens stellten wir zusammen, was man als die soziologischen Aspekte des Menschen bezeichnen könnte: seine Beziehungen zu anderen Menschen, die Routine seines täglichen Lebens, seine Beziehung zur Welt, in der er lebt. Zweitens untersuchten wir seine Psychologie: auf welche Weise seine Entwicklung verlaufen ist und seine Persönlichkeitsstruktur. Drittens seine Geschichte: wie sich seine Auseinandersetzung mit der Welt vollzogen hat – mit der objektiven Welt, die er gemeistert hat oder an der er gescheitert ist. Viertens analysierten wir die Bewertung dieser Fakten, die der Verfasser mehr oder weniger bewußt durch die Wahl seiner Sprache vornimmt. Wir geben zu, daß dieses Schema etwas willkürlich ist, glauben aber, daß unsere Einteilung des Stoffes einen recht brauchbaren Arbeitsansatz bietet, zumal Inhaltsanalysen dieser Art noch kaum unternommen wurden.

Wir gingen so vor, daß wir in den 125 Geschichten alle Stellen sammelten, die in eine unserer vier Kategorien gehören. Es ist nicht unsere Absicht, hier die 2400 Zitate erschöpfend zu analysieren. Wir wollen nur einige Erkenntnisse oder Hypothesen darlegen, die ihre Untersuchung uns vermittelte und die, wie wir hoffen, weitere Forschungen auf dem Gebiet der Inhaltsanalyse anregen werden. Bei der Untersuchung unserer Geschichten fahndeten wir beinahe vergebens nach so wesentlichen Gegenständen wie der Beziehung des Menschen zur Politik oder zu gesellschaftlichen Problemen allgemein. Unsere Kategorie »Soziologie« reduzierte sich auf das private Leben der Helden. Gleicherweise stellte sich heraus, daß unter Psychologie vornehmlich das statische Bild eines Menschen zu fassen war, dem eine Reihe von Ereignissen zustoßen, die schließlich zwar zu einem Erfolg führen, ohne daß er überhaupt etwas dazu getan zu haben scheint. Der ganze Abschnitt verschmilzt überdies mit unserer Kategorie »Geschichte«, die ebenfalls hauptsächlich Erfolgsdaten aufzählt und schließlich den Charakter eines Kataloges »bloßer Tatsachen« annimmt. Wenn wir unser Material zu der Frage betrachten, wie die Verfasser die Vorgänge bewerten, so tritt am deutlichsten das Bemühen der Biographen hervor, ihre Helden durch uneingeschränkte Superlative zu rechtfertigen. Zugleich vollzieht sich aber die Interpretation in Wendungen, die sie der Stufe des Durchschnittsmenschen so weit wie möglich annähern.

II Das Privatleben

Vielleicht ist der Leser auf Plakate in Straßenbahnen gestoßen, worauf unter dem Titel »Privatleben« die Eigenheiten von mehr oder minder berühmten Persönlichkeiten aus der Welt der Wissenschaft, des Sports, des Geschäftslebens und der Politik dargestellt wurden. Dieser Titel paßt für alle unsere Biographien. Es wäre zwar eine Übertreibung, aber nicht weit von der Wahrheit entfernt, sagte man, daß sie ausschließlich über das Privatleben der Helden berichteten. Während es früher einmal einigermaßen schändlich war, den privaten Angelegenheiten und Gewohnheiten von Persönlichkeiten, die im öffentlichen Leben eine Rolle spielen, gar so viel Bedeutung zu schenken, stehen sie heute im Zentrum des Interesses. Der Grund, warum man diese Feststellung dennoch als eine Übertreibung ansehen kann, ist in gewisser Weise überraschend: wir erfahren zwar einiges, obwohl nicht gerade viel, über die berufliche Karriere dieser Menschen und ihre Voraussetzungen, aber wir werden über wichtige Abschnitte ihres Privatlebens völlig im dunkeln gelassen.

Erbe und Eltern – Freunde und Lehrer

Die persönlichen Beziehungen unserer Helden beschränken sich, soweit wir über sie aufgeklärt werden, im ganzen auf zwei Gruppen von Menschen, auf die Eltern und die Freunde. Beide Gruppen müssen freilich in einem besonderen Sinn verstanden werden: zu den Eltern gehören auch andere ältere Verwandte oder Vorfahren aus früheren Generationen, zu den Freunden mehr oder weniger nur diejenigen, die für die Karriere des Helden von Bedeutung waren. In mehr als der Hälfte der Geschichten werden der Vater oder die Mutter oder der allgemeine Hintergrund der Familie wenigstens erwähnt. Clark Gables »hartnäckige Entschlossenheit« scheint von seinen »pennsylvanisch-niederländischen« Vorfahren herzustammen

6). Mrs. Shipley, eine sehr tüchtige Angestellte des State Department, ist die »Tochter eines Methodistenpfarrers« (8). Senator Taft ist ein »Mann des goldenen Mittelwegs wie sein Vater«, außerdem ist er »nach Geburt und Erziehung ein Aristokrat« (101). Wir erfahren etwas mehr über die Familie von Brenda Joyce, weil es »irgendwann einen Bruch zwischen Mama und Papa gab« (110). Der allgemeine Typ des Elternhauses ähnelt jedoch mehr dem von Joan Carroll. Hier finden wir die »junge, mit einer ruhigen Würde ausgestattete Mutter . . ., den Vater, einen erfolgreichen Ingenieur . . ., den sechs Jahre älteren Bruder, einen bedeutenden Pfadfinder« (143). Voller Mitgefühl wird von den alten Fadimans berichtet, »der Vater ein hart ums Dasein kämpfender russischer Einwanderer und Apotheker, die Mutter Krankenschwester« (47). Bei Clark Gable erfahren wir recht viel über die Vorfahren. Vom Arbeitsminister Frances Perkins wird uns berichtet, daß sich ihre »Vorfahren zwischen 1630 und 1680 in ganz Neu-England angesiedelt hatten« (22). Der weibliche Frachtschiffkapitän D'Arcy Grant hat »unter ihren Vorfahren eine Mischung von starrköpfigen, eisenfresserischen Iren und amerikanischen Pionieren« (25). Raymond Gram Swing ist »Erbe einer strengen Neu-England-Tradition« (42); die Gebrüder Varian haben »keltisches Blut« (52); in der weiblichen Stierkämpferin Conchita Cintron finden wir »spanische, Connecticut-irische und chilenische Elemente« (116).

Merkwürdig ist hierbei nicht, daß die Verfasser die Abstammung erwähnen, sondern daß sie so viel über sie und so wenig über andere menschliche Beziehungen sagen. Es scheint sehr oft so, als ob der Autor den Leser davon überzeugen möchte, daß sein Held in beträchtlichem Maße von seiner biologischen und regionalen Abstammung her verstanden werden müsse. Die Tendenz, die Hauptlast bei der Erklärung und der Zumessung der Verantwortlichkeit auf die Schultern vergangener Generationen zu legen, enthält eine primitiv darwinistische Vorstellung von der sozialen Wirklichkeit. Der einzelne erscheint als das bloße Produkt seiner Vergangenheit.

Dieser Zug zur Passivität läßt sich auch in der am zweithäufigsten erwähnten Gruppe von persönlichen Beziehungen nachweisen: bei den Freunden und Lehrern. Wir bringen wieder einige Beispiele. Wir erfahren, daß die Diplomatin Frau Harriman zum »Gesandten in Norwegen« ernannt wurde, »weil sie viele einflußreiche und treue

Freunde hatte« (14). Man berichtet uns von der Freundschaft zwischen dem schwer getroffenen Restaurator Johnson und seinem wohlhabenden Freund und Arzt (37). Die Filmschauspielerin Brenda Marshall wurde in ihrer Karriere irgendwie »durch die Freundschaft einer Filmassistentin gerettet« (161). Senator Byrnes hatte einen guten Start, weil »ein desillusionierter alter Mann aus Charleston . . . ihn in die Kniffe einweihte« (18), während Miß Perkins »von ihrer Privatsekretärin beschützt wird . . ., die sie verehrt« (22).

Es findet sich nur sehr selten eine Episode, die unsere Helden selbst als aktive Partner einer Freundschaft zeigt. In den meisten Fällen sind ihre Freunde ihre Helfer. Sehr oft sind es Lehrmeister, die später Freunde werden. Vielleicht geht man etwas zu weit, wenn man sagt, daß an diesem Punkt ein vulgärer Darwinismus durch eine vulgäre Entstellung der Milieutheorie ergänzt wird: Der Held ist ein Produkt aus Abstammung und Freundschaften. Aber selbst wenn das etwas übertrieben sein mag, so hilft es uns doch, den entscheidenden Punkt deutlich zu machen; daß der Held in seinen menschlichen Beziehungen stets als der Nehmende und nie als der Gebende erscheint.

Wir können diese Feststellung durch die Bemerkung ergänzen, daß wesentliche menschliche Beziehungen, selbst solche, die für das Privatleben von entscheidender Bedeutung sind, fehlen. Der ganze Bereich der Beziehungen zum anderen Geschlecht fehlt fast völlig. Das ist wirklich eine sehr merkwürdige Erscheinung. Man müßte eigentlich annehmen, daß die Vorliebe für Film- und Bühnenschauspieler und -schauspielerinnen, für Nachtklubkünstler usw. mit einer besonderen Neugier an ihren Liebesaffären verbunden sei, aber das ist keineswegs der Fall. Der Bereich der Liebe, Leidenschaft und sogar der Ehe erscheint nur im Rahmen einer Lebensstatistik als erwähnenswert. Es ist schon sehr viel, wenn uns mitgeteilt wird, daß Dorothy Thompson »in Liebeskummer geriet«; sehr bald »fragte Lewis ganz direkt, ob sie ihn heiraten wolle« (9). Senator Byrnes »heiratete die charmante Frau, die noch immer für ihn sorgt« (18). Der Industriemagnat Sloan bemerkt: »Meine Frau und ich heirateten in jenem Sommer . . ., sie kam von Roxbury, Mass.« (24). Frau Peabody heiratete den Rektor »am Schluß des ersten Schuljahres« (29). Von Raymond Gram Swing erfahren wir nur, daß er zweimal verheiratet war (42). Von dem Junggesellenleben des Baseballspielers Lyons erfahren wir, daß er »beinahe seine Collegefreundin geheiratet hätte« (53), während sein Kollege Rizzuto »nicht einmal ein festes

Verhältnis hat« (57). Aus dem hohen Leben der Politik erfahren wir, daß Botschafter Lothian »gut mit Frauen auskommt« (115) und daß Thomas Dewey »ein Mann für Männer ist, aber Frauen auf ihn fliegen« (117). Wir werden kurz informiert, daß Chris Martin »heiratete und eine Familie gründete« (121) und daß »ein Mädchen so beeindruckt war«, daß sie den Produzenten Michael Todd im zarten Alter von siebzehn Jahren heiratete (131).

Nüchterne Tatsachen wie die Erwähnung einer Eheschließung oder einer Scheidung sind also alles, was wir über die Seite der menschlichen Beziehungen erfahren, die wir für die bedeutendste zu halten pflegten. Müßten diese Biographien in ferner Zukunft als einzige Informationsquelle dienen, dann wäre der künftige Historiker beinahe zu der Folgerung gezwungen, daß in unserer Zeit die Institution der Ehe und auf jeden Fall die sexuellen Leidenschaften zu einem völlig belanglosen Faktor geworden seien. Offensichtlich paßt jedoch die drittklassige Rolle, die diesen Phänomenen zugeteilt wird, recht gut zu der Hervorhebung von Abstammung und Freundschaft. Liebe und Leidenschaft erfordern einen Überschwang, eine Entfaltung schöpferischer Kräfte des Geistes und des Gemüts, die weder durch Vererbung noch durch freundschaftliche Ratschläge erklärt oder zurückgedämmt werden können.

Eine ziemlich amüsante Tatsache: wir stellten fest, daß fast in einem Drittel aller Geschichten die Augen des Helden Erwähnung fanden. Daß von allen möglichen physiognomischen und körperlichen Merkmalen gerade dieses so beliebt ist, überrascht. Wir freuen uns über die »strahlend blauen Augen«, über die »sogar übernatürlich guten Augen« des Baseball-Schiedsrichters Bill Klem (104) oder über »die bescheidenen braunen Augen« von General Weygand (107). Fräulein Cintron, die Stierkämpferin, ist »blauäugig« (116), die Nachtclubsängerin Moffet hat »ganz helle blaue Augen« (119).

Wir sind nicht ganz sicher, wie die Vorliebe der Biographien für die Augen erklärt werden kann. Die Augen werden im allgemeinen als »die Fenster der Seele« angesehen. Vielleicht befriedigt es den weniger gebildeten Leser, wenn die Schriftsteller ihm das Verständnis für ihre Helden in derselben Sprache nahebringen, mit der er die Seele seines Nachbarn zu erfassen vermeint. Das wäre wiederum ein Beispiel dafür, daß an Stelle eines ernsthaften Bemühens um psychologische Erkenntnis ein Klischee geboten wird.

Familienleben und gesellschaftliches Leben –
Hobbys und beliebte Speisen

Wir sehen, daß die Helden vornehmlich aus der Sphäre des Konsums und der organisierten Freizeitgestaltung kommen. Es ist faszinierend zu sehen, wie im Laufe der Darstellung die Produzenten und Vermittler von Konsumgütern zu ihren eigenen Kunden werden. In dreißig bis vierzig Prozent aller untersuchten Geschichten werden die persönlichen Gewohnheiten vom Rauchen bis zum Pokerspielen, vom Briefmarkensammeln bis zu Cocktail-Partys sorgfältig registriert. Sobald er auf Gewohnheiten, Vergnügungen und Zerstreuungen nach und außerhalb der Arbeitszeit zu sprechen kommt, zeigt sich, daß der Zeitschriftenbiograph einem schnüffelnden Reporter gleicht.

Die Politiker scheinen besonders asketisch zu sein – Taft »raucht nicht« (101), General Weygand auch nicht (107). Der frühere britische Botschafter Lothian »hat in den letzten fünfundzwanzig Jahren keinen Alkohol zu sich genommen« (115). Aber auch der Filmschauspieler Chris Martin »raucht weder Zigarren noch Zigaretten« (121). Von dem deutschen Feldmarschall Milch wird dagegen berichtet, daß »seine besondere Vorliebe großen, schwarzen, brasilianischen Zigarren gilt« (146). Im folgenden zählen wir einige Lieblingsgewohnheiten und Lieblingsgerichte auf. Dorothy Thompson begeistert sich dafür, »Wiener Gerichte zu kochen«, während sie eine »unüberwindliche Abneigung gegen ... schlecht zubereitete Fleischbrühe und schlecht gestrichene Brötchen hat« (9). Man erwartet von uns, daß wir über Art Fletchers »ausgezeichnete Verdauung« erfreut sind (7), und wir müssen hoffen, daß Major Angas in der gleichen glücklichen Lage ist, denn »gut zu essen ist sein zweiter Beruf«; er ist »immer hungrig« (20). Auch der Zirkuskönig North scheint einen hochentwickelten Sinn für gutes Essen und was dazugehört zu haben: »Seine Magenstärker für ein drei Pfund schweres Steak sind ein Martini, ein Manhattan und ein Glas Bier, die immer in dieser Reihenfolge eingenommen und mit einer Handvoll Radieschen abgerundet werden« (26).

Was die harmlosen Hobbys unserer Helden anbetrifft: Art Fletcher liebt es, »zeitig am Abend ins Kino zu gehen« und »in der Gegend herumzufahren« (7). Senator Byrnes findet Entspannung, indem »er lange gepfefferte Anekdoten erzählt, die alle Südstaatler lieben« (18).

Der Baseballspieler Page ist »ein erfahrener Tänzer und Sänger« (19),
Westbrook Pegler »spielt Poker« (28) und sein besonderer Lieblings-
gegner, Mayor Hague, »liebt das Spiel ebenfalls« (36). Auch sein
Kollege, der Korrespondent der Londoner »Times«, Sir Willmot
Lewis, »spielt Poker« (49), während Swing Badminton bevorzugt
(42). Ernsthafteren Beschäftigungen geht Greer Garson nach, die
»sehr viel liest und in jeder freien Minute das Theater besucht« (113).
Das Hobby des Golfspiels verbindet Senator Taft (101), den Faschisten Muti (114), den »Blondie«-Zeichner Chic Young (165), den
Baseballspieler Lyons (53) und Botschafter Lothian (115).
Uns wird ferner berichtet, wer gern »Mittelpunkt einer Gesellschaft«
ist und wer nicht. Wir erfahren auch, wie sich das tägliche Leben im
Zimmer oder in der Wohnung abspielt. Die Fletchers z.B. »gehen
zeitig zu Bett und stehen zeitig auf« (7). Hank Greenberg »lebt zwar
bescheiden mit seinen Eltern«, aber »er liebt auch Nachtklubs,
strahlendes Licht und hübsche Mädchen« (56). Wir hören von dem
bezaubernden »Stadthaus« der Filmschauspielerin Stickney (145) und
von den »fünfzehn Zimmern, fünf Bädern und dem Privatfahrstuhl
zur Straße« des Politikers Flynn (138). Der Ballettmeister Balanchine
»wohnt gemütlich in einem ausgedehnten Anwesen auf Long Island
und in einer prächtigen Wohnung in New York« (152).
Über gesellschaftliche Veranstaltungen erfahren wir, daß die Partys
bei Nancy Hamilton »keineswegs glänzend, aber lustig sind« (103).
Der Zeitungsmann Silliman Evans »hat großzügige Gartengesell-
schaften im Texasstil eingeführt« (39). Sein Kollege Clifton Fadiman
dagegen »hält sehr wenig von gesellschaftlichen Veranstaltungen und
geht selten zu Abendgesellschaften« (47). Seine Gewohnheiten scheinen mit denen von Jo Carstairs, der Königin einer Privatinsel,
verwandt: »Nur wenige alte Freunde stehen auf einer der kürzesten
Gästelisten der Welt« (54).
Und so geht es weiter. Man könnte über zweihundert Zitate anführen, mit denen sich eine Untersuchung sozialer Beziehungen in die
Erforschung von Konsumgewohnheiten verwandeln ließe. Es ist
weder eine Welt »tätiger Menschen« noch eine Welt der Aktivität, für
die das biographische Interesse des Massenpublikums geweckt wird.
Die ganze Tendenz zielt auf Hinnahme ab: das biologische und das
durch Erziehung vermittelte Erbe; die hilfreichen Freunde und
Lehrer; den physischen Schutz des Hauses und den physiologischen
von Essen und Trinken; die Sicherheit der sozialen Stellung und des

Prestiges, das durch gesellschaftliche Veranstaltungen untermauert wird; die völlige Einschläferung des Geistes und aller auf Tätigkeit gerichteten Energien durch die Unzahl der Steckenpferde. Hier kommen wir entscheidenden Tendenzen überaus nahe, denen der moderne Mensch unterworfen scheint. Er erscheint nicht länger mehr als das Zentrum nach außen gerichteter Energien und Handlungen, unerschöpflicher Quellen von Initiative und Unternehmungsgeist, nicht mehr als die wesentliche Einheit, von deren Arbeit und Tüchtigkeit nicht nur die glückliche Zukunft der Familie, sondern zugleich auch der allgemeine Fortschritt der Menschheit abhängen kann. An Stelle der »Gebenden« treten uns die »Nehmenden« gegenüber. Diese neuen Helden scheinen von einer Sucht besessen, Dinge zu haben und als selbstverständlich hinzunehmen. Sie scheinen die Phantasmagorie eines weltumspannenden Wohlfahrtsstaates zu vertreten und eine Einstellung einzunehmen, die alle zur Erhaltung und zur Erholung benötigten Dinge zugeteilt erhalten und alles Interesse daran verloren hat, wie die Werkzeuge zu erfinden, herzustellen und anzuwenden sind, die dieses Ziel der Befriedigung der Massen herbeiführen könnten.

Unvermeidlich erhält man ein verzerrtes Bild von der Gesellschaft, wenn man sie nur vom persönlichen Leben einiger weniger Menschen aus betrachtet. Aber in der Vergangenheit wurde versucht, die Verbindung zwischen dem Helden und der geschichtlichen Situation seines Volkes zu zeigen. D. G. Phillips, einer der frühen unter unseren Biographen, schreibt: »Jedes Zeitalter, das sich der gewaltigen Werke, die geschaffen werden könnten, bewußt ist und das zugleich weiß, daß wir alle für einen baldigen Tod bestimmt sind, sucht mit Vorliebe den jungen, den unbekannten Menschen. Es bedarf aller Kräfte und aller Fähigkeiten. Besonders der Fähigkeiten zu schaffen, zu organisieren und zu leiten.«[11]

Heute liegt der Nachdruck auf den alltäglichen Funktionen der Ernährung und der Freizeitgestaltung und nicht auf »den Fähigkeiten zu schaffen, zu organisieren und zu leiten«. Das wirkliche Schlachtfeld der Geschichte rückt aus den Augen oder wird zum unverbindlichen Hintergrund, während sich die Gesellschaft in eine amorphe Masse von Konsumenten auflöst. Greer Garson und Mahatma Gandhi treffen sich auf gemeinsamem Grund: die eine

11 D.G. Phillips, The Right Hand to Pierpont Morgan, SEP, 28. 6. 1902.

»liebt Kartoffeln und geschmortes Fleisch und bekommt ihr Frühstück aus Haferbrei und Fisch niemals satt« (113); »das Abendessen« des anderen »ist einfach – ein paar Datteln, etwas Reis und Ziegenmilch« (124). Hitler und Chris Martin »rauchen nicht . . .« (121).

III Bloße Tatsachen

Phillips Bemerkungen vor ungefähr sechzig Jahren über Pierpont Morgans »rechte Hand« können uns als Übergang von der Soziologie unserer Helden zu ihrer Psychologie dienen. Seine Betonung der Unabhängigkeit, der Führereigenschaften und der Ausübung persönlicher Initiative stellt den idealen Charaktertyp aus der Zeit des Privatkapitalismus dar. In diesem Zitat finden sich wenigstens zwei Züge, die für die psychologische Vorstellungsweise früherer Biographen charakteristisch sind und deren Fehlen überaus aufschlußreich für die gegenwärtige Situation ist. Die beiden Elemente lassen sich mit den Begriffen Entwicklung und Einsamkeit bezeichnen.

In »dem jungen, unbekannten Menschen« lebt noch immer, so geringfügig es in diesem Falle auch sein mag, das Erbe der Persönlichkeit, wie sie während des Aufstiegs der bürgerlichen Kultur konzipiert wurde: das Individuum als eine Totalität geistiger, moralischer und emotionaler Möglichkeiten, die in einer gegebenen Gesellschaft entwickelt werden mußten. Entwicklung als das Wesen des menschlichen Lebens war mit der Idee verbunden, daß das Individuum sich in der Einsamkeit des Geistes selbst finden muß. Die Existenz des Menschen bestand aus seiner kreatürlichen Einsamkeit und der Bewältigung der äußeren Welt durch die Entfaltung seiner Talente. Unser Zitat gibt eine der späten Formen dieser Vorstellung wieder: das sich aus sich selbst heraus entwickelnde und ringende Individuum, dem die Welt alle Möglichkeiten zur Schöpfung und Eroberung bietet.

Seelen ohne Geschichte

In einem Essay über den gegenwärtigen Menschen stellt Max Horkheimer fest: »Es gibt keine Entwicklung mehr.«[12] Seine Bemerkungen

12 Max Horkheimer, The End of Reason, in: Studies in Philosophy and Social Science, Bd. IX (1941), Nr. 3, S. 381.

über den unmittelbaren Übergang aus der Kindheit in das Leben des Erwachsenen, sein Hinweis, daß »das Kind erwachsen ist, sobald es laufen kann, und daß der Erwachsene im Prinzip immer der gleiche bleibt«[13], klingen, als ob sie eine Erläuterung zu unseren biographischen Helden wären. Unter unseren Zitaten gibt es eine Reihe von Stellen, die die Kindheit des Helden mit seinem späteren Leben zu verknüpfen suchen. Beinahe jede zweite Geschichte bringt einen Bericht über den Weg von der Kindheit in das Erwachsenenalter. Aber widerspricht das nicht unserer allgemeinen Feststellung, ist das nicht eine Variante der klassischen Vorstellung von der sich entfaltenden Persönlichkeit? Ehe wir diese Frage beantworten, betrachten wir einige repräsentative Stellen. Im Alter von zwölf Jahren »war Ringen . . . die Lösung für mein Problem«, sagt der Ringkämpfer Allman (13). Der König der Pferdewetten, Pittsburgh Phil, »begann zu wetten, als er vierzehn Jahre war – auf seine eigenen Kampfhähne« (23). Von dem Erfinder Stout wird berichtet: »Wo immer seine Familie lebte, pflegte er ein Experimentierzimmer einzurichten und irgendwelche Gegenstände zu verfertigen.« (41) Schon mit zwölf Jahren leitete der spätere Schauspieler Ezra Stone ein Kinderradioprogramm; »er gab den Schauspielern die Anweisungen und bezahlte sie am Ende der Woche« (108). Für J. R. North, den Leiter des Ringling-Barnum-Unternehmens, »war ein richtiger Zirkus sein Spielzeug« (26). Filmstar Greer Garson »wollte schon Schauspielerin werden, als sie noch kaum gehen konnte« (113). Die Eltern der Nachtklubsängerin Hildegarde »waren nicht überrascht, als Hildegarde . . . im Alter von achtzehn Monaten eine ganze Arie aus der Oper summte, zu der sie sie mitgenommen hatten« (135).

Die Kindheit erscheint weder als die Vorgeschichte oder der Schlüssel zum Charakter eines Menschen noch als ein Übergangsstadium in der Entwicklung und Ausbildung des ganzen Reichtums eines Erwachsenen. Die Kindheit ist nichts als eine Miniaturausgabe, eine frühe Darstellung von Beruf und Karriere eines Menschen. Der Mensch ist Schauspieler, Doktor, Tänzer, Unternehmer, und er war es schon immer. Er ist bei seiner Geburt nicht die schutzbedürftige und unbekannte Möglichkeit, aus der sich menschliches Leben, wissenschaftliche, geistige und künstlerische Schöpferkraft für sich selbst und für die Gesellschaft entfalten kann, sondern kommt schon

13 Ebenda.

abgestempelt und bereits auf eine bestimmte Funktion festgelegt in die Welt. Das Individuum ist zu einem Warenzeichen geworden.

In mehr als einem Drittel der Biographien wird versucht, eine »Theorie des Erfolgs« zu entwickeln. Aber keine Zauberformel bietet sich, die der Durchschnittsmensch zu seinem eigenen Nutzen anwenden könnte. Die Masse der Antworten besteht aus mehr oder minder trivialen Hinweisen darauf, daß im »Instinkt« oder in anderen vagen Eigenschaften der Schlüssel zum Erfolg liege. Der Golfspieler Bobby Jones »muß mit der tiefen Liebe zu diesem Spiel geboren worden sein« (11). Von dem Senator wird gesagt: »Der wahre Genius von Byrnes besteht in seiner Führerqualität« (18). Pittsburgh Phil war »aus Instinkt ein guter Pferdewetter« (23). Der Geschäftsmann Durand N. Briscoe »schien einen Instinkt für Geschäftsgründungen und Spekulationen zu haben« (24). Dem Fußballtrainer Kendrigan sind seine eigenen Erfolge ein Rätsel: »Er fand nie heraus, wie er es fertigbrachte« (50). Der Luftfahrtmagnat Cyrus R. Smith kann sich auf den »unfehlbaren Instinkt eines Spielers« verlassen (51). Der Schlüsselbegriff des Instinkts wird durch eine Anzahl von gleichsam tautologischen Binsenwahrheiten ergänzt. Der Faschist Muti »liebt es, wenn die Gefahr sehr erregend ist« (114). Der gesellige Botschafter Lothian »hat Zeitungsleute gern« (115). Howard Johnson weiß, wie man aus einem Restaurant Profit zieht: »Ein Mann, der gut überwacht wird, macht niemals Durcheinander« (37). Und von Clark Gables Erfolg gilt (und diese Formel könnte auf alle 125 angewendet werden): »Die Antwort ... besteht in seiner Persönlichkeit.« (6)

Wir sehen in dieser Pseudopsychologie des Erfolgs einen weiteren Aspekt des unhistorischen und passiven Bildes des modernen Menschen. Wie die Kindheit nur eine Kurzfassung der Berufskarriere des Erwachsenen ist, so die Erklärung dieser Karriere nur die abstrakte und recht unbestimmte Beteuerung, daß eine Karriere eben eine Karriere und ein Erfolg ein Erfolg ist.

Die Psychologie ist die eines primitiven Behaviorismus. Die Kindheit und der vage Bereich der Instinkte stellen sozusagen den biologischen Hintergrund dar, von dem eine Vielzahl menschlicher Eigenschaften ausgehen. Es ist eine Psychologie, die nicht nach dem Warum fragt. Aber in derselben Weise, wie wir es für die Soziologie nachzuweisen suchten, zeigt sich an ihr der Übergang von der Achtung vor der Spontaneität einer Person zu der Verehrung einer Existenz, die durch äußere Kräfte beeinflußt und geformt wird. Die Menschen leben in einem Kreis von Kindern und Opfern. Es ließe sich von einer »Auftragspsychologie« sprechen, weil die Menschen nicht als die verantwortlichen Gestalter ihres Schicksals in allen Phasen ihres Lebens begriffen werden, sondern als Träger bestimmter nützlicher oder weniger nützlicher Charakterzüge, die ihnen wie Verzierungen oder Schandzeichen aufgeklebt sind.

Es gibt freilich auch einige wenige Züge, die auf die Fähigkeit des Menschen hinzuweisen scheinen, seine Umgebung zu beeinflussen. Wir denken an den Leitartikler, der »sich immer in das rechte Licht zu rücken weiß« (9); an die Bühnenschriftstellerin und Schauspielerin, die »für sie vorteilhafte Rollen« niemals übersieht (113); an den Produzenten, der »sein eigener Reklamechef ist« (131). Wir denken ferner an die smarte Nachtklubsängerin, »die keinen Grund sieht, bekanntzumachen, daß die Lieblingssängerin von König Gustav über dem Feinkostladen ihres Vaters geboren wurde« (135); an die Schauspielerin, die echtes »Talent hat, mit Leuten umzugehen« (103); an den Menschen, der »zur richtigen Zeit am richtigen Platz« auftaucht (109); oder den, der »ein großer Mann im Händeschütteln und Auf-den-Rücken-Klopfen ist« (21).

Die meisten dieser Fähigkeiten reizen wahrscheinlich den Beobachter oder Leser zu einem verständnisinnigen Schmunzeln. Es sind die todsicheren Kniffe auf dem Weg zum Erfolg, die zwar ein wenig zweifelhaft sein mögen, aber doch nicht schlimm sind. Sie gehören zum notwendigen Rüstzeug des gewitzten Mannes und der gewandten Frau. Aber diese paar psychologischen Tricks erschöpfen auch schon die Liste der Eigenschaften, die schöpferische und produktive Fähigkeiten betreffen. Sie produzieren eine pseudoschöpferische Atmosphäre, um uns zu überzeugen, daß einer seinen persönlichen, individuellen Anteil zum allgemeinen Aufstieg beigetragen habe. »Etwas Neues wurde hinzugefügt«, behaupten die Reklamen, aber man darf nicht zu hartnäckig fragen, worin denn eigentlich das Neue besteht. Die gutmütige Feststellung, daß auf dem Wege zum Erfolg nicht immer alles ganz mit rechten Dingen zugeht, enthüllt also für den Soziologen einen traurigen Mangel an Originalität und schöpferischer Kraft.

Das wird noch klarer, wenn wir uns der Darstellung der tatsächlichen Erfolgsgeschichte zuwenden. Hier wird der Erfolg nicht einmal mehr einem glücklichen Instinkt zugeschrieben – er kommt einfach. Der Erfolg hat seinen verführerischen Reiz verloren, in dem er einst erschien, als er Versprechen und Preis für jeden war, der stark, klug, wendig und nüchtern genug war, um sich ans Werk zu machen. Er ist zu einem unbeugsamen Schicksal geworden, auf das wir je nachdem mit Schauder oder Neid blicken wie auf die unbezahlbaren Bilder in unseren Galerien oder die märchenhaften Paläste der Reichen. Der Erfolg unserer Idole des Konsums ist selbst ein Konsumgut. Er dient nicht mehr als ein Anreiz zu größerer Aktivität, er wird uns vorgeführt als etwas, das wir hinnehmen müssen wie Speise und Trank und die Partys; er nährt Neugier und Unterhaltung.

Die Mythologie des Erfolges setzt sich in den Biographien aus zwei Elementen zusammen, aus Mühsal und Glückszufall. Die Nöte und Schwierigkeiten, mit denen der Weg zum Erfolg gepflastert ist, werden durch Stereotypen beschrieben. Immer und immer wieder hören wir, daß der Weg rauh und schwer ist. Der Baseball-Schiedsrichter geht »den langen und beschwerlichen Weg zu jener Nacht des Triumphs« (104). Der Leichtgewichtsboxer »hatte sich schwer emporgekämpft« (123). Ein Senator kannte in seiner Jugend »die langen Stunden harter Arbeit« (149). Und der Ballettmeister »arbeitete schwer« (152). Mit denselben Worten wird uns berichtet, daß der Baseball-Manager und der Filmstar »sich schwer emporgekämpft hatten« (2 und 6). Ein »schwerer Weg« war es für Dorothy Thompson (9) und Billy Rose (43). Die nüchterne Sprache erinnert eher an Wehrmachtsberichte, die eine Niederlage oder den unentschiedenen Ausgang eines Kampfes berichten, als an Beschreibungen von Lebensvorgängen.

Dasselbe gilt auch für die Umkehr der Mühsal, für die sogenannten Umschwünge. Alle Geschichten berichten von Erfolgen, und so müssen wir auch irgendwie davon unterrichtet werden, wann und wie die Mißerfolge aufhörten. Bei diesen Darstellungen zeigt sich noch in verstärktem Maße die Tendenz, aus Lebensvorgängen bloße Fakten zu machen, die ohne Erklärung einfach hingenommen werden müssen. Gewöhnlich wird der Beginn des Aufschwungs nur wie ein äußeres Ereignis festgestellt. Eine hohe Staatsbeamtin hatte »großes Glück bei ihrer ersten Anstellung« (8). Von einem Karikaturisten wird nur erzählt, daß er »ein Telegramm erhält, das ihm eine Tätigkeit bei der Zeitung anbietet«, in der er später seinen Ruhm begründet (34). Ein Leitartikler »erlebt einen Durchbruch zur Popularität« (42), und ein Schauspieler »hatte eine Chance« (112). Von einem anderen wird gesagt: »Er erhielt die Rolle, und es ging gut« (121). Für einen

Mittelgewichtsboxer »war der Wendepunkt seiner Karriere gekommen« (142). Wenn überhaupt eine Erklärung gegeben wird, geschah die Wendung stets auf wunderliche Weise. Die Nachtklubsängerin erhält ihre Chance durch »die Laune eines Königs« (135); Clark Gables Anstellung als Zeitmesser bei einer Telephongesellschaft erscheint als der Wendepunkt seiner Karriere (6). Ein Baseballspieler geht angeln, verliert seine Stellung und erhält dadurch eine andere, die ihm Erfolg bringt (133a).

Diese Episoden voller Wiederholungen und launenhafter Zufälle scheinen zu beweisen, daß es keine gesellschaftlichen Regeln für den Aufstieg mehr gibt. Der Erfolg wird zu einem zufälligen und irrationalen Ereignis. Früher waren die Risiken des Wettbewerbs mit der Vorstellung bestimmter Erfolgsaussichten verknüpft, und es gab einen angemessenen Ausgleich zwischen dem Ehrgeiz und den Möglichkeiten. Unsere Helden dagegen sind fast ohne Ehrgeiz: stillschweigendes Eingeständnis, daß jene Risiken der Vergangenheit durch die Grausamkeiten der Gegenwart ersetzt worden sind. Denn es ist tatsächlich grausam, daß das lächerliche Spiel des Zufalls einer Handvoll Menschen den Weg zum Erfolg öffnet, während alle anderen, die im entscheidenden Augenblick nicht zur Stelle sind, Mißerfolg haben. In den »Tatsachen« der Karriere spiegelt sich der Mangel an Spontaneität. Hinter der amüsanten, glückbringenden Episode lauert eine schreckliche Wahrheit.

Das Schauspiel von Erfolg, Mühsalen und Zufällen wird in den Biographien von einer Menge von Zahlen und Tabellen begleitet, die den Eindruck von Glanz und Genauigkeit erwecken sollen. Die bevorzugte Sprache der modernen Biographien scheint die jener wissenschaftlichen Geisteshaltung zu sein, die ihr Ideal in der Verwandlung von Qualität in Quantität sieht. Die Lebensrätsel lassen sich lösen, wenn sie in einen Zahlenzusammenhang eingefangen werden können. Die Masse der Zahlen bezieht sich auf das Einkommen, zu denen noch ein paar Angaben über das Kapital hinzukommen. Andere Zahlen betreffen die Zuschauer eines Ballspiels, das Budget einer Stadt oder die Stimmenverteilung bei einer Wahl.

Mühseligkeiten und Umschwünge sind Vorgänge, wie sie im Leben jedes Lesers vorkommen können; nur vollziehen sie sich auf einer etwas höheren Ebene. Der außergewöhnliche Mensch ist nichts anderes mehr als ein besonders gelungenes Exemplar des Durchschnittsmenschen. Die Idole unserer Kultur werden den Massen der

Leser so nachdrücklich eingeprägt, daß jede Kritik und sogar jedes Nachdenken über die Gültigkeit solcher Vorbilder abgewürgt wird. Sofern er als Soziologe auftritt, verkörpert der biographische Schriftsteller eine erbarmungslose, beinahe sadistische Tendenz dieser Wissenschaft. Er beweist zwar, daß solche Erscheinungen wie Mühseligkeiten und plötzliche Umschwünge immer wiederkehren, aber er macht keinen Versuch, die Gesetzmäßigkeiten solcher Wiederkehr zu bestimmen. Wissen ist für ihn nicht die Voraussetzung zur Beherrschung des Gegebenen, sondern nur der Schlüssel zur Anpassung.

Katalog der Anpassung

Wenn wir uns fragen, welche der vielfältigen Charakterzüge der beschriebenen Persönlichkeiten die Billigung bzw. Mißbilligung der Verfasser finden, so stoßen wir auf ein auffallendes und einfaches Schema.

Wie die Mythologie des Erfolgs, so ähnelt auch das Verzeichnis der Charakterzüge einer Zusammenstellung militärischer Tagesbefehle mit ihren knappen Belobigungen und Tadeln. Hier finden sich keine Nuancierungen oder Zweideutigkeiten. Wie der Inhalt auf einem sehr niedrigen Niveau steht, so ist auch das Kriterium für Billigung oder Mißbilligung überaus anspruchslos. Der Maßstab ist die soziale Anpassung. Hat man die unbewußten und bewußten Vorstellungen unserer Gesellschaft verstanden, wie ein angepaßter Mensch sich zu verhalten habe und wie nicht, dann leuchtet die Bewertung der Charakterzüge und ihrer Träger völlig ein. Der Maßstab kennt drei Stufen: das Verhalten gegenüber Sachproblemen, gegenüber den Mitmenschen und gegenüber den eigenen Gefühlen. Wer tüchtig ist, wird auf der ersten Stufe hoch bewertet, wer umgänglich ist, auf der zweiten, und wer immer zurückhaltend ist, auf der dritten.

Eine Spezialuntersuchung aller Stellen, an denen Charakterzüge erwähnt werden, ergab, daß von den 76 Zitaten, die sich auf vorbildliches Verhalten gegenüber »dem, was getan werden muß« bezogen, nicht weniger als 70, d.h. über 90 Prozent, Tüchtigkeit, Leistungsfähigkeit und Energie erwähnten; die übrigen sechs bezogen sich auf den Ehrgeiz. Meistens heißt es: »sehr fähig« (154); »kein Opfer an Zeit, Anstrengung oder persönlicher Bequemlichkeit war zu groß« (24); »ein Mann, der ungewöhnlich hart arbeitete« (48); »er wurde niemals wegen Untüchtigkeit hinausgeworfen« (167); »gründlich und genau« (16); »müßig zu sein, ist nach ihrer Vorstellung die schrecklichste Qual« (140).

Von 48 Zitaten, die vorbildliches Benehmen gegenüber anderen Menschen erwähnen, nennen alle 48 »Zusammenarbeit«, »Umgänglichkeit« und »ein sportsmännisches Wesen«. Immer wieder tauchen Adjektive wie »großzügig«, »umgänglich« und »kooperativ« auf. Ein Baseball-Manager ist »jederzeit bereit, Leute zu empfangen, umgänglich und hat immer Zeit für Besucher« (27). Der »umgängliche« Leiter der Paßabteilung (8), der Arbeitsminister, eine »reizende Gastgeberin« (22), der republikanische Präsidentschaftskandidat mit seiner »Leutseligkeit und seinem Interesse an anderen Menschen« (133), der Stierkämpfer, »heiter, freundlich und gastfrei« (116), eine gewandte Schauspielerin, die »liebenswürdig und freundlich« ist (140) – sie alle sind Mitglieder einer großen, glücklichen Familie, deren Liebenswürdigkeit und Einklang untereinander keine Grenzen kennt. Wie der Conférencier Don James scheinen sie alle »große und überfließende Herzen« zu haben (127).

Nur sehr wenige Stellen beziehen sich auf nicht gebilligte Charakterzüge. Am stärksten ist die Kritik an unbeherrschten Gefühlsäußerungen vertreten. Es wird als ganz entsetzlich hingestellt, daß einer unserer Baseballstars »keinen Spaß versteht, wenn er ein Spiel verliert« (52), daß es eine Filmschauspielerin »nicht verträgt, ausgelacht zu werden« (105) und daß das »Verhältnis unseres Arbeitsministers zur Öffentlichkeit schlecht ist« (22). Mit großer Mißbilligung wird unkontrolliertes Benehmen vermerkt wie »Reizbarkeit und Barschheit« (32), »eine schnelle, oft wütende Gereiztheit« (117), »Unausgeglichenheit« (56), oder auch nur »eine etwas schwierige Persönlichkeit« (117). Solche Fehler können nur dann hingenommen werden, wenn sie außergewöhnlich sind wie der Mensch, der »nur einmal die Kontrolle über seine Gefühle verlor« (23).

Die menschliche Individualität verflüchtigt sich in dieser Zusammenstellung »normaler« Verhaltensweisen. Durch die Ablehnung aller starken Gefühlsäußerungen wird das Verhalten der Menschen nivelliert. Wer sich schlecht einordnen kann und temperamentvoll ist, erhält eine schlechte Zensur. Daß Liebe und Leidenschaft in unserem Katalog menschlicher Beziehungen fehlen, entspricht diesem Katalog menschlicher Eigenschaften. Es ist eine Welt voller Abhängigkeitsverhältnisse. Die gesellschaftlichen Konsequenzen dieser Tatsache sind von großer Bedeutung. Denn ihrer gesellschaftlichen Stellung nach sind die meisten unserer Helden entweder ihr eigener Herr oder stehen in der gesellschaftlichen Rangordnung so hoch, daß ganze Welten sie von dem Durchschnittsangestellten trennen. Aber die wenigen Großen sind im Grunde gar nicht von den vielen Kleinen verschieden. Nimmt man sie als Gruppe, dann verkörpern sie nicht die Ausnahme, sondern stellen in einem typischen Querschnitt die sozialpsychologische Lage des Menschen in der modernen Gesellschaft dar.

Die angeführten Beispiele aus unserer Liste der Charakterzüge machen verständlich, warum wir so viel Wert auf die Tatsache legen, daß es in dem Menschenbild der Biographien keine Entwicklung und keine Einsamkeit gibt. Der Durchschnittsmensch ist nie allein und will es auch nicht sein. Seine soziale und psychologische Geburt vollzieht sich im Kollektiv, in den Massen. Seine menschliche Bestimmung scheint in einem Leben beständiger Anpassung zu bestehen: Anpassung an die Welt durch Tüchtigkeit und Fleiß; Anpassung an die anderen Menschen, indem man liebenswürdig und umgänglich erscheint und alle anderen Züge in sich unterdrückt. Es gibt kein religiöses oder philosophisches System, von dem aus die Charaktereigenschaften klassifiziert und bewertet werden. Unsere Menschenwelt wird nicht überstrahlt von den Begriffen Gut und Böse, Güte und Sünde, Wahrheit und Lüge, Opferbereitschaft und Selbstsucht. Das Charakterbild, das in diesen Biographien positiv bewertet wird, ist das des gut ausgebildeten Angestellten aus kleinbürgerlicher Familie. Unsere Leute könnten eine imaginäre Welt von Technokraten bevölkern. Jeder scheint einen strengen Kodex anpassungsfähiger Eigenschaften zu verkörpern. Dieser Kodex gibt die starre und mechanische Grundlage für eine Fülle von nützlichen, mechanischen Institutionen ab. Hinter der glatten Maske von Erziehung und Anpassung lauert die Vorstellung von einem menschlichen Roboter, der nichts von sich aus tut, sondern nach dem Willen seiner Hersteller die Glieder in der nun einmal vorgeschriebenen Richtung bewegt.

Früher bedurften nur die Kranken einer Leitung, weil man wußte, daß ihre Symptome denen vieler anderer glichen. Heute ist jeder in dieselbe Abhängigkeit verstrickt. Der Stolz, ein Mensch mit eigenen Überzeugungen und Interessen zu sein, wird als Abnormalität gebrandmarkt. Das Interesse für den Konsum anderer drückt mangelndes Interesse an echtem Konsum aus. Die genaue Charakterbeschreibung offenbart die gleiche Haltung passiver Hinnahme, die sich bereits in der Vorstellung von Seelen ohne Geschichte andeutete.

IV Die Sprache

Superlative

Unsere Analyse wäre unvollständig, wenn wir nicht auch der Sprache der Biographien, die verschiedene charakteristische Züge aufweist, einige Aufmerksamkeit widmeten. Das hervorstechendste Merkmal ist der Superlativ.[14] Ist man einmal dieses Stilmittels gewahr geworden, kann man es nicht mehr übersehen.

Die Helden selbst, ihre Kenntnisse und Erfahrungen, ihre Freunde und Bekannten werden als einzigartige Wesen und Ereignisse beschrieben. Die Anwendung dieses Stilmittels verleiht dem Biographen ein gutes Gewissen: Der Superlativ macht aus Durchschnittsmenschen außergewöhnliche Persönlichkeiten. Muti ist der »fanatischste unter allen Faschisten« (114). Dr. Brinkley ist »der bekannteste Arzt in den Vereinigten Staaten« (3). Ein anderer Held ist »heute unser erfolgreichster Filmschauspieler« (121). Ein anderer ist »nicht nur der größte, sondern überhaupt der erste Mensch mit richtigem Zirkusblut in der Familie Ringling« (26). Wir treffen auf einen General, der »einer der besten Mathematiker nach Einstein ist« (107). Ferner gibt es einen Leitartikler mit »einer der seltsamsten Liebesgeschichten« (9) und einen Politiker mit »der aufregendsten Tätigkeit in der Welt« (144). Man findet auch negative Superlative. Von einem Sportler wird gesagt, daß er »einst unter allen seinen Kollegen der lauteste und der mit der gemeinsten Ausdrucksweise war« (2). Ein Journalist ist »einer der empfindlichsten Menschen im ganzen Lande« (28). Jemand anders ist »eine der unglücklichsten Frauen, die je lebte« (154).

14 Eine Untersuchung des Verfassers über populäre deutsche Biographien weist nach, daß auch sie durch den Gebrauch von Superlativen charakterisiert sind. Die Bücher von Emil Ludwig, Stefan Zweig und anderen stehen auf einem anderen geistigen Niveau, aber für sie gelten vermutlich die gleichen soziologischen Implikationen wie für die Zeitschriftenbiographien. Siehe Leo Löwenthal, »Die biographische Mode«, Kap. V dieses Bandes.

Als ob der Biograph sich selbst und sein Publikum davon überzeugen müßte, daß er wirklich einen ganz außergewöhnlichen Menschen vor sich hat, ist er zuweilen nicht mit einem Superlativ pro Satz zufrieden, sondern muß gleich mehrere in eine Zeile hineinzwängen. Pittsburgh Phil ist »der berühmteste und am meisten gefürchtete Pferdewetter in Amerika« (23). Die Deutsche Arbeitsfront ist »die am besten geführte, aufgeklärteste und mächtigste Arbeiterorganisation in Europa« (21). Der Produzent Lorentz »fordert die besten Manuskripte, die beste Musik und die beste zur Verfügung stehende technische Ausrüstung« (126). Der Baseballmanager Clark Griffith war »der vielseitigste Star in der vielseitigsten Baseballmannschaft« (2). Tilden ist ». . . der größte Tennisspieler und der prachtvollste Bursche in der Welt« (111).

Diese großzügige Verteilung von Lobsprüchen führt sich selbst ad absurdum. Alles ist einzig, unerhört und hervorragend. Deshalb ist zuletzt nichts mehr einzig, unerhört und hervorragend. Die Allgegenwart der Superlative ist nichts anderes als die Allgegenwart des Mediokren. Die Darstellung menschlichen Lebens hat das Niveau der Anpreisung von Waren. Das lebenslustigste Mädchen entspricht der besten Zahnpasta und die höchste Ausdauer im Sport den wirksamsten Vitaminspritzen. Die einzigartige Leistung eines Politikers wird mit denselben Worten beschrieben wie die unübertroffene Leistungsfähigkeit eines Autos. Eine prästabilierte Harmonie waltet zwischen den Gegenständen der Massenproduktion in den Anzeigenspalten und den biographischen »Gegenständen« im Feuilleton. Die Sprache der Werbung hat die Sprache der Bewertung verdrängt. Nur das Preisschildchen fehlt noch.

Der Superlativ stellt den Leser sozusagen zwischen zwei Stühle. Er versucht zwar dankbar, mit diesen Mustern menschlicher Vollkommenheit vertraut zu werden. Er kann auch stolz darauf sein, daß diese wunderbaren Wesen in der Hauptsache nichts anderes tun, als ihn zu unterhalten. Wenigstens in seiner Freizeit hat er die beste Gesellschaft zu seiner Verfügung. Aber es gibt für ihn keinen Weg, sich mit den Großen wirklich zu identifizieren oder ihrem Erfolg nachzueifern. Wie die Erfolgsgeschichten selbst zeigt also auch der Superlativ, daß der Bildungsgedanke und all die anderen optimistischen Vorstellungen fehlen, die die Biographien während der Ära des Liberalismus einmal kennzeichneten. Was auf den ersten Blick als eine recht harmlose Welt der Unterhaltung und des Konsums erscheint, erweist sich bei näherer Betrachtung als ein Reich seelischen Terrors, in dem die Massen die Geringfügigkeit und Bedeutungslosigkeit ihres Alltagslebens einzusehen haben. Das schon geschwächte Individualitätsbewußtsein erhält durch die pseudoindividualisierende Kraft der Superlative einen weiteren schweren Schlag. Werbung und Terror, Einladung zur Unterhaltung und Aufforderung zur Bescheidenheit bilden in der Welt der Superlative eine unauflösliche Einheit. Der Biograph erscheint in der Rolle eines Ansagers für lebende Attraktionen und eines Predigers menschlicher Bedeutungslosigkeit.

Gehobene Sprache und Alltagssprache

Die Wirkung, die von dem Gebrauch der Superlative ausgeht, wird durch häufige Anspielungen auf mythische und historische Beziehungen verstärkt. Auf diese Weise soll anscheinend den nichtigen Inhalten der modernen Massenkultur eine Pseudoweihe und eine Pseudogewißheit verliehen werden. Clark Gable macht nicht einfach Karriere, sondern er lebt die »Gable Saga« (6), und die Filmschauspielerin Joyce erlebt wenigstens eine »kleine Saga« (110). Auf Ilka Chase wie auf Hildegarde findet das Wort »historisch« Anwendung (140 und 135). Dem Ballspieler Novikoff stoßen »fabelhafte« Ereignisse zu (158). Das Schicksal der Schauspielerin Morison gehört »der Geschichte« an (162). Der Filmproduzent Wallis (166) und der Baseballspieler Allen (45) erleben »Wunder«. Der Baseballmanager Griffith erfährt »Baseballschicksal« und vollbringt »eine strategische Leistung von geschichtlicher Bedeutung« (2). Die griechische Mythologie gehört zu den Lieblingsthemen: Clark Gable lebt in »olympischen Regionen«. Sowohl die Paßstellenleiterin Shipley (8) als auch der Erfinder Taylor (167) haben eine »herkulische Aufgabe«. Der Produzent Todd wird als »Archon« apostrophiert (131) und der eben erwähnte Taylor als »Orpheus« (167). Das Christentum und das Mittelalter werden für Dorothy Thompson bemüht, der jemand »wie ein Ritter mit einem heiligen Schwert« zu Hilfe kommt (9). Der Nationalsozialist Ley ist der »Jakob der deutschen Arbeiterschaft«, während »die Arbeiterschaft selbst Esau ist« (21). Vizepräsident Wallace wird mit »Joseph, einem Träumer von Träumen« verglichen (38). Casals ist ein »guter Samariter« (106). Der Überschwang der Biographen kennt keine Grenzen. Ruth Hussey »sah manchmal ein wenig wie Buddha aus« (151) und der Kabarettist Rose wie »ein Priester des Osiris« (43). So werden Mythen, Legenden, Sagas, Schicksale und Wunder in endloser Reihenfolge beschworen.[15] Aber im selben Augenblick, in dem die Helden mit der Glorie ehrwürdiger Symbole umgeben werden, werden sie auch wieder durch Ausdrücke aus dem Slang und der Umgangssprache auf unser Niveau herabgedrückt. Der Karikaturist McCutcheon könnte mit Recht als der »König« seines Inselbesitztums bezeichnet werden, aber wir hören, daß »dieses Königtum eine sichere Geldanlage ist« (1). Fletcher, der Geschichte machte, »ist auch eine wirklich ehrliche Haut« (7). Swing wird einerseits als »Apostel« bezeichnet, andererseits kann er »von allen Radioleuten die Hörer am besten einwickeln« (42). Als Tafts Vater Präsident war, »paßte ihm die Krone von Roosevelt I. wie ein falscher Zopf für 10 Mark« (101). Wir hören von einem Boxer, der »es ganz einträglich findet, tapfer zu sein« (12), und von »Klatschgeschichten – das Dutzend für einen Groschen« (23). An anderer Stelle ist die Rede von einem »persönlichen Blitzkrieg« (29) oder von »genügend Wählerstimmen, um einen ganzen Schwarm von Mitbewerbern hinter sich zu lassen« (109). Man liest von »den Moguln des Zelluloidstreifens« (137) und von »jenem Genius Geschäft« (152). Den historisierenden Lobeshymnen, durch die die Helden verklärt werden, entsprechen die Film»paläste« und Sport»stadien«. Eine gewaltige Fassade wird errichtet, ein »imaginärer Ballsaal«, wie ein Sender in der Ankündigung eines Swing-Programms sagt. Aber hinter der Fassade der Sprache herrschen genau wie hinter der

15 In ihrem bereits zitierten Werk zeigt sich Helen McGill Hughes der Tatsache bewußt, daß die mit den »klassischen« Namen verbundenen Assoziationen eine anregende Wirkung auf die von ihr als »städtisch« bezeichnete Schicht ausüben. Sie schreibt: »Von der Massenliteratur seiner Zeit her gesehen, lebt der moderne Mensch in der Gegenwart. Und wenn die Gegenwart vergeht, wird das, was für ihn aktuell war, in großem Umfang und sehr rasch von neuen Aktualitäten abgelöst. Aber was ihn fasziniert, ist die aktuelle Geschichte – die wahre Geschichte – selbst wenn sie Blaubart oder Romeo und Julia so genau wiederholt, daß die Überschrift das Neueste gerade durch die Erwähnung der bekannten Namen ankündigen kann. Das Interesse des gewöhnlichen Menschen der modernen Welt an dem Allzumenschlichen verleitet ihn dazu, Märchen oder sogar die Klassiker zu lesen, so langweilig und unrealistisch er sie an sich findet, wenn sie als die Lebensläufe von Elektras, Macbeths und Moll Flanders' des 20. Jahrhunderts dargeboten werden. Denn all sein Interesse gilt den Dingen, die vom Gewohnten abweichen und neu sind« (S. 183).

äußeren architektonischen Aufmachung eine Fülle von Techniken, Kniffen und Tricks. Nichts ist zu kostspielig oder zu billig, wenn es nur dazu dient, zu unterhalten oder unterhalten zu werden.

All die Surrogate, die an die Stelle wirklich originaler Schöpfungen getreten sind, bedürfen einer Sprache, die an die Stelle klärender, aufdeckender und anregender Begriffe einen sprachlichen Mischmasch setzt, der zugleich die Illusion einer althergebrachten Tradition und eines In-allen-Sätteln-gerecht-Seins erzeugen möchte. Diese neue literarische Gattung hält sich an die höchsten künstlerischen Ansprüche. Sie zeigt eine innere, notwendige, untrennbare Verbindung von Form und Inhalt, Ausdruck und Ausgedrücktem, kurz, sie ist ein sprachliches Gebilde, das keine klare und scharfe Trennung zwischen den Worten und ihren Bedeutungen erlaubt. Als literarische Gattung betrachtet sind diese Biographien wahr.

Die Wendung zum Leser

Die Pseudoindividualisierung der Helden entspricht der Pseudoindividualisierung der Leser. Zwar ist die Auswahl der Helden, die Zusammenstellung der Tatsachen aus ihrem Leben und die Sprache der Berichte genormt, doch soll der Superlativ dieser Tendenz entgegenarbeiten, indem er den gewählten Helden als mit besonderen Eigenschaften ausgestattet erscheinen läßt. Ihre Krönung und ihren Abschluß findet diese Pseudoindividualisierung in dem Stilmittel der direkten Anrede, als ob sie eine persönliche Botschaft an den Leser enthalte. Ob freundlich oder herablassend, jeder wird persönlich eingeladen, an dem Schauspiel dieses hervorragenden Lebens Anteil zu nehmen. Ein Mensch begegnet einem anderen, und der Biograph vermittelt die Bekanntschaft.

Der Trainer Fletcher und seine Frau »können nur durch ein Telegramm erreicht werden, vorausgesetzt, daß Sie ihre Anschrift wissen« (7). Für einen Verehrer von Brenda Joyce heißt es: »Wenn Sie zur rechten Zeit kommen, können Sie den Gebrauchtwagen sehen, den sie gekauft hat« (110). Im Hinblick auf eine Wahlkampagne heißt es: »Wenn Hull und Taft Kandidaten sind, wird weder Ihre Leidenschaft erregt, noch Ihr Schlaf durch sie gestört werden.« (109) Die Verehrer eines Filmstars werden aufgefordert: »Setzen Sie sich zu Bill Powell und hören Sie seiner Geschichte zu« (112). Oder es heißt:

»Vielleicht möchtet ihr Mädchen wissen, wie Clark Gable zu diesem Ziel gelangte« (6). Als der Verfasser berichtet, wie McCutcheon seine Insel erwarb, neckt er den Leser: »So, Sie wollen also König sein?« (1). Dem Autofahrer wird versichert: »Wenn Sie auf einer Hauptstraße fahren, können Sie Johnsons Restaurants einfach nicht übersehen« (37). Von Sir Willmot Lewis, dem Korrespondenten der Londoner *Times*, heißt es: »Halten Sie ihn auf der Pennsylvania-Avenue an. Er wird stehenbleiben und zu Ihnen sprechen, als ob Sie fünfhundert Zuhörer wären« (49). Schiedsrichter Klem »kennt die Fülle der Baseballregeln besser als Sie das Alphabet« (104). »Meine Liebe, täuschen Sie sich nicht, die Nachtklubsängerin Moffet hat die besten Schulen besucht« (119). Aber wir dürfen auch ihre Kollegin Hildegarde nicht vernachlässigen: »Wenn Sie sie noch nicht gehört oder gesehen haben, wie können Sie dann so ruhig sitzen? Eilen Sie, und schaffen Sie Abhilfe!« (135) Der Biograph von Casals ist nicht ganz so gebieterisch: »Lernen Sie den blonden Cellisten aus Spanien kennen« (106). Verläßlichkeit ist der Inbegriff von Geraldine Fitzgeralds Charakter: ». . . auf ihr Wort können Sie Häuser bauen« (105).

Die direkte Anrede hat eine ähnliche Wirkung wie der Superlativ: Sie erhebt und beschämt zugleich. Der Leser erfährt nicht nur intime Einzelheiten über die Gewohnheiten des Helden beim Essen, Spielen und Geldausgeben, sondern er hat auch noch das Vergnügen, in persönlichem Kontakt mit seinem Vorbild zu stehen. Hier findet sich nichts mehr von der Verehrung und dem gemessenen Abstand, den der Leser klassischer Biographien gegenüber dem Staatsmann, dem Dichter oder dem Wissenschaftler vergangener Zeiten zu wahren hatte. Die aristokratische Atmosphäre einer Ahnengalerie einsamer Träger außergewöhnlicher Leistungen scheint durch eine demokratische Versammlung ersetzt zu sein, in der es keiner besonderen Ehren für und keiner Kniefälle vor den Großen mehr bedarf.

Aber bei aller Leichtigkeit des Zutritts fehlen die drohenden Züge nicht. Das »Du« ist nicht nur die freundliche Geste bei der Vorstellung, sondern auch die mahnende und fordernde Stimme einer höheren Instanz, die dem Leser klarmacht, daß er gehorchen und sich fügen muß. Die direkte Anrede läßt das Streben nach totaler Erfassung durchscheinen, das allen modernen Massenmedien gemeinsam ist. Die Anrede des einzelnen Lesers meint alle Leser.

Die Zeitschriftenbiographien haben eine immer weitere Verbreitung
gewonnen. Doch vollzog sich diese Entwicklung parallel zu einem
Prozeß der inneren Verarmung. Sie sind heute zu einer ständigen
Einrichtung in vielen Zeitschriften geworden, deren Leserschaft nach
Millionen zählt. Es ist bezeichnend, daß *Saturday Evening Post* und
Collier's mitten im Zweiten Weltkrieg ihren Verkaufspreis auf das
Doppelte heraufsetzen konnten, ohne daß ihre Auflagenhöhe ernstlich darunter litt. Aber während einerseits die Zahl der Biographien
immer größer wurde, engte sich andererseits ihr Gesichtskreis immer
einseitiger auf das spezielle Gebiet der Unterhaltung ein. Stellen wir
uns noch einmal die Frage, welchem gesellschaftlichen Bedürfnis sie
dienen, so läßt sich vielleicht eine Antwort finden, wenn wir von
dieser Verbindung einer quantitativen Vermehrung mit einer qualitativen Verschlechterung ausgehen.

Man kann folgende Hypothese über die pseudoerzieherische und
pseudowissenschaftliche Aufgabe der volkstümlichen Biographie
formulieren: Die Aufgabe des Soziologen besteht, ganz allgemein
gesprochen, darin, die verborgenen gesellschaftlichen Prozesse und
die Wechselbeziehungen zwischen gesellschaftlichen Erscheinungen
aufzudecken. Dem Durchschnittsleser, der sich wie ein ernsthafter
und unabhängiger Forscher mit einem bloßen Konglomerat von
Fakten oder Begriffen nicht zufriedengeben mag, sondern wissen
möchte, welchen Sinn das alles hat, scheinen diese Biographien ein
Verständnis für die individuellen oder gesellschaftlichen Geheimnisse
der Geschichte zu eröffnen. Aber es ist nur eine Illusion. Denn die
Individuen, deren Lebensläufe er betrachtet, sind weder charakteristisch für die Geschichte, noch werden sie so dargestellt, daß sich von
ihrem Leben her ein Verständnis für die gesellschaftlichen Vorgänge
erschließt. Wir gelangen eher zu einem Verständnis für die Haltung
des Lesers, wenn wir die Biographie als Mittel einer scheinhaften
Erwachsenenbildung ansehen. Das Bedürfnis nach gesellschaftlichem
Prestige, das schon während der Schulzeit in die Menschen einge-
pflanzt wird, treibt sie immerzu an, sich um die höheren Werte des
Lebens und insbesondere um ein kompletteres Wissen zu bemühen.
Aber die Biographien verfälschen dieses Bildungsstreben, indem sie
dem Leser Erfahrungen anbieten, die zwar als Bildungsgüter dekla-
riert sind, sich aber bei näherem Zusehen als unecht erweisen.

Die wichtige Rolle, welche die Vertrautheit für alle Erscheinungen der Massenkultur spielt, kann nicht genügend betont werden. Die ständige Wiederholung vertrauter Schemata bereitet den Menschen erhebliche Befriedigung. Demgemäß gibt es nur eine ganz beschränkte Anzahl von Handlungsmustern und Problemen, die in erfolgreichen Filmen und Kurzgeschichten immer und immer wieder wiederholt werden. Sogar die sogenannten aufregenden Augenblicke bei Sportveranstaltungen ähneln sich in hohem Grade. Jeder weiß, daß er mehr oder minder dieselbe Art Geschichte und dieselbe Art Musik hören wird, wenn er das Radio einschaltet. Aber es hat niemals eine Auflehnung gegen diese Tatsache stattgefunden. Kein Psychologe ist aufgetreten, der gezeigt hätte, daß die Gesichter der Massen von Langeweile gezeichnet sind, wenn sie an diesen schematischen Zerstreuungen teilnehmen. Da der Arbeitstag des Durchschnittsmenschen nach einem Schema abläuft, das oft während des ganzen Lebens keine Änderung zeigt, darf man vielleicht annehmen, daß der schematische, an Wiederholungen reiche Ablauf der Freizeitbeschäftigungen als eine Art Rechtfertigung und Verklärung des Arbeitstages dient. Das unvermeidliche Schema erscheint als etwas Schönes und Angenehmes, wenn es nicht nur den durchschnittlichen Tagesablauf, sondern auch den durchschnittlichen Spätnachmittag und Abend beherrscht. Der Horizont wird in unseren Biographien nicht bis zu der Sphäre des Unbekannten hin erweitert, sondern er ist mit Gestalten aus der uns bekannten Welt verstellt. Den Filmschauspieler auf der Leinwand haben wir schon vorher gesehen, genauso wie die Karikaturen des begabten Zeichners. Wir haben auch schon gehört, was der Radiokommentator uns sagen kann, und sind bestens informiert über die Leistungsfähigkeit von Boxern und Baseballspielern. Die Biographien wiederholen nur, was wir schon immer wußten.

Die Prophezeiung von André Maurois hat sich als falsch erwiesen: »Wir werden wieder Zeiten sozialer und religiöser Gewißheit erleben, in denen nur wenige intime Biographien geschrieben und panegyrische Werke an ihre Stelle treten werden. Später werden wir wieder in eine Periode des Zweifels und der Verzweiflung geraten, in denen die Biographien wieder als eine Quelle des Selbstvertrauens und der Selbstbestätigung auftauchen werden.«[16] Wenn der Leser so

16 André Maurois, Aspects of Biography, New York 1939. S. 203.

offensichtlich den Doppeleffekt liebt, daß er durch die Lebensgeschichten seiner Unterhalter unterhalten wird, so muß in ihm ein unwiderstehlicher Drang danach liegen, etwas in seinen Geist aufzunehmen, das er wirklich festhalten und völlig verstehen kann. Franklin Bobbit schreibt über den Einfluß der Lektüre: »Man kann im allgemeinen sagen, daß der Mensch sich auch um die Angelegenheiten, die für ihn von grundlegender Bedeutung sind, kaum kümmert, solange sie ihm nicht Probleme aufgeben.«[17] Im Hinblick auf unsere Biographien gewinnt diese Bemerkung eine ironische Nebenbedeutung, denn man kann kaum sagen, daß »Angelegenheiten von grundlegender Bedeutung« uns heute keine Probleme aufgäben. Trotzdem kümmert man sich kaum um sie, es sei denn, man wollte behaupten, daß die Eltern unserer Helden, ihre Neigungen und Abneigungen bei Tisch und im Spiel und weithin auch ihre Berufe als bedeutende Angelegenheiten des Zweiten Weltkrieges anzusehen seien. Aber der Abgrund zwischen dem, was ein durchschnittlicher Mensch tun kann, und den Kräften und Mächten, die tatsächlich über sein Leben entscheiden, ist so unüberbrückbar geworden, daß er bereitwillig in die Identifikation mit der Mittelmäßigkeit, ja selbst der philiströsen Langeweile ausweicht. Für den kleinen Mann von der Straße, dem der Traum des Horatio Alger ausgetrieben worden ist, der daran verzweifelt, das Dickicht der hohen Strategie in Politik und Geschäftsleben zu durchdringen, bedeutet es einen Trost, wenn seine Helden ein Haufen netter Kerle sind, die Highballs, Zigaretten, Tomatensaft, Golf und Partys mögen oder nicht mögen – wie er selber. Er weiß, wie er sich im Bereich des Konsums verhalten muß, und hier kann er auch keine Fehler machen. Sein Gesichtskreis hat sich verengt. Aber gerade dadurch erfährt er die Befriedigung, daß er an den Sorgen und Freuden der Großen teilnimmt und in seinen eigenen Sorgen und Freuden bestätigt wird. Die großen und verwirrenden Probleme der Politik und Wirtschaft und die sozialen Gegensätze und Auseinandersetzungen treten für ihn hinter dem Erlebnis zurück, daß er sich mit den Großen und Erhabenen in der Welt des Konsums eins weiß.

17 Franklin Bobbit, Major Fields of Human Concern, zitiert nach Gray und Munroe, a. a. O., S. 47.

Liste der benutzten Biographien

The Saturday Evening Post

Datum	»Held«	Beruf	Nr.
6. 4. 40	John T. McCutcheon	Karikaturist	1
13.,			
20. 4. 40	Clark Griffith	Baseballmanager	2
20. 4. 40	John R. Brinkley	Arzt	3
4. 5. 40	Robert Taft	Senator	4
4. 5. 40	Jack Johnson	Boxer	5
4. 5. 40	Clark Gable	Filmschauspieler	6
11. 5. 40	Art Fletcher	Baseballtrainer	7
11. 5. 40	Mrs. Shipley	Leiterin der Paßabteilung im Außenministerium	8
18.,			
25. 5. 40	Dorothy Thompson	Leitartiklerin	9
25. 5. 40	Richard A. Ballinger	Früherer Innenminister	10
8. 6. 40	Bobby Jones	Golfspieler	11
22. 6. 40	Bob Donavan u. a.	Boxer	12
22. 6. 40	Bob Allman	Ringer	13
22. 6. 40	Daisy Harriman	Botschafterin	14
6. 7. 40	Oche Tone	Einwanderer aus der Slowakei	15
13. 7. 40	Ullstein GMBH	Verlagshaus	16
20. 7. 40	Hitler	Führer des 3. Reiches	17
20. 7. 40	Jimmy Byrnes	Senator	18
27. 7. 40	Satchel Page	Baseballspieler	19
27. 7. 40	Angas	Finanzberater	20
27. 7. 40	Dr. Robert Ley	Führer der Deutschen Arbeitsfront	21
27. 7. 40	Frances Perkins	Arbeitsminister	22
3., 10., 17.,			
24. 8. 40	Pittsburgh Phil	Berufswetter (Pferde)	23
14., 21.,			
28. 9. 40	Alfred P. Sloan Jr.	Geschäftsmann	24
17. 8. 40	D'Arcy Grant	Weiblicher Schiffskapitän	25
24. 8. 40	John Ringling North	Präsident des Ringling-	

Exkurs
International Who's Who 1937

Man könnte wohl fragen, ob der liberalistische Harmonieglaube heute wirklich nicht mehr gilt. Wie, gerade in dieser Zeit sollte der Glaube an die Chance der freien Entfaltung der Person, sollte der zum eisernen Bestand gehörige individualistische Lehrsatz vom Lebensrecht und der Lebenskraft eines jeden, vom Marschallstab und von der freien Bahn, seinen gesellschaftlichen Grund verloren haben? Gerade jetzt soll es zur Regel, zum Durchschnittsschicksal werden, daß die Menschen sich wie Herden gruppieren, unterschieden nur für den Züchter durch die Farbe ihrer Haut, durch den Schnitt ihrer Wolle; bloßes Material, ohne die Gabe der Spontaneität? Der nächste Blick auf die Zeitläufe und in die Zeitungen scheint den Gedanken vom Ende, selbst von der Krise der liberalistischen und individualistischen Phase zu widerlegen:

Individualität zeigt sich zunächst durch einen Namen an; sie ist ungenügend beschrieben, wo man sie nur ihrer Gattung zuweist. Ein richtiger Begriff von ihr entsteht erst, wo sie als das eigentümliche Exemplar, das bloß sie selber und kein anderes ist, fixiert wird. Im Zeichen des Namens hat sich ein Zeitalter etabliert, das geradezu im Rausch der Individualität leben muß. In der Renaissance wird ja bekanntlich das Individuum entdeckt; Schüler und Studenten und noch die Erwachsenen entdecken sich dauernd nach jenem historischen Muster. Vertraut ist jene kultivierte Ausdrucksweise gebildeter Leute, wo sie einen auftrumpfen sehen oder es selber gar möchten, von der Natur des Cesare Borgia, wo sie sich um erotische Entdeckungen bemühen, von der Lucretia zu sprechen, und vertraut jene Dokumentierungen des guten und gepflegten Geschmacks, welcher in seinem privaten und öffentlichen Bekanntenkreis lauter Gesichter, Gliedmaßen und Seelen, die von den Pinseln Botticellis, Raphaels, Dürers und Holbeins, die von den Meißeln und Messern Donatellos und Riemenschneiders herzurühren scheinen, erblickt, als ob es sich um ebensoviele Reinkarnationen der Meister und ihrer Individualitäten handelte. Immerhin gehört das eher einer bereits zu Ende gehenden Phase an, einer Art Bescheidenheit, wo der eigene Name besser dran war, wenn er hinter dem älteren und bewährten zurücktrat. Zudem war bis vor einiger Zeit das Bewußtsein nicht nur von Antike und Mittelalter, sondern auch von der jüngeren Vergangenheit noch in sachlichen Begriffen wie Absolutismus, Gegenreformation, Französische Revolution, neunzehntes Jahrhundert erfüllt. Wenn einer Cromwell oder Robespierre sagte, wo er die bürgerlichen Revolutionen meinte, hat das als leicht preziös gegolten, als elegant frisierter Hinweis auf bewegende geschichtliche Kräfte und Mächte, mit denen man vertraulich umging.

Alle sind wir zwar noch nicht Brüder, aber insofern doch keine Fremden mehr, als wir von vielen von uns die Namen erfahren. Der Mensch tritt aus dem Dunkel der Geschichte in das Licht der Scheinwerfer und Projektionsapparate, die seine besonders benannte Individualität verraten. Die Programmanzeigen der Kinotheater verwalten Würde und Eigenheit des einzelnen. Sie verweisen nicht nur auf die Namen der Regisseure und Schauspieler, sondern teuer wird uns auch noch, und für Sekunden wenigstens vertraut, wer die Glühbirnen einschraubt und der Diva das Kleid näht; wer in der Dunkelkammer mit den Säuren und wer abseits der Aufnahmeapparate mit den Maschinchen hantiert, welche Eisenbahnen, Kuhglocken oder Explosionskatastrophen nachahmen können. Die Presse bleibt dahinter kaum zurück. Wo einst die Rede war von Großmächten, von wirtschaftlichen Konstellationen, von Parteien, treten jetzt zwar auch diese noch auf, aber sie tragen die Namen von Staatsmännern, Parteikämpfern, Wirtschaftsführern und allen ihren Helfershelfern, die beständig dieses oder jenes sagen. Die johanneische Botschaft, im Anfang war das Wort, wird tausendfach heute wiederholt, und wenn die Zeitung gleich auf der ersten Seite ihrer täglichen Schöpfungsgeschichte berichtet, was Mr. Smith und Reverend Jones äußern, als ob das die Welt des Kreatürlichen um ein Neues bereichert hätte, dann scheint wirklich die religiöse Botschaft völlig konkretisiert zu sein, daß der Mensch nach dem Ebenbilde Gottes geschaffen ist. Nicht nur, wer in die Zeitung kommt, weil ihm zu sagen etwas vergönnt war, gehört zum Kreise der Genannten. Es ist schon lange nicht mehr wahr, daß nur von denen die Rede ist, die zur Gesellschaft gehören und die auf die Weise unter sich bleiben, daß sie es die Zeitungen und die Zeitungen uns wissen lassen, wie sie es tun. Gewiß hat der Radioansager einen Anspruch darauf, daß wir erfahren, wem diese Stimme angehöre; aber er zieht zu sich hinauf, zum Kreise derer, die etwas Besonderes zu geben haben, auch jeden, mit dem er sich vor dem Mikrophon zu schaffen macht: die Dilettanten und Amateure, die großen und kleinen Musiker; die Reporter der Sportspiele und die Stadtparlamente wissen, wer sie sind und was sie uns geben, und wir wissen es – ihr Name wird uns nicht verschwiegen. Das geht alles noch viel weiter. Wer spricht von dem grauen Heer der Angestellten! In manchen Ländern nennt ein Schild am Fahrkartenschalter den Namen des Beamten, ein Schild auf dem Schreibtisch im Vorzimmer des Direktors den Namen der Sekretärin, ein Schild an den Brustta-schen von Liftjungen und Autobusschaffnern, von Friseuren und Friseusen, von Barkellnern und Tankstellenwärtern die Namen ihrer Träger; bei einigen von ihnen hilft noch ein handschriftlich gezeich-netes Formular in der Nähe ihres Arbeitsplatzes, auf welchem sie sich zur Einhaltung sämtlicher menschlicher Tugenden verpflichten, uns die Präsenz einer Persönlichkeit anzumelden. Wer hätte sich nicht schon der Behutsamkeit gefreut, mit der ein jeder eines jeden Mitmenschen besondere Lebenskurve respektiert, wenn er zu sei-nem Geburtstag die Gratulationsbriefe nicht nur seiner Freunde, sondern auch seiner Versicherungsagenten erhält? Der »human touch« hat die Reklame veredelt. Das gute Herz des Bauunterneh-mers hat jenes hübsche Häuschen gerade für dieses Paar erstellen wollen; der treusorgende Bankvorsteher teilt dir persönlich mit, wie sehr ihm an deinem Wohl und dem Wohl der Deinigen gelegen ist. In der modernen Reproduktionstechnik vermag man durch ein bestimmtes Druckverfahren Briefe so zu vervielfältigen, daß jeder einzelne aussieht, als ob er individuell auf einer Schreibmaschine geschrieben worden wäre. Das einzige, was an ihm individuell ist, ist der Kopf des Empfängers, der so auf der Schreibmaschine eingesetzt werden kann, daß nicht der leiseste Unterschied zwischen diesem geschriebenen und jenem gedruckten Briefteil sichtbar wird. Der Trick wird von manchen Empfängern durchschaut, von vielen nicht. Sie glauben wirklich, nicht nur der Kopf des Briefes, auch seine Substanz sei ihnen und nur ihnen allein zugedacht.

Der Abglanz der Individualität, die verlangt, daß man ihren Namen sich merke, schimmert gewiß nicht nur in den umrissenen Bezirken, wo das Private auswendig wird: auswendig gelernt wird. Es ist von drastischer Ironie, daß all die Schläge, die das liberalistische Staaten- und Kultursystem erleidet, daß die Gegnerschaft zu den individuali-stischen Idealen der bürgerlichen Revolution, zur realen und zur scheinhaften Pflege des Aufstiegs – daß die totalitäre Politik sich beim Namensgruß des Führers vollzieht. Es ist recht paradox, daß in einem Land, in dem der Individualismus noch als stolze Parole gilt, der farb- und gesichtsloseste Gruß, das Hallo, zu Hause ist, während in der Brutstätte des Kollektivismus sich die Menschen so begegnen, daß sie den Namen jenes einzelnen beschwören.

Wo heutzutage derart die Anonymität sich lüftet, wird es unheimlich. Wenn der Name uns bisher vertraut war als ein freundliches Tor durch das man tritt, der Name der Person, die uns vorgestellt wird, des Künstlers, dessen Werk wir zu erfahren beginnen, des praktisch oder theoretisch produktiven Menschen, der einen neuen Horizont erschließt, so ist der Name des Führers das Symbol der Stummheit. Mit dem Gruß, der ihn nennt, ist die Uniform, die Uniformität signalisiert, Vorsicht ist geboten, Zurücktreten und Zurückbleiben im namenlosen Dunkel der Massen. Wie ein lächerliches Gegenspiel, wie eine Nachäffung des Feindes muß es erscheinen, wenn in den Kreisen der Vertriebenen die Tendenz sich zeigt, sich ebenfalls im Schatten eines Stärkeren zu verbergen, sich Würde durch Identifikation zu verschaffen, indem der Name eines großen Schriftstellers oder Naturwissenschaftlers oder Pazifisten zum Trumpf der Emigration gemacht wird. Geradezu am Modell der Hitlerjugend scheint ein ehemaliger radikal-bürgerlicher Politiker es abgelesen zu haben, wenn er vor einiger Zeit den Vorschlag gemacht hat, die verschiedenen politischen und kulturellen Fraktionen der deutschen Emigration unter der Dachorganisation eines Hellmuth-v.-Gerlach-Bundes zusammenzufassen. Das hat seine Vorgeschichte. Es beginnt in der Französischen Revolution, entwickelt sich dann in der Geschichte der politischen Gruppierungen und Gruppenkämpfe der linken Bewegungen seit der Mitte des neunzehnten Jahrhunderts. In immer höherem Maße erscheinen neben Ultramontanen, Großdeutschen und Sozialisten Parteinamen wie Bakunisten und Lassallianer, und das hat sich bei allen politischen Richtungen bis zur jüngsten Gegenwart fortgesetzt. Verwandtes findet sich in anderen Sphären. Hat man noch vor wenigen Jahrzehnten die -ismen und -isten an die Namen politischer Parteien, philosophischer Schulen, religiöser Richtungen angehängt oder seinen Spott damit getrieben, gehörte eine Bezeichnung wie Tolstoianer damals noch zur Ausnahme, so sind heute jene sprachlichen Anhängsel der grammatische Ausdruck für die Anhänger von Führernamen geworden.

Im Wahrheit ist jene neue Welt der Namen namenlos. Es gab einmal eine unmittelbare Beziehung von der Rechtfertigung durch den Glauben zum jeweils Gläubigen, vom pietistischen Kirchenlied auf die Seelenruhe des kleinen Handwerkers, von der Proklamation der Menschenrechte auf die Rechte dieses oder jenes Menschen, vom Klassizismus und der Romantik auf individuelle kulturelle Bedürfnisse. In der versachlichten Sprache vergangener Jahrhunderte spiegelt sich ein echterer und stärkerer Glaube an das, was aus dem einzelnen zu machen sei, eine aktivere Zuversicht in die Möglichkeiten des Individuums wider als in der lauten und billigen Ruhmeshalle der zahllos Genannten in der Gegenwart.

Die Übersteigerung des Privaten an einem Menschen, welches heute am Namen so deutlich hervortritt, daß das Unbewußte als unverzeihlichste Beleidigung einen Irrtum, ein Versprechen bei der Nennung des Eigennamens durch den Gesprächspartner notiert, ist in Wirklichkeit nur ein weiterer Schritt zu seiner Entprivatisierung, ein weiterer Schritt auf dem Weg der völligen Achtlosigkeit, der die Mehrzahl der Individuen zunehmend ausgesetzt ist. Die Intimität wie die Demokratie, welche im Umkreis der Namen zu herrschen scheinen, sind unecht. Der sprachliche Kratzfuß, der heute noch von »einem« Goethe, von »einem« Bismarck spricht und hinter dem der berechtigte Wunsch steckt, ein kleines Stückchen Einzigartigkeit auch sich selber zu sichern, weiß nicht, wie sehr das Schicksal des Verehrungsbereiten dem Indefinit-Pronomen gleicht, hinter das eigentlich gar kein Name mehr gehört.

Wer von den Führern spricht, meint seine eigene Ohnmacht. Wo es um die vielen anderen Namen, ja, auch noch um den eigenen mit dazu geht, geschieht nichts anderes, als daß zu der an sich schon überwältigenden Autorität von Tatsachen, welche jedes Urteil, ja, jede Gefühlsreaktion standardisieren, noch die Tatsachen von Namen treten, die zu lernen und zu vergessen sind; rascher zu vergessen, als man sie lernt.

Teil 2
Programme und Reflexionen

Zur gesellschaftlichen Lage der Literaturwissenschaft
(1932)

I

Den Schwierigkeiten, die jeder geschichtlichen Bemühung entstehen, ist die Literaturgeschichte in ganz besonderer Weise ausgesetzt. Sie wird nicht nur von allen prinzipiellen Diskussionen über den begrifflichen Sinn und die materiale Struktur des Geschichtlichen mitgetroffen, sondern ihr Gegenstand unterliegt der Kompetenz besonders vieler wissenschaftlicher Disziplinen. Von den eigentlichen Hilfswissenschaften der Geschichte, welche quellenmäßige Sicherheit zu gewähren haben, ganz zu schweigen, treten mit Ansprüchen mannigfaltiger Art Philosophie, Ästhetik, Psychologie, Pädagogik, Philologie, ja sogar Statistik auf. In merkwürdigem Gegensatz zu dieser grundsätzlichen Situation steht im allgemeinen die tägliche Praxis. Es bedarf nicht vieler Worte, um auf das Ausmaß hinzuweisen, in dem die Literatur zum wissenschaftlichen Strandgut wird. Alle möglichen Instanzen, vom »naiven Leser« bis zum angeblich dazu berufenen Lehrer, wagen in jeder nur denkbaren Beliebigkeit die Deutung des literarischen Werks. Die relativ große Kenntnis einer Sprache und die Entbehrlichkeit einer gelehrten Fachterminologie erscheinen häufig als zulängliche Voraussetzungen, Literaturgeschichte treiben zu dürfen. Aber auch die eigentliche akademische Literaturwissenschaft scheint keineswegs der Lage ihres Objekts Rechnung zu tragen. Die Tatsache, daß literaturgeschichtliche Arbeit nicht von vornherein eine einheitliche Bemühung, sondern eine zu organisierende wissenschaftliche Aufgabe darstellt, hat nicht etwa dazu geführt, daß ihre Forschungsmethoden sich folgerichtig aus der Komplexität ihres Gegenstandes entwickelt hätten. Damit sollen nicht alle einzelwissenschaftlichen Unternehmungen der modernen Literaturgeschichte getroffen werden, sondern hier, wo das Problem prinzipiell zum Gegenstand gemacht wird, werden auch nur die Prinzipien der Wissenschaft, so wie sie heute vorliegen, berücksichtigt.

Fast alle Gelehrten, die zu dem vor kurzem erschienenen Sammelband »Philosophie der Literaturwissenschaft«[1] beigetragen haben,

1 Herausgegeben von Emil Ermatinger, Berlin 1930.

sind sich darüber einig, daß der »szientifische« Weg für die Literaturgeschichte nur in die Irre führe. Nicht nur, daß sie – und dies mit
Recht – sich einig wären über die irrationalen Momente am Dichtwerk selbst, sie halten die rationale Methode diesem Gegenstand
nicht für angemessen. Als »historischer Pragmatismus«[2] als »historisierender Psychologismus«[3], als »positivistische Methode«[4] verfällt
die im 19. Jahrhundert begründete Literaturwissenschaft einem
richtenden Urteil. Gewiß entbehren Hettners oder Scherers Werke
absoluter Gültigkeit, ja, in dieser Wissenschaftler Intention selber
hätte nichts weniger als das gelegen, aber alle Bemühungen um
Literatur, die einen wissenschaftlichen Charakter aufweisen sollen,
sind darauf angewiesen, an diejenigen positivistischen Methoden
kritisch anzuschließen, die in den historischen Wissenschaften des 19.
Jahrhunderts entdeckt worden sind und deren sie zunächst selbst
nicht entraten können.

Isolierung und Simplifizierung des literarhistorischen Gegenstands
vollziehen sich freilich in einem höchst sublimen Prozeß. Dichtung
und Dichter werden aus den Verflechtungen des Geschichtlichen
herausgenommen und zu einer wie immer gearteten Einheitlichkeit
konstruiert, von der der Strom der Mannigfaltigkeit abfließt; sie
gewinnen eine Würde, deren sich sonstige Erscheinungen nicht
rühmen dürfen. »In der Literaturgeschichte sind Taten und Täter
gegeben, in der Weltgeschichte nur mehr oder minder verfälschte
Berichte über meist unreelle Geschäfte von selten personifizierbaren
Firmen.«[5] Diese Weihe kann eine historische Erscheinung nur
dadurch gewinnen, daß sie als Erscheinung des Geistes, jedenfalls als
ein Sondergebiet eigenen Rechts, gefaßt wird.[6] Nur dann sind ja die

2 Herbert Cysarz, Das Periodenprinzip in der Literaturwissenschaft, a.a.O.,
S. 110.
3 D.H. Sarnetzki, Literaturwissenschaft, Dichtung, Kritik des Tages, a.a.O.,
S. 454.
4 passim.
5 Cysarz, a.a.O.
6 Naiv wird das neuerdings ausgedrückt bei Werner Ziegenfuß, Art. Kunst im
Handwörterbuch der Soziologie, 1931, S. 311: »Wollen wir hier Kunst überhaupt
als Kunst, Dichtung als Dichtung, und nicht beides nur als sekundäre Begleiterscheinungen letzthin nur körperlicher Vorgänge ansehen, dann muß für das
primitive Schaffen ebenso wie für die höchsten Leistungen aller Kunst das Seelisch-
Geistige in seiner ursprünglichen Wirklichkeit anerkannt werden.«

positivistischen Methoden prinzipiell unzulänglich, wenn ihr Gegenstand nicht mehr ein solcher der inner- und außermenschlichen Natur und ihrer veränderlichen Bedingungen ist, sondern als in einem Sein höherer Artung ruhend gedacht wird. Mit der Sicherheit eines philosophischen Instinkts wird daher der von Dilthey eingeführte, den geschichtlichen Zusammenhängen verpflichtete Strukturbegriff für das Dichtwerk wieder aufzugeben versucht und zum Begriff des Organischen zurückgekehrt, der »klar, eindeutig und bestimmt das Geistige als die durch Sinneinheit bedingte Individualität des geschichtlichen Lebens kennzeichnet«[7]. Belastete Ausdrücke wie »Werk«, »Gestalt«, »Gehalt« zielen alle auf eine letztlich metaphysisch begründete und ableitbare, jenseits aller Mannigfaltigkeit sich bewegende Einheit der Dichtung und des Dichters ab. Diese radikale Entfremdung der Dichtung gegenüber der geschichtlichen Realität findet ihren höchsten Ausdruck, wenn Begriffe wie »Klassik« und »Romantik« nicht nur der Geschichte zugeordnet, sondern zugleich metaphysisch verklärt werden. »Auch diese beiden Grundbegriffe der Vollendung und Unendlichkeit sind, wie der oberste Begriff der Ewigkeit, sowohl aus der historischen und psychologischen Erfahrung wie aus der philosophischen Erkenntnis abzuleiten.«[8]

Ihre sachliche Legitimierung glaubt diese geschlossene irrationalistische Front der Literaturwissenschaft darin zu finden, daß die »naturwissenschaftliche Methode« ihren Gegenstand zerstückele, zersetze und, wenn es sich um Ausprägungen der »dichterischen Lebensseele« handele, an ihrem »Geheimnis« vorbeigehe.[9] Der Sinn dieser Überlegungen ist schwer verständlich. Denn inwiefern eine rationale Erfassung dem Gegenstand selber ein Leid antun soll, bedarf noch bis heute des Experiments in der Praxis. Wer ein Phänomen analysiert, kann es sich doch stets in seiner Ganzheit vor Augen halten, indem er das Bewußtsein dessen, was er in der Analyse unternimmt, nicht verliert. Freilich ergeben die in der Analyse gewonnenen Elemente als Summe nur ein Mosaik und nicht das Ganze. Aber wo in aller Welt verlangt wissenschaftliche Analyse solche stückhafte Summation? Und sind denn selbst die naturwissenschaftlichen Methoden allein und dauernd atomistischer Art? Sie sind es ebensowenig, wie es die literaturwissenschaftlichen Methoden dort zu sein haben, wo es für

7 Emil Ermatinger, Das Gesetz in der Literaturwissenschaft, a. a. O., S. 352.
8 Fritz Strich, Deutsche Klassik und Romantik, München 1924, S. 7.
9 Sarnetzki, a. a. O.

ihre spezifischen Aufgaben ungeeignet ist. Auf der Fahrt ins Ungewisse der Metaphysik hat die Literaturwissenschaft auch den Begriff des Gesetzes mitgenommen. Aber anstatt daß das Gesetz die Bedeutung einer in den Sachen erkannten Ordnung behielte, wird es bereits bei seiner Einführung mit einem neuen und vagen Inhalt vorbelastet. An Stelle der zu erforschenden und darzustellenden Ordnung tritt eine vorgegebene »Sinneinheit«, und als Hauptprobleme der Literaturwissenschaft, die vor der Untersuchung als in bestimmter Weise gesetzlich strukturiert vorausgesetzt werden, erscheinen unter anderem die »dichterische Persönlichkeit« und das »dichterische Werk«[10]. »Persönlichkeit« und »Werk« aber gehören zu denjenigen begrifflichen Konstruktionen, die in ihrer Undurchsichtigkeit und der prinzipiell abschlußhaften Art ihrer Konstruktion die Wissenschaft eben dort von ihren Bemühungen bereits abhalten, wo sie einzusetzen hätten.

Soweit es sich in der Literaturwissenschaft um die Abwehr einer Einstellung handelt, die in der Durchführung geschichtlicher, psychologischer und philologischer Einzelanalysen mit der wissenschaftlichen Darstellung von Dichter und Dichtung fertig zu sein glaubt, kann man ihr nur zustimmen. Doch gerade wenn es um genaue Bestimmung des Kunstwerks und um ihretwillen um das Verständnis seiner qualitativen Beschaffenheit geht, wenn es sich also um Fragen des Wertes und der Echtheit handelt, Fragen, die doch den irrationalistischen Strömungen so sehr am Herzen gelegen sind, dann enthüllen deren Methoden ihre Unzulänglichkeit am deutlichsten; denn unabhängig von der Entscheidung, ob und in welchem Maße die technischen Gesetzmäßigkeiten rational entstanden sind oder nicht: ihre Prinzipien sind nur in rationaler Analyse mit der ihr eigentümlichen Exaktheit aufzudecken. Aber die Literaturwissenschaft hat ihre Abwehrtendenzen so auf die Spitze getrieben, daß sie nun selber in eine Situation gebracht ist, die ihr offenbar überhaupt keinen Ausweg mehr läßt. Die metaphysische Verzauberung ihrer Gegenstände hindert sie an der sauberen Betrachtung ihrer wissenschaftlichen Aufgaben. Diese sind gewiß nicht allein historischer Art, es gibt ein sehr wichtiges literaturwissenschaftliches Problem, das wir mit dem Diltheyschen Ausdruck des »Verstehens« vorläufig kennzeichnen wollen. Mit allen analytischen und synthetischen Methoden gilt es,

10 Emil Ermatinger, a.a.O., S. 363 f.

das in Inhalt und Form Gestaltete aufzugreifen, in seiner schlichten und in seiner tiefer gemeinten Bedeutung zu erfassen, gilt es ferner, die Relation zwischen dem Schöpfer und seinem Gebilde aufzudecken. Freilich werden solche Aufgaben sich nur erfüllen lassen, wenn man sich dessen bewußt ist, daß die Mittel einer formalen Poetik in keiner Weise ausreichen. Ohne eine – im großen und ganzen noch zu leistende – Psychologie der Kunst, ohne eine wirkliche Klärung der Rolle des Ordnungssinns und ähnlicher Faktoren beim Schaffenden und beim Publikum[11], ohne das Studium der unbewußten Regungen, die an dem psychologischen Dreieck von Dichter, Dichtung und Aufnehmendem beteiligt sind, gibt es keine poetische Ästhetik. Das Bündnis mit einer Psychologie, die das »große Kunstwerk« in mystischen Zusammenhang mit dem Volk stellt, die die »persönliche Biographie des Dichters ... interessant und notwendig, aber hinsichtlich des Dichters unwesentlich«[12] findet, kann freilich die Literaturwissenschaft nur kompromittieren.

II

Für die gekennzeichneten herrschenden Strömungen ist es charakteristisch, daß sie mit einer Psychologie sympathisieren, die in gleicher Weise wie sie selbst zu einer isolierenden Betrachtungsweise der Phänomene tendiert, ja, die es gleichfalls sich angelegen sein läßt, ihren Gegenständen eine geistige Würde zu verleihen, die sie selbst unter Preisgabe wissenschaftlicher Methodik zu erkaufen trachtet.

11 Einer der wichtigsten Hinweise auf eine psychologisch-materialistische Ästhetik findet sich bei Nietzsche: »Manche der ästhetischen Wertschätzungen sind fundamentaler, als die moralischen, z.B. das Wohlgefallen am Geordneten, Übersichtlichen, Begrenzten, an der Wiederholung – es sind die Wohlgefühle aller organischen Wesen im Verhältnis zur Gefährlichkeit ihrer Lage, oder zur Schwierigkeit ihrer Ernährung. Das Bekannte tut wohl, der Anblick von etwas, dessen man sich leicht zu bemächtigen hofft, tut wohl usw. Die logischen, arithmetischen und geometrischen Wohlgefühle bilden den Grundstock der ästhetischen Wertschätzungen: gewisse Lebensbedingungen werden als so wichtig gefühlt und der Widerspruch der Wirklichkeit gegen dieselbe so häufig und groß, daß Lust entsteht beim Wahrnehmen solcher Formen.« (Werke, 11. Band: Aus dem Nachlaß 1883/88, S. 3.).
12 C.G. Jung, Psychologie und Dichtung, a.a.O., S. 330.

Denn der gleiche Psychologe, der von der Belanglosigkeit der persönlichen Biographie der Dichter spricht, bemerkt zugleich von ihnen: »Sie erkennen, als die ersten ihrer Zeit, die geheimnisvollen Strömungen, die sich unter Tage begeben, und drücken sie nach individueller Fähigkeit in mehr oder weniger sprechenden Symbolen aus.«[13] Es bedarf keines weitläufigen Nachweises, daß eine Untersuchung über die Beziehung zwischen Unbewußtem, dichterischem Symbol und dem individuellen psychischen Faktor dieses Symbols sich mit der Belangloserklärung der »persönlichen Biographie« nicht vereinbaren läßt.

Wichtige Hinweise zu kunstpsychologischen Theorien vermag die Psychoanalyse zu geben. Sie hat Untersuchungen über zentrale Probleme der Literaturwissenschaft zur Diskussion gestellt, besonders über die seelischen Bedingungen, unter denen das große Kunstwerk entsteht, so über den Aufbau der dichterischen Phantasie, und vor allem auch über das bisher immer wieder in den Hintergrund gedrängte Problem des Zusammenhangs von Werk und Aufnahme.[14] Gewiß sind diese Arbeiten noch ganz im Anfang – hat ja doch auch die Literaturforschung kaum etwas zu ihrer Förderung unternommen –, gewiß sind eine Reihe von Hypothesen noch nicht geschliffen und fein genug, noch schematisch und ergänzungsbedürftig. Aber auf die Hilfe der wissenschaftlichen Psychologie beim Studium des Kunstwerks zu verzichten heißt nicht, sich vor »barbarischen Einbrüchen von Eroberern« zu schützen, sondern sich selbst der Barbarei auszusetzen.[15]

Zu dem Verdammungsurteil gegen den »historisierenden Psychologismus«, welcher am Geheimnis der »eigentlichen dichterischen Lebensseele«[16] vorbeigehe, gesellt sich das gegen die historische

13 C. G. Jung, zitiert nach Walter Muschg, Psychoanalyse und Literaturwissenschaft, Berlin 1930, S. 7.
14 Vgl. an erster Stelle die wichtige Schrift von Hanns Sachs, Gemeinsame Tagträume (bes. den ersten Teil), Leipzig-Wien-Zürich 1924.
15 Vgl. Muschg a. a. O., S. 15. Übrigens bemüht sich gerade Muschg um die Verwertung psychoanalytischer Methoden und Erkenntnisse. Vgl. sein Buch: Gotthelf, Die Geheimnisse des Erzählers, München 1931; darüber G. H. Graber in: Imago Bd. XVIII, Heft 2, 1932.
16 Sarnetzki, a. a. O., Was alles an Argumentation gestattet ist, mag folgender – polemisch gemeinte – Satz verraten: »Psychoanalyse gräbt nach innen und sucht triebhafte Naturmächte der Seele, sie analysiert: eine soziologische Betrachtung

Methode, besonders aber gegen jede kausal und gesetzesgerichtete Geschichtstheorie, kurzum gegen das, was als der »positivistische Materialismus«[17] in der modernen Literaturforschung aufs strengste verpönt ist. Freilich steht's hier genau wie bei der Psychologie: vor »Übergriffen« schreckt man seinerseits nicht zurück. Beliebiger wohllautender historischer Kategorien hat sich die moderne Literaturgeschichte stets bedient, ja, sie sogar selbst mit erzeugt: da werden Kategorien wie »Volkstum, Gesellschaft, Menschentum«[18] aufgegriffen, es wird von dem Prozeß des »pluralistischen, steigernden« und des »vergeistigenden, artikulierenden Erlebens«[19] gesprochen. Man erfährt von »Wesens-« und »Schicksalsverbänden«, von »Vollendung und Unendlichkeit« als »Grundbegriffen« der »historischen Erfahrung«[20], die Redeweise von »Zeitaltern des Homer, Perikles, Augustus, Dante, Goethe«[21] wird gerechtfertigt – aber Verachtung und Zorn sind einer Geschichts- und Gesellschaftswissenschaft sicher, wenn sie im Anschluß an die positivistischen und materialistischen Methoden der historischen Forschung, deren Grund im 19. Jahrhundert gelegt worden ist, die Geschichte der Dichtung als soziales Phänomen zu erfassen trachtet. Offen wird es ausgesprochen, daß es um die »Preisgabe des beschreibenden Standpunkts der positivistischen Methode und die Besinnung auf den metaphysischen Charakter der Geisteswissenschaften«[22] gehe. Wir werden noch sehen, daß eine Preisgabe um so leidenschaftlicher da gefordert wird, wo an die Stelle der historischen Deskription die materialistische gesellschaftliche Theorie selber tritt. Selbst die Grenze zwischen Wissenschaft und Demagogie wird verwischt, wenn es sich um die isolierende Verklärung der Kunstbetrachtung handelt: »Dem historischen Pragmatismus ergibt sich vielleicht, daß gutenteils die Syphilis den Minnesang und seine polygame Konvention begraben hat oder die Wiederaufrichtung der deutschen Nachkriegswährung den ... Expressionis-

bemüht sich, Ziele zu erkennen, von denen aus allein das Menschliche gedeutet werden kann, sie komponiert« (Ziegenfuß, a.a.O., S. 312).

17 Sarnetzki, a.a.O.
18 Ziegenfuß, a.a.O., S. 337.
19 Cysarz, Erfahrung und Idee, Wien u. Leipzig 1922, S. 6f.
20 Strich a.a.O.
21 Friedrich Gundolf, Shakespeare, Sein Wesen und Werk, Berlin 1928, Bd. I, S. 10.
22 Ermatinger, a.a.O., S. 352.

mus. Die Wesenssicht aber des Minnesangs und des Expressionismus bleiben unmittelbar von solchen Erkenntnissen unabhängig. Die Frage lautet hier eben: was ist er, nicht aber: warum ist er. Dieses Warum eröffnete bloß einen Regressus in infinitum: warum ist am Ende des Mittelalters die Lues eingeschleppt, warum ist Anfang 24 die Reichsmark eingeführt worden und so fort bis zum Ei der Leda.«[23] Dies ist eine Karikatur jeder echten wissenschaftlichen Fragestellung. Keineswegs verlangt jede kausale Frage einen unendlichen Regreß, sondern wenn sie präzis formuliert ist, so ist sie prinzipiell auch präzis beantwortbar, unbeschadet darum, daß mit dieser Antwort irgendwelche anderen neuen wissenschaftlichen Probleme aufgeworfen werden: die Untersuchung der Ursachen, aus denen Goethe nach Weimar ging, erfordert nicht eine Geschichte der deutschen Städtegründung!

Vergegenwärtigt man sich die in Umrissen beschriebene Lage der Literaturwissenschaft, ihr schiefes Verhältnis zur Psychologie, Geschichte und Gesellschaftsforschung, die Willkür in der Auswahl ihrer Kategorien, die künstliche Isolierung und wissenschaftliche Entfremdung ihres Objekts, dann wird man mit Recht der Forderung eines modernen Literarhistorikers zustimmen, der, unbefriedigt von der »Metaphysizierung«, die in seinem Fach eingerissen ist, Rückkehr zur strengen Wissenschaftlichkeit, leidenschaftliche Ergebenheit an den Stoff, intensive Pflege des reinen Wissens, kurz: neue »Hochschätzung des Wissens und der Gelehrsamkeit«[24] fordert. Wenn freilich Schultz gleichzeitig in bezug auf Konstruktion, Erforschung von Strukturzusammenhängen, übergreifende Theorienbildung sich enthalten möchte[25], so läßt sich das zwar aus dem Gesagten gut begreifen, doch ist es nicht notwendig. In der Tat ist der Entwurf einer Literaturgeschichte möglich, die, ausgestattet mit dem Wissensrüstzeug philologischer und literarischer Forschung, es wagen darf, das Dichtwerk geschichtlich so zu erklären, daß sie weder in bloßer positivistischer Beschreibung steckenbleibt, noch sich zur einsamen und verlassenen Höhe metaphysischer Spekulation entfernt.

23 Cysarz, Das Periodenprinzip, S. 110.
24 Franz Schultz, Das Schicksal der deutschen Literaturgeschichte, Frankfurt a.M. 1928, S. 138.
25 a.a.O., S. 141 ff.

Es läßt sich natürlich eine Einstellung denken, die solches Entwurfes nicht bedarf, wenn man nämlich die »bewußte Emanzipation der Literaturwissenschaft von der Welthistorie«[26], ja überhaupt von jedem geschichtlichen und gesellschaftlichen Zusammenhang fordert. Nur verzichtet man damit auf jeden Erkenntnisanspruch und macht aus der Beschäftigung mit der Dichtung selbst wieder Dichtung. Es bleibt dann übrigens bare Willkür, eine solche unverpflichtende, nicht auf kontrollierbare Erkenntnis ausgerichtete Haltung nicht auf alle Erfahrungsgegenstände anzuwenden und die Wissenschaft überhaupt zu vertreiben. Sich mit der Geschichte der Dichtung beschäftigen heißt die Dichtung geschichtlich erklären. Ihre Erklärungsmöglichkeit setzt eine entfaltete Theorie der Geschichte und der Gesellschaft voraus. Dabei soll nicht gemeint sein, daß man sich mit irgendwelchen allgemeinen Zusammenhängen zwischen Poesie und Gesellschaft abzugeben habe, auch nicht, daß ganz allgemein von gesellschaftlichen Bedingungen zu sprechen sei, deren es bedürfe, damit es überhaupt so etwas wie Dichtung gebe[27], sondern die geschichtliche Erklärung der Dichtung hat die Aufgabe zu untersuchen, was von bestimmten gesellschaftlichen Strukturen in der einzelnen Dichtung zum Ausdruck kommt und welche Funktion die einzelne Dichtung in der Gesellschaft ausübt. Die Menschen stehen zum Zweck der Erhaltung und Erweiterung ihres Lebens in bestimmten Produktionsverhältnissen. Diese stellen sich gesellschaftlich als die miteinander ringenden Klassen dar, und die Entwicklung ihrer Beziehungen bildet die reale Grundlage für die verschiedenen Sphä-

---

26 Cysarz, a. a. O.
27 Etwa wie bei Ziegenfuß, a. a. O., S. 310: »Damit ist aber keineswegs gesagt, daß in den wirtschaftlichen Beweggründen zugleich die bestimmenden und richtunggebenden Motive für die Eigentümlichkeit der besonderen Formen liegen, die diese autonome Kunst sich gibt. Auch in großer wirtschaftlicher Abhängigkeit des Künstlers entspringen die formenden Notwendigkeiten seines Schaffens, vorausgesetzt, er schafft wirklich Kunst und nicht Kitsch und Mache, aus ganz eigener Selbstbestimmung, und nur die Möglichkeit, daß sie sich überhaupt verwirklichen können, hängt vom Wirtschaftlichen ab. Die Fragen der wirtschaftlichen Selbsterhaltung des Künstlers und der wirtschaftlichen Verwertung der Kunst und Literatur gehören zur Wirtschaftssoziologie.« Also: Ressortfragen statt wissenschaftlicher Prinzipienfragen!

ren der Kultur. Von der jeweiligen Struktur der Produktion, d. h. von der Ökonomie hängt nicht nur die Gestaltung der Eigentums- und Staatsverhältnisse, sondern zugleich die der gesamten menschlichen Lebensformen in jeder geschichtlichen Epoche ab. Jede »Geistes«- und »Verstehens«wissenschaft, die sich auf die Autonomie oder mindestens auf die autonome Deutbarkeit gesellschaftlicher Überbaugebilde beruft, vergewaltigt das Wissenschaftsgebiet der menschlichen Vergesellschaftung. Literaturgeschichte als bloße Geistesgeschichte vermag prinzipiell keinerlei bindende Aussagen zu machen, wenn auch in der Praxis Begabung und Einfühlungskraft des Literarhistorikers Wertvolles geleistet haben. Eine echte erklärende Literaturgeschichte aber muß materialistisch sein. Das heißt, sie muß die ökonomischen Grundstrukturen, wie sie sich in der Dichtung darstellen, und die Wirkungen untersuchen, die innerhalb der durch die Ökonomie bedingten Gesellschaft das materialistisch interpretierte Kunstwerk ausübt.

Solange eine solche Forderung bloß erhoben wird, wird sie freilich dogmatisch klingen, ebenso wie die von ihr vorausgesetzte Gesellschaftstheorie diesem Vorwurf ausgesetzt ist, wenn sie nicht im einzelnen ihre Fragestellungen präzisiert.[28] Auf dem Spezialgebiet der Ökonomie und der politischen Geschichte ist dies bereits in breitem Maße geschehen, aber auch in der Literaturgeschichte finden sich Ansätze vor. Hinzuweisen ist vor allem auf die literaturgeschichtlichen Aufsätze von Franz Mehring[29], der – oft in einer vereinfachten und populären, oft auch in einer nur politisch fundierten Weise – zum ersten Male die Anwendung der materialistischen Gesellschaftstheo-

28 Darum muten auch oft die geisteswissenschaftlich orientierten Arbeiten so dogmatisch und willkürlich an, weil sie ins unzugänglich Allgemeinste verschwimmen. Vgl. z. B. Strich, a. a. O., S. 401: » Es verstand sich natürlich von selbst, daß diese Betrachtung in der Geschichte der Dichtung auf das ganze Menschentum und all seinen, nicht nur formalen, Ausdruck erweitert werden mußte. Es wird sich noch zeigen, daß auch Musik und Religion und jegliches Kultursystem sich so erfassen läßt und daß die grundbegriffliche Durchdringung der ganzen Geschichtswissenschaft die Geschichte des Geistes erst als das offenbar machen wird, was sie wirklich ist: die stilistische Verwandlung des geistigen Willens zur Verewigung.«

29 Jetzt gesammelt in: Schriften und Aufsätze 1. u. 2. Bd.: Zur Literaturgeschichte, Berlin 1929, ferner auch sein Buch »Die Lessinglegende«, 9. Aufl. Berlin 1926.

rie auf die Literatur versucht hat. Freilich ist wie an den oben
erwähnten psychologischen Einzeluntersuchungen auch an den
materialistischen Arbeiten Mehrings und ihm verwandter Autoren
die Literaturgeschichte vorbei zur Tagesordnung oder zum Tagesge-
schimpf übergegangen; so hat sie noch in jüngster Zeit einen Anwalt
gefunden, für den »solche Denkweise . . . nicht nur unsoziologisch
oder der wissenschaftlichen Soziologie entgegengesetzt« ist, sondern
dem sie »wie eine Schmarotzerpflanze« vorkommt, die »einem Baum
seine gesunden Säfte entzieht«[30].

Die materialistische Geschichtserklärung vermag nicht in der gleichen simplifizierenden und isolierenden Art und Weise vorzugehen,
die wir an der ihr entgegengesetzten Haltung festgestellt haben. Es
hieße jene Theorie schlecht verstehen, wollte man ihr den Glauben an
eine unmittelbare Ableitung der Gesamtkultur aus der Wirtschaft
zuschieben, ja, wollte man nur von ihr behaupten, sie versuche die
Grundzüge kultureller und psychischer Gebilde aus einer bestimmten ökonomisch erklärten Struktur abzulesen. Es kommt ihr vielmehr
darauf an, zu zeigen, in wie vermittelter Weise sich die grundlegenden
Lebensverhältnisse der Menschen in allen ihren Formen, also auch in
der Literatur, ausdrücken. Damit gewinnt die Psychologie ihren ganz
bestimmten Ort in der Literaturwissenschaft: sie ist eine, nicht die
einzige, Hilfswissenschaft der Vermittlungen, indem sie aufzeigt,
welches die psychischen Vorgänge sind, durch die in den Kulturlei-
stungen des Kunstwerks sich die Strukturen des gesellschaftlichen
Unterbaus reproduzieren. Da sich diese Basis der Gesellschaft als das
Verhältnis von herrschenden und beherrschten Klassen in der bisherigen Geschichte und als der »Stoffwechsel« von Gesellschaft und
Natur darstellt, so wird auch in der Literatur wie bei allen historischen Phänomenen dieses Verhältnis durchscheinen. In der gesellschaftlichen Erklärung des Überbaus – nicht etwa in der gesellschaftlichen Theorie schlechthin – nimmt darum der Begriff der Ideologie
eine entscheidende Stelle ein. Denn die Ideologie ist ein Bewußt-
seinsinhalt, der die Funktion hat, die gesellschaftlichen Gegensätze
zu vertuschen und an Stelle der Erkenntnis der sozialen Antagonis-

30 Ziegenfuß a. a. O., S. 330f. – Wie legitimiert Z. zu solcher Kritik ist, belegt er
selbst, indem er als – einzigen – Kronzeugen für diese »Denkweise« Alfred
Kleinbergs Buch über »Die deutsche Dichtung« zitiert – ein Werk, das den äußerst
zweideutigen, jedenfalls nicht materialistischen Untertitel trägt: ». . . in ihren
sozialen, zeit- und geistesgeschichtlichen Bedingungen«!

men den Schein der Harmonie zu setzen. Die Aufgabe der Literaturgeschichte ist zu einem großen Teil Ideologienforschung.

Den Vorwurf, noch unentwickelte Methoden und einen zu rohen Begriffsapparat zu besitzen, kann die materialistische Geschichtstheorie ruhig hinnehmen. Sie darf demgegenüber darauf verweisen, daß sie immerhin diese Unvollkommenheit dem wissenschaftlichen Fortschritt zur Diskussion stellt und überhaupt alle ihre vermeintlichen Ergebnisse so formuliert, daß sie der Kontrolle des Wissenschaftlers wie der möglichen Veränderung durch neue Erfahrungen ausgesetzt sind und nicht sich zu Gebilden verflüchtigen, die vielleicht verzaubern und die Erkenntnis bestechen, aber nicht sich an ihr zu bewähren vermögen. Diese Theorie darf sich weiterhin sagen lassen, daß sie letzten Endes Glaubenssache wäre; sie ist es in dem Sinn, in dem jede wissenschaftliche Hypothese nicht abgeschlossen und ein für allemal gesichert, sondern stets durch neue Erfahrung zu bestätigen oder abzuändern ist. Sie hat aber gegen die bloße Verkündung der reinen Geisteswissenschaft den Vorteil möglicher Verifikation innerhalb der organisierten Wissenschaft.

IV

Die folgenden Beispiele erheben weder den Anspruch, den ganzen Umfang ihrer Begründung aufzuweisen, noch den, nicht weiter einer Verfeinerung und gegliederten Ordnung geöffnet zu sein.[31] Zum Teil werden sie wie längst bekannte Einsichten anmuten, zum Teil auch einen thesenhaften Charakter zu tragen scheinen; doch ist das erste – entgegen dem in mancher modernen Diskussion angeschlagenen Ton – keine Widerlegung einer Erkenntnis und das andere die notwendige Folge einer im Prinzip geklärten, in ihren Methoden noch undurchgebildeten neuen wissenschaftlichen Arbeitsweise.

Fragen der *Form*, des Motivs wie des Stoffs haben in gleicher Weise sich der materialistischen Betrachtungsweise zu eröffnen. Das soll etwa bei dem Problem der Romanenzyklopädie, wie es bei Balzac

31 Besondere wissenschaftliche Neigungen haben mich veranlaßt, Darstellungsart und Forschungsmethoden einer materialistischen Literaturgeschichte zunächst an der erzählenden europäischen Dichtung zu versuchen. Die grundsätzliche Absicht dieses Aufsatzes und die Notwendigkeit der Raumbeschränkung zwingen zu einer willkürlichen und unvollständigen Auswahl erreichter Resultate.

und Zola auftritt, angedeutet werden. Beide beabsichtigten mit ihren großen Zyklen die gesamte Gesellschaft ihrer Zeit mit allem lebenden und toten Inventar, Berufen wie Staatsformen, Leidenschaften wie Wohnungseinrichtungen, darzustellen. Dieser Absicht liegt die Vorstellung von der prinzipiellen Möglichkeit, die Welt in Gedanken zu besitzen und durch ihre gedankliche Aneignung sie beherrschen zu können, also der bürgerliche Rationalismus, zugrunde. Vermittelt sich bei Balzac aus bestimmten psychologischen Gründen damit die merkantilistische Wirtschaftsweise, die Vorstellung von der Beherrschbarkeit der Ökonomie durch ihre obrigkeitliche Regelung, so steckt bei Zola eine kritische Haltung zu der kapitalistischen Produktionsweise dahinter, die sich von der Analyse der durch sie bestimmten Gesellschaft die Möglichkeit der Behebung ihrer Mängel verspricht. Die Breite des Romanwerks weist ebensosehr auf den Ort des Verfassers in einer in der Herrschaft begriffenen Klasse, wie auf den bestimmten Standpunkt hin, den der Dichter zu der ökonomischen Struktur seiner Zeit einnimmt.

Diese gesellschaftliche Bedeutung läßt sich auch an anderen, mehr in Einzelheiten gehenden Fragen aufweisen. So kann ein gleiches Formmittel in verschiedenen Zusammenhängen einen durchaus verschiedenen sozialen Sinn haben. Beispiele dafür sind etwa das Hervortreten des Dialogs und damit die Beschränkung der erzählenden oder kommentierenden Zwischenreden und der Kunstgriff der Rahmenerzählung. Für das erste wählen wir Gutzkows, Spielhagens und die impressionistische Erzählungsweise aus. Gutzkow führt wahrscheinlich zum ersten Male in der deutschen Literatur das moderne Gespräch der bürgerlichen Gesellschaft ein. Die Geschichte des Dialogs in der Erzählung zeigt die Entwicklung aus einer starren und gesicherten Tradition zur »zwanglosen« offenen Gesprächstechnik der Gegenwart. Das Gespräch ist in der Realität der Maßstab der psychologischen Kenntnisse, über welche die frei miteinander konkurrierenden Subjekte in der kapitalistischen Gesellschaft, wenigstens in ihrer ersten liberalen Epoche, verfügen. Der Wendigere, der die bessere Kenntnis von der Reaktionsweise des Gesprächspartners besitzt, hat, soweit es sich nicht um grobe, eine Diskussion nicht zulassende Machtverhältnisse handelt, die größere ökonomische Siegeschance. Was sich in der ihrer objektiven Situation fast unbewußten jungdeutschen Dichtung nur indirekt erschließen läßt, gibt sich bei Spielhagen mit einer gewissen Theorie belastet. Die epische

Zwischenerzählung wird auf ein Minimum reduziert, so daß der Eindruck entsteht, der Dichter halte sich im Arrangement der Begebenheit an die Forderungen der Realität und verzichte auf die Willkür persönlicher Kombinationen von Handlung, Begebenheit, Zufall und auf die Interpretation des objektiven Geschehens. Man wird finden, daß der impressionistische Roman mit dem älteren Fontane und mit Sudermann angefangen bis zu Arthur Schnitzler in seinen letzten Novellen ebenfalls im Zeichen des kommentarlosen Dialogs steht. Aber dieser »Verzicht auf die Vorrechte des deutenden und ergänzenden Erzählers«[32] hat bei Spielhagen einen ganz anderen Sinn als beim deutschen Impressionismus. Der Spielhagenschen Technik liegt die Überzeugung zugrunde, daß in den Gesprächen der Menschen die Sachen selber deutlich werden, daß in der Aussprache für den nachdenkenden Leser eine Theorie über die Beziehungen der Menschen und innerhalb der Gesellschaft entsteht. Als bürgerlicher Idealist glaubt er an die Macht des objektiven Geistes, der in den ausgesprochenen Gedanken der Menschen gerinnt, so daß die Wechselrede bereits keinen Zweifel an den sachlichen Überzeugungen des Dichters offen läßt. Hingegen spricht sich in der asketischen Kommentarlosigkeit des Impressionismus die Kritik des liberalen Bürgertums an sich selber seit Beginn des 20. Jahrhunderts aus; aus dem Unvermögen, soziale Theorien zu bilden, aus der Halt- und Ratlosigkeit des in seinen Positionen bedrängten und unsicher gewordenen mittleren Bürgertums erwächst in der Tat ein Verzicht auf Vorrechte, nämlich auf die des subjektiven Geistes, der an die Möglichkeit vertretbarer Allgemeinerkenntnis glaubt. Spiegelt sich in der tastenden Dialogisierung Gutzkows das wirtschaftliche Tasten eines in den ersten Anfängen befindlichen liberalen Bürgertums in Deutschland, so wird in der Spielhagenschen Technik sein ökonomischer Sieg verklärt und in der des Impressionismus seine Krise ideologisch vertuscht oder in einer gewissen Ratlosigkeit eingestanden.

Andere Klassenverhältnisse enthüllen sich, wenn man die Funktion der Rahmenerzählung bei Storm und Meyer vergleicht. Dieses Gestaltungsprinzip hat bei beiden Dichtern eine entgegengesetzte Bedeutung. Storm gewinnt mit ihm die Haltung der Resignation, des

32 Oskar Walzel, Die Deutsche Literatur von Goethes Tod bis zur Gegenwart, Berlin 1918, S. 664.

verzichtenden Rückblicks. Er ist der müde kleinbürgerliche Rentner, dem eine Welt zerfallen ist, in der er etwas zu bedeuten hatte. Die Zeit ist abgelaufen; der einzige Lebenshalt, den die Gegenwart noch zu bieten vermag, ist die Rückerinnerung. Ihre verklärende Funktion verrät auch die Bildertechnik Storms, durch die das Gedächtnis nur Bruchstücke noch wiederzugeben vermag, solche nämlich, die sich nicht unmittelbar auf die trübe Gegenwart beziehen und der psychischen Verdrängung darum nicht anheimfallen müssen. Bei Meyer hingegen dient die Rahmenerzählung im genauen Wortsinn als prächtiger Rahmen eines herrlichen Gemäldes, erfüllt sie also gleichsam zwei Funktionen. Einmal weist sie auf die Würdigkeit dessen hin, was sie umschließt, zum andern hebt sie aus dem indifferenten Vielerlei der Erscheinungen das jeweils Singuläre, auf das es ankommt, heraus. Was in Storms Welt das Zeichen des Bescheidenen, Kleinen und Absterbenden ist, wird bei Meyer zum Symbol der lebendigsten Wirklichkeit. Wo die Kleinbürgerseele Storms in sich hineinweint, treibt Meyer wuchtig in die Welt seine Gestalten hinaus, die feudalen Wunschträumen des herrschenden Bürgertums um 1870 zu genügen vermögen.

Im Anschluß daran, zugleich als letztes Beispiel für die Analyse von Formproblemen, ein kurzer Hinweis auf die Verwendung der bildmäßigen Schilderung bei Meyer. Für den Ästhetiker Lessing war die Schilderung in der Poesie verpönt; bei Meyer ist sie ein beliebtes Kunstmittel. Für Lessing kommt es auf den Fortschritt der Menschen in der Zeit an, auf die von ihm optimistisch bewertete Entwicklung des Menschengeschlechts. Für ihn geht das Wesentliche in der Zeit und ihrem Progreß vor. Er ist der Vorkämpfer der aufsteigenden bürgerlichen Gesellschaft, die in den Spannungsgegensätzen des Dramas mit einer Lösung bereitsteht, welche sie für den Antagonismus in der Gesellschaft zu haben glaubt. Meyer ist der Erbe dieser dramatischen Auseinandersetzung, soweit die Sieger durchgehalten haben und zu Großbürgern wurden. Wo Lessing Dramatiker ist, darf Meyer Plastiker sein. Wo der eine die Welt dynamisieren muß, darf der andere das Rad anhalten. Wo dem einen die Kunst ein Mittel ist, das Allgemeine und für alle Menschen Verbindliche als dem historisch einzelnen und Zufälligen überlegen aufzuweisen, ist sie für den anderen die Möglichkeit, eben das Besondere und Großartige als allein wirklichkeitswürdig hervorzuheben. Das an Zeit und Raum nicht fixierte Bild verewigt den großen Moment der großen Gestalt.

Auch hier verrät sich eine im Interesse der herrschenden Schicht des Bürgertums ideologische Einstellung. Sein Angehöriger kann im letzten Drittel des 19. Jahrhunderts die Welt einzig als Chance der Persönlichkeit sehen, er enthebt sich kleinlicher Sorgen des Alltags nicht nur für sich, sondern in seinem Bewußtsein auch für die Masse und ist ständig von großen Geschäften, großen Gestalten und großen Idealen umwittert und bestätigt.

Ein *Motiv*, das ebenfalls der Verklärung ökonomischer Kommandohöhen dient, finden wir etwa in Stendhals Einstellung zur Langeweile. Langeweile ist so gut wie der Tod für »the happy few«, die allein berechtigt sind, seine Bücher zu lesen und für die allein er zu schreiben wünscht: für Menschen, die in weitem Abstand von den Konsequenzen einer kleinen ökonomischen Existenz ihrem Glück in eigengesetzlicher Moral zu leben berechtigt sind. Wie Stendhal der Romancier der Bürgeraristokratie Napoleons ist, so singt Gustav Freytag dem liberalen Bürgertum Deutschlands um die Mitte des Jahrhunderts sein Hohelied. Er verklärt es, indem er von vornherein sich den Zugang zu den Erkenntnissen der Widersprüche in der bürgerlichen Gesellschaft versperrt. Offenkundig liegen diese ja in der Arbeit, ihrer Verteilung, ihrer Organisation, ihrer Entlohnung. Indem man grundsätzlich das Motiv der Arbeit aufgreift und undifferenziert es auf den ebenfalls undifferenzierten Begriff »Volk« anwendet, hat man die Gesellschaftsordnung im wörtlichsten Sinn »übersehen«, nämlich das, was sie als Gesellschaft konkurrierender Gruppen kennzeichnet. Der Ideologe steht bei Gustav Freytag also bereits am Anfang, wenn er als Motto zu seinem Hauptwerk »Soll und Haben« die Worte von Julian Schmidt wählt: »Der Roman soll das deutsche Volk da suchen, wo es in seiner Tüchtigkeit zu finden ist, nämlich bei seiner Arbeit.«

Schließlich soll noch die Analyse des Todesmotivs, das zu wiederholten Malen in Mörikes »Maler Nolten« und in Meyers »Jürg Jenatsch« anklingt, angedeutet werden. Gestaltet Mörike in Leben und Dichtung das Schicksal des Biedermeiers, d. h. der noch unrevolutionären, aber zur Herrschaft bestimmten bürgerlichen Klasse, empfindet er – auch am eigenen Leibe – immer wieder das Todesurteil aufstrebender bürgerlicher Existenzen im Zeitalter der Reaktion, ist so der Tod in seiner Erzählung durch die Niederlage des Bürgertums seiner Generation zu deuten und die Vergänglichkeit in ideologischer Verklärung dieses Schicksals der Schlüssel zum Leben, so wird umgekehrt in der

Erzählung Meyers der Tod zu einem besonders hoch gesteigerten Augenblick aus der Fülle des Lebens. Lucretia tötet Jürg Jenatsch; wir dürfen vermuten, daß diese Tat auch der Beginn ihrer physischen Vernichtung ist. Aber dieser sinngemäße Doppelmord ist der Ausdruck heroischen Lebens; nur diese beiden sind einander ebenbürtig, nur diese in Schicksal und Charakter Artverwandten haben ein Anrecht, sich wechselweise zu beseitigen. Die Solidarität der internationalen führenden Minderheit bewährt sich hier bis zum Tode.

Auch bei der materialistischen Analyse der *Stoffwahl* sei zunächst auf Freytag und Meyer hingewiesen. Beide haben historische Romane und Erzählungen geschrieben. So wie das Gesamtwerk Freytags als das Schulbuch des mittleren national-liberalen Bürgertums bezeichnet werden darf, das die Tugenden und Gefahren seiner Angehörigen aufweist, so ist auch die Historie nicht ein Buch der Verzauberung, sondern ein pädagogisches Organ. Zur Warnung oder Nachahmung enthält sie die Geschichte von Menschen und Gruppen, aus denen in späteren Generationen tüchtige Bürger werden konnten oder die das ungewisse Schicksal des Adels oder gar das verachtungswürdiger anderer Gesellschaftsklassen auf sich nehmen mußten. Spricht sich in dieser Haltung zur Geschichte die ökonomische Position eines mit zäher Tüchtigkeit um gesicherte Existenz kämpfenden Bürgertums aus, so dürfen wir in der auswählenden Art, in der Meyer mit der Geschichte verfährt, einen »großbürgerlichen Historismus« erblikken. Wo Geschichte nur je und je durch einzelne Erscheinungen konstituiert wird, tritt nicht nur die Überfülle der historischen Phänomene in ein belangloses Halbdunkel zurück, sondern verliert die Kette der Ereignisse als solche jeden Sinn. Es gibt kein Kontinuum von Geschehen, welches einen deutbaren Charakter, sei es im Sinne der Kausalität oder selbst einer theologischen oder sonst welchen Teleologie, hätte. Die Veränderungen als solche haben keinerlei Gewicht, im Strome des historischen Lebens der Menschen geht nichts Entscheidendes vor. Der »Historiker« in diesem eingeschränkten Sinne gerät in eine Zuschauerhaltung, in der er das Singuläre als ein großartiges Schauspiel genießt. Die Kategorie des Spiels geht in die reale Geschichte sowohl wie in die Geschichtsforschung derart ein, daß das Gewimmel der Mannigfaltigkeit zum Fundus eines Marionettentheaters der Heroen wird und deren Leben selbst zum spielerischen Genuß des Deutenden. In dieser Epoche des Großbürgertums ist der ihr konforme Historiker wesentlich Ästhet.

Ein anderes Beispiel ist das Problem der Politik. Bei Gottfried Keller finden wir eine geradezu kühne Mißachtung der wirtschaftlichen Differenzierung der Menschen, dagegen eine außerordentliche Bedeutung der politischen Sphäre, sei es, daß sie gelegentlich in der Karikierung der Bierbank oder in den weisen Gesprächen der »Aufrechten« über öffentliche Angelegenheiten getroffen wird. In dieser Überschätzung des rein Politischen enthüllt sich, wenn auch in der Sprache der Verklärung, das Schicksal des gerade noch eben wirtschaftlich gesicherten Schweizer Kleinbürgertums, das Keller darstellt. Politik als ein isoliertes Phänomen zu nehmen, in der Politik eine Sphäre zu sehen, neben der es im gesellschaftlichen Geschehen auch andere gibt, wie Kunst oder Wirtschaft oder Recht, die Politik als eine befriedigende Kampfstätte zu betreten, auf der öffentliche Angelegenheiten sich regeln lassen, ja, aus der überhaupt im Grunde die öffentlichen Angelegenheiten bestehen – alle diese trügerischen Vorstellungen entstehen in solchen Schichten, deren Situation in der Tat im wirtschaftlichen Kampf zwar nicht verzweifelt, aber ohne Chancen erscheint. Soweit in der Politik die Vorstellung von dem Ausgleich der miteinander ringenden Kräfte, das Sich-Einigen auf einem goldenen Mittelweg, ja, letzten Endes die harmonische Verschmelzung und Versöhnung der einander nicht recht kennenden, an verschiedenen Enden stehenden Menschen auftritt, wird die Vorstellung gerade häufig von gesellschaftlichen Mittelschichten produziert. Denn diese finden eine ideologische Verbrämung ihrer Gesamtsituation in dem Glauben, daß die »Mitte« in der Gesellschaft eine besondere Mission habe. Auch Stendhal verwendet politische Stoffe, aber er bedarf bei ihnen, sei es bewußt oder unbewußt, nicht der gleichen ideologischen Kunstgriffe, da er dem Lebensgefühl der französischen Großbourgeoisie seiner Zeit ein aufgeklärtes Bewußtsein verschafft. Für ihn sind die politischen Geschäfte nur ein Teil oder ein Ausdruck großer ökonomischer Auseinandersetzungen, und die Regierungen sind ihm nichts anderes als geschäftliche Kontrahenten, die man in ganz bestimmter Weise zu behandeln hat.

Angedeutet, wenn auch nicht ausgeführt sei, da es sich hierbei nicht mehr in erster Linie um eine Frage der künstlerischen Gestaltung handelt, daß die materialistische Literaturbetrachtung einen wichtigen Fingerzeig immer durch das Studium des Bewußtseins erhält, das dem Dichter von den Aufgaben und der Stellung seines Berufs im Ganzen der bürgerlichen Gesellschaft eignet. An diesem Bewußtsein erhellt jedesmal in einer sehr genauen Weise die psychologische Beschaffenheit des Schriftstellers, und damit eröffnet es die Möglichkeit des Studiums der vermittelnden Zwischenglieder zwischen der gesellschaftlichen Struktur und dem Werk durch die Psyche des Dichters hindurch. Die rasende Verliebtheit in die künstlerische Position bei Balzac, die hochmütige Isolierung Flauberts, die gelassene Haltung Stendhals und Meyers zu poetischen Aufgaben, die bereitwillige Einordnung des Dichters und Schriftstellers in die bürgerliche Ordnung durch Freytag sind ebenso viele Hinweise auf die bestimmten Formungen, Veränderungen und Verdeckungen, die in den ausgeführten Werken dieser Dichter die ökonomische Struktur ihrer Tage gefunden hat.

Schließlich bleibt es geschichtsphilosophisch interessant, daß eine für die Forschung so unendlich wichtige und zentrale Aufgabe wie das Studium der Wirkung dichterischer Werke fast überhaupt nicht in Angriff genommen worden ist, obwohl in Zeitschriften und Zeitungen, Briefen und Erinnerungen ein unendliches Material bereitliegt, um über die Aufnahme der Dichtungen in bestimmten gesellschaftlichen Gruppen und Individuen sich zu unterrichten. Diese Aufgabe bleibt der materialistischen Literaturgeschichte vorbehalten, die, unbekümmert um die bisherige ängstliche Behütung der Poesie, deren Studium breit zu organisieren hat, ohne dabei fürchten zu müssen, in bloßer Philologie und Datensammlung steckenzubleiben, da die ihr zugrunde liegende gesellschaftliche Theorie ihr die Arbeitsrichtung vorzuschreiben vermag.

Aufgaben der Literatursoziologie[1]
(1948)

Die soziologische Interpretation der Literatur – und zwar sowohl der gehobenen als auch der für die Massen bestimmten – ist ein Gebiet, dem die Sozialwissenschaft bisher keine besondere Beachtung geschenkt hat. Seit das Studium der Literatur sich von den strengen methodischen Vorschriften und den zwingenden historischen Gesetzmäßigkeiten der Philologie emanzipiert hat, fühlt sich jeder, der belesen und schreibgewandt genug ist, dazu berechtigt, von historischen, ästhetischen oder soziologischen Gesichtspunkten aus Kritik zu üben oder allgemeine Schlußfolgerungen zu ziehen. Die akademischen Disziplinen, deren traditionelle Aufgabe in der Darstellung der Literaturgeschichte und in der Analyse literarischer Werke bestand, wurden durch die Flut der Massenliteratur, der Bestseller, der populären Zeitschriften, der Comics usw. völlig überrumpelt. Sie haben daher auch gegenüber all diesen dritt- und viertklassigen Werken eine Haltung hochmütiger Gleichgültigkeit eingenommen. Ein wichtiges Wissensgebiet ist also noch unbearbeitet, eine Forderung noch unerfüllt, und es wird Zeit, daß sich der Soziologe diesen ungelösten Fragen zuwendet.[2]

Die folgenden Bemerkungen beanspruchen nicht, systematisch oder erschöpfend zu sein. Sie stellen einen Versuch dar, die schon geleistete Arbeit zu überblicken und neue, zukünftige Aufgaben abzustecken.

1 Diese Arbeit erschien zuerst unter dem Titel »The Sociology of Literature« in: Communications in Modern Society, herausg. von Wilbur Schramm, Urbana Ill., 1948.
2 Es ist symptomatisch, daß es (in den USA) keine bis auf den heutigen Tag fortgeführte, umfassende Bibliographie zur Literatur- und Kunstsoziologie gibt. Die noch immer wertvollste Quelle erschien schon vor fast zehn Jahren. Siehe »General Bibliography« in: »Language and Literature in Society« von Hugh Dalziel Duncan, Chicago, 1953, S. 143-214.

I Literatur und Gesellschaftssystem

Die Frage nach dem Verhältnis von Literatur und Gesellschaftssystem führt uns zu einer zweifachen Problemstellung. Die erste Aufgabe besteht darin, die Literatur in das funktionale Ordnungssystem innerhalb einer Gesellschaft und hier wieder innerhalb der verschiedenen Schichtungen dieser Gesellschaft einzuordnen. In manchen primitiven, aber auch in einigen kulturell hoch entwickelten Gesellschaften ist die Literatur in andere soziale Ausdrucksformen integriert. Sie besitzt dort keine eigenständige Existenz neben dem kultischen und religiösen Zeremoniell. Sie ist vielmehr selbst ein Ausfluß der Institutionen des Kults und der Religion, wie sich z. B. an den Stammesliedern, der frühen griechischen Tragödie oder dem mittelalterlichen Mysterienspiel zeigt. Ganz im Gegensatz dazu ist die Literatur in der bürgerlichen Welt von anderen kulturellen Tätigkeiten deutlich geschieden und kann selbst eine Fülle recht verschiedener Aufgaben übernehmen. Sie kann wie in der frühen Romantik dem Eskapismus politisch enttäuschter Gruppen als Zuflucht dienen, oder sie kann zur Zuflucht gesellschaftlich frustrierter Massen werden, wie sich an dem Phänomen der gegenwärtigen Unterhaltungsliteratur zeigt. Dann wieder kann die Literatur zum Instrument einer Ideologie im eigentlichen Sinne des Wortes werden, indem sie ein bestimmtes Herrschaftssystem verherrlicht und zur Erreichung seiner Erziehungsziele beiträgt, wie es bei den spanischen und französischen Dramatikern im Zeitalter des Absolutismus der Fall war.

Eine weitere Aufgabe besteht in der Untersuchung literarischer Formen. Wenn das Untersuchungsmaterial einer solchen Arbeit auch weniger reichhaltig ist, so führt sie doch zu ebenso bedeutsamen Einblicken in gesellschaftliche Zusammenhänge wie die oben angedeuteten Forschungen. Die epische wie die lyrische Dichtung, das Drama wie der Roman stehen in einem ganz eigentümlichen Beziehungsverhältnis zu dem besonderen gesellschaftlichen Schicksal der Menschen. Die Einsamkeit des einzelnen oder das Gefühl kollektiver Sicherheit, gesellschaftlicher Optimismus oder Verzweiflung, ein Interesse an psychologischer Selbstreflexion oder das Festhalten an einer Skala objektiver Werte – alle diese Vorstellungen vom Menschen müssen als Ausgangspunkte für unsere Überlegungen berücksichtigt werden, wenn wir die literarischen Formen der Vergangenheit im Lichte der jeweiligen gesellschaftlichen Situation erneut untersuchen.[3] Kapitel IV ist ein Beispiel für Untersuchungen dieser Art.

II Die Stellung des Schriftstellers in der Gesellschaft

Der schöpferische Schriftsteller ist der Intellektuelle an sich. Das objektive Quellenmaterial ist für ihn nichts anderes als eine riesige Schatzkammer von Anregungen, die er, wenn überhaupt, ganz eigenwillig seinen besonderen ästhetischen Zielen gemäß benutzt. Er verkörpert also den Prototyp intellektuellen Verhaltens, und die lebhafte Diskussion unter den Soziologen über die Rolle der Intellektuellen könnte vielleicht auf ein viel höheres Niveau greifbarer Tatsachen gehoben werden, wenn man einen der ältesten der geistigen Berufe stärker berücksichtigte. Man müßte dazu vor allem eine historisch dokumentierte Analyse sowohl der besonderen Funktionen als auch des Selbstverständnisses der Schriftsteller – soweit es gesellschaftlich relevant war – durchführen.

Es muß hier genügen, einige wenige Ausgangspunkte aufzuzählen. Auf der Seite des subjektiven Selbstverständnisses finden wir die Erscheinung des prophetischen, des missionarischen, des unterhaltsamen, des streng artistischen, des politischen und des nur auf Verdienst ausgehenden Schriftstellers. Im objektiven Bereich müssen wir die Quellen von Prestige und Einkommen untersuchen, ferner den Druck der institutionalisierten Organe der gesellschaftlichen Kontrolle, ganz gleich, ob sie sichtbar oder anonym wirken, und schließlich die Einflüsse, die von der Technik und den Marktmechanismen ausgeübt werden. Dabei gilt unsere besondere Aufmerksamkeit der Anregung und der Verbreitung künstlerischer Werke, sowie der gesellschaftlichen, wirtschaftlichen und kulturellen Situation, in der sich die Schriftsteller in den verschiedenen geschichtlichen Epochen vorfinden. Als Beispiel wichtiger Themen, die der systematischen Untersuchung bedürfen, verweisen wir hier nur auf die Beziehung der Fürstenhöfe, der Akademien und Salons, der Buchklubs

3 Die eindringlichste Untersuchung dieses Aspektes ist die »Theorie des Romans« von Georg Lukacs, (2. Auflage) Neuwied 1962. Thematisch wird das Problem auch in »The Philosophy of Literary Form« (Baton Rouge, Louisiana, 1941) von Kenneth Burke gestellt.

und der Filmindustrie zu den Schriftstellern.[4] Daneben gibt es auch Probleme, bei denen sich der subjektive und der objektive Aspekt überschneiden, inwieweit z. B. unter den Bedingungen der modernen Buch- und Zeitschriftenproduktion der Schriftsteller noch ein unabhängiger Angehöriger eines freien Berufes oder vielmehr bereits ein Angestellter seines Verlegers oder Managers ist.

III Gesellschaft und gesellschaftliche Probleme als literarischer Stoff

Mit diesem Thema betreten wir das traditionelle Gebiet der Literatursoziologie. Es gibt zahllose Bücher und Aufsätze darüber, wie irgendwelche Schriftsteller in irgendwelchen Ländern und Sprachen den Staat, die Gesellschaft, die Wirtschaft oder dies oder jenes soziale Phänomen behandelt haben. Obwohl diese mehr oder minder verläßlichen Zusammenstellungen von Tatsachen zum größten Teil von Schriftstellern stammen und daher in allen Fragen der Gesellschaftstheorie mehr oder weniger willkürlich sind, kann man sie doch nicht ohne weiteres beiseite schieben. Sie benutzen die Literatur als sekundäres Quellenmaterial, und ihr Wert ist um so größer, je spärlicher die zeitgenössischen Originalquellen sind. Ferner tragen sie zu unserer Kenntnis darüber bei, welche Vorstellung eine bestimmte gesellschaftliche Gruppe – in diesem Falle die Schriftsteller – von bestimmten sozialen Phänomenen hat, und gehören daher zu den propädeutischen Studien einer Geschichte und Soziologie des sozialen Bewußtseins.

Trotzdem darf sich der Soziologe, der literarische Interessen und analytische Erfahrung auf dem Gebiet der Schönen Literatur hat, nicht damit zufriedengeben, nur das literarische Material zu interpretieren, das per definitionem soziologisch ist. Seine Aufgabe besteht auch darin, die sozialen Implikationen solcher literarischer Themen und Motive zu untersuchen, die von den staatlichen und gesellschaftlichen Vorgängen weit abliegen. Die spezifische Behandlung, die ein schöpferischer Schriftsteller der Natur oder der Liebe, bestimmten Gesten oder Stimmungen, menschlicher Geselligkeit oder Einsam-

4 Für die Untersuchung der objektiven Aspekte dieses Gebietes kann man wertvolle Hinweise finden in »Literature and Society« von Albert Guérard, Boston 1935.

keit angedeihen läßt, ferner das Gewicht, das er in seinem Werk den Reflexionen, Beschreibungen oder Gesprächen einräumt – alle diese Phänomene mögen auf den ersten Blick soziologisch unergiebig scheinen. Sie sind in Wirklichkeit jedoch echte und ursprüngliche Quellen, will man untersuchen, wie weit die privaten und intimen Bezirke des individuellen Lebens von dem gesellschaftlichen Klima durchdrungen sind, in dem sich dieses Leben schließlich vollzieht. Für vergangene Epochen ist die Literatur häufig die einzige verfügbare Quelle, aus der wir Kenntnisse über private Sitten und Gebräuche entnehmen können.

Die Mängel zeitgenössischer populärer Biographien rühren zum Teil von dem Versuch her, literarische Gestalten (und in großem Maße auch die gesamte gesellschaftliche Situation, in der sie geschaffen wurden) durch Analogien mit der Psychologie des Menschen unserer Zeit zu erklären. Aber Frauen wie Madame Bovary, Anna Karenina oder das Gretchen des *Faust* können nicht durch bloße Analogien erklärt werden: Ihre Probleme können heute einfach nicht mehr nacherlebt werden, weil die Atmosphäre, in der ihre Konflikte entstanden, vergangen ist. Die gesellschaftlichen Tatsachen der Epoche, in der sie geschaffen wurden, und die gesellschaftliche Analyse der Charaktere selbst geben uns das Material, mit dessen Hilfe Sinn und Funktion der Kunstwerke verstanden werden kann. Wenn die vorgeblichen Literaturpsychologen ehrlich wären, müßten sie eingestehen, daß jede dieser Frauen, lebte sie heute, als eine alberne, frustrierte Neurotikerin anzusehen wäre, die sich gefälligst eine Arbeit suchen oder in psychiatrische Behandlung begeben sollte, um sich von ihren Einbildungen und Hemmungen zu befreien.

Die Aufgabe des Literatursoziologen besteht darin, die imaginären Gestalten der Dichtung mit der spezifischen historischen Situation, der sie entstammen, in Beziehung zu setzen und auf diese Weise die literarische Hermeneutik zu einem Teil der Wissenssoziologie zu machen. Er muß gewissermaßen die privaten Gleichungen der Themen und stilistischen Mittel in soziale Gleichungen überführen.[5] [. . .][6]

5 Meiner Meinung nach ist das Werk von Eric Bentley, The Playwright as Thinker, New York 1946, ein sehr erfolgreicher Versuch, private Vorgänge in gesellschaftliche Vorgänge zu übersetzen und sie dann mit soziologisch relevanten Begriffen zu interpretieren.

6 Gegenüber der Ursprungsfassung in »Literatur und Gesellschaft« (Berlin/

Als Beispiel für eine eingehende Analyse eines modernen Schriftstellers nenne ich eine Studie, die ich vor fast 30 Jahren über Knut Hamsun unternahm und die sich später als eine erfolgreiche soziologische Voraussage auf dem Gebiet der Literatur erwies.[7] Die besondere Aufgabe bestand in der Analyse von Themen und Motiven, die unmittelbar keine Beziehung zu gesellschaftlichen Problemen hatten, da sie in der privaten Sphäre beheimatet waren. Die Untersuchung zeigte, daß Hamsun seiner Anlage nach ein Faschist war. Die Ereignisse haben wenigstens dieses Mal gezeigt, daß für einen Literatursoziologen Voraussagen möglich sind. Zur Überraschung der meisten Zeitgenossen entpuppte sich Hamsun als ein williger Kollaborateur der Nationalsozialisten.

Ich kann hier nur ein paar Beispiele für diese Art der Analyse anführen. Besonders aufschlußreich ist Hamsuns Behandlung der Natur. Im autoritären Staat wird dem Individuum eingehämmert, den Sinn seines Lebens in natürlichen Faktoren wie der Rasse oder dem Boden zu sehen. Immer wieder wird ihm gesagt, daß er nichts weiter sei als Natur, als die Rasse und die »natürliche« Lebensgemeinschaft, der er angehört. Die pantheistische Naturschwärmerei, wie sie Hamsun dargestellt und akzeptiert hat, führt zu dieser diktierten Identität von Individuum und Naturmacht. Der Weg von dem einen zum anderen ist nur dem Schein nach weit.

Der Übergang von der Traumwelt der Naturschwärmerei zu der gesellschaftlichen Wirklichkeit des Faschismus ist schon in den Wendungen angelegt, mit denen der Aufruhr der Elemente, die brutale Naturgewalt, beschrieben wird. Hamsun schreibt (und das folgende ist nur ein Muster, das er in endlosen Abwandlungen immer von neuem wiederholt):

»Ein Wind erhebt sich, und plötzlich dröhnt es weit draußen ... Dann blitzt es, und ... der Donner rollt wie eine ungeheure Lawine weit draußen zwischen den Bergen herab ... Wieder blitzt es, und es donnert näher, es fängt auch zu regnen an, ein Sturzregen, das Echo

Neuwied 1964) wurde an dieser Stelle das Shakespeare-Beispiel weggelassen. Eine ausführliche Darstellung findet sich im Shakespeare-Kapitel in Bd. II der Schriften (der Herausgeber).

7 Siehe Leo Löwenthal, Literature and the Image of Man, Boston 1957, Kapitel VII. (Ursprünglich unter dem Titel »Knut Hamsun. Zur Vorgeschichte der autoritären Ideologie« in der Zeitschrift für Sozialforschung, Jg. VI, 1937, S. 295-345.)

ist sehr stark, die ganze Natur ist in Aufruhr ... Mehr Blitz und
Donner und mehr Sturzregen ...«[8]

Kant hatte am Erlebnis des Gewitters den Begriff der Erhabenheit in
der Natur demonstriert, und zwar bestimmte er ihn dahingehend,
daß der Mensch in der Erfahrung seiner Ohnmacht als bloßes
Naturwesen gegenüber der Macht des Naturgeschehens gerade die
Erfahrung von dessen Nichtigkeit gegenüber dem macht, was am
Menschen mehr ist als Natur. Der Mensch kann zwar der Naturgewalt unterliegen, dies aber macht nur ein Zufälliges und Äußerliches
gegenüber seiner Seelenstärke und seinem Geistvermögen aus.[9]

Kants gesellschaftliches Bewußtsein heißt die Natur sozusagen
schweigen über das, was ihr vom Menschen widerfährt und was sie
dem Menschen antun kann. Bei Hamsun dagegen kann der Sturm gar
nicht laut genug heulen, um über die individuelle und gesellschaftliche Unfähigkeit hinwegzutäuschen. Das Gewitter bietet den Anlaß,
um die Bedeutungslosigkeit des Individuums zu erleben und zu
formulieren. Die Auffassung Hamsuns ist also der Kants genau
entgegengesetzt. »Als mich ein Augenblick der Traurigkeit und das
Bewußtsein meiner eigenen Nichtigkeit gegenüber all der Gewalt
ringsum befällt, klage ich und denke: Welch ein Mensch bin ich jetzt,
oder bin ich vielleicht abhanden gekommen, bin vielleicht überhaupt
nichts mehr? Und ich spreche laut und rufe meinen Namen, um zu
hören, ob er noch da ist.«[10] Als verborgener Affekt scheint die Angst
untrennbar mit diesem späten Pantheismus verknüpft zu sein. Kants
Bürgerstolz auf die Autonomie des Menschen läßt keinen Raum für
die sentimentale Ängstlichkeit, die sich furchtsam vor jedem Gewitter verkriecht und die bei Hamsun als eine unterschiedslose Vermengung von rührseligem Mitleid mit Naturdingen und seelischen Nöten
erscheint.[11] Hamsuns Donnerwelt läßt die nahe Verwandtschaft

8 K. Hamsun, Die letzte Freude, Sämtliche Romane und Erzählungen, Band II,
Deutsche Buchgemeinschaft, Berlin, Darmstadt, Wien 1959, S. 661.
9 Siehe Kant, Kritik der Urteilskraft, Reclamausgabe, S. 140f.
10 Die letzte Freude, S. 661.
11 Siehe z. B. Pan, a. a. O., Bd. 1, S. 880. »Ich hebe einen dürren Zweig auf und
halte ihn in der Hand und sehe ihn an, während ich dort sitze und an meine Dinge
denke, der Zweig ist fast verfault, seine armselige Rinde macht Eindruck auf mich,
ein Mitleid wandert durch mein Herz. Und wie ich mich erhebe und gehe, werfe
ich den Zweig nicht weit weg, sondern lege ihn nieder und bleibe stehen und finde

zwischen Sentimentalität und Brutalität ahnen, die im Faschismus unlösbar miteinander verbunden sind.

Von besonderer Bedeutung für Hamsuns Auffassung von der Natur ist das Gesetz des Rhythmus. Der rhythmische Zyklus der Jahreszeiten wird in den Romanen so häufig erwähnt, als ob es um eine Nachahmung des Phänomens selbst ginge. »So kam der Herbst, so der Winter.«[12] ». . . aber das Leben geht weiter, es war Frühling und Sommer in der Welt . . .«[13] Schließlich nimmt das rhythmische Prinzip einen normativen Charakter an. Der Fehler mancher Menschen ist, »daß sie nicht im Takt mit dem Leben schreiten wollen . . . aber niemand sollte gegen das Leben toben«. Auch die erotischen Beziehungen orientieren sich am Kreislauf der Natur. Im Herbst geht das Hirtenmädchen genauso unfehlbar an der Hütte des Jägers vorüber, wie sie im Frühling zu ihm kommt. »Der Herbst, der Winter hatte sie ergriffen, schon schliefen ihre Sinne.«[15]

Das Selbstbewußtsein des Menschen vor der Natur ist völlig aufgehoben, wenn an keiner Stelle mehr der natürliche Kreislauf durchbrochen werden kann und darf. In dieser neuen Ideologie, in der sich Ohnmacht und Hörigkeit zu verklären suchen, streckt das Individuum in scheinbarer Freiwilligkeit vor einer höheren Gewalt die Waffen. Der Mensch hat den Schrecken eines sinnlosen Lebens zu gewärtigen, wenn er nicht das ihm zunächst fremde Gesetz der Natur als sein eigenes gehorsam akzeptiert. Die gesellschaftliche Auflösung des Rätsels vom naturhaften Rhythmus ist die blinde Disziplin, die Rhythmen und Takte von Märschen und Aufzügen.

Hamsuns Auffassung von der Liebe und der Stellung der Frau läßt sich dahin formulieren, daß die Frau zu ihrer eigentlichen Bestimmung und zu ihrem eigentlichen Glück nur dann gelange, wenn sie in ihrer Funktion als Hausfrau und Mutter die Innerlichkeit des Heims und die Naturhaftigkeit des rechten Lebens vereinigt. Unverkennbar

Gefallen an ihm; zum Schluß sehe ich ihn ein letztes Mal mit nassen Augen an, bevor ich ihn dort zurücklasse.«

12 Nach Jahr und Tag, a. a. O.

13 Der Ring schließt sich, a. a. O., Bd. V, S. 516.

14 Segen der Erde, a. a. O., Bd. I, S. 961. Siehe auch »Rosa«, a. a. O., Bd. II: »Wozu sitzen Sie hier? Ho, junger Mann! sagte er und hielt seine flache Hand in die Höhe. Wozu ich hier sitze? Ich sitze hier und halte Schritt mit meinem Dasein. Jawohl, das tue ich.«

15 Pan, a. a. O., Bd. I, S. 961.

finden sich bei Hamsun Tendenzen, die Rolle der Frau auf rein biologische Funktionen, auf die Pflicht zu reichem Kindersegen zu reduzieren. Sie fügen einen weiteren Zug zu Hamsuns Gegenbild zur liberalistischen Gesellschaft, das im Faschismus Wirklichkeit wurde: »Ein echtes Mädchen sollte sich verheiraten, sollte die Frau eines Mannes werden, sollte Mutter werden, sollte sich selbst zum Segen werden.«[16] Von dieser Vergötzung der naturhaften Funktionen gibt es nur noch hämische Blicke auf Reform, Emanzipation, Geistigkeit, welche Frauen ersehnen mögen[17], nur noch den Hohn auf die »moderne Frau«. Echte individuelle Befriedigung scheint es nur in der Sphäre der Sexualität zu geben. Aber nicht daß diese sinnliches Glück bedeutete, das in einem bestimmten Zusammenhang mit der Entfaltung der Individualität stände; vielmehr herrscht hier eher Abscheu und Hämischkeit, häufig verbunden mit besonderer Verachtung der Frau: »Komm und zeig mir, wo Multbeeren wachsen, sagte Gustaf. Wer hätte da widerstehen können! ... Wer hätte das nicht auch getan! Die Frauen können den einen Mann nicht von dem anderen unterscheiden, nicht immer, nicht oft.«[18]

Hamsun kleidet diese wahllos genossene Sexualität in Naturmythen ein. Aber auch noch in dieser Konzession an Glück und Befriedigung fehlt jegliches Interesse am Partner, herrscht völlige Passivität, sozusagen ein Gesetz des Dienstes, den der Mensch ausführt: ».. . er wirft alle Bedenken beiseite und wird sehr zutraulich, liest Heuhalme von ihrer Brust, streicht Heuhalme von ihren Knien, streicht, streichelt, schlägt die Arme um sie. Einige nennen das den freien Willen.«[19] Wo die Menschen von der Liebe bestimmt sind, werden sie von Hamsun, gelehriger Schüler des moralischen Relativismus des Faschismus, hämisch an ihre bloße Naturhaftigkeit erinnert.

Man trifft bei Hamsun auf einen Typus, dem offensichtlich neben dem Bauern seine besonderen Sympathien gelten: dem Vagabunden. Wie in der Vorgeschichte des deutschen Nationalsozialismus eine eitle individualistische Schicht von meist gar nicht bodenständigen Literaten, die es mit dem Heroismus haben, eine Rolle spielt, so ist auch bei der Vorwegnahme der nationalsozialistischen Wirklichkeit in Hamsuns Werk der Landstreicher ein Vorläufer für den brutalen

16 Die letzte Freude, a. a. O., S. 691.
17 Das letzte Kapitel, a. a. O., Bd. V, S. 107-108.
18 Segen der Erde, a. a. O., S. 1053.
19 Das letzte Kapitel, a. a. O.

Mannestyp, der über die dürren Zweige im Walde weint und der Frau die Fäuste zeigt. Im Liebäugeln mit dem anarchistischen Charakter des Landstreichers steckt ein koketter und spiritualisierter Ausdruck der Anbetung heroischer Kraft. Man findet dafür aus allen Perioden Hamsuns hinreichende Dokumente, so in einem der späteren Romane, wo sich August, der Landstreicher, danach sehnt, »einem Mann, der einem die Brieftasche stehlen wollte, das Messer aus der Hand zu schießen«, was doch im grauen Alltag ein »Wunder für die Menschen dieser Zeit« bedeutet hätte[20], so ferner aus den Schriften kurz vor dem Ersten Weltkrieg, wo er etwa die gleiche romantische Spielerei mit dem Mangel an dämonischen Verbrechen treibt[21] oder wo der Begriff der bürgerlichen Tüchtigkeit als wahrhaft armselig verspottet wird – »nie schlägt der Blitz ein«[22] –, so aber bereits auch in den Anfängen, wo er gleich nach »gigantischen Halbgöttern« schreit und eine politische Praxis unbewußt ausplaudert, zu der diese ganze heroische Ideologie Vorstufe und Vorbereitung ist: »Der große Terrorist ist am größten, seine Dimension ist die unerhörte Hebelkraft, die Weltkörper zu heben vermag.«[23] Bis zur Verherrlichung des Führers ist es nur ein kleiner Schritt.

Zum Schluß noch ein Wort zu Hamsuns Beziehung zur Menschheit als ganzer. Es ist von unerhörter Ironie, daß ein biologischer Vergleich, den man in der reformfreudigen liberalistischen Literatur gerne als Zeichen einer höheren gesellschaftlichen Zweckmäßigkeit und Organisation gewählt hat, bei Hamsun gerade umgekehrt die Planlosigkeit des gesamten menschlichen Daseins zu versinnbildlichen hilft: »O, der kleine Ameisenhaufen! Alle Menschen sind von ihrem Eigenen hingenommen, sie begegnen einander auf den Wegen, einer pufft den anderen auf die Seite, manchmal schreiten sie übereinander weg. Es geht gar nicht anders, manchmal schreiten sie übereinander weg.«[24]

Dieses Bild vom Leben und vom planlosen Krabbeln der Menschen

20 Nach Jahr und Tag, a.a.O.

21 Vgl. »Und stehlt einen Sack Geld und Silberzeug am Handelsort und versteckt den Sack in den Bergen, daß an den Herbstabenden eine blaue Flamme über der Stelle schweben kann. Aber kommt mir nicht mit drei Paar Fäustlingen und einer Speckseite« (Die letzte Freude, S. 645f).

22 Kinder ihrer Zeit, a.a.O., Bd. III, S. 71.

23 Mysterien, a.a.O., Bd. I, S. 222.

24 Die Frauen am Brunnen, a.a.O., Bd. III, S. 583.

schließt den Ring der anti-liberalistischen Ideologie. Der Ausgangspunkt, der Mythos der Natur, ist eingeholt.

IV Gesellschaftliche Determinanten des Erfolgs

Der legitime Beitrag des Literatursoziologen zur Erforschung der Massenkommunikationsmittel besteht vornehmlich in der Entwicklung von Hypothesen zur empirischen Untersuchung der Bedeutung des Lesens für die Menschen.[25] Aber er kann sich nicht einfach mit seiner historischen, biographischen und analytischen Arbeit zufrieden geben und alles übrige seinem Kollegen von der empirischen Forschung überlassen. Denn es gibt bestimmte Faktoren von hoher gesellschaftlicher Bedeutung, die zwar von entscheidendem Einfluß auf das Ausmaß der Wirkungen sind, aber zu ihrer soziologischen Erforschung einer theoretischen und dokumentarischen Untersuchung bedürfen.

Da gilt es zunächst herauszuarbeiten, was wir denn über den Einfluß allumfassender sozialer Konstellationen auf die Schriftsteller und Leser wissen. Sind Krieg oder Frieden, Wirtschaftskonjunktur oder Depression förderlicher für die literarische Produktion? Herrschen mehr oder weniger literarische Werke von bestimmtem Niveau, bestimmter Form und bestimmtem Inhalt vor? Wie steht es um den Absatzmarkt, die Verlage, die Auflagenziffern und die Konkurrenz zwischen Buch und Zeitschrift zu verschiedenen Zeiten? Was wissen wir über die Leserzahlen der Volks- und Universitätsbüchereien, bei der Armee und in Krankenhäusern – wiederum aufgeschlüsselt nach den wechselnden sozialen Verhältnissen? Was wissen wir qualitativ und quantitativ über das Verhältnis zwischen dem Konsum an Literatur und den anderen Massenmedien einschließlich der nichtsprachlichen Formen organisierter Freizeitgestaltung?[26]

Eine zweite, ergänzende Aufgabe bezieht sich auf das Gebiet der gesellschaftlichen Kontrollen. Was wissen wir über den Einfluß formaler Kontrollen der Herstellung und Verbreitung von Literatur? Wir müssen uns, um nur ein paar Beispiele zu nennen, mit der in der

25 Siehe die Pionierarbeit von Douglas Waples, Bernard Berelson und Franklyn R. Bradshaw: What Reading Does to People, Chicago 1940.
26 Siehe Paul F. Lazarsfeld, Radio and the Printed Page, New York 1940.

ganzen Welt verbreiteten Erscheinung beschäftigen, daß Steuergelder für öffentliche Büchereien ausgegeben werden, ferner mit der (europäischen) Praxis der staatlichen Theatersubventionen und mit der (amerikanischen) Erfahrung bei der Unterstützung von Schriftstellern aus öffentlichen Mitteln (während des New Deal). Wir müssen den Einfluß untersuchen, den exklusive und begehrte öffentliche Preise ausüben, vom Nobelpreis für Literatur bis zu den Preisausschreiben, die von den Verlagen ausgehen, vom Pulitzerpreis bis zu den Preisen, die Städte und Länder an erfolgreiche Autoren verleihen, die das Glück hatten, in ihrem Gebiet geboren zu werden. Man muß natürlich auch die »manipulierten Kontrollen« untersuchen: die Werbefeldzüge der Verleger, die Gewinnaussichten, die mit Buchklubs und Verfilmungen gegeben sind, den riesigen Markt für Fortsetzungsromane in Zeitschriften, die Taschenbuchverlage usw. Auch der ganze Fragenkomplex der Zensur darf nicht vernachlässigt werden. Er umfaßt die institutionalisierten Beschränkungen, angefangen vom Index der katholischen Kirche bis zu lokalen Anordnungen, die den Verkauf bestimmter Bücher und Zeitschriften verbieten. Schließlich müßten wir analysieren und systematisieren, was uns über die informellen Kontrollen, den Einfluß von Rezensionen und Radiosendungen, von popularisierenden Artikeln über die Schriftsteller, von Stimmungsmache, literarischem Klatsch und privaten Unterhaltungen bekannt ist.

Eine dritte und sicher nicht die unbedeutendste soziale Determinante für den Erfolg eines Schriftstellers ist in den technischen Veränderungen und ihren gesellschaftlichen und wirtschaftlichen Folgen zu sehen.[27] Die erstaunliche Entwicklung des Verlagswesens, die es heute erlaubt, literarische Produkte jeder Qualität zu billigen Preisen anzubieten, wird nur noch durch die noch imposanteren Produktionsverfahren der anderen Massenmedien übertroffen. Es würde die Untersuchung lohnen, ob die Einkünfte der Schriftsteller während der letzten Jahrzehnte in großem Umfang den verbesserten techni-

27 Der Aufsatz »Art and Mass Culture« von Max Horkheimer, veröffentlicht in »Studies in Philosophy and Social Science« Bd. IX, 1941 (dt. »Neue Kunst und Massenkultur« in »Internationale Revue Umschau«, Jg. III, 1948, S. 445 ff.), gibt die theoretischen Grundlagen für die Untersuchung der modernen technischen Veränderungen und ihrer gesellschaftlichen Auswirkungen im Bereich der Kunst. Die Untersuchungen des Verfassers auf dem Gebiet der Literatursoziologie sind in mannigfaltiger Weise durch diesen Aufsatz angeregt worden.

schen Verfahren, einschließlich der Arbeitsmittel der Autoren selbst, zugeschrieben werden können und ob diese Entwicklung der Technik den Sozialstatus der Schriftsteller als Gruppe verändert hat. Verhältnismäßig wenig ist darüber bekannt, wie weit technische Verbesserungen in einem der Massenmedien kumulative Wirkungen in anderen auslösen. Liest eine größere Zahl von Menschen mehr Bücher, weil sie mehr Filme sehen oder mehr Radiosendungen hören, oder ist es gerade umgekehrt? Oder gibt es etwa keine solchen Wechselwirkungen?[28] Gibt es eine Beziehung zwischen der leichten Zugänglichkeit von Druckerzeugnissen und den Methoden, nach denen sich die Erziehungseinrichtungen aller Altersstufen ihrer bedienen?

Als Beispiel für die sozialen Determinanten, die für den Erfolg eines Schriftstellers mitbestimmend sind, kann die breite, mannigfaltig abgestufte, klar erkenntliche Rezeption Dostojewskis in Deutschland dienen. Eine Untersuchung des in Büchern, Zeitschriften und Zeitungen zur Verfügung stehenden Materials zeigte, daß offensichtlich bestimmte psychologische Bedürfnisse des deutschen Bürgertums durch die Lektüre Dostojewskis in hohem Maße befriedigt wurden.[29] Anders als bei der Untersuchung Hamsuns gilt unser Interesse hier nicht dem Werk, sondern dem gesellschaftlichen Hintergrund seiner Rezeption.

Das deutsche Bürgertum hatte auch in der klassischen Zeit des Liberalismus nie entscheidenden Einfluß auf die Politik zu gewinnen vermocht. Dies führte zu einem ständigen Schwanken zwischen der

28 Für das Gebiet der Musik hat Th. W. Adorno und für das Gebiet des Films Walter Benjamin meisterhaft den Einfluß der technischen Entwicklung auf die Produktion und Reproduktion in der Film- und Tonkunst aufgedeckt. Vergleiche z. B. den Artikel Adornos »On Popular Music«, in: Studies in Philosophy and Social Science, Bd. IX, Nr. 1 (1941), und den Artikel Benjamins »L'œuvre d'art a l'époque de sa reproduction mécanisée«, in: Zeitschrift für Sozialforschung, Bd. V, Nr. I (1936) – jetzt deutsch, »Das Kunstwerk im Zeitalter seiner technischen Reproduzierbarkeit«, in: W. Benjamin, Schriften, Bd. I, Frankfurt 1955, S. 366 ff. Wertvolle Informationen über die Wechselwirkung zwischen Film und literarischer Produktion sind zu finden bei S. Kracauer, From Caligari to Hitler: A Psychological History of the German Film, Princeton, N. J., 1947. (Deutsch: Von Caligari zu Hitler, in: Schriften, Bd. 2, Frankfurt 1979)
29 Vergleiche Leo Löwenthal, Die Auffassung Dostojewskijs im Vorkriegsdeutschland, Kap. IV von Teil 1 dieses Bandes.

Identifikation mit den aggressiven und imperialistischen herrschenden Gruppen und einer Haltung des Defätismus und der Passivität, die trotz aller Tradition der idealistischen Philosophie immer wieder zu williger Unterwerfung führte, sobald man eine überlegene Führerpersönlichkeit zu spüren glaubte. Die daraus resultierenden sadistischen und masochistischen Reaktionen fanden in den Helden der Romane Dostojewskis, die sich selbst und andere quälen, reichen Stoff für Identifikationserlebnisse.

Aus dem Blickfeld breiter Schichten des deutschen Bürgertums war der aktive Lebensprozeß der menschlichen Gesellschaft, alle in ihm angelegten vorwärtstreibenden Kräfte, ja, der Gesamtbereich der Produktivkräfte überhaupt, verbannt. Bei der Rezeption Dostojewskis kommt das z. B. noch an einer Lücke in dessen Werk zum Ausdruck: es fehlt die Kategorie des irdischen Glücks. Glück in gesellschaftlichem Maßstab erfordert nämlich eine aktive Umgestaltung der Wirklichkeit im Sinn der Beseitigung ihrer krassesten Widersprüche. Damit wäre nicht nur eine vollkommene Umgestaltung der bestehenden Machtverhältnisse, sondern auch eine Umstrukturierung des gesellschaftlichen Bewußtseins vonnöten. Seine Triebziele wesentlich auf die Verwirklichung des sozialen Glücks einrichten heißt, in unmittelbaren Widerspruch mit dem gesamten vorliegenden Machtapparat geraten. Die geringe Rolle, die die Kategorie des Glücks in jenem bürgerlichen gesellschaftlichen Bewußtsein spielt, muß aus den gesamten Verhältnissen dieser Klasse begriffen werden. Eine befriedigende gesellschaftliche Verfassung war ihr als absteigender Klasse verschlossen und mußte sich darum auch dem Bewußtsein in ihrer eigentlichen Bedeutung als Glück verschließen.

Nun könnte gegen diese Auffassung, die Dostojewski als Beleg für eine inaktive, der moralischen Tat und der sozialen Solidarität entrückte Ideologie heranzieht, eingewandt werden, gerade Dostojewski eigne sich dazu doch sehr wenig, da er der Verkünder der Liebe und des Mitleids für die Menschen sei. In der Tat wandeln fast alle literarischen Äußerungen über Dostojewski dieses Thema von Liebe und Mitleid ab, mag es sich geschmackvoll ausdrücken in Formulierungen wie: »die überlegene Ruhe, durch die nur so etwas wie eine tiefgeheime Trauer hindurchzittert, wie ein unendliches Mitleid . . .«[30], oder peinlich populär wie: ». . . ihm zittert das Herz

30 Hermann Conradi, Dostojewskij, in: Die Gesellschaft, Bd. 6, (1889), S. 528.

vor Mitfühlen, Mitleiden«[31]. Eine recht naive Stelle mag als Hinweis auf die gesellschaftliche Deutung dienen: » Seine Neigung zu den Unterdrückten und Verkommenen nahm allmählich die krankhafte Form des ›russischen Mitleids‹ an, jenes Mitleids, das alle anständigen, ehrlich arbeitenden Menschen ausschaltet und sich nur noch auf Dirnen, Mörder, Säufer und ähnliche Blüten am Baume der Menschheit erstreckt.«[32]

So grobschlächtig diese Äußerung auch ist, sie weist auf etwas ganz Richtiges hin. Die Rezeption nimmt keinerlei Anstoß daran, daß bei Dostojewski die Liebe eine Angelegenheit bloßer Gesinnung bleibt, eine weiche Gestimmtheit der Seele, die nur unter Voraussetzung der wütenden Abwehr jeder sozialen Veränderung, nur unter der Voraussetzung der grundsätzlichen Passivität gegenüber jeder faktischen moralischen Aktion zu begreifen ist. An sich könnte in der Forderung nach Liebe und Mitleid ein Hinweis auf die gesellschaftlichen Widersprüche und die Notwendigkeit der Reform liegen; es könnte hiermit gleichsam der affektive Zugang zur Aktivität der Menschen in ihren Gedanken und in ihren Handlungen gelegt werden. Hier liegt vielleicht die genaueste Kennzeichnung des ideologischen Standorts dieses Liebes-Begriffs. Sie bleibt ein reiner Gesinnungsvorgang: ein Gewährenlassen, aber keine Forderung. In das gesellschaftliche Bewußtsein relativ ohnmächtiger Schichten kann die Forderung, daß sie handeln sollten, und die Vorstellung, daß sie die Macht dazu hätten, ebensowenig eintreten, wie sie ein Bekenntnis zur Gerechtigkeit ablegen können, das nicht nur ihre Solidarität mit der herrschenden Klasse zerreißen müßte, sondern umgekehrt auf gemeinsame Klasseninteressen mit den Beherrschten hinwiese.[33]

31 L. Brehm, Dostojewskijs ›Dämonen‹, in: Der Deutsche, Bd. 5, (1906), S. 346.
32 C. Busse, Geschichte der Weltliteratur, Bd. II, Bielefeld und Leipzig 1913, S. 346.
33 Bücher und Aufsätze über Dostojewski, die seit dem Kriegsende in Amerika erschienen, bieten eine günstige Gelegenheit zum Vergleich mit europäischen Erfahrungen. Ich habe den Eindruck, daß verschiedene dieser Publikationen eine Atmosphäre voller Trübsinn und Frustration zeigen, in denen der Soziologe Züge der geistigen Not und Verwirrung erkennt, die für die europäische Erfahrung mit Dostojewski während der vorigen Generation bezeichnend waren.

V Einige dringende Aufgaben

Wenn der Literatursoziologe erreichen will, daß er in der modernen Forschung auf dem Gebiet der Massenkommunikationsmittel berücksichtigt werde, muß er zumindest ein Forschungsprogramm vorlegen können, dessen Aufgabenstellung sich auf Problemkreise bezieht, die diesem Gebiet entstammen, und das zugleich die für die anderen Massenmedien bereits erarbeiteten wissenschaftlichen Erkenntnisse berücksichtigt. Haben wir bisher vier Themenkreise für die *theoretische* Analyse abgesteckt, so werden im folgenden gleicherweise vier Gebiete umrissen, auf denen empirische Untersuchungen möglich wären.

Funktionsanalyse des Inhalts

Will man erkennen, welche Befriedigung die Menschen in einer bestimmten gesellschaftlichen Situation, oder besser: in einem bestimmten historischen Augenblick, von der Massenliteratur erwarten, dann ist die Grundvoraussetzung, daß man eine genaue Kenntnis vom Inhalt dieser Werke besitzt. Wir benötigen daher qualitative und quantitative Bestandsaufnahmen vom Inhalt der Massenliteratur; sie hätten vergleichend vorzugehen und dürften nicht später als im frühen 19. Jahrhundert einsetzen. Es gibt bisher nur wenige derartige Untersuchungen[34], obwohl es an spekulativen Vorstellungen über den vermeinten Inhalt dieser Werke nicht mangelt.

Nehmen wir nur die allgemein akzeptierte Auffassung, daß die Hauptaufgabe der Massenliteratur darin bestehe, den Fluchtimpulsen frustrierter Menschen einen Ausweg zu öffnen. Woher wissen wir, daß das jemals richtig war oder daß es noch heute richtig ist? Vielleicht ist der funktionelle Inhalt des heutigen Romans eher unterrichtend denn eskapistisch: die Literatur ist ein recht billiges und leicht zugängliches Mittel geworden, sich in einer verwirrenden äußeren und inneren Welt zu orientieren. Der Leser sucht nach Rezepten zur Bewältigung seiner seelischen Probleme, er erhofft sich

34 Ich bin Ralph H. Ojemann von der Staatsuniversität Iowa zu Dank verpflichtet, daß er mich auf die unter seiner Anleitung geschriebene ausgezeichnete Doktorarbeit von Evelyn Peters, »A Study of the Types of Behavior toward Children approved in Fiction Materials«, 1946, aufmerksam machte.

gewissermaßen eine kurz gefaßte und verständliche psychoanalytische Kur, die es ihm ermöglicht, durch Identifikation und Nachahmung einen Ausweg aus seiner inneren Verwirrung zu finden. Zur Flucht aus der Wirklichkeit gehört eine selbstbewußte Haltung, die viel eher in Zeiten, in denen das Individuum intakt ist, gefunden werden kann als in unserer Gegenwart, in der die Ichschwäche, das geschwächte Selbstbewußtsein, fremder Krücken zu seiner Behauptung bedarf. Ganz gleich, ob diese Hypothese stimmt oder nicht, auf jeden Fall könnte sie für die Untersuchung der Identifikations- und Imitationsschemata, die die Massenliteratur dem Leser anbietet, fruchtbare Anregungen geben. Man würde wahrscheinlich zu dem Ergebnis kommen, daß, im Gegensatz zu früheren Werken, der zeitgenössische Roman eine viel stärkere Handlungsdichte und Handlungsgeschwindigkeit aufweist, während Reflexion und Beschreibung mehr und mehr zurücktreten.

Es würde z.B. interessant sein, den populären historischen Roman von heute mit dem der vorigen Generation zu vergleichen. Wir würden vielleicht entdecken, daß die älteren Werke das panoramaartige Gemälde einer Epoche zu entwerfen versuchten, bei dem der Leser geruhsam und nahe bei dem historischen Helden sitzen konnte, um den sich das Panorama ausbreitete. Heute dagegen löst sich das Gemälde in eine Fülle von Gestalten, Situationen und Handlungen auf, und dem Leser bleibt die Freude verwehrt, unsichtbar neben dem Helden zu sitzen, der als Maßstab und Richtschnur für die anderen vom Schriftsteller beschworenen Gestalten diente. Der Druck des modernen Lebens, dessen Produkt ein stark geschwächtes Ich ist, das wiederum neuem Druck ausgesetzt wird, macht es notwendig, auf die Identifikation mit nur einer Gestalt oder den inneren Seelenvorgängen oder theoretischen Ideen und Werten zu verzichten.

So schwindet die klassische Situation der Lektüre dahin, in der der Leser die Einsamkeit, die die eigene Wahl oder das Schicksal über ihn verhängen mochten, mit der Einsamkeit und Einzigartigkeit des einen und unwiederholbaren Kunstwerks teilte. An ihre Stelle tritt die kollektive Erfahrung einer wohlorganisierten Tätigkeit, die auf Anpassung und den Erwerb der zur Selbst-Manipulierung notwendigen Tricks hinausläuft. Immer mehr Untersuchungen fördern neues Quellenmaterial zutage[35], aber die systematische soziologische Durchforschung ist noch zu leisten.

35 Siehe z.B. Frank Luther Mott, Golden Multitudes, New York 1947; Alice

Die Haltung des Schriftstellers

Man muß unterscheiden zwischen dem, was der Leser in literarischen Werken sucht, und dem, was der Autor außerdem vermittelt, ohne daß sich der Leser dessen bewußt ist. Der Fall Knut Hamsun ist ein Beispiel für Probleme dieser Art.

Ob und wieweit die Meinungen und Haltungen der Menschen durch die Flut literarischer Werke beeinflußt werden, hängt nicht nur von ihrem handgreiflichen Inhalt, sondern auch von ihren verborgenen Implikationen ab. Die Implikationen von dem formulierten Inhalt abzulösen, ist freilich eine Aufgabe, für die noch keine Methoden ausgearbeitet sind. Wir möchten aber darauf hinweisen, daß es ein äußerst billiges soziales Laboratorium gibt, das es nicht notwendig macht, Menschen mit großem Zeit- und Geldaufwand zu interviewen. Mehr oder gewöhnlich weniger bewußt übt jeder Autor einen Einfluß dadurch aus, daß er gewisse »Botschaften« weiterzugeben sucht, die seine eigene Person und ihre Probleme widerspiegeln. Um seinen Standort festzustellen, könnte es lohnen, ihn selbst und die Gestalten seiner Einbildungskraft sozusagen mit Hilfe künstlicher Atmung wiederzubeleben und sie Fragen und psychologischen Experimenten zu unterwerfen, die dem neuesten Forschungsstand entsprechen.

Wir könnten, zum Beispiel, mit Hilfe eines standardisierten Fragebogens zur Ideologie eine repräsentative Auswahl von Werken der Massenliteratur durchgehen und die Einstellungen der Verfasser, ihre Ansichten über die Natur des Menschen, über die Spannungen zwischen sozialen Gruppen, über geschichtliche und Naturkatastrophen, über die Sexualität, über den Gegensatz zwischen den Massen und den großen Männern usw. feststellen. Wir könnten dann die Antworten auszählen und würden auf diese Weise einen qualitativen und quantitativen Maßstab gewinnen, mit dem wir die gesellschaftliche Stellung des Schriftstellers bestimmen könnten. Wir könnten sogar Voraussagen über sein Verhalten als Person und über die Art der Werke wagen, die den bisher geschriebenen folgen werden. Wenn wir unsere Auswahl genügend erweitern, ließe sich überdies einiges darüber erfahren, wie diese Repräsentanten der Massenmedien sich

Payne Hackett, Fifty Years of Best Sellers, New York 1945; Edward H. O'Neill, The History of American Biography, Philadelphia, 1935.

selbst sehen, und ebenso über den möglichen Einfluß dieser versteckten Selbstbilder auf die Leser.

Ein so geartetes Laboratoriumsexperiment könnte ergänzt werden, indem man die Charakterstruktur der Haupthelden des literarischen Materials analysiert. Die neuesten Forschungen der Sozialpsychologie haben uns Struktursyndrome an die Hand gegeben, die aus Reaktionen auf ideologische und projektive Interview-Verfahren gewonnen werden konnten. Mit ihrer Hilfe können wir mit einem hohen Grade von Wahrscheinlichkeit diagnostizieren, ob ein Mensch seinem Typ nach autoritär oder antiautoritär ist. Diese Feststellungen haben eine unverkennbare Bedeutung für Voraussagen über das politische, moralische und emotionale Verhalten. Bloße Beschreibungen sind sehr oft irreführend und können durch diese neuen Methoden korrigiert werden.[36]

Kulturerbe

Bei der Untersuchung des (ausgesprochenen oder unausgesprochenen) gesellschaftlichen Inhalts der Massenliteratur verdienen bestimmte Randerscheinungen weit mehr Berücksichtigung als sie bisher erfahren haben. Wir denken hier besonders an die *Comics*[37] und auch an einige andere Produkte, an denen Erwachsene und Jugendliche gleichermaßen ihre Freude haben. Eine umfassende Inhaltsanalyse dieses Materials müßte zu einer ganzen Anzahl von wertvollen Hypothesen über die fortdauernde Bedeutung von Ideen, Werten und Gefühlen führen, die aus Situationen stammen, die heute völlig überholt sind.

Man müßte dazu nicht nur die unverkennbar archaischen und infantilen Motive in der unter- und übermenschlichen Märchenwelt der Fortsetzungsserien untersuchen, sondern auch jene Stoffe, bei denen unter dem Deckmantel alltäglicher Freuden und Leiden Werte sichtbar werden, die mit früheren Entwicklungsstadien der modernen Gesellschaft und besonders mit dem ruhigeren Lebensstil des 19. Jahrhunderts verknüpft waren. Wenn man dieses Material dann mit

36 Siehe z. B. Th. W. Adorno u. a., The Authoritarian Personality, New York, 1950.

37 Siehe jedoch Coulton Waugh, The Comics, New York, 1947. Vergleiche dazu Kapitel I, Fußnote 5.

dem ideologischen und emotionalen Inhalt der traditionellen, bürgerlichen Literatur vergleicht, könnte sich noch klarer erkennen lassen, wie sehr der moderne Leser hin und her schwankt zwischen der Notwendigkeit, die Mechanismen der Anpassung und des Konformismus zu erlernen, und den Tagträumen von einem glücklicheren, obwohl unerreichbaren oder historisch nicht mehr möglichen Lebensstil. Wenn man Inhalte, die für Erwachsene, und Inhalte, die für Jugendliche bestimmt sind, miteinander vergleicht, könnte man vermutlich Hypothesen entwickeln, die der systematischen Erforschung von Neigungen und Abneigungen auf verschiedenen Bewußtseinsebenen und selbst in psychologisch tiefer liegenden Schichten die Bahn bereiten würden.

Die Rolle der gesellschaftlichen Situation

Bei der Beschreibung der Themenkreise für die theoretische Analyse stellten wir bereits fest, daß es drei verschiedene Gruppen sozialer Determinanten für den Erfolg von literarischen Werken gibt. Auf zwei davon wollen wir hier zurückkommen, um genauer zu klären, welche Untersuchungen in diesem Zusammenhang notwendig wären.

Es handelt sich erstens um das Problem, ob die verschiedenen Stadien der wirtschaftlichen und politischen Zyklen die literarischen Werke unterschiedlich beeinflussen. Die Forschungsaufgabe würde eine Abwandlung der funktionellen Inhaltsuntersuchungen erfordern. An Hand einer repräsentativen Auswahl literarischer Werke aus Perioden der Depression und der Hochkonjunktur, aus Kriegs- und Friedenszeiten wäre eine genaue Bestandsaufnahme anzufertigen, die sich freilich nicht auf eine Aufzählung der Themen beschränken dürfte, sondern vor allem auch die emotionalen Verhaltensmuster beachten müßte, von denen man mit hoher Sicherheit annehmen kann, daß sich in ihnen die spezifischen Befriedigungs- und Frustrationserlebnisse der Leser besonders deutlich spiegeln. Es ließe sich z.B. die Hypothese wagen, daß sich in der Benutzung des Happyends bzw. eines ungünstigen Ausgangs spezifische Verschiedenheiten werden nachweisen lassen. Auf dem Höhepunkt einer Wirtschaftskrise dürften wahrscheinlich eskapistische Identifikationen mit angenehmen Tagträumen voll ungetrübten Glücks die literarische Szenerie beherrschen. Heute dagegen ist der pseudotragische Ausgang, der ungelöste Probleme offenläßt, gar nicht so selten, da der relative Wohlstand literarische Erfahrungen zuläßt, die uns dichter an die Realität heranführen und uns sogar bestimmte Einsichten über unsere psychologischen und kulturellen Mängel vermitteln.

Noch viele andere Zusammenhänge müßten herausgegriffen und analysiert werden, ehe sich angeben ließe, welche Arten des Inhalts und welche Motive jeweils für verschiedene gesamtgesellschaftliche Situationen bevorzugt werden. Eine Untersuchung, die aus den vergangenen 45 Jahren die beiden Nachkriegskonjunkturen mit den beiden Vorkriegskrisen vergliche, könnte uns in der Tat an einen Punkt führen, von dem sich zukünftig voraussagen ließe, welche Themen und Inhalte jeweils in der Literatur bevorzugt würden. Die Folgerungen, die Erzieher und Schriftsteller hieraus ziehen könnten, sind so offensichtlich, daß sie keiner näheren Erörterung bedürfen.

Auf dem Gebiet der technischen Determinanten würde es sich lohnen, die Lesefähigkeit des Durchschnittsmenschen zu untersuchen und festzustellen, in welcher Weise sie durch seine Erfahrungen mit Radio, Film und Fernsehen modifiziert worden ist. Wir wissen sehr viel über krankhafte Leseunfähigkeiten, aber wir wissen verhältnismäßig wenig über die geistige Trennschärfe bei der Lektüre.[38] In ähnlicher Weise wäre es interessant zu untersuchen, was gelesen und was erinnert wird und was mehr oder minder nur überflogen oder überhaupt nicht gelesen wird. Ein genaueres Wissen, wie weit die Leser fähig bzw. unfähig sind, den Inhalt aufzunehmen, könnte zu großer Zeitersparnis für die Schriftsteller führen; die Soziologen dagegen würden Material gewinnen, das die Ergebnisse der Inhaltsanalyse bestätigen könnte.

Die theoretische Ausarbeitung von Forschungsaufgaben ist mit all den Mängeln behaftet, die unerfüllte Versprechen immer haben. Wir hoffen jedoch, daß in dem Experten der Kommunikationsforschung das Interesse an den beunruhigenden Ergebnissen und Aufgaben eines benachbarten Forschungszweiges geweckt und sein Blick für die möglichen Beiträge zu seinem Forschungsgebiet geöffnet wird.

Ich möchte mit einer persönlichen Erfahrung schließen. Wenn der Soziologe im Seminar oder im Hörsaal literarische Werke untersucht, wird er auf eine zwiespältige Reaktion stoßen: Die Studenten zeigen

38 Vergleiche Rudolf Flesch, The Art of Plain Talk, New York, 1946.

zunächst lebhaftes Interesse für die neue wissenschaftliche Erfahrung, aber nach einiger Zeit beginnen manche von ihnen gegen die analytische »Zergliederung« dichterischer Werke zu protestieren. Die Studenten verlangen lebhaft nach Anleitung auf einem für sie dunklen Gebiet, da ihnen bis dahin nie recht klar war, was nun eigentlich gut und was weniger gut sei. Sie erwarten, eine »todsichere Formel« in die Hand zu bekommen, die ihnen ein für allemal dieses unbestimmte und riesige Gebiet erschließt, das irgendwo zwischen Bildung und bloßer Unterhaltung liegt. Die Studenten wissen nicht, daß sich in diesem ihrem Verlangen bereits die eigenartige Entwicklungsstufe offenbart, auf der sich die soziologische Interpretation der Literatur noch befindet.

Kritische Notizen zu David Riesmans
»Die Einsame Masse« (1961)

I

Kritiker sollten nicht nur den Inhalt von Büchern, sondern auch ihre Titel interpretieren. Ich weiß nicht, welche besonderen Konnotationen die Autoren der »Einsamen Masse« im Sinn hatten, als sie ein poetisches Sinnbild zum Titel ihres Buches machten. Aber gewiß ist es nicht üblich, daß ein Sozialwissenschaftler den Mut hat, ein humanistisches Symbol als Titel zu wählen, noch dazu eines aus der Lyrik. Damit haben sich die Autoren der »Einsamen Masse« mit jener Minderheit identifiziert, für die Sozialwissenschaft als Wissenschaft vom Menschen ein humanistisches, geisteswissenschaftliches Unternehmen ist.

Das Verhältnis von Geistes- und Sozialwissenschaften stellt ein Problem dar, das hier nicht erschöpfend behandelt werden soll. Da das Buch David Riesmans und seiner Mitarbeiter jedoch die engen Definitionen akademischer Disziplinen durchbricht, möchte ich es als Gelegenheit benutzen, einige Bemerkungen über dieses Verhältnis zu machen. Die Diskussion über die Klassifizierung der Wissensgebiete kann bis Plato rückverfolgt werden, der sich in erster Linie für die pädagogischen Implikationen interessierte. Die aristotelischen Konzepte der ›Physik‹ und ›Metaphysik‹ legten die theoretischen Grundlagen. Die Kontroverse über den Aufgabenbereich der Wissenschaften war im Mittelalter zeitweise verwirrt durch den traditionellen Begriff der ›Sieben freien Künste‹. Die Fortentwicklung von Mathematik und Physik im 16. und 17. Jahrhundert führte zur erneuten Auseinandersetzung über die Frage der disziplinären Abgrenzungen. Descartes trennte die Wirklichkeit in zwei Sphären, wobei die eine den Erkenntnissen der Mathematik und Naturwissenschaften unterlag und die andere denen der Philosophie – oder, um cartesianische Termini zu verwenden, es wurde unterschieden zwischen ›res extensa‹ und ›res cogitans‹. Diese Unterscheidung wurde dann auch in der politischen Theorie spürbar, deren Vertreter sich entweder nach der einen oder anderen Seite des cartesianischen Dualismus orientierten: Hobbes z. B. naturwissenschaftlich und die französischen Moralisten des 17. und frühen 18. Jahrhunderts z. B.

moralphilosophisch. Descartes' Wissenschaftsdemarkationen sind im französischen Sprachgebrauch insofern bis heute erhalten geblieben, als in der Hochschulerziehung die traditionelle Teilung zwischen ›sciences‹ und ›lettres‹ noch immer besteht.

Mit dem Beginn des 19. Jahrhunderts führten deutsche Philosophen und Gelehrte das Konzept politischer und intellektueller Geschichte als einer Wissenschaft ein. Gleichzeitig wurden die Begriffe von Kultur und Kulturen, von Zeitgeist und Volksgeist (die bereits bei Montesquieu und Herder angelegt waren) weiterentwickelt und die Beziehung der Wissenschaften zueinander neu formuliert: der von Mathematik und Naturwissenschaften besetzte Pol blieb unverändert, aber die Philosophie selbst nahm einen vorwiegend historischen Charakter an, auf Kosten der klassischen Modelle der Metaphysik.

Hervorragende Vertreter dieser Neudefinition waren Dilthey, Windelband und Rickert, Begründer der Geistes- und Kulturwissenschaften. Trotz beträchtlicher Differenzen waren sie sich im Prinzip einig: die Naturwissenschaften befassen sich mit der Aufstellung universal gültiger Gesetze; die humanistischen Wissenschaftsbereiche befassen sich mit individuellen Ereignissen und Personen und sehen im Individuum den Repräsentanten eines jeweils vorherrschenden Wertsystems, das sich von einer Geschichtsperiode zur anderen und innerhalb einer Epoche von einer gesellschaftlichen Gruppe zur anderen ständig verändert. Simmel mit seinem Begriff des ›individuellen Gesetzes‹ (eine bewußt widersprüchliche Formulierung) und Max Weber in seiner Doppelrolle als Soziologe und Historiker sind bedeutende Zeugen dieser Tradition.

Der gegenwärtige Diskussionsstand ist bestimmt von den intellektuellen Innovationen, die die amerikanischen Sozial-(oder Verhaltens-)wissenschaften beigetragen haben. Im Raum zwischen Geistes- und Naturwissenschaften sind neue Disziplinen entstanden, und im Gegensatz zu früheren Diskussionsphasen sind nur wenige Klassifikationskategorien vorgeschlagen worden, mit Hilfe derer die Wechselbeziehungen der alten und neuen Bereiche definiert und geklärt werden können. Wie stark jedoch das Bedürfnis nach einer Redefinition des wissenschaftlichen Universums ist, wird deutlich an den zahlreichen programmatischen Verkündigungen, die eine wechselseitige Befruchtung der Wissenschaftsdisziplinen für wünschenswert halten.

Damit beginnt eine Diskussion des Verhältnisses von spezifisch wissenschaftlichem und dem allgemein intellektuellen Universum, die freilich niemals selbst zum Gegenstand historischer und systematischer Untersuchungen gemacht worden ist. Die Symptome sind unverkennbar: Ob wir an die Verflechtung von Medizin oder Religion mit Sozial- und Individualpsychologie denken, an die von ästhetischer Theorie mit Soziologie, von Gesellschaftstheorie mit Anthropologie oder ob wir an technische Lehranstalten denken, die humanistische und sozialwissenschaftliche Kurse in ihren Lehrplan einfügen – all dies sind Anzeichen für das Wiederaufleben der Sehnsucht nach einem neuen Konzept einer ›scientia universalis‹.

Es ist charakteristisch für die zeitgenössische Gesellschaft, daß diese relativ neuen Wissenschaftsprogramme nicht mit philosophischen Konzepten gerechtfertigt werden, sondern mit Argumenten ihrer praktischen Anwendbarkeit im Dienste sozialer und individueller Bedürfnisse. In den Vereinigten Staaten wird dieser Glaubenssatz des Sozialwissenschaftlers sehr bewußt übernommen von den Praktikern in politischen und sozialen Institutionen: die Aufnahme der Psychologie in den Ausbildungsplan von Geistlichen, die wechselseitigen Beziehungen zwischen Medizin und der Theorie und Praxis der Sozialarbeit und die Rolle von Politologie und Wirtschaftswissenschaften in der angewandten Anthropologie mögen als Beispiele gelten.

Die Diskussion entzündet sich jetzt nicht mehr an dem Verhältnis von Natur- und ›Nicht-Natur‹wissenschaften, sondern an dem der Sozial- und Verhaltenswissenschaften zu den Geisteswissenschaften. Seit dem 17. Jahrhundert haben sich die Naturwissenschaften um relativ gültige Gesetze bemüht, die Prognosen in bezug auf die physikalische Welt erlauben; die Verhaltenswissenschaften der Gegenwart haben statt des ›natürlichen‹ Bereichs den menschlichen zum Forschungsgegenstand gemacht, halten aber die Suche nach Gesetzen und Normen aufrecht, die ihrerseits Prognosen ermöglichen. Das hat zu ernsten intellektuellen Spannungen in den Vereinigten Staaten und Europa geführt. Von einigen Versuchen abgesehen, die Methoden und Techniken amerikanischer Sozialforschung nach West- und Mitteleuropa zu importieren, bewegen sich europäische Soziologen meist noch in der intellektuellen Atmosphäre von Dilthey und Rickert. Indem sie sich weiterhin auf Probleme der Wissenssoziologie konzentrieren, pflegen sie ihre Vorliebe für Probleme der Ideengeschichte. Einige europäische Soziologen mögen in der Tat glauben, daß sie in ihrer historischen Orientierung die ›richtige‹ Wahl getroffen haben, wenn sie für ihren Forschungsbereich Bergsons historischen Zeitbegriff akzeptieren, während ihrer Meinung nach die Mehrzahl ihrer amerikanischen Kollegen Gefahr läuft, physikalische Zeitbegriffe anzuwenden. Und ganz so unrecht haben sie nicht![1]

In den Vereinigten Staaten finden wir unter den Vertretern humanistischer Disziplinen nicht selten Vorstellungen von moderner Sozialforschung, die denen traditioneller europäischer Soziologie ähneln. Ihr Bild der Sozialwissenschaft ist bisweilen das von statistischen Operationen und quantitativen Erhebungen, die Millionen von Dollars kosten, denen jedes historische oder geisteswissenschaftliche Konzept fehlt und die bar jedes ernsthaften intellektuellen Interesses sind.[2] Dafür rächen sich zahlreiche Sozialforscher ihrerseits mit der herablassenden Interpretation, daß Geisteswissenschaftler ihre Zeit mit der Verbreitung nicht-verifizierbarer Verallgemeinerungen verbringen, die auf fadenscheiniger Evidenz beruhen.

Die folgenden Definitionen der beiden Disziplinen scheinen gegenwärtig vorzuherrschen:

1. Die Sozialwissenschaften arbeiten an der Aufstellung von Lehrsätzen, die in ihrer Exaktheit denen der mathematischen und physikali-

---

1 Was T. M. Knox im Zusammenhang einer Diskussion über Collingwood über gewisse englische Philosophen zu sagen hat, sollte an die Adresse vieler amerikanischer Soziologen gerichtet sein: »Es ist wohl nicht zu viel gesagt, daß englische Philosophen angesichts dieser Bücher die Geschichte nur durch eine Vogel-Strauß-Politik weiterhin ignorieren können.« (Siehe sein Vorwort zu R. G. Collingwood, The Idea of History. Oxford Galaxy, New York, 1956, S. viii.)
2 Siehe z. B. Norman E. Nelson, Popular Arts and the Humanities, College English, Mai 1955, S. 482: »Vielleicht sind Soziologen nicht die Ungeheuer, die Humanisten aus ihnen machen, aber sie sind im Begriff, ein Ungeheuer zu schaffen, das noch die Wasserstoffbombe in den Schatten stellt. Sie schaffen eine unpersönliche Maschinerie zum Zwecke der Zerlegung der Menschen in normierte, auswechselbare Teile, um sie in Schubfächer zu sortieren und dann auf Bestellung wieder zusammensetzen zu können – auf Geheiß eines jeden mit genug Geld oder politischer Macht, diese Maschinerie zu mieten oder unter seinen Befehl zu bringen.« Es gibt jedoch erfreuliche Ausnahmen. Eine Reihe bedeutender Gelehrter in der englischen Literaturwissenschaft haben wichtige Beiträge zu einer Synthese humanistischer und sozialwissenschaftlicher Perspektiven geleistet. Man denke etwa an Richard Altick, Harry Levin und Ian Watt.

schen Theorie entsprechen, sowie an der Formulierung ihrer Forschungsergebnisse in Form von Voraussagen.

2. Die Geisteswissenschaften sind ausgerichtet auf eine sinnvolle
Analyse bedeutender Einmaligkeiten, seien es Ereignisse, Personen
oder Dokumente.

Dies sind jedoch nur oberflächliche Grenzbestimmungen. Bedenken
wir z. B. die unterschiedlichen Funktionen, die Autoren wie Balzac,
Taine und Zola der Literatur zugeschrieben haben; daß sie nämlich
sowohl Naturgeschichte als auch quasi biologische Analyse sein als
auch Richtlinien für menschliches Verhalten enthalten sollte; oder
Wilhelm Diltheys Hoffnung, daß das endgültige Forschungsziel der
Geisteswissenschaften, die ihrerseits selbst der Hermeneutik des
Individuums verpflichtet sind, die Planung und Steuerung gesellschaftlicher Entwicklung sein wird. Vergessen wir auch nicht die
bedeutende kulturkritische, konservative Literatur von De Maistre
und Carlyle bis zu Nietzsche und Spengler, deren Mut zu Prognosen
so manchen Sozialwissenschaftler neidisch machen könnte.

Greifen wir auch noch das Problem der Sozialisation auf, für das die
humanistische Biographie Hervorragendes geleistet hat, die Sozialwissenschaften jedoch nicht. Freud ist eine Ausnahme. Psychoanalytische Theorie beschreibt – zumindest in ihrer klassischen Periode –
die Dynamik, durch die eine spezifische soziale Umgebung sich in
Individuen durchsetzt. Aus soziologischer Sicht ist es sicher richtig,
daß dieses Modell in einem von Extremen begrenzten Sozialkonti-
nuum operiert: an einem Ende haben wir die individuelle Familie, am
anderen die archaische Vorgeschichte der Menschheit. Dennoch ist
der Ödipus-Komplex ein gutes soziologisches Modell, weil es eine
Erklärung spezifischer Mechanismen möglich macht, durch die das
Individuum auf Sozialstrukturen bezogen ist. Es demonstriert, wie
sich die psychologische Individualstruktur zum Teil als Derivat von
Sozialstrukturen manifestiert, mit denen jeder Mensch auf verschiedenen psychischen Ebenen in Interaktion tritt. Dieses Modell steht
im Gegensatz zur unhistorischen Attitüde des durchschnittlichen
Sozialwissenschaftlers, weil es (trotz Freuds ›Naturalismus‹) viel-
schichtige historische Trends zu einer Synthese vereint, in der die
Geschichte der Gattung zwar notwendig, aber nicht hinreichend ist
für das Verständnis jenes einzigartigen Zeitmoments, den ein speziel-
les Individuum darstellt. In diesem Sinne geht das Anliegen Freud-
scher Theorie über bloße Psychologie hinaus und wird – wie bei

Dilthey – zur Auseinandersetzung mit Kultur überhaupt. Das Studium der historischen Dimensionen von Sozialstrukturen und ihrer Repräsentation in Individuen ist das Anliegen der Kultursoziologie.

II

Riesman und seine Mitarbeiter sind amerikanische Soziologen, die sich ernsthaft mit Kulturproblemen auseinandersetzen. Wie zahlreiche andere zeitgenössische Untersuchungen befassen sich ihre Arbeiten mit den Folgen und Einwirkungen der Massenkultur auf das allgemeine Kulturniveau der Gesellschaft. Diese Forschungsrichtung steht im Gegensatz zu dem in den Sozialwissenschaften während der späten dreißiger und vierziger Jahre vorherrschenden Trend eines fast ausschließlichen Interesses an Methodologie und Modellkonstruktion. Positivistisch orientierte Empiriker stehen auf dem Standpunkt, daß allein ihre Forschungsweisen – für die sie den Terminus der ›harten‹ Analyse geprägt haben – den Anspruch auf Wissenschaftlichkeit erheben können, und haben für den humanistisch orientierten Sozialtheoretiker nur ein herablassendes Lächeln übrig.

»Die Einsame Masse« bietet eine willkommene Gelegenheit zur Wiederaufnahme der Debatte über die humanistischen Implikationen der Sozialtheorie. Die neuerliche Akzentsetzung führt wieder zurück auf Plato und Aristoteles; d. h. zurück auf eine Analyse des Individuums im Verhältnis zu seiner Gesellschaft. »Die Einsame Masse« unterscheidet sich deutlich von unhistorischen soziologischen Untersuchungen, und der intellektuelle Stil des Buches kommt in seiner theoretischen und empirischen Orientierung den europäischen, besonders den deutschen Geisteswissenschaften nahe. Der Denker, dem die Methodologie des Buches am ehesten entspricht, ist leider in diesem Lande relativ unbekannt, und die Übersetzung seiner Schriften steht in ihren wesentlichen Teilen noch aus. Wilhelm Diltheys Lebenswerk war dem Versuch einer Synthese von Geschichte und Psychologie gewidmet, einem Interpretationsschema, das individuelle Erfahrungen in Form von psychologischen Typologien historischen Perioden zuordnen wollte. In seiner Theorie stellte das Geflecht aus Individualausdruck, Kulturinstitutionen und politischen sowie religiösen Stilen eine Manifestation einzigartiger geschichtlicher Perioden dar. Mit dieser wechselseitigen Durchdringung von räumlichen und zeitlichen Elementen des sozialen Universums bezog Dilthey – und nicht er allein – Stellung gegen die positivistische Besessenheit mit der Forderung nach allgemeingültigen Gesetzen als Ergebnis zahlloser Beobachtungen einerseits und gegen einen mystischen Historizismus andererseits (der dann die positivistische Plage ausgelöst hat).[3] Diese europäische Tradition, deren hervorragendster Vertreter Dilthey war, findet in einem gewissen Maße ihre Fortsetzung in der Kulturanthropologie, deren Anliegen eine Verbindung zwischen dem Studium von Kulturen und ihren Objekten und dem der Persönlichkeit in einem gegebenen Sozialkontext ist. »Die Einsame Masse« macht sich in der Tat die Analyse umfassender Trends im Zeitalter der Industrialisierung zur Aufgabe, indem die menschliche Charakterstruktur in der modernen Massengesellschaft untersucht wird.

Riesman und seine Mitautoren sehen sich mit den gleichen Schwierigkeiten und Rätseln konfrontiert wie die führenden Vertreter der Geisteswissenschaften: die Schwierigkeiten, die Einzigartigkeit einer historischen Periode einerseits und der in ihr vorherrschenden allgemeinen Züge menschlichen Verhaltens andererseits innerhalb eines geschlossenen Begriffssystems zu interpretieren. Denn diese allgemeinen Züge ändern sich – wenn überhaupt – in einem unendlich langsameren Maße als die politischen und anderen gesellschaftlichen Institutionen. Aber die Auseinandersetzung mit diesem Dilemma ist unvermeidlich, will man die Individuen sowohl in ihren sozialen Rollen als auch von ihrem Selbstbild her verstehen. Heute ist diese Verknüpfung im wesentlichen charakterisiert durch die widerspruchsvolle Manifestation von individualistischer Entfremdung und Gruppenidentifikation.

»Die Einsame Masse« liefert einen entscheidenden Beitrag zum Verständnis von Entfremdung und Konformismus. Allgemein zu beobachtende Züge wie die nur zufällige Beziehung des modernen Menschen zu seiner Berufsarbeit und sein gleichzeitiges Bestreben, seine Entfremdung hinter einem sich optimistisch gebenden, auf seine Zeitgenossen ausgerichteten Verhalten zu verbergen, werden erklärbar durch die objektiven Rollen, die die moderne Industriegesell-

3 Dilthey hat sich jedoch nie ganz vom Positivismus gelöst. Vgl. Max Horkheimer, »The Relation between Psychology and Sociology in the Work of Wilhelm Dilthey«. In: Studies in Philosophy and Social Sciences, Bd 8, 1939, S. 430 ff.

schaft ihren Mitgliedern vorschreibt. Das Problem, mit dem sich dieses Buch auseinandersetzt, ist dies: welche Wirkung hat diese Gesellschaft auf die sozialen und privaten Erfahrungen des einzelnen? Wenngleich ich auf Dilthey Bezug nahm, ist es doch klar, daß eine Untersuchung des modernen Menschen, der zunehmend von der Industriegesellschaft bestimmt und geformt wird, ihren spezifischen soziologischen Ursprung vor allem auch in Marx und Max Weber, in Veblen, Sombart und vor allem Simmel hat.

Gewiß sind diese Theorien nicht frei von ambivalenten Formulierungen; und ich halte es für müßig, europäische – und besonders deutsche – Geschichts- und Gesellschaftsphilosophie als bloßen Ausdruck metaphysischer Doppeldeutigkeit abzutun. Dabei wird allzu schnell vergessen, daß in diesem Jahrhundert Geschichte und Gesellschaft zum ersten Mal der Wissenschaft zugängliche Begriffe geworden sind; Geschichte als Forum gesellschaftlicher Auseinandersetzung und Gesellschaft als Produkt historischer Entwicklungen und Widersprüche. Inzwischen haben wir gelernt – und darin liegt der große Beitrag soziologischer Theorie in der Frühzeit dieses Jahrhunderts –, vage theoretische und analytische Vorstellungen langsam durch spezifische Ansätze und exakte Begriffe zu ersetzen. »Die Einsame Masse« trägt zu diesem wissenschaftlichen Spezifizierungsprozeß bei, der inzwischen eine Diskussion über den ›Geist‹ einer Epoche nicht mehr zuläßt, ohne zugleich solche Faktoren wie Verbrauchergewohnheiten, Erziehung, Gruppendynamik, politisches Verhalten und ähnliches zu betrachten.[4] Das Buch hat den Verdienst, neue Dimensionen dieses Spezifizierungsprozesses aufzuweisen, wie z. B. die Massenmedien, die politischen Vermittlungsagenturen, die Vorschule und den Kindergarten u. a. m.

Die stets im Zusammenhang mit Sozialtheorie auftauchende Frage ist die ihres Anwendungsbereichs. »Die Einsame Masse« untersucht hauptsächlich Material aus der amerikanischen Szene, und dieser Ansatz entbehrt nicht einer gewissen Beschränktheit. Zwar liefern die USA heute zugegebenermaßen das westliche Gesellschaftsmodell, wie es England zur Zeit von Marx tat. Wenn jedoch gewisse Charaktertypen von der Industriegesellschaft geformt werden, dann

4 Ich schließe mich H. Stuart Hughes' Bemerkungen über den Beitrag der Geisteswissenschaften zur Sozialtheorie an. Vgl. sein »Consciousness and Society«, Alfred A. Knopf, New York 1958, S. 186.

muß eine jede solche Wechselbeziehung in dieser Gesellschaft als Ganzheit beobachtet werden können. Das soll nicht heißen, daß alle Kulturteilhaber unseres Zeitalters gleichzeitig und mit gleicher Intensität dieselben Charakteristika aufweisen, dieselben Faktoren und Institutionen; aber es bedeutet doch, daß verwandte, wenn nicht identische soziale Charakteristika in der einen oder anderen Form und Weise zu bestimmten Zeiten überall in der westlichen Welt beobachtbar und verifizierbar sein müssen. Hinzukommt, daß Riesman und seine Mitarbeiter mit einem Dilemma konfrontiert sind, das stets in den theoretischen Modellen der Geisteswissenschaften auftaucht. Solche Modelle haben die Tendenz, eher statisch als dynamisch zu sein und die Trends eines Zeitalters wie in einer Standaufnahme zu reflektieren. (So etwa in den monolithischen, scheinbar ›zeitlosen‹ Formulierungen von den Zeitaltern *der* Renaissance oder *der* griechischen Welt.) Die statischen Implikationen der »Einsamen Masse« liegen nicht so sehr in der Tendenz, historische Dynamik in ein idealisiertes Porträt der Zeitlosigkeit zu zwängen, als vielmehr in der Vorliebe, weltweite Trends einem insularen Bild zuzuordnen. Gewiß, diese Methode ist nicht unergiebig, weil sie die detaillierte Beschreibung eines klar umrissenen Gebiets möglich macht. In ihrer Konzentration auf das Spezifische kommt die analytische Methodologie dieses Buches der von Simmel nahe.[5]

Es ist nicht meine Absicht, Noten zu verteilen. Im Gegenteil, es läßt sich durchaus die Position vertreten – und m. E. ist das die implizite Absicht der Riesmanschen Untersuchung –, daß, obwohl die von ihm untersuchten Phänomene nicht nur auf ein Land beschränkt sind, die besondere Situation der USA, die im Gegensatz zu Europa nicht mit den verschiedenen Wertsystemen des Feudalismus und Absolutismus belastet waren, dem Lande die Anpassung an den Lebensstil der kommerziellen Gesellschaft schneller und reibungsloser ermöglichte, als dies in der Alten Welt der Fall war. Dieses Phänomen ist übrigens von vielen Europäern voll Neid und Ärger konstatiert worden. Ich schließe mich den Autoren der »Einsamen Masse« in ihrer Interpretation von Tocqueville an, wenn sie in seiner Betonung der konformen Züge nicht nur die Diagnose des sozialen Klimas des Amerikas von 1830 sehen, sondern gleichzeitig eine Prognose gewisser Entwick-

5 Zum Verhältnis von Dilthey und Simmel vgl. die aufschlußreichen Bemerkungen Collingwoods, a. a. O., S. 174 f.; ebenfalls Horkheimer, a. a. O., S. 423.

lungstrends, die sich in ein kohärentes Bild westlicher Zivilisation einfügten. Wie jeder kreative Theoretiker menschlicher Ereignisse und Vorgänge, konnte Tocqueville die verborgensten Aspekte menschlichen Verhaltens aufspüren. Ich erblicke eine beachtliche Affinität zwischen der Mentalität eines Sozialtheoretikers, der den Mut zum intellektuellen Risiko hat, und ästhetischer Kreativität, deren Quintessenz das Schaffen eines Einzigartigen ist, das das Allgemeine, wenn nicht sogar Universelle symbolisch reflektiert. Es ist schwer zu entscheiden, ob wir Tocqueville mehr verpflichtet sind für seine Diagnose oder für seine Prognose; für ein Verständnis der Vereinigten Staaten als eines besonderen historischen Phänomens oder als Nährboden spezieller Charaktertypen; dafür, daß er ein Humanist war, der die Kultur einer Analyse unterzog, oder dafür, daß er ein Sozialwissenschaftler war, der Menschen im Kontext ihrer sozialen Rollen analysierte. Obgleich ich derartige Fragen nicht für sehr relevant halte, sind sie selbst doch Symptom eines umfassenden Entfremdungsprozesses. Denn für die meisten Sozialwissenschaftler ist die Frage nach dem Sinn menschlicher Existenz – im allgemeinen oder zu einem gegebenen Zeitpunkt – ebenso sinnlos wie eine kritische Betrachtung des Verhältnisses des Individuums zu sich selbst und seinem Arbeitsbereich und seiner Freizeit.

III

Die prinzipielle Dichotomie zwischen der autonomen und der außengeleiteten Persönlichkeit bildet – zumindest für eine zeitgenössische Gesellschaftsphilosophie – den wichtigsten Aspekt in Riesmans Buch und hat eine bedeutende intellektuelle Tradition, die auf die romantische Periode in England und Deutschland zurückgeht und auf der besorgten Erkenntnis der Gefahr gründet, die dem autonomen Denken und der Kreativität von seiten des sich entwickelnden konformistischen bürgerlichen Lebensstils und besonders der Massenkultur droht. Künstler und Schriftsteller fürchteten schon damals den Verlust der Fähigkeit des Publikums, zwischen wertvollen kulturellen Schöpfungen und bloßer Zerstreuungsware zu unterscheiden. Diese Besorgnis wurde in den privaten und öffentlichen Äußerungen Goethes und Schillers deutlich und wurde in England von Wordsworth und Coleridge artikuliert. Andere unternehmungslustigere englische Literaten brachten diese Befürchtungen besonders in der *Edinburgh Review* zum Ausdruck, wenngleich sie in politischer Hinsicht die Tory-Gesinnung der ›Lake Poets‹ nicht immer teilten. Diese Dichter und Schriftsteller verband das Bewußtsein einer Bedrohung ihrer ästhetischen und moralischen Mission. Intellektuelle – und vor allem Künstler – waren, seitdem ihr prekärer Status etabliert war, außerordentlichen Pressionen ausgesetzt. Anfang des 18. Jahrhunderts machten es Philosophen und Dichter und Schriftsteller sich zum Anliegen, über die moralischen und ästhetischen Werte der Nation, wenn nicht gar der Menschheit zu wachen. Gleichzeitig fanden sie zusammen mit den Intellektuellen anderer Gruppen mehr und mehr Zugang zu professionellen Positionen in Bildungsanstalten, Regierungsinstitutionen und wurden vor allem zu Produzenten auf einem Markt, der von Verlegern, Zeitschriften, öffentlichen und privaten Kunstgalerien und ähnlichem bestimmt wurde. Heute unterliegen intellektuelle Fertigkeiten dem Druck totaler Professionalisierung. Charakteristisch für diese Entwicklung ist der Wunsch, das Ethos individueller Unabhängigkeit und Integrität mit dem unvermeidlichen Faktum einer von Angebot und Nachfrage bestimmten Wirtschaft vereinbaren zu können. Eine Folge der Ambiguität seiner sozialen Rolle ist die zunehmende Neigung des Intellektuellen, eine außergewöhnliche Lebenssituation und Lebensphilosophie für sich zu beanspruchen und zu leugnen, daß die Determinanten sozialer Statuszuweisung in gleichem Maße für intellektuelle Unternehmer gelten. Karl Mannheims Begriff der freischwebenden Intelligenz ist ein gutes Beispiel. Die ständige Auseinandersetzung so vieler Intellektueller – von den Romantikern bis hin zu den zeitgenössischen Vertretern des Neokonservatismus – mit der Idee der angeblich autonomen Stellung der Kultur in feudalen und aristokratischen Gesellschaften läßt sich möglicherweise erklären mit der für Intellektuelle charakteristischen Neigung, sich selbst in eine idealisierte Utopie der Vergangenheit[6] zu versetzen. Tatsächlich leben Intellektuelle – wie jeder andere – in der rauhen Wirklichkeit eines Gesellschaftssystems, dessen vorherrschende Charaktertypen überzeugend in der »Einsamen Masse« beschrieben sind. Die Diskus-

---

6 Karl Mannheim nennt es »false traditionalism«. Vgl. seine posthum herausgegebenen »Essays on the Sociology of Culture«, Routledge & Kegan Paul, London 1956, S. 119.

sion über Kultur und Geschmack, öffentliche Meinung und Urbani-
sierung, die sich in den Arbeiten der Literaten im 19. Jahrhundert –
zumindest in Westeuropa – niederschlug, ist ein aufschlußreiches
Zeugnis für das Dilemma des Intellektuellen. Der Künstler und vor
allem der Kritiker spielen in dieser Diskussion eine Schlüsselrolle. Ich
möchte an dieser Stelle noch einmal die Bedeutsamkeit der Tatsache
betonen, daß Riesman und seine Mitarbeiter aus dem Bereich der
vielen möglichen Symbole ein poetisches Bild für den Titel gewählt
haben. Die Unfähigkeit zum künstlerischen Erlebnis ist wohl das
deutlichste Merkmal der außengeleiteten Persönlichkeit.[7]
Ich schließe mich im wesentlichen den Bemerkungen S. M. Lipsets
an, der gewisse Aspekte dieses Außengeleitetseins zurückführt auf
öffentliche und private Verhaltensmuster im Amerika des 19. Jahrhunderts. Ich glaube jedoch nicht, daß diese Aspekte ausschließlich
oder überwiegend ein für die Vereinigten Staaten spezifisches Phänomen sind.[8] Während des 19. Jahrhunderts begegnen wir überall in der
westlichen Welt den Widersprüchen und Auseinandersetzungen
zwischen Selbständigkeit und Selbstvertrauen als traditionellen
Motivquellen menschlichen Verhaltens einerseits und einer zuneh-
menden Gruppen- und Außenorientierung andererseits. Das trifft
für Europa sowohl als auch für die USA zu. Ich glaube, daß S. M.
Lipsets Zitate aus europäischen Quellen, mit denen das Phänomen
der außengeleiteten Persönlichkeit in den Vereinigten Staaten belegt
wird, ohne weiteres aufgewogen werden können durch Aussagen
zahlreicher amerikanischer Schriftsteller – ich will mich auf Ralph
Waldo Emerson und die Anhänger der Schule des ›New England
Transcendentalism‹ beschränken –, die Zeugnis ablegen für das Bemühen, Unabhängigkeit und Individualismus als wesentliche moralische
Verpflichtung eines Bürges der Neuen Welt darzustellen. Darüber
hinaus werden die gleichen Merkmale – ob nun als Vorwurf oder
Bewunderung formuliert –, die amerikanischen und europäischen
Autoren zugeschrieben werden, unaufhörlich von anderen europäi-

7 Vgl. hierzu Leo Löwenthal, Die Debatte über kulturelle Standards: Das
englische 18. Jahrhundert als Beispiel, in diesem Bande. Zu Goethe siehe auch
Leo Löwenthal, Das Bild des Menschen in der Literatur, Luchterhand
Neuwied 1966.
8 Vgl. S. M. Lipset, A Changing American Character? In: Culture and Social
Character. The Work of David Riesman Reviewed. Hrsg. von S. M. Lipset und
Leo Löwenthal, Free Press, New York, 1961, S. 136ff.

schen Intellektuellen ihren eigenen Landsleuten zugeordnet. Vom Standpunkt historisch orientierter Psychologie her möchte ich annehmen, daß ein beträchtlicher Teil des außerordentlich interessanten, von Mr. Lipset vorgelegten Materials rein projektiv interpretiert werden muß. Beobachter selbst sind nicht frei von einer historisch bestimmten Wahrnehmung, die dazu verleitet, gerade die Züge der Moderne anderswo zu konstatieren, die sie im eigenen Lande nicht sehen wollen.

Zur Erläuterung möchte ich ein eigenes kleines Experiment erwähnen: In Vorträgen über das Wesen von Stereotypen zitiere ich oft die nachfolgende Passage aus einem Brief von Abigail Adams, der Ehefrau des zweiten Präsidenten der Vereinigten Staaten. Am 21. November 1786 schrieb sie an eine Freundin in Amerika aus Europa, wo sie auf Reisen war:

»Deine Schilderungen vom Gezwitscher Deiner Vögel und den unschuldigen Gesprächen Deiner Kinder haben mich außerordentlich amüsiert. Weißt Du, daß europäische Vögel nicht halb so lieblich zwitschern wie die unseren? Auch schmecken die Früchte nur halb so süß und die Blumen duften nur halb so zauberhaft; die Menschen hier sind nur halb so tugendhaft wie bei uns und ihre Manieren nur halb so gut; aber bitte behalte dies für Dich, denn sonst würde man mir einen beträchtlichen Mangel an Verständnis und Geschmack vorwerfen ... und ich will mich gewiß nicht des nationalen Vorurteils schuldig machen, wonach alles Gute und Ausgezeichnete nur in den Vereinigten Staaten zu finden ist.«[9]

In meinen Vorträgen tausche ich beim ersten Vorlesen die Hinweise auf Europa und Amerika untereinander aus und behaupte anfänglich, daß der Brief von einem eben in die USA eingewanderten Europäer geschrieben worden sei. Die gebürtigen Amerikaner unter den Zuhörern sind unweigerlich indigniert, und die aus Europa stammenden grinsen zustimmend. Ich habe dieses Experiment stets für eine besonders deutliche Illustration der Mechanismen kultureller Projektion gehalten.

Diese Mechanismen verdienen größere Aufmerksamkeit. Die Intellektuellen des 19. Jahrhunderts sind von ihnen nicht frei gewesen. Um ein Beispiel zu geben: Im 19. Jahrhundert zeigen englische

9 Zitiert aus Philip Rahv, Hrsg., Discovery of Europe. Houghton Mifflin, Boston 1947, S. 49.

Literaturkritiker eine Neigung, sich in Zeitschriftenartikeln soziologisch zu gebärden. Die *Edinburgh Review* war voll mit Essays, die es sich zur Aufgabe machten, Eigentümlichkeiten in den Werken etwa von Balzac oder Goethe aus ihrem französischen oder deutschen Nationalcharakter zu erklären. Übrigens taucht der Begriff des ›Nationalcharakters‹ bereits um 1825 auf, mit Großbuchstaben geschrieben. In einem Beitrag wird allen Ernstes versucht, »Wilhelm Meister« im wesentlichen als eine Manifestation typisch deutschen Geschmacks und deutscher Gebräuche und Eigenarten zu erklären. Der Verfasser dieses Artikels bemüht sich umständlich, nicht nur Goethes Roman als ein ›Made in Germany‹-Produkt zu analysieren, sondern außerdem noch seine deutschen Kritiker als vom Geist »deutscher Selbstanbetung« angekränkelt darzustellen.

Übrigens ist man sich im 19. Jahrhundert darüber einig, daß Zeitungen den entscheidenden Einfluß auf die wachsende Gleichförmigkeit von Meinungen und Verhaltensweisen ausüben. Zwar wird gelegentlich der schüchterne Versuch unternommen, Amerika mit dem Stigma dieses »äußerst bösartigen Einflusses« seiner Zeitungen zu belasten, doch bleibt die Kritik hauptsächlich auf »den Zustand unserer eigenen Tagespresse« als eines »Zeugen gegen den moralischen Charakter des Volkes« gerichtet.[10] Ohne Zweifel wird diese Entwicklung in Europa durch den Fortbestand kultureller Traditionen verzögert. Modernität setzt sich dennoch durch. Europäische Kultur- und Sittenhistoriker haben es im Unterschied zu Dichtern übrigens meist unterlassen, dieses neuerlich überall auftretende Phänomen der täglichen Presse zu kommentieren. Der Grund dafür stellt in sich selbst ein soziologisches Problem dar. Abwehrmechanismen sind wohl überall am Werk, nicht nur im Privatleben, sondern auch in der öffentlichen intellektuellen und beruflichen Sphäre.

Wordsworth, Europas klassischer kritischer Kronzeuge der außengeleiteten Persönlichkeit, schreibt im Vorwort zur 1800 erscheinenden Ausgabe seiner »Lyrical Ballads« und auch in seinem *Essay Supplementary to the Preface* (1815) über das Risiko, dem ein Künstler sich aussetzt, wenn er sich gegen die Einflüsse eines mittelmäßigen bürgerlichen Lebensstils zur Wehr setzt. Er betrach-

---

10 The Edinburgh Review, Bd. 76, Januar 1843.
11 Vgl. John Stuart Mill, On Bentham and Coleridge (1838) Chatto and Windus, London, 1950, S. 85.

tete sein eigenes Werk als das »schwache Bemühen«, sich abzugrenzen gegen »Lebens- und Sittentendenzen«, die im Begriff seien, »die Urteilsfähigkeit des Geistes zu schwächen und ... sie geradezu auf den Stand barbarischer Trägheit zu reduzieren«. Er beklagt »den rapiden Bevölkerungszuwachs in den Städten, wo die Gleichförmigkeit des menschlichen Arbeitsprozesses das Bedürfnis nach außergewöhnlichen Ereignissen schürt, welches durch die stündliche Verbreitung von Nachrichten befriedigt wird«. Das »Volk« wird zum »Publikum«, das seinerseits zur Gefolgschaft eines »kleinen, aber lautstarken Teils der Gesellschaft« wird, welcher die »wechselnden Launen der Mehrheit« manipuliert.

Der Einfluß von ›opinion leaders‹, die die individuelle Urteilsfähigkeit untergraben, wird von nun an zum kritischen Leitmotiv. In den Schriften John Stuart Mills finden sich klassische Formulierungen über den »Despotismus der öffentlichen Meinung«[11] und der von ihr gegängelten »Gesellschaft«, die »eine soziale Tyrannei ausübt, die verheerender ist als alle Formen politischer Unterdrückung, da sie – obgleich sie sich nicht mit Hilfe eines extremen Strafkodex aufrechtzuerhalten sucht – geringere Fluchtmöglichkeiten zuläßt ... Auch gegen die Tyrannei der vorherrschenden Meinung und Gefühle bedarf es des Schutzes; gegen die Tendenz dieser Gesellschaft, diejenigen, die anderer Meinung sind, durch Maßnahmen – die zwar keine Strafmaßnahmen sind – zur Übernahme ihrer eigenen Vorstellungen und Praktiken zu zwingen und – wenn möglich – die Manifestation jeglicher Individualität zu verhindern, die nicht im Einklang mit ihren Verhaltensweisen ist und alle und jeden dazu zu zwingen, sich gemäß dem von ihr diktierten Leitbild zu formen.«[12]

Die Ähnlichkeit zwischen Mills Charakterisierung des englischen Sozialklimas und Tocquevilles berühmten Worten über die grausame Tyrannei der öffentlichen Meinung in den Vereinigten Staaten ist offensichtlich. Derselbe Tocqueville und viele der von Lipset in seinem Artikel untersuchten Schriftsteller sind durchaus bereit, das Mißtrauen zu kritisieren, mit dem unabhängigem Denken in Amerika begegnet wurde. Aber wir sollten inzwischen gegenüber voreiligen einseitigen Verallgemeinerungen in bezug auf die Vereinigten Staaten vorsichtig geworden sein. Schon 1811 wird in einem Beitrag zur

12 John Stuart Mill, On Liberty (1859), Oxford World's Classics, New York, S. 9.

Edinburgh Review geklagt, daß »je profunder und abstrakter philosophische Wahrheiten« seien, »... sie desto mehr in Gefahr seien, diskreditiert und vernachlässigt zu werden in einer Zeit, in der es für die meisten Menschen schwer genug ist, die Menge ›populärer‹ Informationen zu bewältigen, die in den letzten vierzig Jahren mit so ungeheurer Wucht über uns gekommen sind«. Der Beitrag betont die Abneigung des zeitgenössischen Leserpublikums, sich um eine Auseinandersetzung mit abstraktem Denken zu bemühen und sich statt dessen der »Verzettelung von Zeit und Aufmerksamkeit« zu überlassen, was dazu führe, daß »oberflächliches Teilwissen nicht nur allgemein verbreitet« sei, sondern »sein Nicht-Vorhandensein als peinlicher Mangel« empfunden werde, weil es »dem durchschnittlichen Bürger die Möglichkeit verschaffe, auf jeder Party amüsante und Aufmerksamkeit erregende Konversation zu machen«[13].

Derartige Klagen über das Schwinden ernsthafter intellektueller Betätigung finden ihren prägnanten Ausdruck in einem Artikel von 1849. Ich kenne keine beredtere Beschreibung der außengeleiteten Persönlichkeit, die nun ihren Einzug in die moderne Welt hält, als diese Sätze, die noch dazu den instrumentalistischen Lebensstil der Industriegesellschaft aufs Korn nehmen: »Die Hilfsmittel und Vorrichtungen, die heutzutage in immer größeren Mengen zur Verfügung gestellt werden, ... schwächen [die moderne Gesellschaft] ... durch das System der Arbeitsteilung, womit die Notwendigkeit für intellektuelle Selbständigkeit aufgehoben wird, und für die wichtige Entwicklung jener differenzierten Fähigkeiten und sich oft scheinbar gegenseitig ausschließenden Fertigkeiten, derer der einzelne bedurfte, als er noch für sich selbst arbeitete. Gleichzeitig wirkt das industrielle System als eine Art Beruhigungsmittel gegen leidenschaftliches Engagement, und der dieses System belohnende Wohlstand führt allzu häufig zu bloßer Selbstsucht. So kommt es zu einer gesellschaftlichen Uniformität, die eine dem Luftwiderstand ähnliche retardierende Kraft ausübt und die unmerklich spezifische menschliche Stimmungen, Idiosynkrasien und Spontaneitäten zerstört. Darüber hinaus sind die zahllosen intellektuellen und moralischen Einflüsse und Tendenzen, die in einer Zeit der Wissensdiffusion wie der unseren auf die Formierung unserer geistigen Strukturen einwirken, oft gänzlich unvereinbar in Ursprung und Absicht: so daß sie sich

13 The Edinburgh Review, Bd. 17, Artikel IX, 1810-1811.

wechselseitig in ihrer Wirkung neutralisieren und den Menschen zwar mit Gedanken und Sprüchen vollstopfen, aber allzu häufig ohne Zweck und Ziel.«

Kurz, »individuelle Robustheit« und »intellektuelle Größe« als Züge des britischen Nationalcharakters sind vollständig abgelöst worden durch Konformismus und die Verwischung aller individuellen Nuancen. Der Artikel fügt der Darstellung des modernen Charakters noch den Aspekt der »Gezähmtheit« hinzu, die ihre Wurzeln hat in der »Unterwürfigkeit gegenüber der öffentlichen Meinung – diesem Lebensstil mangelnder Verantwortung, der aus Nichtigkeiten Großes macht und das authentisch Große unserem Blick entzieht«. Und der Aufsatz schließt mit der Bemerkung, daß der Zusammenbruch der Individualität gleichzeitig das Ende der großen erzieherischen Mission der Kunst bedeutet: »Kunst wird zur bloßen Dekoration, die poetische Darstellung des Menschen verliert den Charakter sublimer Direktheit, und was bleibt, ist ein bloßer Abglanz des Wahren und Wirklichen.«[14]

Diese Passage ist hier so ausführlich zitiert, weil sie zum entscheidenden theoretischen Aspekt der »Einsamen Masse« zurückführt, nämlich der Korrelation spezifischer psychologischer Charakterstrukturen und bestimmter Sozialstrukturen. Der historisch orientierte Soziologe sieht sich oft der hämischen Kritik ausgesetzt, daß ja eigentlich diese oder jene sozialen Strukturen nichts Bemerkenswertes darstellten, da sie auch in verschiedenen früheren Perioden zu beobachten gewesen seien. Worauf es jedoch bei dieser Frage nach sozialen Strukturen ankommt, ist stets die Besonderheit einer sozialen Konstellation in einem gegebenen historischen Moment. Bei der Untersuchung von Trends muß die historische Soziologie vom Berufshistoriker lernen, die Besonderheit und Einmaligkeit der Daten, die sich zur Gesamtsicht für eine gegebene Zeitspanne zusammenfügen, angemessen zu berücksichtigen. Wenn wir dies auf die »Einsame Masse« anwenden, ist es natürlich einfach, auf eine schlichte Unendlichkeit geschichtlicher Phänomene zu verweisen, die leichthin mit Hilfe einiger in diesem Werk entwickelter Kategorien bezeichnet werden können. Sicher haben die Menschen von jeher der Meinung ihrer Nachbarn Bedeutung beigemessen und auch in ihrem Auftreten und Verhalten sich ihnen in gewisser Weise angegli-

14 The Edinburgh Review, Bd. 89, Artikel III, April 1849.

chen. Das trifft für Bauern- sowie für aristokratische Gesellschaften zu; für die letztgenannten gilt dies zumal, wenn sie sich, wie Stendhal in einigen seiner Romane zeigte, durch die Bourgeoisie bedroht fühlen. Aber der entscheidende Beitrag Riesmans und seiner Mitarbeiter liegt in der sehr pointierten Interpretation gegenwärtiger gesellschaftlicher Strukturen. Hier wird nicht die menschliche Natur im allgemeinen diskutiert oder in der Geschichte wiederkehrende Epiphänomene in der Form einer fragwürdigen Zusammenstellung vager Daten. Hier wird die menschliche Existenz unter den Bedingungen der modernen westlichen Industriegesellschaft analysiert. Vielleicht sind persönliche Orientierung oder privates Interesse eine Erklärung dafür, daß die Autoren mit äußerster Behutsamkeit vorgegangen sind und sich auf amerikanisches Material beschränkt haben. Es gebührt ihnen gewiß Anerkennung dafür, daß sie ihre Theorien nicht auf die ganze Weltgeschichte anzuwenden versuchen. Dennoch bleibt aus dieser Vorsicht heraus der Rahmen des Unternehmens zu eng gespannt, weil ihre Charaktertypologie, wie ich zu zeigen versucht habe, nicht nur für die amerikanische Gesellschaft gilt, sondern – wenn auch mit gewissen Einschränkungen – für die ganze moderne westliche Industriegesellschaft. So haben die Autoren der »Einsamen Masse« vielleicht mehr zur Deutung der Gegenwart beigetragen, als sie selbst beabsichtigten.

Humanität und Kommunikation
(1969)

Nahezu jedes Gespräch über Kommunikation mündet heute in eine Kontroverse über die Massenmedien. Die Medien sind jedoch selbstverständlich lediglich Instrumente möglicher Kommunikationen – aus der heutigen Technologie entwickelte Werkzeuge, deren rechte Anwendung hingegen in Frage steht. Die Technologie läßt uns über die Umwelt in einem Maße verfügen wie nie zuvor. Jedoch trotz Telephon, Radio, Fernsehen, wachsender literarischer Tätigkeit, steigenden Auflagenziffern von Büchern, Zeitungen und Zeitschriften sind wir einsamer als je – und sicherlich scheint unser gemeinsames menschliches Verlangen nach Frieden aussichtsloser als jemals vorher. Die Verkümmerung unseres geistigen und moralischen Erbes war nicht nur begleitet vom quantitativen Anwachsen der Massenmedien in der modernen Gesellschaft, sondern wurde auch ihr Ergebnis. Und insofern behaupte ich, daß das Wissen um diese Problematik für die Erhaltung der Würde und Größe des einzelnen wesentlich ist.

Von der Sozialwissenschaft her ist nur wenig bekannt über die Auswirkungen der Kommunikation auf die Humanität des Menschen. Tatsächlich hat die Diskussion über Kommunikation, speziell da sie sich meist auf die Massenmedien bezog, ein produktives Gespräch zwischen Sozialwissenschaftlern und Humanisten bisher verhindert. Trotz anderslautender Stereotype auf seiten der Humanisten gibt es jedoch einige Sozialwissenschaftler, die glauben, die Bedeutung der Kommunikation in unserer Zeit adäquater durch symbolische Ausdrucksformen – wie Kunst und Religion – erfassen zu können. Die Humanisten argwöhnen, zuweilen mit Recht, daß sich Sozialwissenschaftler durchweg lieber mit quantifizierbaren Aggregaten von Menschen und Dingen befassen als mit den Menschen und Dingen selbst. Eine temperamentvolle Illustration dieser Haltung der Humanisten verdanken wir Wystan H. Auden. Hier ein Auszug aus seinem Gedicht »Under Which Lyre«:

> Thou shalt not answer questionaires
> Or quizzes upon World-Affairs
> Take any test.
> Thou shalt not sit

With statisticians nor commit
A social science.

Prosaischer drückte das gleiche ein bedeutender Professor aus, als er vor Jahren im »College English« schrieb: »Ich wußte es nicht und meine Kollegen noch weniger: Lange Zeit schon haben die Sozialwissenschaftler die Massenkultur wie die Massenmedien der Kommunikation untersucht. Irgendwie haben wir alle bereits davon gehört, doch was immer sich jemand bei sorgfältigem Lesen der Worte Massenmedien und Kommunikation darunter vorstellt: Er würde vor dem vulgären Jargon schaudern und sich abwenden. Seitdem habe ich intensiv soziologische Monographien studiert, manche inhaltlich so nichtssagend wie im Stil abscheulich. Wenn ich es nun einmal, ohne irgend jemanden damit direkt anzusprechen – zuletzt mich selbst – sagen soll, muß ich feststellen, daß das Problem der Massenkommunikation nicht die fähigsten Köpfe beschäftigt hat.«

Meist ist Kommunikation ihres menschlichen Bezuges fast völlig entkleidet, eines Bezuges, der schon durch das Wort selbst geboten ist; denn wirkliche Kommunikation hat Gemeinschaft als Teil innerster Erfahrungen zur Folge. Die Entmenschlichung der Kommunikation ist Folge ihrer Inanspruchnahme durch die Medien der modernen Kultur, der Zeitungen vor allem, und weiter durch Radio und Fernsehen. Daß diese Entmenschlichung in einer Gesellschaft so perfektioniert sein sollte, die an die Unveräußerlichkeit der Autonomie des einzelnen glaubt, ist eine der groteskesten Ironien der Geschichte. Innerhalb der Massenmedien wird der einzelne von seiner Menschlichkeit heimtückisch abgesondert. Massenkommunikation baut auf der ideologischen Sanktion der Autonomie des einzelnen auf, um gleichzeitig die Individualität zugunsten der Massenkultur auszubeuten. Ein Beispiel hierfür ist die folgende Werbeanzeige der »Young Readers of America«, einer Tochtergesellschaft des »Book-of-the-Month-Club«, in der die Leistung und das besondere Verdienst von George Gallup dadurch herabgewürdigt werden, daß er zum Instrument der Verkaufsüberredung wird. Es heißt da: »Wie Dr. Gallup, früher selbst Professor der Psychologie, in einem der letzten Beiträge zu ›Ladies' Home Journal‹ nachweist, ist die frühzeitige Gewöhnung von Kindern an das Lesen von Büchern für den späteren Lebenserfolg sehr entscheidend.«

Die Passage borgt sich den Nimbus der Massenkultur, wie er in Meinungsumfragen reflektiert ist, um den Zugang zur »high culture«

schmackhaft zu machen. Durch die Erwähnung Gallups als Autorität für den Wert kultureller Betätigung bezieht man sich für die »besseren« Dinge auf den Meister der Massendiagnose, der das Denken der Öffentlichkeit kennt und, implizit, weiß, was das Beste für sie ist. Indem er als Professor der Psychologie erwähnt wird, beschwört man unter Verweis auf seine Position und Berufskarriere seine Autorität als geistvoller und erfolgreicher Geschäftsmann herauf.

Das Unternehmen nennt sich »Time Book« und verspricht ein »Time Reading Program«. Die Kosten für dieses Programm? Für nur 3,95 $ werden drei bis vier Bücher monatlich geliefert und und damit die Teilnahme an einer »geplanten Methode« des Lesens, welche garantiert, daß auch bei nur »geringem Zeitaufwand viele Bücher gewinnvoll gelesen werden können«, Bücher »in Stil und Bedeutung von zeitlosem Charakter«. Die Zuverlässigkeit der Buchauswahl in bezug auf ihre »Zeitlosigkeit« steht außer Zweifel:

»Der Plan bezieht seine Bedeutung daraus, daß die Herausgeber Tausende von Stunden damit zugebracht haben, Antworten auf Fragen zu finden, die auch Sie sich schon gestellt haben ... Es ist ihre Aufgabe, die wenigen Bücher auszusondern, die alle anderen an Bedeutung überragen.« Bedeutung, Qualität und Relevanz der Publikationen werden zugesichert: »Jedem einzelnen Werk stellen die Herausgeber eine spezielle Einleitung voran, in der sie das herausheben, was die besondere Einzigartigkeit des Buches begründet, welche Bedeutung es hat, hatte und noch haben wird und welche Stellung es einnimmt in Literatur und Gegenwartsdenken.« Dazu wird eine Art religiöser Emphase vermittelt: »Die Bücher sind in dauerhafte, flexible Hüllen gebunden, ähnlich den Einbänden von Bibeln und Meßbüchern.«

Die Wurfsendung, millionenfach verschickt, gab vor, daß »dieser Brief« nur an solche Personen geschrieben sei, von denen man wisse, daß es sich um geistvolle Menschen handelt. Die Wurfsendung wird genannt wie die persönlichste Art der schriftlichen Kommunikation: »Brief« – ein Beispiel im Beispiel für die Perversion der Kommunikation in der Massenkommunikation.

Die Sozialwissenschaftler der letzten beiden Generationen sind der moralischen Verpflichtung ausgewichen, indem sie wertfreies Forschen heuchelten – etwas, das sowohl logisch unmöglich als historisch inexistent ist. In einer Zeit positivistischer Verblendung (ein Großteil von Forschern humanistischer Provenienz, die es eigentlich besser wissen müßten, eingeschlossen) kann nicht energisch genug auf dem unveräußerbaren Recht auf kritische Vernunft, so trivial das auch klingen mag, bestanden werden. Die Entwicklung der Kommunikation in der modernen Welt hat menschliche Kommunikation schlicht unmöglich gemacht, und ihr Erscheinungsbild hat bereits die privaten und intimen Gesprächssphären in verderblicher Weise durchdrungen. Konversation ist »Zeitvertreib«. Das Literatencafé, zu Queen Annes Zeiten Stätte der delikatesten persönlichen Unterhaltungen, verlagerte sich ironischerweise von Europa in die amerikanische Szenerie – freilich in einer schlecht verhüllten Version einer trostlosen, drittklassigen Bar, Zuflucht der Heimatlosen, die heute schon einen bedeutenden Teil der Bevölkerung ausmachen. Es würde jedoch engstirnig und snobistisch anmuten, den Niedergang der Sprache als Urerlebnis, eingeschlossen den Tiefstand der Alltagsgespräche, ausschließlich auf die amerikanische Zivilisation zu beschränken.

Als Bestätigung mag eine neuere japanische Umfrage dienen: »Angenommen, es sitzt jemand des Nachts allein bei seinen Studien und schaltet dabei sein Radio ein, so beginnt er zuzuhören, ohne daß er es selbst bemerkt. Der Rhythmus der Musik beginnt, einen Teil seines Selbst einzuschläfern, und verbannt jede Konzentration und Studienwillen. Mit dem Rhythmus wie mit einem Treibriemen verbunden, versinkt der Lernvorgang in einen Automatismus.«

Auswendiglernen bedeutet jedoch noch keine Gedächtnispflege. Das Gedächtnis ist der Aufbewahrungsort der lebendigen Sprache, und Sprache lebt durch den Menschen und seine Umwelt durch die Geschichte hindurch. Der moderne Mensch leidet jedoch an einem Schwund des Gedächtnisses, wobei das Gedächtnis oft beschränkt scheint auf Nachrichten der unmittelbaren Vergangenheit, wenn nicht lediglich der Gegenwart, Nachrichten, die durch Zeitungen und Fernsehen übermittelt wurden. Nicht nur die Güter des Alltagsbedarfs, auch die Sprache selbst leidet an einer eingeplanten oder doch zumindest faktischen Veralterung. An was man sich noch erinnert und was vergessen wird, scheint fast ununterscheidbar, dem Zufall überlassen, bedeutungslos.

Gegen Ende des *Phaedrus*-Dialogs klingt dieses Grundproblem unseres modernen Lebensstils an, indem Sokrates über die Begegnung des Erfindergottes Theuth berichtet, der zu Thamus, dem Gott-König von Ägypten, mit seinen Erfindungen prahlt – eine Aufzählung von Aspekten der modernen Technikbesessenheit ebenso wie denen der modernen Freizeit: »Er erfand die Zahlen, Arithmetik, Geometrie und Astronomie genauso wie Brett- und Würfelspiel« – und legte damit den Grundstock für die Kernforschungslaboratorien wie für Spielkasinos. Auf die Erfindung des Alphabets ist Theuth jedoch besonders stolz: »Diese Erfindung wird die Ägypter klüger machen und ihre Gedächtniskraft stärken; denn das Alphabet ist ein Elixier für Gedächtnis und Klugheit«. Der weise König erblickt in der Erfindung der Schrift jedoch genau den verhängnisvollen Keim des Mechanischen, der bloßen Reproduktion und des damit bewirkten Verlusts an Selbständigkeit. Platos Genius entdeckt in den Errungenschaften der Zivilisation bereits die besondere Bedrohung der wahren Kultur. Nicht das gesprochene Wort, sondern sein schriftlicher Ausfluß enthält den Keim für klassische Gelehrsamkeit und literarische Kunst, ebenso aber für die derivativen Produkte der Massenkommunikation – angefangen von Zeitschriften, Comic Strips und »Time-Reader«-Flugschriften bis zu den Werbeplakaten (jenen kalten Straßenräubern unserer Zeit). Thamus weist das Konzept der Schrift als »Elixier« (*Pharmakon*, wie es im Griechischen heißt) zurück, und anstatt es als Heilmittel anzunehmen, entlarvt er seine innewohnenden tödlichen Auswirkungen: »Denn diese Erfindung wird Vergessen in den Köpfen derer erzeugen, die sie anwenden lernen, weil sie ihr Gedächtnis nicht mehr zu benutzen brauchen. Ihr Vertrauen auf das Geschriebene, produziert außerhalb ihrer eigenen Vorstellungswelt, wird sie vom Gebrauch ihrer eigenen Erfahrung abschrecken. Du hast kein Elixier für das Gedächtnis erfunden, sondern eines der bloßen Erinnerung, und bietest damit Deinen Schülern eine scheinbare Klugheit, nicht die wahre Weisheit; denn sie werden viele Dinge ohne Anleitung lesen und zu lernen scheinen, während sie doch meist nichts wissen und das Gelesene so nur schwer verdauen, da sie nicht wirklich weise sind, sondern nur so scheinen.« Indem Plato uns mit Nachdruck darauf verweist, daß Kommunikation nur existiert in der unmittelbaren Erfahrung, unmittelbar mit sich selbst und dem Selbst des anderen, wendet er die Technik des Dialogs im Dialog selbst an: Sokrates spricht zu Phaedrus, indem er Theuth mit Thamus sprechen läßt. Diese Technik zeigt das Kennzeichen der echten, einander zugewandten und um das Gemeinsame bemühten Konversation, das Kennzeichen des offenen Herzens und des freien Geistes als genaues Gegenteil der Vorurteile und Stereotype, mit denen die Massenkommunikation durchsetzt ist und die ihren Niederschlag finden im Lebensstil der geborgten Erfahrung des modernen Menschen. Das Gedächtnis ist Orientierungspunkt für menschliches oder, besser, humanistisches Verhalten im Gegensatz zu der quasi-biologischen Von-der-Hand-in-den-Mund-Existenz, der sich der moderne Mensch selbst überantwortet zu haben scheint. Die Kontinuität der klassischen Gelehrsamkeit, die Zeitlosigkeit der symbolischen Erinnerungszeichen der Kunst, die traditionsvolle Bedeutung der Religion, das aufrichtige und solidarische Verhalten des einzelnen – all dies sind Variationen zum Thema »Gedächtnis«, das ich gleichzusetzen neige mit der rechtverstandenen Kommunikation, wie Plato das Gedächtnis gleichsetzte mit Philosophie. All diese Konzepte – Gedächtnis, Kommunikation, Philosophie – beruhen letztendlich auf gemeinsamer Erfahrung.

2000 Jahre nach Plato formulierte John Smith, ein Platoanhänger, dieses Bekenntnis neu: »Als organisierendes Element halte ich eine gewissenhafte Erziehung des Menschen für dringend notwendig. Das ist jedoch kein leichtes Vorhaben; denn unsere Sprache muß sich auf unsere eigene Erfahrung beziehen, wenn wir wissen sollen, wovon wir reden, und diese Worte müssen die Erfahrung unserer Umwelt heraufbeschwören, wenn wir verstanden sein wollen.«

Ich bin versucht zu sagen, daß der Dialog Platos die Idee des »divine coffeehouse« einschließt. Wie dem auch sei, Platos Beharren auf der Kultivation des Gedächtnisses als Prüfstein der Individualität und kreativer Partizipation an der menschlichen Kommunikation erscheint nicht zufällig in einem Dialog, dessen essentielles Thema die Philosophie des Schönen ist.

Jedoch ist in der Tat die humanistische Bedeutung der Kommunikation nicht ganz vergessen. Ezra Pound (der trotz seiner Abirrungen am Status des Poeten und Humanisten festhält) schreibt: »Wie Sprache zum mächtigsten Instrument der Perfidie wurde, so kann Sprache allein das Netz der Verwirrung durchbrechen. Sprache wird mißbraucht zur Verheimlichung und Verschleierung der wahren Bedeutung und verwendet, um das totale Inferno des letzten Jahrhunderts hervorzubringen (und ich muß hinzufügen: auch das des jetzigen Jahrhunderts), gegen das jedoch *nur* die Pflege der Sprache und die Sorge für die rechte Wahrnehmung durch Sprache hilft.«

Eine Sozialgeschichte der intellektuellen Debatte über den modernen Lebensstil ist noch zu schreiben und, spezifisch, des Schicksals und

373

der Wechselfälle der Standards von Kultur, Geschmack und Moral unter dem Eindruck der Verstädterung und Industrialisierung. Diese Debatte führt dann zu einer kritischen Analyse von Rolle und Substanz der Kunst und ihrer abgewerteten Pendants, oder, um diese vagen gegenwärtigen Begriffe zu gebrauchen, des Verhältnisses zwischen »high culture« und »mass culture«. Zumindest seit Montaigne und Pascal, und am deutlichsten in Büchern und Aufsätzen professioneller Schriftsteller Englands des 18. und 19. Jahrhunderts und auch in Kontinentaleuropa, entstand eine lebhafte Diskussion über genau den gleichen Gegenstand, den Plato schon so provokativ aufgriff: Was geschieht eigentlich, wenn das wahre Ich, diese edle Entdeckung idealistischer Philosophie, romantischer Dichtung und des kapitalistischen Geistes, sich mehr und mehr in die Mechanismen der Konformität und das engmaschige Netz der institutionellen und psychologischen Kontrolle verstrickt? Es würde ein peinliches Mißverständnis der Tragweite dieses Diskurses bedeuten, wenn wir diese Problematik unter der Rubrik »Freizeitprobleme« einordnen wollten. Die unbestreitbare Tatsache, daß diese Schriftsteller des 18. und 19. Jahrhunderts sich wieder und wieder gegen die wachsende Freizeit wandten – z. B. in Novellen, Theater, Zeitschriften, Zeitungen, Sport und Spiel –, bedeutet, daß die besorgten und verstörten Intellektuellen den Bereich sehr kritisch betrachteten, in dem der Mensch anscheinend frei ist, seine »Frei«-zeit.

Obwohl die Vertreter der Konformität, die ihr Talent nur sehr teuer verkaufen, natürlich auch unter den Intellektuellen nicht fehlen, verbleibt die Emphase auf der offenen Wunde, der Wunde nämlich der Imitation – nicht etwa der Imitation, wie sie beispielsweise in der »Nachfolge Christi« erscheint, sondern der fast mimischen Nachahmung dessen, was jeder zu imitieren müssen glaubt.

Ob die Diskutanten eine Lösung der Krise des Menschen und der Gesellschaft für möglich halten oder nicht, ob Verbesserung der Erziehung, Rückkehr zu romantizistischen Formen einer Agrargesellschaft, Rückzug in den Elfenbeinturm oder keinen Ausweg sehen, all dies können nur ohnmächtige Empfehlungen der Kritiker darstellen. Das essentielle Verdikt ist (lange vor Ezra Pound) gegen den Verfall der Sprache als Abstellraum der menschlichen Kommunikation gerichtet. Dieses Thema war grundlegend für Goethe wie für Flaubert, für Woodsworth wie für Eliot, für Coleridge wie für Nietzsche – oder diesbezüglich auch für eine große Anzahl von

Autoren der »Edinburgh Review«, genauso wie für andere Publikationen intellektueller Provenienz.

Diese wahrhaft humanistische Kritik wendet sich gegen den instrumentalistischen Gebrauch der Sprache (als Zielsetzung gesehen) und unterstützt den autonomen Charakter des menschlichen Wortes als Ziel für sich, jedoch eines humanistischen Zieles! Sprache hat qua Sprache an der geheiligten Dignität des menschlichen Wesens festzuhalten. Diese paradoxe Aussage wurde mit Absicht gemacht. Sprache ist tatsächlich in idealer Weise der definitive logos. Es gibt für uns nichts für den letzten Ausdruck und die wahre Manifestation des Individuums als Sprache allein. So gesehen stimme ich Jacob Burckhardt zu, dem niemand anlasten kann, für nichtverbale kreative Artefakte unzugänglich zu sein, der einmal sagte: »Wenn es möglich wäre, in Worten die Quintessenz, die Idee eines Kunstwerkes auszudrücken, Kunst selbst würde überflüssig werden, und alle Gebäude, Statuen und Bildung hätten genausogut ungebaut, ungebildet und ungemalt bleiben können.« Die symbolische Sprache der jüdisch-christlichen Religion hat ständig das nichtinstrumentale Wesen der Sprache betont, indem sie ihr göttlichen Ursprung unterstellt. Ob man Psalm 139 betrachtet (»Denn es gibt nicht ein Wort meiner Zunge, o Gott, das Du nicht kennst«) oder die Predigt 79 von John Donne (»Der Heilige Geist ist ein beredter, vehementer und verschwenderischer Redner, aber kein üppiger; er ist von einem kargen Stil so entfernt wie von einem allzu überschwenglichen«), der Mensch erscheint als Ebenbild Gottes, weil er Sprache besitzt, die es ihm erlaubt, an der Göttlichkeit teilzuhaben. Es gibt in der Bibel eine Passage, die etwas archetypisch das humanistische Wesen der Sprache darstellt. Sie stammt aus dem 1. Buch der Könige, Kap. 19: »Siehe, da ging der Herr vorüber: ein großer, gewaltiger Sturm, der Berge zerriß und Felsen zerbrach, kam vor dem Herrn her; aber der Herr war nicht im Sturm. Nach dem Sturm ein Erdbeben; aber der Herr war nicht im Erdbeben. Nach dem Erdbeben ein Feuer; aber der Herr war nicht im Feuer. Nach dem Feuer das Flüstern eines leisen Wehens«, die Stimme des Herrn. Wenn wir heutzutage über Kommunikation sprechen, neigen wir dazu, den Sturm, das Erdbeben und das Feuer der Kommunikationsmedien, der Manipulation, der Werbung, der Propaganda und der Massenzirkulation zu meinen. Menschliche Kommunikation ist aber in Wahrheit das »leise Wehen«.

Die Bedeutung des Geheiligten in der Sprache ist paradox. Das instrumentalistische Konzept der Sprache (wie es in der Massenkommunikation häufig praktiziert wird, leider jedoch in der Welt der Gelehrten ebenso) begreift Sprache als Werkzeug, und insoweit muß sie sich ebenso perfektionistisch darstellen wie jedes andere technische Produkt. Das Ideal ist Geschwindigkeit im Lesen und Schreiben, die Lernmaschine, der Computer. Aber diese Ideale sind – in theologischen Begriffen gesprochen – Ideale des Teufels, weil Sprache als Ausdruck des Individuums als Geschöpf immer Zeuge seiner gegenwärtigen Unvollkommenheit sein muß. Sterblich wie wir sind, muß unsere Sprache unsere Grenzen ebenso reflektieren wie die immer gegenwärtigen Aufgaben, Möglichkeiten und Fähigkeiten, die uns gegeben sind. Diese Funktion aber ist genau das, was in den Produkten der Massenkultur verraten oder zumindest verleugnet wird. Wenn ein Film zu Ende oder der »Readers Digest« gelesen, oder Jazz-Musik gehört ist, bleibt nichts mehr zu sagen, zu hören oder zu sehen: Die kreative Ausdruckskraft ist verstummt. Die genormten Kommunikationsmechanismen haben als ihr logisches und psychologisches Ziel das Einschalten des Projektors, des Radios oder des Fernsehgerätes oder die stumme Schlußgrimasse des Sängers. Die wahre Bedeutung der Kommunikation jedoch, die noch aufrechterhalten wird von Literaten und hier besonders von Dichtern, beruht auf produktiver Vorstellungskraft, auf Zweifel und auf Schweigen. Das heutige Kommunikationsverständnis des Menschen wird von Künstlern am Leben gehalten, die den Zusammenbruch der Kommunikation zum Objekt ihrer Kommunikation machen: James Joyce z. B., wenn er die archaischen Geheimnisse des Wortes und der Syntax erkundet, oder die Dramatiker des absurden Theaters, wenn sie den radikalen Abgrund, der Wort und Bedeutung trennt, darstellen. Man braucht jedoch nicht auf die Botschaften der Avantgardisten zurückzugreifen. Die Szenerie ist bekannt, und es gibt dafür vertrautere ältere Zeugen.

Vor 150 Jahren schrieb Coleridge einen Brief an seinen Freund Southy, mit dem er einen harmlosen Akt der Manipulation bezweckte. Er bat Southy, einen »humorvollen« Brief an sein Magazin »The Friend« zu schreiben, so daß er, Coleridge, antworten könne und seine eigene Stilauffassung in der gleichen Zeitschrift darlegen könne. Was Coleridge mit diesem geplanten Briefaustausch bezweckte, war, »in der Antwort (an Southy) meine eigenen Überzeugungen klarzulegen über die Natur der Obskurität«. Unnötig zu sagen, »Obskurität« wird hier ironisch verwandt. Coleridges Absicht war es, die Verpflichtung des wahren Autors, des ursprünglichen Kommunikators, die Überschußbedeutung oder, in ästhetischen Termini, die Ambiguität von Sprache klarzulegen. Dieser Brief von Coleridge, verfaßt am 20. Oktober 1809, ist eine klassische und gültige Ausage zu dem Thema, auf das sich der vorliegende Aufsatz selbst bezieht. Hier die Hauptelemente: Das Fehlen einer verantwortlichen kulturellen Elite, die sich als Wächter und Mahner zu intellektueller Kreativität versteht; das Schwinden intellektueller Erfordernisse für das Lesen insgesamt; und schließlich das allgegenwärtige Auftauchen einer eindimensionalen, eindeutigen und klar umrissenen Sprache der Effizienz und des vorgeordneten, derivativen Denkens, das (wie Plato ausführt) keinen Raum läßt für das Einzigartige und Empfindsame, für produktive Phantasie und abweichende Ansichten: »Keine wirkliche Information kann übermittelt werden, keine wesentlichen Irrtümer restlos ausgeschaltet werden, ohne die Forderung zur Anstrengung des eigenen Geistes auf seiten des Lesers; aber die widerspenstige und jetzt auch noch abschätzige Aversion gegen jeden Denkaufwand ist der Urgrund allen Übels in Politik, Moral und Literatur, des Übels, das mein Objekt ist, gegen das ich hier zu Felde ziehe; was ich nun von Dir wünsche, ist, einen Brief in lebensnahem Stil an ›The Friend‹ zu schreiben, in dem Du in humorvoller Weise besonders auf meine Donquichotterie verweist, daß ich nämlich erwarte, daß die Öffentlichkeit meiner Arbeit immer Verständnis heucheln wird, oder jedenfalls ein Interesse für ein solch klägliches Subjekt fühlt, und ich dann meinen Stil den bildungslosen Perioden des modernen anglogallischen Stils gegenüberstelle, nicht nur a priori verstanden, sondern frei von allen Verbindlichkeiten der Logik und Bedenken des intellektuellen Gedächtnisses, ein Stil, der den Geist niemals bedrängt mit so etwas wie Erinnerung, sondern wie ein gutbürgerlicher Besucher einen Augenblick bleibt und dann den Raum für den Nachfolger freigibt. Das könnte mich meine Überzeugungen über die Natur der Obskurität darlegen lassen.« Es ist eine perfekte Ironie, daß Coleridge seine Philosophie der Kommunikation eine Donquichotterie nennt; er könnte kaum eine überzeugendere Metapher gefunden haben, um die produktive Ambivalenz künstlerischer Symbole aufzuzeigen, als durch den Bezug auf den Ritter, der für die Verurteilung von Banalität und Trivialität und die unumstößliche

Verpflichtung zur Idee des Menschlichen durch künstlerische Manipulation einer Welt von trivialen Objekten und Personen streitet – Archetyp und Pionier der modernen Absurden zugleich. Als wenn er den gekünstelten Argumenten der Manager der Filmindustrie und deren Komplizen in anderen Gebieten der Unterhaltung zu antworten hätte, die versuchen, sich selbst einzureden, daß sie sich nach dem Massengeschmack zu richten hätten, klagt Coleridge eindeutig diese Handwerker der Information und Unterhaltung an, keine »Anstrengung des Geistes auf seiten des Lesers zu fordern«, und dies weist auf die Absenz einer verantwortlichen kulturellen Elite hin – eine Tatsache, die uns heute genauso trifft wie die Zeit Coleridges, Goethes oder Stendhals – um nur zwei seiner Mitstreiter zu nennen.

Es ist vor allem der Dichter, der in unserer Zeit der Anwalt der Sprache als eines immer gegebenen Reiches menschlicher Erfüllung und des immer gegenwärtigen Bereichs menschlicher Frustration bleibt, indem er auf höhere Ebenen von Anspruch und Vollendung weist. Eliot schuf definitive Richtlinien für »die Forderung der Anstrengung des Geistes auf seiten des Lesers« wie auf seiten des Autors selbst. In »East Coker« berichtet er von einem »Versuch, die Anwendung des Wortes zu lernen.«

»... every attempt
Is a wholly new start, and a different kind of failure
Because one has only learned to get the better of words
For the thing one no longer has to say, or the way in which
One is no longer disposed to say it. And so each venture
Is a new beginning, a raid on the inarticulate ...«

Was in dieser generalisierten Autobiographie des Dichters zum Vorschein kommt, ist die unendliche Sorge des Menschen, die er seiner ureigensten Begabung schuldet. Es ist wichtig, daß wir versuchen, das Unartikulierte zu erobern – diesen erheblichen Teil des Selbst, in dem (so scheint es oft) das Selbst erst wirklich sichtbar ist und das durch die beiläufigen, mechanischen und einschläfernden Vereinfachungen der »Massenkommunikation« geleugnet wird. Es ist die »geistige« Dimension des Lebens, das Geheimnis vom Wesen des Seins, das wir implizit verraten durch dieses scheußliche Entleeren des Vokabulars und des Instrumentes unseres Denkens und Fühlens in den Massenunternehmen der Massenkommunikation (denen wir uns alle in irgendeiner Art zuzurechnen haben).

Zwei so verschiedene Denker wie John Stuart Mill und Friedrich

Nietzsche haben ihren Kummer über den modernen Lebensstil geäußert, der geradezu unterstützt wird durch die literarische Massenproduktion, welche der Öffentlichkeit keine Wahl zu lassen scheint als ein fast neurotisches Verschlingen eines endlosen Stromes von Klängen, Bildern und Worten – nicht gedacht zur Erinnerung, zur produktiven Bereicherung oder zur Übersetzung in »Träume«, jenem »Stoff«, aus dem nach Shakespeare die Welt geschaffen ist. In dem Artikel »Zivilisation«, erschienen in der »London and Westminster Review« vom April 1836, schreibt John Stuart Mill: »Die Welt überfüttert sich selbst mit intellektuellem Futter und verschlingt es, immer nach mehr begehrend. Nichts wird mehr langsam gelesen oder sogar zweimal. Wer ein Buch schreiben will oder soll und schreibt es in der üblichen Art, wie man nun einmal ein Buch schreibt, legt die ersten hastigen Gedanken oder was er mißversteht in einem Zeitschriftenaufsatz nieder. Und die Öffentlichkeit ist in der mißlichen Lage eines indolenten Menschen, der seinen eigenen Geist nicht für seine ureigensten Angelegenheiten anwenden kann, und über den deshalb nicht der den meisten Einfluß hat, der am weisesten, sondern der, der am meisten spricht.«

Ähnlich, wenn auch in anderem Stil, beschreibt dies Nietzsche im Vorwort zur »Morgenröte«:

»Man ist nicht umsonst Philologe gewesen, man ist es vielleicht noch, das will sagen, ein Lehrer des langsamen Lesens: – endlich schreibt man auch langsam. Jetzt gehört es nicht nur zu meinen Gewohnheiten, sondern auch zu meinem Geschmacke – einem boshaften Geschmacke vielleicht? –, nichts mehr zu schreiben, womit nicht jede Art Mensch, die ›Eile hat‹, zur Verzweiflung gebracht wird. Philologie nämlich ist jene ehrwürdige Kunst, welche von ihrem Verehrer vor allem eins heischt, beiseite gehn, sich Zeit lassen, still werden, langsam werden – als eine Goldschmiedekunst und Kennerschaft des *Wortes*, die lauter feine vorsichtige Arbeit abzutun hat und nichts erreicht, wenn sie es nicht lento erreicht. Gerade damit aber ist sie heute nötiger als je, gerade dadurch zieht sie und bezaubert sie uns am stärksten, mitten in einem Zeitalter der ›Arbeit‹, will sagen: der Hast, der unanständigen und schwitzenden Eilfertigkeit, das mit allem gleich ›fertig werden‹ will, auch mit jedem alten und neuen Buche: – sie selbst wird nicht so leicht irgend womit fertig, sie lehrt gut lesen, das heißt langsam, tief, rück- und vorsichtig, mit Hintergedanken, mit offen gelassenen Türen, mit zarten Fingern und Augen lesen …«

Um zusammenzufassen, was nun in unseren Tagen geschieht: Kommunikation ist Teil der Konsumentenkultur geworden, in der die, die produzieren, und die, die verbrauchen, nur schwer zu unterscheiden sind, weil sie beide als Hörige eines Lebensstils der Konformität und Regelhaftigkeit erscheinen. Es ist die Haupttragödie und Paradoxie der modernen Zivilisation und speziell der gegenwärtigen Phase, daß die Ideologie der Erziehung und Überzeugung durch das gesprochene und gedruckte Wort zur Realität der Empfindungslosigkeit und Taubheit für die wahre Bedeutung wurde und daß der erklärte Glaube der Kräfte in allen Bereichen des politischen, kulturellen und ökonomischen Lebens durch den überzeugenden Einfluß der gesprochenen Botschaft beantwortet wird mit wachsender Skepsis, wenn nicht grundsätzlichem Zweifel an dem Wort selbst.

Ich habe keine Anweisungen oder Utopien anzubieten, aber ich habe einige Zeugen aufgeboten, die, obwohl als soziale Kräfte relativ unbedeutend, noch wirken als Zeugen allgegenwärtigen Wissens und des wahren menschlichen Selbstverständnisses. Wenn ich zu Beginn meinem Pessimismus bezüglich der Kommunikationsforschung durch uns Sozialwissenschaftler Ausdruck gegeben habe, sollte ich doch abschließend wieder einiges von dem zurückgewinnen, das ich freiwillig verlassen habe. Kein Geringerer als der große John Dewey, Philosoph und Sozialwissenschaftler zugleich, bietet uns in seinem brillanten Essay »Demokratie und Erziehung« eine Definition der Kommunikation, welche auch dann noch Bedeutung hat, wenn viele der Daten der Kommunikationsforschung schon Staub angesetzt haben:

»Gesellschaft besteht nicht nur *durch* Übertragung, *durch* Kommunikation. Es gibt mehr als nur eine verbale Beziehung zwischen den Worten ›common, community‹ und ›communication‹. Menschen leben in einer Gemeinschaft kraft ihrer Gemeinsamkeiten; und Kommunikation ist der Weg, durch den sie Gemeinsamkeiten gemeinsam erlangen. Kommunikationsteilnehmer zu sein bedeutet, eine breite Erfahrung zu besitzen. Indem jemand Denken und Fühlen mit anderen teilt, ändert er seine eigenen Anschauungen, und niemand kann sich dieser Kraft der Kommunikation entziehen. Außer bei Gemeinplätzen und Phrasen hat man sich im Mitteilen eigener Erfahrung der Erfahrung des Partners anzupassen. Jede Kommunikation ist wie eine Kunst.«

Editorische Nachbemerkung

Der vorliegende erste Band von Leo Löwenthals ›Schriften‹ sammelt dessen Arbeiten zu Problemen der Massenkultur. Als editorisches Gliederungsprinzip war uns sachliche Kohärenz wichtiger als die chronologische Ordnung. So findet sich in Teil 1 (ANALYSEN) ein Ensemble von Studien, die, obwohl sie als materiale Einzelanalysen auftreten, dennoch als Bausteine einer Theorie der Massenkultur zu lesen sind.

Teil 1 des Bandes »Literatur und Massenkultur« ist teilidentisch mit Leo Löwenthals 1964 erschienenem Buch »Literatur und Gesellschaft«. Diese ältere Publikation ist freilich in der vorliegenden Edition stark verändert worden; hier fehlen das ursprüngliche Einleitungs- und Schlußkapitel. Die als ›Exkurse‹ gekennzeichneten Textabschnitte wurden hinzugefügt. Weiterhin wurden in die vorliegende Edition integriert die Rezeptionsstudie über Dostojewski (hier Kap. IV) und die Arbeit über »Die biographische Mode« (hier Kap. V).

Teil 2 (PROGRAMME UND REFLEXIONEN) enthält verstreute Arbeiten, die sich – als methodologische Reflexion, als programmatische Antizipation, als kulturkritische Skepsis – auf das Spannungsverhältnis einer kunst- und marktorientierten Literatur beziehen.

Drucknachweise zu Teil 1 (ANALYSEN):

Die Kap.   I   ›Standortbestimmung der Massenkultur‹
              II   ›Die Diskussion über Kunst und
                   Massenkultur ...‹
              III ›Die Debatte über kulturelle Standards‹
              VI   ›Der Triumph der Massenidole‹

sind unter den jeweils gleichen Titeln erschienen in Leo Löwenthal »Literatur und Gesellschaft«, Berlin/Neuwied 1964.

Exkurs »Predigt und Theater«, zuerst erschienen unter dem Titel »Notes on the Theater and the Sermon«, in: Transactions of the Sixth World Congress of Sociology, Vol. IV.

Exkurs »Diskussion über kulturelle Standards im England des 19. Jahrhunderts«, zuerst erschienen unter dem Titel »The Debate on

Cultural Standards in Nineteenth Century England«, in: Social Research, Vol. 30, Winter 1963.

›Die Auffassung Dostojewskis im Vorkriegsdeutschland‹ ist unter dem gleichen Titel erschienen in der Zeitschrift für Sozialforschung, 3, 1934.

›Die biographische Mode‹ ist unter dem gleichen Titel zuerst erschienen in Sociologica I, hg. von Th. W. Adorno und Walter Dirks.

Exkurs »International Who's Who 1937« ist erschienen als Rezension in den Studies in Philosophy and Social Science, Vol. 8/1939.

Drucknachweise zu Teil 2 (PROGRAMME UND REFLEXIONEN):

»Zur gesellschaftlichen Lage der Literaturwissenschaft« (1932) ist zuerst erschienen unter dem Titel »Zur gesellschaftlichen Lage der Literatur« in der Zeitschrift für Sozialforschung, 1, 1932.

»Aufgaben der Literatursoziologie« (1948) ist zuerst erschienen unter dem Titel »The Sociology of Literature« in ›Communications in Modern Society‹, hg. von Wilbur Schramm, Urbana Ill., 1948.

»Kritische Notizen zu David Riesmans ›Die Einsame Masse‹« (1961), zuerst erschienen unter dem Titel »Humanistic Perspectives of ›The Lonely Crowd‹« in ›Culture and Social Character‹, hg. von Seymour Lipset und Leo Löwenthal, Free Press 1961.

»Humanität und Kommunikation« (1969) ist zuerst erschienen unter dem Titel »Der menschliche Dialog. Perspektiven zur Kommunikation« in der Kölner Zeitschrift für Soziologie und Sozialpsychologie, 1969.

Die Texte »Predigt und Theater« sowie »Kritische Notizen zu David Riesmans ›Die Einsame Masse‹« wurden eigens für diesen Band von Susanne Hoppmann-Löwenthal aus dem Englischen übersetzt. Die Übersetzung der Kapitel I, II, III, VI sowie der Arbeit »Aufgaben der Literatursoziologie« besorgte Tobias Rülcker.